JN220773

生活を伝える方言会話

宮城県気仙沼市・名取市方言

◆ 資料編 ◆

東北大学方言研究センター編

ひつじ書房

まえがき

『生活を伝える方言会話』は「資料編」と「分析編」とから成る。ここでは「資料編」についてひとこと述べておくことにする。

まず、この方言会話資料をご覧になった方々は、少々驚かれたかもしれない。全体が場面設定会話で構成されている異色の会話集だからである。これまで方言会話資料といえば自由会話が中心であり、場面設定会話はある意味おまけのような存在だった。これは、方言を対象としたものに限らず、日本語一般の会話資料についてもあてはまるであろう。従来のそうした会話資料に対して、本書は場面設定会話というスタイルを前面に押し出し、数多くの場面を収録している。これは、会話資料にとっての場面設定会話の重要性を認識し、その可能性を追求しようと考えたからである。新たなスタイルの会話資料を創造することを、私たちは本書を通じて実現しようとした。

この会話資料には 145 個の場面が収められている。まず、「頼む」「勧める」「断る」「尋ねる」「感謝する」「非難する」など、会話の目的を軸とした言語行動の枠組みを構築し、それに基づいて具体的な場面を設計していった。ひとつの資料の中で、その地域の言語行動の世界を体系的に描き出せるような会話集を目指したのである。その点では、この試みは今後の会話集のひとつの方向性を打ち出しているとも言える。本書の場面設定の枠組みをひとつのモデルとして、各地で同様の会話集が作成されていくことが期待される。

ところで、場面設定会話を重視する発想は、皮肉なことに、東日本大震災が起こらなければ思い浮かばなかったかもしれない。というのも、この会話資料は、もともと、被災地への支援活動の一環として企画したものだからである。私たち東北大学方言研究センターでは、震災発生のあと、学生たちが主体となって方言をめぐるさまざまな取り組みを行ってきた。そのひとつが、震災の影響で衰退が進む被災地の方言を、保存・継承するための方言会話の記録であった。最初、自由会話の収録から始めたものを、大きく場面設定会話へと舵を切ったのは、その収録方式が地域の言語生活を総体としてとらえるのに最適だと思うに至ったからである。被災地に暮らす人々の、言葉による生活の様子を生き生きとしたかたちで後世に伝えるために、場面設定会話の充実を徹底的に目指そうと考えたのである。この会話資料が、さまざまな生活場面を切り取り、そこでの会話をリアルに再現するような内容になっているのはそのためである。

こうした新しい会話集の試みの舞台となったのは、宮城県気仙沼市と名取市である。この会話集ができあがるまでには、現地の方々にひとかたならぬお世話になった。特に、話者の方々にはいろいろな場面の実演にあたり、たいへんなご苦労をおかけした。私たちの無理な要求にも辛抱強く、また、温かくご対応くださったおかげで、臨場感溢れる魅力的な会話を収録することができた。この会話集が一定の評価を得ることができるとすれば、それは、なによりも話者の方々の功績と言ってよい。さらに、気仙沼市教育委員会生涯学習課と名取市の「方言を語り残そう会」には、話者の紹介から収録場所の提供に至るまで、全面的なご支援をいただいた。ご協力くださった現地の方々に、この場を借りてあらためてお礼申し上げる。

最後になったが、会話の収録にあたっては、文化庁の「東日本大震災において危機的状況が危惧される方言の実態に関する調査研究事業」(2012 年度)、「被災地における方言の活性化支援事業」(2013〜2016 年度)の補助を受けたことを記しておく。

東北大学方言研究センター
小林　隆

目　次

まえがき　iii

解説

1. 『生活を伝える被災地方言会話集』と本書　3
2. 言語生活を伝える会話資料のあり方　3
   2.1 自由会話と場面設定会話　3
   2.2 場面設定会話の有効性　4
3. 言語行動の枠組みに基づく記録　5
   3.1 場面設定の方法　5
   3.2 言語行動の目的に沿った場面設定　6
4. 具体的な設定場面　9
   4.1 設定場面一覧　9
   4.2 各場面の解説　13
5. 収録方法　40
   5.1 収録調査の概要　40
   5.2 会話の収録方式　41
   5.3 同一場面の再収録　42
   5.4 収録環境と小道具　43
6. 資料作成の方法　47
   6.1 文字化の方法　47
   6.2 音声データの方法　50
7. 今後に向けて　50

会話資料

凡例　56

気仙沼市

『生活を伝える被災地方言会話集』1

1–1.　荷物運びを頼む　59
①受け入れる／②断る
1–2.　お金を借りる　61
①受け入れる／②断る
1–3.　役員を依頼する　64
1–4.　旅行へ誘う　66
①受け入れる／②断る

1–5. コンサートへ誘う 69
1–6. 駐車の許可を求める 71
1–7. 訪問の許可を求める 72
1–8. 人物を特定する 73
①同意する／②同意しない
1–9. 町内会費の値上げをもちかける 74
①同意する／②同意しない
1–10. 不法投棄をやめさせる 77
1–11. 車の危険を知らせる 78
1–12. 工事中であることを知らせる 78
1–13. 傘忘れを知らせる 79
1–14. 荷物を持ってやる 80
①受け入れる／②断る
1–15. 野菜をおすそ分けする 81
1–16. ゴミ当番を交替してやる 82
1–17. 食事を勧める 83
①受け入れる／②断る
1–18. 頭痛薬を勧める 84
1–19. 入山を翻意させる 85
1–20. 病院の受診を促す 86
1–21. 傘の持ち主を尋ねる 87
①相手の傘だった／②相手の傘ではなかった
1–22. 店の場所を尋ねる 88
1–23. 開始時間を確認する 90
1–24. お茶をこぼす 90
1–25. 約束の時間に遅刻する 92
①許す／②非難する
1–26. 孫の大学合格を褒める 94
1–27. のど自慢への出演を励ます 95
1–28. 道端で息子の結婚を祝う 96
1–29. のど自慢での優勝を祝う 98
1–30. 道端で兄弟を弔う 99
1–31. のど自慢での不合格をなぐさめる 100
1–32. 寂しくなった相手をなぐさめる 101
1–33. 足をくじいた相手を気遣う 103
1–34. 孫が最下位になったことを気遣う 104
1–35. ゴミ出しの違反を非難する 105
①従う／②従わない
1–36. 退任した区長をねぎらう 107
1–37. 車を出せずに困る 108
1–38. 孫が一等になり喜ぶ 110
1–39. 孫が一等を逃しがっかりする 111
1–40. タバコをやめない夫を叱責する 113
1–41. タバコのことを隠している夫を疑う 114
1–42. 畑の処理を迷う 116
1–43. 帰宅の遅い孫を心配する 117
1–44. 花瓶を倒す 118
1–45. 会合を中座する 119
1–46. メガネを探す 120
1–47. 朝、道端で出会う 121
①男性→女性／②女性→男性
1–48. 朝、家族と顔を合わせる 123
1–49. 昼、道端で出会う 124
①男性→女性／②女性→男性
1–50. 夕方、道端で出会う 125
①男性→女性／②女性→男性
1–51. 夜、道端で出会う 126
①男性→女性／②女性→男性
1–52. 夜、家族より先に寝る 128
1–53. 晴れの日に、道端で出会う 129
1–54. 雨の日に、道端で出会う 130
1–55. 暑い日に、道端で出会う 131
1–56. 寒い日に、道端で出会う 132
1–57. 正月の三が日に、道端で出会う 133
1–58. 大晦日に、道端で出会う 134
1–59. お盆に、道端で出会う 136

1–60. 友人宅を訪問する 137
①男性→女性／②女性→男性
1–61. 友人宅を辞去する 138
①男性→女性／②女性→男性
1–62. 商店に入る 140
1–63. 商店を出る 142
1–64. 友人が出かける 143
①男性→女性／②女性→男性
1–65. 友人が帰ってくる 145
①男性→女性／②女性→男性
1–66. 夫(妻)が出かける 147
①夫が出かける／②妻が出かける
1–67. 夫(妻)が帰宅する 148
①夫が帰宅する／②妻が帰宅する
1–68. 食事を始める 150
1–69. 食事を終える 151
1–70. 土産のお礼を言う 152
1–71. 相手の息子からの土産のお礼を言う 153
1–72. 息子の結婚式でお祝いを言う 154
1–73. 喜寿の会でお祝いを言う 155
1–74. 兄弟の葬式でお弔いを言う 157
1–75. 客に声をかける 158

『生活を伝える被災地方言会話集』2

2–1. 醤油差しを取ってもらう 161
2–2. ハサミを取ってきてもらう 161
①受け入れる／②断る
2–3. 庭に来た鳥を見せる 162
2–4. 畳替えをもちかける 163
①同意する／②同意しない
2–5. 朝、起きない夫を起こす 165
①起きない理由が納得できる
②起きない理由が納得できない
2–6. いじめを止めさせるよう話す 166
①受け入れる／②受け入れない
2–7. 玄関の鍵が開いていて不審がる 169
2–8. 玄関の鍵をかけたか確認する 170
2–9. 夫が飲んで夜遅く帰る 170
2–10. 娘の帰宅が遅い 171
2–11. 息子が勉強しない 172
2–12. 息子がよく勉強する 173
2–13. 嫁の起きるのが遅い 174
2–14. 冷房の効いた部屋から外へ出る 175
2–15. 暖房の効いた部屋から外へ出る 176
2–16. 初物のカツオを食べる 176
2–17. 久しぶりに友人に出会う 177
2–18. 見舞いに行くべきか迷う 179
2–19. 瓶の蓋が開かない 180
2–20. 買ってくるのを忘れる 181
2–21. 生徒の成績を説明する 182
2–22. 息子の成績が悪いことを話す 184
2–23. 外が暑いことを話す 185
2–24. 外が寒いことを話す 186
2–25. ガソリンの値上がりについて話す 187
2–26. 町内会の連絡を伝える 188
2–27. 回覧板を回す 189
2–28. 遠くにいる人を呼び止める 190
2–29. バスの中で声をかける 192
2–30. 近所の家に来たお嫁さんに出会う 193
2–31. 結婚相手を紹介する 195

『生活を伝える被災地方言会話集』3

3–1. ティッシュペーパーを補充する 198
①了解する
②了解しない(買い置きがある)

3–2. バスの時間が近づく 200
3–3. 夕飯のおかずを選ぶ 201
①同意する／②しぶる
3–4. 訪問販売を断る 203
3–5. 主人がいるか尋ねる 204
3–6. 夫の友人が訪ねてくる 206
3–7. 天気予報を不審がる 207
3–8. 魚の新鮮さを確認する 208
①確かに少々古い／②それほど古くはない
3–9. 福引の大当たりに出会う 211
3–10. 福引の大当たりについて話す 213
3–11. 食事の内容が気に入らない 215
①折れる／②折れない
3–12. 隣人が回覧板を回さない 217
①同意する／②同意しない
3–13. 見舞いと友人との再会で悩む 220
①夫が譲る／②妻が譲る
3–14. 猫を追い払う 224
①実演 1／②実演 2
3–15. よそ見をしていてぶつかる 225
3–16. 出店のことで話す 226
3–17. 折り紙を折る 228
3–18. 食事をする(開始と終了) 233
3–19. ハンカチを落とした人を呼び止める 235
①相手が見ず知らずの人
②相手が近所の知り合い
3–20. 子供の結婚相手の親と会う 236

『生活を伝える被災地方言会話集』4

4–1. 遊具が空かない 240
4–2. 出前が遅い 241
4–3. 写真を撮る 242
4–4. 預かった荷物を届ける 243
4–5. 知らない人について尋ねる 244
4–6. 間違い電話をかける 246
①相手が見ず知らずの人
②相手が近所の知り合い
4–7. お釣りが合わない 247
4–8. 孫が粗相をした 248
4–9. 景品がみすぼらしい 249
4–10. 沸騰した薬缶に触れる 250
4–11. 渋い柿を食べる 251
4–12. 頼まれたものを買って帰る 253
4–13. 自動車同士が接触する 254
4–14. 伝言を伝える 256
4–15. 働いている人の傍を通る 257
4–16. 市役所の窓口へ行く 258
4–17. 市役所の窓口から帰る 259
4–18. 入院中の知り合いを見舞う 260
4–19. スーパーで声をかける 262

【再収録場面】

(名取市と統一番号のため、収録のない場面は欠番)

4–20. 荷物運びを頼む 262
①受け入れる
4–21. 傘忘れを知らせる 264
4–22. 傘の持ち主を尋ねる 265
①相手の傘だった
4–24. 猫を追い払う 266
4–25. 朝、道端で出会う 267
②女性→男性
4–26. 夕方、道端で出会う 268
①男性→女性
4–33. ハンカチを落とした人を呼び止める 269
①相手が見ず知らずの人

名取市

『生活を伝える被災地方言会話集』1

1–1. 荷物運びを頼む 273
①受け入れる／②断る
1–2. お金を借りる 274

①受け入れる／②断る
1–3. 役員を依頼する　275
1–4. 旅行へ誘う　277
①受け入れる／②断る
1–5. コンサートへ誘う　279
1–6. 駐車の許可を求める　280
1–7. 訪問の許可を求める　281
1–8. 人物を特定する　282
①同意する／②同意しない
1–9. 町内会費の値上げをもちかける　283
①同意する／②同意しない
1–10. 不法投棄をやめさせる　285
1–11. 車の危険を知らせる　286
1–12. 工事中であることを知らせる　286
1–13. 傘忘れを知らせる　287
1–14. 荷物を持ってやる　288
①受け入れる／②断る
1–15. 野菜をおすそ分けする　289
1–16. ゴミ当番を交替してやる　290
1–17. 食事を勧める　291
①受け入れる／②断る
1–18. 頭痛薬を勧める　292
1–19. 入山を翻意させる　293
1–20. 病院の受診を促す　294
1–21. 傘の持ち主を尋ねる　295
①相手の傘だった／②相手の傘ではなかった
1–22. 店の場所を尋ねる　296
1–23. 開始時間を確認する　297
1–24. お茶をこぼす　298
1–25. 約束の時間に遅刻する　298
①許す／②非難する
1–26. 孫の大学合格を褒める　300
1–27. のど自慢への出演を励ます　301
1–28. 道端で息子の結婚を祝う　302
1–29. のど自慢での優勝を祝う　303
1–30. 道端で兄弟を弔う　304
1–31. のど自慢での不合格をなぐさめる　305
1–32. 寂しくなった相手をなぐさめる　306
1–33. 足をくじいた相手を気遣う　307
1–34. 孫が最下位になったことを気遣う　308
1–35. ゴミ出しの違反を非難する　309
①従う／②従わない
1–36. 退任した区長をねぎらう　311
1–37. 車を出せずに困る　312
1–38. 孫が一等になり喜ぶ　312
1–39. 孫が一等を逃しがっかりする　313
1–40. タバコをやめない夫を叱責する　314
1–41. タバコのことを隠している夫を疑う　315
1–42. 畑の処理を迷う　315
1–43. 帰宅の遅い孫を心配する　316
1–44. 花瓶を倒す　317
1–45. 会合を中座する　318
1–46. メガネを探す　318
1–47. 朝、道端で出会う　319
①男性→女性／②女性→男性
1–48. 朝、家族と顔を合わせる　320
1–49. 昼、道端で出会う　321
①男性→女性／②女性→男性
1–50. 夕方、道端で出会う　322
①男性→女性／②女性→男性
1–51. 夜、道端で出会う　323
①男性→女性／②女性→男性
1–52. 夜、家族より先に寝る　325
1–53. 晴れの日に、道端で出会う　325
1–54. 雨の日に、道端で出会う　326
1–55. 暑い日に、道端で出会う　327

1–56. 寒い日に、道端で出会う　328
1–57. 正月の三が日に、道端で出会う　329
1–58. 大晦日に、道端で出会う　329
1–59. お盆に、道端で出会う　330
1–60. 友人宅を訪問する　331
1–61. 友人宅を辞去する　332
1–62. 商店に入る　332
1–63. 商店を出る　333
1–64. 友人が出かける　333
1–65. 友人が帰ってくる　334
1–66. 夫(妻)が出かける　335
①夫が出かける、妻は行先を知らない
②夫が出かける、妻は行先を知っている
③妻が出かける、夫は行先を知らない
④妻が出かける、夫は行先を知っている
1–67. 夫(妻)が帰宅する　337
①夫が帰宅する／②妻が帰宅する
1–68. 食事を始める　338
1–69. 食事を終える　339
1–70. 土産のお礼を言う　339
1–71. 相手の息子からの土産のお礼を言う　340
1–72. 息子の結婚式でお祝いを言う　341
1–73. 喜寿の会でお祝いを言う　342
1–74. 兄弟の葬式でお弔いを言う　343
1–75. 客に声をかける　344

『生活を伝える被災地方言会話集』2

2–1. 醤油差しを取ってもらう　346
2–2. ハサミを取ってきてもらう　347
①受け入れる／②断る
2–3. 庭に来た鳥を見せる　348
2–4. 畳替えをもちかける　350
①同意する／②同意しない
2–5. 朝、起きない夫を起こす　352
①起きない理由が納得できる
②起きない理由が納得できない
2–6. いじめを止めさせるよう話す　353
①受け入れる／②受け入れない
2–7. 玄関の鍵が開いていて不審がる　355
2–8. 玄関の鍵をかけたか確認する　356
2–9. 夫が飲んで夜遅く帰る　357
2–10. 娘の帰宅が遅い　359
2–11. 息子が勉強しない　360
2–12. 息子がよく勉強する　361
2–13. 嫁の起きるのが遅い　361
2–14. 冷房の効いた部屋から外へ出る　362
2–15. 暖房の効いた部屋から外へ出る　363
2–16. 初物のタケノコを食べる　364
2–17. 久しぶりに友人に出会う　365
2–18. 見舞いに行くべきか迷う　367
2–19. 瓶の蓋が開かない　368
①なんとか開ける
②どうしても開けられない
2–20. 買ってくるのを忘れる　371
2–21. 生徒の成績を説明する　372
2–22. 息子の成績が悪いことを話す　374
2–23. 外が暑いことを話す　375
2–24. 外が寒いことを話す　376
2–25. ガソリンの値上がりについて話す　377
2–26. 町内会の連絡を伝える　378
2–27. 回覧板を回す　380
2–28. 遠くにいる人を呼び止める　381
2–29. バスの中で声をかける　382
2–30. 近所の家に来たお嫁さんに出会う　383
2–31. 結婚相手を紹介する　385

『生活を伝える被災地方言会話集』3

3–1.　ティッシュペーパーを補充する　388
①了解する
②了解しない(買い置きがある)
3–2.　バスの時間が近づく　389
3–3.　夕飯のおかずを選ぶ　390
①同意する／②しぶる
3–4.　訪問販売を断る　391
3–5.　主人がいるか尋ねる　393
3–6.　夫の友人が訪ねてくる　394
3–7.　天気予報を不審がる　397
3–8.　魚の新鮮さを確認する　398
①確かに少々古い／②それほど古くはない
3–9.　福引の大当たりに出会う　400
3–10.　福引の大当たりについて話す　401
3–11.　食事の内容が気に入らない　402
①折れる／②折れない
3–12.　隣人が回覧板を回さない　404
①同意する／②同意しない
3–13.　見舞いと友人との再会で悩む　407
3–14.　猫を追い払う　408
3–15.　よそ見をしていてぶつかる　410
3–16.　出店のことで話す　411
3–17.　折り紙を折る　414
3–18.　食事をする(開始と終了)　423
3–19.　ハンカチを落とした人を呼び止める　424
①相手が見ず知らずの人
②相手が近所の知り合い
3–20.　子供の結婚相手の親と会う　426

『生活を伝える被災地方言会話集』4

4–1.　遊具が空かない　429
4–2.　出前が遅い　430
4–3.　写真を撮る　431
4–4.　預かった荷物を届ける　432
4–5.　知らない人について尋ねる　433
4–6.　間違い電話をかける　434
①相手が見ず知らずの人
②相手が近所の知り合い
4–7.　お釣りが合わない　437
4–8.　孫が粗相をした　438
4–9.　景品がみすぼらしい　440
4–10.　沸騰した薬缶に触れる　441
4–11.　渋い柿を食べる　442
4–12.　頼まれたものを買って帰る　443
4–13.　自動車同士が接触する　444
4–14.　伝言を伝える　446
4–15.　働いている人の傍を通る　447
4–16.　市役所の窓口へ行く　449
4–17.　市役所の窓口から帰る　450
4–18.　入院中の知り合いを見舞う　451
4–19.　スーパーで声をかける　452
【再収録場面】
(気仙沼市と統一番号のため、収録のない場面は欠番)
4–20.　荷物運びを頼む　453
①受け入れる
4–23.　福引の大当たりに出会う　455
4–24.　猫を追い払う　457
4–25.　朝、道端で出会う　458
②女性→男性
4–26.　夕方、道端で出会う　459
②女性→男性
4–27.　働いている人の傍を通る　460
4–28.　友人宅を訪問する　462
4–29.　友人宅を辞去する　463
4–30.　主人がいるか尋ねる　465
4–31.　夫(妻)が出かける　466
①夫が出かける、妻は行先を知らない
②夫が出かける、妻は行先を知っている
③妻が出かける、夫は行先を知らない

④妻が出かける、夫は行先を知っている
4–32. 夫(妻)が帰宅する　470
①夫が帰宅する／②妻が帰宅する
4–33. ハンカチを落とした人を呼び止める　472
①相手が見ず知らずの人
②相手が近所の知り合い

付録

『伝える、励ます、学ぶ、被災地方言会話集』

気仙沼市

自由会話　476
場面設定会話　486

名取市

自由会話　494
場面設定会話　501

あとがき　511

解説

1. 『生活を伝える被災地方言会話集』と本書

東日本大震災によって東北の被災地では地域コミュニティが崩壊し、多くの人々が他地域へと避難した。共通語化に加え、こうした震災の影響が、そこで話される方言の衰退を加速させることにもなるであろう。そのような中で、被災地の方言を記録し継承していくためには、いかなる取り組みを行えばよいか。この点について、私たちは東北大学方言研究センター(2011・2012)の中で検討し、いくつかの取り組みを提案した。その一つが方言会話の記録作業である。

私たちが最初に被災地の方言会話を収録し、CD-ROM付きの印刷物とインターネットで公開したものが2012年度の『伝える、励ます、学ぶ、被災地方言会話集―宮城県沿岸15市町―』である。そのタイトルが示すように、この方言会話集では地域の方言を後世に「伝える」ことのほかに、被災者への心理的支援(「励ます」)や支援者の方言学習(「学ぶ」)にも役立ててもらうことを意図した。

被災地の方言を会話資料のかたちで記録に残そうという私たちの取り組みは、その後も継続した。2013年度には対象地域を気仙沼市と名取市の2地域にしぼり、会話資料の作成を目指した。特に、地域の言語生活、すなわち、そこに暮らす人々の、言葉による生活の様子を生き生きとしたかたちで後世に伝えるにはどのような会話集が必要か、という点について考えた。場面設定会話を充実させること、それがこの問いに対する私たちの答えである。『伝える、励ます、学ぶ、被災地方言会話集』では自由会話に付属する位置づけにとどめた場面設定会話を、今度はそれを中心として本格的に収録してみようと考えたのである。このときの成果をまとめたものが『生活を伝える被災地方言会話集―宮城県気仙沼市・名取市の100場面会話―』である。同様の試みは2014〜2016年度にも行い、第2集・第3集・第4集を刊行した(このあとの論述では最初の成果を『会話集』1とし、以下、『会話集』2・3・4と略して記す)。

さて、この『会話集』1〜4を統合し、1冊の会話資料としてまとめたのが本書『生活を伝える方言会話―宮城県気仙沼市・名取市方言―〈資料編〉』である。『会話集』1〜4を本書にまとめ直すにあたっては、誤記の訂正や表記の統一などを行った。『会話集』1〜4に個別に付けていた会話音声のCD-ROMも本書では1枚に統合し、そこには会話本文のWordデータも収めてある。また、『伝える、励ます、学ぶ、被災地方言会話集』のうち、気仙沼市と名取市の会話も「付録」として本書に加えることにした。

以下では、本書の背景にある会話資料の考え方や、会話収録の方法、文字化の手続きなどについて解説する。

2. 言語生活を伝える会話資料のあり方

2.1 自由会話と場面設定会話

日本の方言研究において、方言会話の記録はこれまでも活発に行われてきた。作成された資料は「談話資料」や「談話データベース」などと呼ばれることも多いが、それらについては井上文子

(1999)や三井はるみ・井上文子(2007)、椎名渉子・小林隆(2017)に詳しい解説がある。

従来の方言会話資料にはいくつかの種類がある。三井・井上(2007: 51)では、複数の観点から整理を試みており、特に「談話の種類にかかわるもの」として、「自然会話、ある程度演技でも純粋方言に近い会話、場面設定の会話、昔話の語りなど」を挙げている。このうち、最初の「自然会話」は人為的な設定や操作を行わない、いわば生のままの会話であるが、そうしたものを「自然傍受法」などの方法で収録することは現実には難しい。また、最後の「昔話の語り」も、さしあたり特殊なものとして扱ってよいだろう。一般的には、2番目の「ある程度演技でも純粋方言に近い会話」と3番目の「場面設定の会話」が対象となるのが普通である。

ただし、この分類は基準が一定でなく、わかりにくいところがあるので、ここでは会話の場面をあらかじめ設定するかどうかによって、「自由会話」と「場面設定会話」とに区別しておくことにする。すなわち、次のような2種類の会話である。

自由会話

特にテーマを決めず、または提示したテーマをめぐって、話者たちが自由に語り合うもの。

場面設定会話

特定の場面を設定し、その場面にふさわしい会話を、話者同士の演技によって行うもの。

前者の「自由会話」は座談会風の会話であり、話者たちに自由に話をしてもらう形態である。テーマ(話題)を提示し、それについて語り合ってもらう場合もある。『伝える、励ます、学ぶ、被災地方言会話集』では、震災の体験を一つのテーマに据えた。このように、テーマを決める場合でも、会話自体は話者が自由に展開できるので、多少の演技めいたところはあっても自然会話に近い状態のものが収録できる。

一方、後者の「場面設定会話」は具体的な場面を設定し、擬似的に会話を行ってもらう形態である。例えば、朝、道で出会う場面を提示し、話者たちがあたかもその場にいるかのようなやりとりをしてもらう。したがって、この方式は自由会話に比べるとかなり演技性の高いものとなる。その点では話者たちの演技力が会話の出来不出来に大きく関わることにもなる。

このように、「自由会話」と「場面設定会話」とでは、前者がより自然会話に近いと言えよう。そのためか、これまでの会話資料は、前者の形態が後者の形態よりも明らかに多い。日本の主要な会話資料を見てみると、日本放送協会編『全国方言資料』(1966〜1972)と国立国語研究所編『方言談話資料』(1978〜1987)は「自由会話」「場面設定会話」の両者を収録しているが、そのうち『方言談話資料』においては「場面設定会話」の割合は明らかに少ない。また、国立国語研究所編『全国方言談話データベース　日本のふるさとことば集成』(2001〜2008)では、「場面設定会話」は採られておらず、「自由会話」のみとなっている。

2.2　場面設定会話の有効性

収録された会話が自然なものに近いことは、記録資料の条件として当然のことである。その点で、自由会話が場面設定会話に優先されることはもっともだと言える。しかし、見方を変えてみると、演技性の高い場面設定会話であっても、自由会話には現れにくい言語現象を広く把握できるという大きな利点がある。

例えば、音韻やアクセントの特徴などは自由会話によっても十分観察が可能であろう。しかし、文法や表現法、言語行動といったものになると、そのバリエーションを自由会話によって拾い上げることは難しくなる。もちろん、文法の中でも形態論や統語論的な側面、あるいは命題寄りの文法などはかなり把握ができそうである。しかし、モダリティに関連したもの、特に対人的な文法は自由会話の中でそれらを十分観察しきれるかどうかは疑わしくなる。さまざまな表現法や言語行動に至っては、自由会話によってそれらの様相を広くとらえることは非常に無理があると言わざるを得ない。相手に何かを頼むとか、謝罪するとか、あるいは文句を言うとか、そういう表現や言語行動が自由会話に現れる機会はほとんどないのではないかと思われる。

自由会話という形態に足りない点があるとすれば、この点であろう。語り合いが自由会話の特徴である以上、その内容は説明的なものとなりやすく、相手に働きかけるような表現が現れにくい。座談会風の会話であるために、実際の行動の中で行われる話者同士のやりとり、すなわち言語行動についての情報が得られにくいということもある。

方言の記述は、その地域の言葉の全体に及ぶのが理想である。音韻やアクセント、語彙、文法などの言語の構造面だけでなく、表現法や言語行動など言葉の運用面についても記述が必要である。前者については各地の方言の記述がかなり進んでいるものの、後者についてはまだその方法論も確立されておらず、これからの記述の進展が期待される。実際、近年の研究動向として、言語の運用面を対象とした研究が増えつつある。それだけに、そうした研究が今後も可能となるような資料を、今のうちに蓄積しておくことが求められる。さまざまな表現法や言語行動が観察されるような会話資料の作成が期待されるのである。

また、方言の継承につながる会話の記録ということを考えたときに、その記録は日常的な言語生活を彷彿とさせるような記録でもあるべきである。日ごろの生活のさまざまな場面で行われるやりとりを記録してこそ、方言を生きたものとして後世に伝えることができる。いろいろな状況に応じた表現法や言語行動が記録された会話資料は、その点においても有効であると言えよう。

それでは、そうした日常的な言語生活が再現される会話の記録とはどのようなものか。それは、日常生活のさまざまな場面を切り取った会話資料ということになるであろう。つまり、場面設定会話である。場面設定会話はこの点において自由会話より有効であると言える。

3.　言語行動の枠組みに基づく記録

3.1　場面設定の方法

日常的な言語生活を記録するために場面設定会話を収録する。そのとき、場面をどのように設定するかが問題となる。場面を構成する要素としては、「いつ」「どこで」「誰が」「何を」「なぜ」「いかにして」といった基本的な観点を押さえる必要がある。また、杉戸清樹(1986)が紹介するハイムズ(Hymes, D)の研究では、場面を構成する16個の要素が取り上げられており、より詳細に「場面」について考えることができる。

現実の会話場面はそうした観点や要素が組み合わされたものであり、そのバリエーションは膨大なものとなる。できるかぎり、それらの全体を網羅した場面を設定することが理想であるが、それに応じた作業量を考えると、現実には難しいと言わざるを得ない。したがって、なんらかの視点から場面を切り取っていく必要が出てくる。

一つの方法として、会話の参加者の性質をもとに場面を設定するということがある。例えば、国立国語研究所編『方言談話資料』では、自由会話の部分で「老年層(同士)の会話」「老年層と若年層の会話」を収録している。これは、場面を構成する要素のうち、話者同士の関係を変数にして会話のバリエーションを見ようとしたものである。同じ資料の場面設定会話の中で、「道で知人に会う」に対して、「道で目上の知人に会う」という場面も設けているのは、この観点に基づくものと考えられる。このように、会話参加者の関係を軸にして場面を設定することは、話題選択や待遇的な側面などを観察することに有益であると言えよう。

しかし、より一般的に見られる方法は、言語行動の目的をもとに場面を設定するものである。国立国語研究所編『方言談話資料』では、上に示した2場面のほかに「品物を借りる」「旅行に誘う」「けんかをする」「新築の祝いを述べる」「隣家の主人の所在をたずねる」「うわさ話をする」という6つの場面を取り上げている。これらは、言語行動の目的に応じた会話のあり方を、実際の生活の中で起こり得るできごとの中で観察しようとしたものと言える。先の「道で(目上の)知人に会う」は挨拶のやりとりが期待される場面であるが、挨拶も相手との関係を結び、維持するという目的をもった言語行動と理解することができる。

挨拶についていくつかの場面を設定しているのが日本放送協会編『全国方言資料』である。そこでは、「朝、ひとの家をたずねたとき」「夕方、ひとの家を辞するとき」「道で知人にあったとき」「買物のとき」「夫の出かけるのを送るとき」「夫の帰りを迎えるとき」「不祝儀」「祝儀」の8つの場面が取り上げられている。「挨拶」といっても、いわゆる挨拶言葉の交換だけではなく、「買物のとき」の場面では品物を売ったり買ったりする際の言語行動が観察される。「不祝儀」「祝儀」の場面では定型的なやりとりのほかに、より発展的な弔いや祝いの会話も行われている。

このように言語行動の目的をもとに場面を組み立てていくやり方は、場面設定会話においては一般的な方法と言える。「場面」の構成要素の中で、「何をするのか」という点、すなわち言語行動の目的が最も中心的な要素と考えられることからすれば、妥当な方法と言えよう。

3.2　言語行動の目的に沿った場面設定

ここまで検討して来たことを踏まえると、方言会話の記録にあたっては、自由会話だけでなく場面設定会話の収録が重要であることが見えてくる。この理解に従って、私たちは今回の会話集を、場面設定会話の形態で作成することをめざした。特に、前節で述べたような方式、つまり、言語行動の目的に沿った場面設定を採用した。

ただし、ひとくちに「言語行動の目的に沿った場面設定」といっても、それを実際に行うためにはさらに考えなければいけない点がある。すなわち、(a)言語行動の目的を網羅的に体系化するという点と、(b)その枠組みに基づいて具体的な場面設定を行うという点の２つの課題である。ひとつずつ見ていこう。

(a)言語行動の目的の体系化

まず、(a)の課題は、具体的な場面設定に移る前に、その指針とすべく、言語行動の目的を網羅的に洗い出し体系化を行っておく必要があるということである。そのため、ここでは次のように全体を大きく９つのグループに分け、言語行動の目的を分類するような試案を作成した。

○**要求表明系**（＝要求を述べる）
頼む、従わせる、指示する、促す、催促する、誘う、同意を求める、許可を求める、許しを請う、申し入れる、禁止する、やめさせる、注意する…

○**要求反応系**（＝要求に答える）
受け入れる、従う、同意する、許可する、許す、断る、しぶる、保留する…

○**恩恵表明系**（＝恩恵を与える）
申し出る、勧める、忠告する…

○**恩恵反応系**（＝恩恵に答える）
受け入れる、断る、遠慮する、保留する…

○**疑問表明系**（＝疑問を述べる）
尋ねる、確認する、不審がる…

○**疑問反応系**（＝疑問に答える）
答える、肯定する、否定する、教える、保留する…

○**感情表明系**（＝感情を伝える）
謝る、詫びる、感謝する、恐縮する、褒める、けなす、叱る、励ます、応援する、なぐさめる、なだめる、気遣う、ねぎらう、心配する、非難する、不満を言う、愚痴を言う、擁護する、歎く、後悔する、あきらめる、反発する、ふてくされる、自慢する、謙遜する、強がる、痛がる、暑がる、寒がる、熱がる、うまがる、まずがる、迷う、疑う、驚く、喜ぶ、怒る、困る、困惑する、がっかりする、うらやむ、呆れる、おもしろがる、からかう、祝う、弔う…

○**主張表明系**（＝主張を述べる）
説明する、報告する、主張する、言い張る、同調する、賛成する、反対する、反論する、言い訳する、共感する、納得する、打ち消す、修正する、追及する、打ち明ける、相談する、教える、伝える…

○**関係構築系**（＝関係を結ぶ）
呼ぶ、呼びかける、呼び止める、声をかける、答える、挨拶する、名乗る、自己紹介する、人を紹介する、交誼を結ぶ…

この案は、そもそも言語行動の目的をどのように性格付けるかという根本のところで議論の余地がある。「系」とした9つの分類の立て方やそれらの相互関係、あるいは、個々の項目のレベルの統一などにも問題が残る。それらの点については今後検討が必要であるが、現段階での有力な叩き台としてこの枠組みを採用した。

(b)場面設定の具体化の方針

次に、上で述べた(b)の課題について見ていく。(b)の課題というのは、以上のような言語行動の枠組みに従って具体的な場面をどう設定するかという点である。

これについては、まず、(a)に示したような体系を網羅的に実現する場面設定が理想である。つまり、言語行動の目的としてリストアップした項目のすべてについて、それらの実際の言語行動の様子を観察できるような場面を用意しなければいけない。これは、言語行動の枠組みに基づいた徹底的な場面設定を行うということである。不十分ではあるものの、私たちが実際に行った場面設定においても、こうした方針をなるべく実現できるように努力した。

すなわち、これまでに設定した場面は、『会話集』1が75場面、『会話集』2が31場面、『会話集』3が20場面、『会話集』4が19場面(新規場面のみ)で計145場面と多く、例えば、『会話集』1の「荷物運びを頼む」場面のように、相手の反応として「受け入れる／断る」という2つの状況での会話を収録しているものを別々に数えると、『会話集』1が85場面、『会話集』2が35場面、『会話集』3が27場面、『会話集』4が20場面(新規場面のみ)で計167場面となる。また、この「荷物運びを頼む」の例で言えば、現実の会話の中には〈頼む〉〈受け入れる〉〈断る〉といったその場面の中核をなす言語行動のほかに、〈挨拶する〉〈気遣う〉〈恐縮する〉〈感謝する〉などといった付随的な言語行動も現れる可能性があり、実際に観察可能な言語行動の種類はさらに増えることになる。

以上のように、目的別の言語行動を網羅するような場面設定を行うことは重要である。しかし、現実的にはそれらの言語行動の項目と実際の場面とをどのようにつなぐかという難しい問題が待ち構えている。つまり、それぞれの言語行動について具体的な場面を考えようとすると、非常に多くの場面が想定されてしまう。例えば、〈頼む〉という言語行動を例にとれば、誰が誰に対して頼むのか、いつどこでどんな状況で頼むのか、どんな内容を頼むのか等々、〈頼む〉という目的以外のさまざまな要素を確定しないと、実際の場面設定を行えないことになってしまう。〈頼む〉といっても、それらの要素をどのように組み合わせるかによって、ありとあらゆる具体的な場面が描けてしまうわけである。

こうした問題をどうするか、今すぐ答えることは難しい。時間と労力が許せば、そうした「ありとあらゆる場面」を網羅的、かつ徹底的に記録してみたい。しかし、それは理想であり、現実には難しいであろう。そこで、今回は言語行動の目的の種類をなるべく多く把握することを優先し、場面の細分化には積極的には踏み込まなかった。

もっとも、例えば〈頼む〉であれば、『会話集』1では「荷物運びを頼む」「お金を借りる」「役員を依頼する」の3つの場面を取り上げ、『会話集』2では「醤油差しを取ってもらう」「ハサミを取ってきてもらう」の2つの場面を設定した。これは、依頼内容の軽重や公私の違いなどによって会話の様相が変わる可能性があると考えたからである。また、『会話集』3では、これに関わるものとして「訪問販売を断る」という場面を取り上げたが、これは売買の契約がからむ依頼と断りの状況を見ようとしたものである。さらに、『会話集』4では「遊具が空かない」という場面を追加したが、これは、公園の遊具という公共の場での権利を譲り受ける依頼である点と、孫という第三者が関与している点でこれまでの場面とは性格が異なる。このように、同種の言語行動の目的に分類される場合でも、その内容面で複数の場面を設けたケースもある。

なお、話者の条件は統一した。つまり、高年層の男女1名ずつに話者になってもらい、基本的に近所の友人同士、ないしは夫婦という設定で会話をしてもらった。そのように、話者の属性や間柄などの条件はある程度固定する一方、内容面でのバリエーションの幅を確保することで、地域の豊かな言語生活を記録しようと考えたのである。

4.　具体的な設定場面

4.1　設定場面一覧

3節で説明した方針に基づいて、『会話集』1～4において具体的に設定した場面を提示する。まず、上の9つの「系」に従って大きく分け、その中を言語行動の目的によって分類した。そして、そこに当該の言語行動の目的に該当する場面を掲げてある。ただし、「要求表明系」と「要求反応系」、「恩恵表明系」と「恩恵反応系」、そして、「疑問表明系」と「疑問反応系」に属するものの大部分はセットで会話されるのが普通であるので、こうしたものは組み合わせて場面を設定してある。つまり、〈頼む－受け入れる／断る〉や〈申し出る－受け入れる／断る〉〈尋ねる－答える〉などの例のように、2つを組み合わせて場面を考えることにした。

なお、各場面には先頭に番号を付してあるが、例えば、「1–1」は第1集の1番の場面、「4–33」は第4集の33番の場面を表す。「1–1(4–20)」のように(　)に入れた番号は、同じ場面を再度収録したものであることを表す。

『生活を伝える被災地方言会話集』1～4の設定場面

1–1～1–75：『会話集』1設定場面
2–1～2–31：『会話集』2設定場面
3–1～3–20：『会話集』3設定場面
4–1～4–33：『会話集』4設定場面
※(　)内は再収録場面

○要求表明系－要求反応系
〈頼む－受け入れる／断る〉

1–1(4–20). 荷物運びを頼む
1–2. お金を借りる

1–3. 役員を依頼する

2–1. 醤油差しを取ってもらう

2–2. ハサミを取ってきてもらう

3–4. 訪問販売を断る

4–1. 遊具が空かない

〈指示する－受け入れる／受け入れない〉

3–1. ティッシュペーパーを補充する

〈誘う－受け入れる／断る〉

1–4. 旅行へ誘う

1–5. コンサートへ誘う

2–3. 庭に来た鳥を見せる

〈許可を求める－許可する〉

1–6. 駐車の許可を求める

1–7. 訪問の許可を求める

〈同意を求める－同意する／同意しない(しぶる)〉

1–8. 人物を特定する

1–9. 町内会費の値上げをもちかける

2–4. 畳替えをもちかける

3–3. 夕飯のおかずを選ぶ

〈促す〉

2–5. 朝、起きない夫を起こす

3–2. バスの時間が近づく

〈催促する－受け入れる〉

4–2. 出前が遅い

〈申し入れる－受け入れる／受け入れない〉

2–6. いじめをやめさせるよう話す

〈やめさせる〉

1–10. 不法投棄をやめさせる

〈注意する〉

1–11. 車の危険を知らせる

1–12. 工事中であることを知らせる

1–13(4–21). 傘忘れを知らせる

4–3. 写真を撮る

○恩恵表明系－恩恵反応系

〈申し出る－受け入れる／断る〉

1–14. 荷物を持ってやる

1–15. 野菜をおすそ分けする

1–16. ゴミ当番を交替してやる

4–4. 預かった荷物を届ける

〈勧める－受け入れる／断る〉

1–17. 食事を勧める

1–18. 頭痛薬を勧める

〈忠告する〉

1–19. 入山を翻意させる

1–20. 病院の受診を促す

○疑問表明系－疑問反応系

〈尋ねる－答える〉

1–21(4–22). 傘の持ち主を尋ねる

1–22. 店の場所を尋ねる

3–5(4–30). 主人がいるか尋ねる

3–6. 夫の友人が訪ねてくる

4–5. 知らない人について尋ねる

〈不審がる〉

2–7. 玄関の鍵が開いていて不審がる

3–7. 天気予報を不審がる

〈確認する〉

1–23. 開始時間を確認する

2–8. 玄関の鍵をかけたか確認する

3–8. 魚の新鮮さを確認する

4–6. 間違い電話をかける

4–7. お釣りが合わない

○感情表明系

〈謝る－許す／非難する〉

1–24. お茶をこぼす

1–25. 約束の時間に遅刻する

3–15. よそ見をしていてぶつかる

4–8. 孫が粗相をした

〈励ます〉
1–27. のど自慢への出演を励ます
〈祝う〉
1–28. 道端で息子の結婚を祝う
1–29. のど自慢での優勝を祝う
3–9(4–23). 福引の大当たりに出会う
〈弔う〉
1–30. 道端で兄弟を弔う
〈なぐさめる〉
1–31. のど自慢での不合格をなぐさめる
1–32. 寂しくなった相手をなぐさめる
〈気遣う〉
1–33. 足をくじいた相手を気遣う
1–34. 孫が最下位になったことを気遣う
〈非難する〉
1–35. ゴミ出しの違反を非難する
2–9. 夫が飲んで夜遅く帰る
3–12. 隣人が回覧板を回さない
〈ねぎらう〉
1–36. 退任した区長をねぎらう
〈困る〉
1–37. 車を出せずに困る
2–19. 瓶の蓋が開かない
〈喜ぶ〉
1–38. 孫が一等になり喜ぶ
〈がっかりする〉
1–39. 孫が一等を逃しがっかりする
〈うらやむ〉
3–10. 福引の大当たりについて話す
〈呆れる〉
2–20. 買ってくるのを忘れる
4–9. 景品がみすぼらしい
〈叱る〉
1–40. タバコをやめない夫を叱責する
2–10. 娘の帰宅が遅い
2–11. 息子が勉強しない
〈褒める〉
1–26. 孫の大学合格を褒める
2–12. 息子がよく勉強する
〈けなす〉
3–11. 食事の内容が気に入らない
〈愚痴を言う〉
2–13. 嫁の起きるのが遅い
〈疑う〉
1–41. タバコのことを隠している夫を疑う
〈暑がる〉
2–14. 冷房の効いた部屋から外へ出る
〈寒がる〉
2–15. 暖房の効いた部屋から外へ出る
〈熱がる〉
4–10. 沸騰した薬缶に触れる
〈うまがる〉
2–16. 初物のカツオ(タケノコ)を食べる
〈まずがる〉
4–11. 渋い柿を食べる
〈迷う〉
1–42. 畑の処理を迷う
2–18. 見舞いに行くべきか迷う
3–13. 見舞いと友人との再会で悩む
〈心配する〉
1–43. 帰宅の遅い孫を心配する
〈驚く〉
1–44. 花瓶を倒す
2–17. 久しぶりに友人に出会う
3–14(4–24). 猫を追い払う

○主張表明系

〈説明する〉
1–45. 会合を中座する
2–21. 生徒の成績を説明する
3–16. 出店のことで話す
3–17. 折り紙を折る

〈報告する〉
4–12．頼まれたものを買って帰る
〈言い張る〉
1–46．メガネを探す
4–13．自動車同士が接触する
4–14．伝言を伝える
〈打ち明ける〉
2–22．息子の成績が悪いことを話す
〈教える〉
2–23．外が暑いことを話す
2–24．外が寒いことを話す
〈共感する〉
2–25．ガソリンの値上がりについて話す
〈伝える〉
2–26．町内会の連絡を伝える
2–27．回覧板を回す

○関係構築系

〈朝の挨拶〉
1–47(4–25)．朝、道端で出会う
1–48．朝、家族と顔を合わせる
〈昼の挨拶〉
1–49．昼、道端で出会う
〈夕方の挨拶〉
1–50(4–26)．夕方、道端で出会う
〈夜の挨拶〉
1–51．夜、道端で出会う
〈働いている人への挨拶〉
4–15(4–27)．働いている人の傍を通る
〈就寝の挨拶〉
1–52．夜、家族より先に寝る
〈天候の挨拶〉
1–53．晴れの日に、道端で出会う
1–54．雨の日に、道端で出会う
1–55．暑い日に、道端で出会う
1–56．寒い日に、道端で出会う
〈時候の挨拶〉
1–57．正月の三が日に、道端で出会う
1–58．大晦日に、道端で出会う
1–59．お盆に、道端で出会う
〈訪問・辞去の挨拶〉
1–60(4–28)．友人宅を訪問する
1–61(4–29)．友人宅を辞去する
1–62．商店に入る
1–63．商店を出る
4–16．市役所の窓口へ行く
4–17．市役所の窓口から帰る
〈出発・帰着の挨拶〉
1–64．友人が出かける
1–65．友人が帰ってくる
1–66(4–31)．夫(妻)が出かける
1–67(4–32)．夫(妻)が帰宅する
〈食事の挨拶〉
1–68．食事を始める
1–69．食事を終える
3–18．食事をする(開始と終了)
〈謝礼の挨拶〉
1–70．土産のお礼を言う
1–71．相手の息子からの土産のお礼を言う
〈祝儀の挨拶〉
1–72．息子の結婚式でお祝いを言う
1–73．喜寿の会でお祝いを言う
〈不祝儀の挨拶〉
1–74．兄弟の葬式でお弔いを言う
〈見舞いの挨拶〉
4–18．入院中の知り合いを見舞う
〈物売りの呼びかけ〉
1–75．客に声をかける
〈呼び止める〉
2–28．遠くにいる人を呼び止める
3–19(4–33)．ハンカチを落とした人を呼び止める

〈声をかける〉
2–29. バスの中で声をかける
4–19. スーパーで声をかける
〈自己紹介する〉
2–30. 近所の家に来たお嫁さんに出会う
〈人を紹介する〉
2–31. 結婚相手を紹介する
〈交誼を結ぶ〉
3–20. 子供の結婚相手の親と会う

4.2 各場面の解説

続けて、前節の一覧に挙げた設定場面について具体的に解説したい。

以下に、実際に話者に提示した場面の指定を掲げる。会話の目的および前提となる状況を中心に指定しており、ロールプレイ会話によく見られるシナリオや筋書きにあたるものは原則として作成していない。会話の展開を制御することで会話レベルの方言差が消えてしまうことを避け、この指定の範囲で、話者に自由にやりとりをしてもらうことにした。

ここでは設定した場面すべてに説明を加えるが、各場面は、上に掲げた「『生活を伝える被災地方言会話集』1〜4 の設定場面」のリストに対応させるかたちで、まず場面の番号と名称を太字で表示し、そのあとに〈 〉に入れてその場面の中心となる目的別言語行動を示した。続けて、話者に提示した場面説明の文章をそのまま掲げた。さらに、その場面で注目すべきポイントを、⇒印のあとに記してある。

繰り返しになるが、話者は高年層の男女 1 名ずつであり、A が女性、B が男性である。基本的に近所の友人同士、ないしは夫婦という設定で会話をしてもらった。それ以外の関係の場合は、以下の解説にいちいち記している。なお、A と B の役割は地域によって逆になる場合がある。

1–1(4–20). 荷物運びを頼む〈頼む－受け入れる／断る〉

A が近所の畑でたくさん野菜をもらって帰ってきました。ところが、たくさんもらいすぎて重かったため、家までもう少しのところまで来て疲れてしまい休んでいました。ちょうどそこに B が通りかかったので、家まで一緒に運んでほしいと頼みます。そのときのやりとりを実演してみてください。

① B が受け入れる場合

② B が断る場合：例えば、B は急ぎの用事がはいっていて先を急がなければならないため、手伝いができないという場合。

⇒相手に若干の負担を強いる場面である。〈頼む〉〈受け入れる〉〈断る〉のほかに、〈気遣う〉〈恐縮する〉〈感謝する〉などの要素が現れる可能性がある。出会いから入る場面であるため、挨拶関係の要素の出現にも注目したい。

1–2. お金を借りる〈頼む－受け入れる／断る〉

A と B は共通の知り合いである C さんのお見舞いに行きます。病院に行く前に見舞いの品を買いにやってきました。品物を選んでお金を払おうと思ったところ、A は手持ちのお金が足りないことに気付きました。そこで、一緒にいた B からお金を借りようと思います。そのときのやりとりを実演してみてください。

①Bが受け入れる場合

②Bが断る場合：例えば、Bも手持ちのお金に余裕がなく、お金を貸すことができないという場合。

⇒金銭に関係した依頼場面である。1–1「荷物運びを頼む」よりは相手の負担が大きいと見ることもできる。

1–3. 役員を依頼する〈頼む－受け入れる〉

Bは地域の地区会長をしています。他の役員をしていた人が体調を崩して辞めることになりました。Bは後任を探していますが、なかなか引き受けてくれる人がいません。そこでBはAに役員になってもらおうとお願いに行きます。Aは事情を理解し、役員を引き受けることにします。そのときのやりとりを実演してみてください。

⇒公的なことがらに関する依頼場面である。相手の家を訪ねるところから始まるため、挨拶関係の要素も現れる可能性がある。

1–4. 旅行へ誘う〈誘う－受け入れる／断る〉

Aは地域の人たちと温泉旅行に行こうという話をしています。そこで、Bも誘おうということになりました。AがB宅を訪ねて温泉旅行に誘うやりとりを実演してみてください。家を訪ねる場面からやってみてください。

①Bが受け入れる場合：温泉旅行にはぜひ自分も行きたいと思うので、Aの誘いをうれしく思い、受け入れる場合。

②Bが断る場合：温泉旅行には行きたいものの、その日は別の用事が入ってしまっていて、どうしても断らざるを得ない場合。

⇒状況的には相手を仲間に誘い込むというニュアンスが強く出る場面である。相手の家を訪ねるところから始まるため、挨拶関係の要素も出現するかもしれない。

1–5. コンサートへ誘う〈誘う－断る〉

Aは以前から行きたかった氷川きよしのコンサートのチケットを2枚もらいました。そこでBを誘って一緒に行こうと思います。その日、Bは特別の用事はないのですが、氷川きよしにあまり関心がなく、せっかくの日曜日なので家でゆっくりしたいと思います。そこでBはAの誘いを断ることにします。そのときのやりとりを実演してみてください。

⇒気が進まない場合の断り方を見る。

1–6. 駐車の許可を求める〈許可を求める－許可する〉

Aの家でお祝い事があり親戚が遠方からやってきます。ところがAの家の前には車を停めることのできる場所がないので、隣に住むBの家の前に車を停めてよいか聞きにきました。そのときのやりとりを実演してみてください。

⇒私的なことがらについて許可を求める場面である。他家への訪問の挨拶も出現が予想される。

1–7. 訪問の許可を求める〈許可を求める－許可する〉

Bは町内会のことでどうしてもAに相談したいことがあります。書類を見ながら話をしなければいけないので、電話ではだめです。そこで、Aの家を訪ねようと思いますが、まず電話をかけて、これから家を訪ねてもよいか確認しようと思います。そのときのやりとりを実演してみてください。BがAに電話をかけるところからやってみてください。

⇒公的な用事に関する場面である。訪問の許可を電話で求めようとするものであり、言語行動の媒体として電話を用いている。電話を通して〈名乗る〉行動なども注目される。

1-8. 人物を特定する〈同意を求める－同意する／同意しない〉

AとBが家の外で世間話をしていると、向こうにCさんのような人が立っています。Cさんを見かけるのはしばらくぶりです。Aがそれに気づきBに対して「あそこにいるのはCさんだよね。」と確認します。そのときのやりとりを実演してみてください。

①Bが同意する場合

②Bが同意しない場合(Cさんではなく、Dさんではないかと聞き返す場合)

⇒遠くに見える知り合いに気付き、話者同士がその人物を特定する場面である。〈尋ねる〉や〈答える〉にあたるやりとりも観察される可能性がある。いわゆる「同意要求」にあたる表現の出現が見込まれる。

1-9. 町内会費の値上げをもちかける〈同意を求める－同意する／同意しない〉

Bは町内会長をやっていますが、来月から町内会費をあげようと考えています。近く開かれる町内会の会合で提案するつもりですが、その前に、副会長のAにそのことを伝え、Aにも同意してほしいと頼みます。そのときのやりとりを実演してみてください。

①Aが同意する場合

②Aが同意しない場合

⇒公的なことがらについての同意の場面である。2–4「畳替えをもちかける」は家庭内の話題であり、対比することができよう。

1-10. 不法投棄をやめさせる〈やめさせる〉

AとBは他人同士です。Aが自分の家の山林(ないし畑)を見回っていたところ、見知らぬBがゴミを投げ捨てようとしているところを見つけました。慌ててそれを制止するやりとりを実演してみてください。

⇒不適切な行為に対する制止のあり方と、そうした行為を発見され、制止を受けた側の反応の仕方を見る。〈許しを請う〉〈許す〉〈非難する〉〈不満を言う〉〈言い訳する〉〈謝る〉などの要素も現れる可能性がある。

1-11. 車の危険を知らせる〈注意する〉

Aが歩いていると、Bが家の前の道路に出て掃き掃除をしています。するとBの背後から大型トラックがかなりのスピードでやってきました。道幅も狭いので早く車に気づかないとBが危険です。そこで、AはBに対して、車が来ていることを知らせます。このときのやりとりを実演してみてください。

⇒緊急性の高い注意場面である。注意された側の反応も注目される。

1-12．工事中であることを知らせる〈注意する〉

Aが家の前の道路に出て掃き掃除をしていると、向こうからBがやってきました。Bが行こうとする方向は工事中で、道に大きな穴があいています。そこで、AはBに対して、気を付けて通るように伝えます。このときのやりとりを実演してみてください。

⇒ 1-11「車の危険を知らせる」とは緊急性の程度に差がある。注意された側の反応も注目される。

1-13(4-21)．傘忘れを知らせる〈注意する〉

AとBは、公民館での催し物に参加しました。催し物も終わり、2人で帰り支度をして外に出ました。その時、AはBが朝持ってきた傘を持たずに帰ろうとしているのに気づき、先を歩いているBを呼び止めます。そのときのやりとりを実演してください。

⇒いわゆる注意喚起の言語行動を観察する場面である。注意された側の反応も注目される。

1-14．荷物を持ってやる〈申し出る－受け入れる／断る〉

Bは、道端に荷物を置いて休んでいるAに会いました。聞けば、Aは郵便局に荷物を運ぶ途中だそうです。Bは、Aに代わりに持ってあげると申し出ます。そのときのやりとりを実演してみてください。BとAが出会うところから始めてください。

①Aが受け入れる場合

②Aが断る場合：例えば、すでに郵便局に近いところまで来ている場合。

⇒ 1-1「荷物運びを頼む」に対して、こちらは負担を負う側が申し出る場面である。〈気遣う〉〈恐縮する〉〈感謝する〉〈謙遜する〉〈遠慮する〉といった要素も現れる可能性がある。

1-15．野菜をおすそ分けする〈申し出る－受け入れる〉

家の畑で茄子を作っているAが、りっぱな茄子ができたと言って、おすそ分けに来ました。Bはそれを受け取ります。そのときのやりとりを実演してみてください。AがBの家を訪ねるところから会話を始めてください。

⇒野菜のできがよいことを〈褒める〉行動が現れる可能性がある。〈自慢する〉〈謙遜する〉などの要素も得られるかもしれない。訪問の挨拶についても観察できる。

1-16．ゴミ当番を交替してやる〈申し出る－受け入れる〉

東京にいるAの娘夫婦に赤ちゃんが生まれました。Aはあさってあたり孫の顔を見に東京に行ってきたいと思っていますが、今週は町内のゴミ当番にあたっており、どうしたものかと迷っています。Bは、それなら自分がゴミ当番を代わってやるから、東京に行ってくるようにAに勧めます。そのときのやりとりを実演してみてください。

⇒迷っている相手への申し出の場面である。〈迷う〉〈勧める〉〈感謝する〉などの要素の出現も期待される。

1-17．食事を勧める〈勧める－受け入れる／断る〉

BがAの家に遊びに来ています。食事どきになったので、Aは用意してあった食事をBに勧めます。そのときのやりとりを実演してみてください。

①Bが受け入れる場合

②Bが断る場合

⇒相手への気遣いによる勧めである。互いに心理的負担を伴う場面と言える。〈遠慮する〉〈感謝する〉などの要素も現れる可能性がある。

1–18. 頭痛薬を勧める〈勧める－受け入れる〉

AがBを尋ねました。すると、Bは昨晩から頭が痛くてつらいと言っています。Aは自宅によく効く頭痛薬があることを思い出し、それを取ってくるから飲むように勧めます。そのときのやりとりを実演してみてください。AがBの家を訪ねるところから会話を始めてください。

⇒1–17「食事を勧める」に対して、こちらは困っている相手への実質的な気遣いからくる勧めと言える。訪問の挨拶なども現れそうである。

1–19. 入山を翻意させる〈忠告する〉

Aは、山に山菜を取りに行くというBに会いました。しかし、雨が降りそうなので、今日は山に行かないほうがいいとAは思っています。AはBに、「雨が降りそうだから、日を改めたほうがいい」と忠告します。そのときのやりとりを実演してください。AとBが出会うところから始めてください。

⇒悪天候の中の入山を翻意させる場面である。〈迷う〉〈受け入れる〉といった要素の出現も期待される。出会いや別れの挨拶なども見られるであろう。

1–20. 病院の受診を促す〈忠告する〉

次の日、AがBの家を訪ねると、顔色の悪いBが出てきました。聞けば、昨日山に行った時に雨が降ってきて、傘もなかったため濡れて帰ってきたそうです。Bは咳こんでいて、熱もあるようです。このままだと悪化しそうなので、AはBに病院に行くように言います。昨日、Aが言った通りに山に行かなければ体調も悪くならなかったはずなので、今日は昨日よりも強く忠告し、Bに必ず病院を受診させたいと思います。そのときのやりとりを実演してください。AがBの家を訪ねるところから会話を始めてください。

⇒1–19「入山を翻意させる」の場面と連続している。忠告を無視したために体調を崩した相手に対して、より強い口調の忠告が出そうである。〈非難する〉〈後悔する〉といった要素も出現する可能性がある。

1–21. 傘の持ち主を尋ねる〈尋ねる－答える〉

AとBは、近所の人たちと公民館での催し物に参加しました。帰り支度をしているときに、Aは傘の忘れ物に気づきました。朝、Bが持っていた傘に似ています。傘がBのものかどうか尋ねる際のやりとりを実演してください。Aが傘を見つけるところから始めてください。

①Bの傘だった場合

②Bの傘ではなかった場合

⇒〈呼びかける〉〈感謝する〉などの要素も現れると考えられる。

1–22. 店の場所を尋ねる〈尋ねる－答える〉

Aは近所に新しくできた食料品店に行こうと思っていますが、道がよくわかりません。ちょうどその店で買い物をしてきた帰りだというBに会ったので、食料品店がどこにあるか教えてもらうことにしました。食料品店の場所を尋ねる際のやりとりを実演してください。AがBに出会うところから始めてください。

⇒尋ねられた相手が店の場所を教えることから、〈説明する〉行動も観察される。また、〈確認する〉〈感謝する〉といった要素も現れる可能性がある。出会いや別れの挨拶なども出現するであろう。

1–23. 開始時間を確認する〈確認する〉

今週末に公民館での催し物があるので、AはBと参加する予定です。しかし、Aは開始時間が何時だったか忘れてしまいました。3時からだったような気がしますが、自信がありません。AはBに、催し物の開始時間を確認します。BはAに開始時間は3時ではなく2時であることを教えます。そのときのやりとりを実演してください。

⇒時間の思い違いを正す場面でもあるので、〈否定する〉〈修正する〉〈教える〉などの要素も現れると考えられる。

1–24. お茶をこぼす〈謝る－許す／非難する〉

Aの家で、Bがお茶をもらって飲んでいたとします。そのとき、Bが手を滑らせて茶碗を落とし、座布団をよごしてしまいました。そのときのやりとりを実演してみてください。Bがまさに手を滑らせ、お茶をこぼした瞬間から会話を始めてください。

⇒その場で起こった些細なできごとである。お茶をこぼした瞬間の〈驚く〉行動も観察される可能性がある。

1–25. 約束の時間に遅刻する〈謝る－許す／非難する〉

A・Bに共通の友人が市内の病院に入院したとします。面会時間に合わせて二人で見舞いに行こうということで、バス停で待ち合わせをしました。ところが約束の時間になっても、Bが現れません。予定のバスは行ってしまい、面会時間にも間に合わないかもしれません。ようやくやってきたBはAに謝ります。そのときのやりとりを実演してみてください。

①AがBを許す場合：例えば、孫の幼稚園からの帰りが遅く、それを待っていなければいけなかったなど、遅刻の理由がもっともだと思われる場合。Bは律儀な人柄で、遅刻するようなことはめったにない。

②AがBを非難する場合：例えば、隣の家のCとお茶飲みをしていて、約束の時間になったことに気付かなかったなど、遅刻の理由がとても納得できない場合。Bはルーズな性格で、遅刻の常習犯である。

⇒ 1–24「お茶をこぼす」に比べて多少深刻な事態である。理由が正当な場合とそうでない場合とで、〈許す〉への展開と〈非難する〉への展開に分かれることが予想される。

1–26. 孫の大学合格を褒める〈褒める〉

Aは、Bの孫の太郎君が大学に合格したという話を耳にしました。そこで、Aは、Bに対してその話題で話しかけます。そのときのやりとりを実演してみてください。

⇒相手の関係者(身内)に起こった好ましい事態を褒める場面である。相手本人への褒めは、1–15「野菜をおすそ分けする」や1–29「のど自慢での優勝を祝う」などでも出現する可能性がある。また、この場面では〈祝う〉の要素も現れるかもしれない。

1–27. のど自慢への出演を励ます〈励ます〉

Bは NHK ののど自慢大会の予選を勝ち抜き、今度、東京の NHK で本戦に出場します。そのことをBに話したところ、AはBを励ましてあげます。そのときのやりとりを実演してみてください。BがAにのど自慢出演の話をするところから会話を始めてください。

⇒のど自慢への出演を相手に〈打ち明ける〉行動も注目される。

1–28. 道端で息子の結婚を祝う〈祝う〉

Aは、Bの息子の結婚が決まったという話を耳にしました。そこで、AはBと道で出会ったとき、Bに対してその話題で話しかけます。そのときのやりとりを実演してみてください。

⇒祝う対象が相手の息子の場合である。道端でのやりとりの場面であり、結婚式という正式な場面である 1–72「息子の結婚式でお祝いを言う」との関連が興味深い。

1–29. のど自慢での優勝を祝う〈祝う〉

Bは NHK ののど自慢大会でとうとう優勝しました。そのことをテレビで見たAは、Bに対してその話題で話しかけます。そのときのやりとりを実演してみてください。

⇒祝う対象が相手本人の場合である。〈褒める〉〈喜ぶ〉といった要素も観察できる可能性がある。

1–30. 道端で兄弟を弔う〈弔う〉

Aは、遠方にいるBの兄が亡くなったという話を耳にしました。そこで、AはBと道で出会ったとき、Bに対してその話題で話しかけます。そのときのやりとりを実演してみてください。

⇒道端でのやりとりの場面であり、葬式という正式な場面である 1–74「兄弟の葬式でお弔いを言う」との関連が興味深い。

1–31. のど自慢での不合格をなぐさめる〈なぐさめる〉

Bは NHK ののど自慢大会に出ましたが、残念ながら鐘が1つしか鳴りませんでした。そのことをAに話したところ、AはBをなぐさめてあげます。そのときのやりとりを実演してみてください。

⇒のど自慢での不合格を相手に〈打ち明ける〉行動も注目される。

1–32. 寂しくなった相手をなぐさめる〈なぐさめる〉

Aは、Bの娘が遠方に嫁いでしまい、寂しくなったのではないかと声をかけます。そのときのやりとりを実演してみてください。

⇒娘が遠方に嫁いだことによる寂しさである。結婚自体はめでたいことであるので、〈強がる〉という要素が現れる可能性もある。

1–33. 足をくじいた相手を気遣う〈気遣う〉

一緒に歩いていたAが階段で足をくじいてしまいました。BはAを気遣って声をかけます。そのときのやりとりを実演してみてください。Aがまさに足をくじいた瞬間から会話を始めてください。

⇒その場での緊迫した状況下にある場面である。〈驚く〉〈痛がる〉などの要素も注目される。

また、1–34「孫が最下位になったことを気遣う」に対して、気遣う対象が相手本人の場合である。

1–34. 孫が最下位になったことを気遣う〈気遣う〉

Aは B と一緒に小学校の運動会を見に行きました。B の孫が徒競走に出ましたが、最下位になってしまいました。それを見ていた A が B に声をかけます。そのときのやりとりを実演してみてください。

⇒こちらは、当事者である孫に対する気遣いと、話し相手に対する気遣いの両方が現れる場面である。

1–35. ゴミ出しの違反を非難する〈非難する〉

Aは、ゴミの日でないのにゴミを出そうとしている B に出くわしました。ゴミの袋を置いたままにしておくと、カラスがつついて散らかってしまいます。A は B を非難するような言葉を発します。そのときのやりとりを実演してみてください。A が B を見つけたところから会話を始めてください。

①B が A の言うことに従う場合

②B が A の言うことに従わない場合：例えば、今日から旅行に出るので、明日の朝、ゴミを出せないなどの理由。

⇒ 1–10「不法投棄をやめさせる」とも関連する。ともに規則違反の場合であるが、こちらは 1–10 の場面ほど深刻なケースではない。また、1–10 の場面は相手が見知らぬ人、こちらは近所の友人という違いがある。〈忠告する〉〈不満を言う〉〈反論する〉などの要素が出る可能性もある。また、2–9「夫が飲んで夜遅く帰る」は家庭内のできごとであり、この場面と対比できる。

1–36. 退任した区長をねぎらう〈ねぎらう〉

B は、3 年間の区長の任期を無事終えました。A がその労をねぎらいます。そのときのやりとりを実演してみてください。

⇒公的な仕事をしている人の労をねぎらう場面である。4–15(4–27)「働いている人の傍を通る」でも〈ねぎらう〉要素が現れる可能性があり、仕事内容や役目の公私・軽重による違いが観察できるかもしれない。

1–37. 車を出せずに困る〈困る〉

A と B は夫婦です。一緒に買い物に出かけるために車を出そうとすると、車庫の前に隣の家のお客の車が止まっていて進路をふさいでいるのを発見します。A と B は困ってしまい、お互いに言葉を交わします。そのときのやりとりを実演してみてください。

⇒〈困る〉のほか、車を移動するように隣の人に告げようという相談のやりとりが聞かれるはずである。

1–38. 孫が一等になり喜ぶ〈喜ぶ〉

A と B は夫婦です。連れだって孫の小学校の運動会を見に行きました。孫は徒競走に出ました。最初、スタートで出遅れたのですが、最後は猛然と追い上げています。A と B はさかんに声援を送ります。その甲斐あってか、孫は3人を抜いてみごと一等でゴールインしました。AとBは歓声を上げます。そして、お互いに喜び合います。そうした一連のやりとりを実演してみてください。

⇒自分と相手が共有する喜びの感情である。孫の徒競走を見ている場面であるため、〈応援する〉行動も現れることが予想される。

1–39. 孫が一等を逃しがっかりする〈がっかりする〉

AとBは夫婦です。連れだって孫の小学校の運動会を見に行きました。孫は徒競走に出ました。最初、スタートはよかったのですが、最後はスピードが落ちてきました。AとBはさかんに声援を送ります。しかし、その甲斐もなく、孫は最後に3人に抜かれてしまいました。AとBは悲鳴を上げます。そして、お互いに落胆します。そうした一連のやりとりを実演してみてください。

⇒自分と相手が共有する落胆の感情である。1–38「孫が一等になり喜ぶ」と同様、孫の徒競走を見ている場面であるため、〈応援する〉行動も現れることが予想される。

1–40. タバコをやめない夫を叱責する〈叱る〉

AとBは夫婦です。夫のBが、健康のために一時やめていたタバコをまた吸い始めました。夫の健康だけでなく、最近生まれた孫の健康も心配です。少し怒った感じで、妻のAは夫のBに話しかけます。そうした一連のやりとりを実演してみてください。

⇒〈禁止する〉表現も現れる可能性がある。相手が〈反論する〉〈言い訳する〉ことも考えられる。

1–41. タバコのことを隠している夫を疑う〈疑う〉

AとBは夫婦です。夫のBが、健康のために一時やめていたタバコをまた吸い始めたようです。Bは吸っていないと言っていますが、タバコの匂いがするので、AはBが嘘をついているのではないかと疑います。そうした一連のやりとりを実演してみてください。

⇒〈禁止する〉行動も観察される可能性がある。相手が〈反論する〉〈言い訳する〉ことも考えられる。

1–42. 畑の処理を迷う〈迷う〉

AとBは夫婦です。畑を持っていましたが、自分たちが高齢になり、畑仕事をすることがだんだん難しくなってきました。息子の世代は畑を維持するつもりはないようです。そこで、畑を手放すべきかどうか、大いに迷い、思案しています。まだやれそうな気もしますが、もう今が限界のような気もします。そうした一連のやりとりを実演してみてください。

⇒2–18「見舞いに行くべきか迷う」に比べて大きな決心が必要な場面である。相談の場面であることから、さまざまな要素の出現が見込まれる。

1–43. 帰宅の遅い孫を心配する〈心配する〉

AとBは夫婦です。遊びにでかけた小学生の孫が夕方になってもなかなか帰って来ません。もう薄暗くなっており、いつもなら、とっくに家に帰っている時間です。孫のことがとても心配です。そうした一連のやりとりを実演してみてください。

⇒この場面も、さまざまな要素が現れる可能性がある。

1–44. 花瓶を倒す〈驚く〉

AとBは夫婦です。Bは誤って花瓶を倒してしまいました。水がテーブルの上にみるみる広がり、床にもしたたっています。慌ててAに雑巾を持ってくるように頼みます。Bは不注意でよく花瓶を倒すので、Aはあきれ気味です。そうした一連のやりとりを実演してみてください。花瓶を倒して驚くところからやってください。

⇒花瓶を倒した瞬間から会話を始めてもらうので、〈驚く〉行動が得られるはずである。また、雑巾を要求する〈頼む〉の要素や、そうした状況に対して相手が〈呆れる〉〈非難する〉〈叱る〉といった要素も観察できるかもしれない。

1–45．会合を中座する〈説明する〉

AとBは町内会の集まりに出席していて、まだ途中ですが、Aは病院の予約があって中座しなくてはなりません。そのことを近くに座っているBに言って、途中で町内会を退席します。そのときのやりとりを実演してみてください。

⇒〈恐縮する〉〈詫びる〉などの要素も得られるかもしれない。

1–46．メガネを探す〈言い張る〉

AとBは夫婦です。Bはメガネをかけようと思いましたが、いつものところにありません。そこで、Aにどこかへしまったかと尋ねます。Aは心当たりがありません。しかし、BはAがどこかへやったと思っています。そこでAを追及しますが、Aは自分ではないと言い張ります。そのときのやりとりを実演してみてください。

⇒メガネのありかをめぐっての夫婦のやりとりである。〈疑う〉〈否定する〉〈追及する〉などの要素の出現も期待される。

1–47．朝、道端で出会う〈朝の挨拶〉

AとBは、朝、道端で会いました。出会ってから別れるまでのやりとりを実演してみてください。

①男性→女性

②女性→男性

⇒冒頭のやりとりのみでなく、出会ってから別れるまでの会話全体を記録する。その点では、この場面は「挨拶」に分類したものの、いわゆる挨拶表現のみに注目したものではない。道での出会いの際に、どのようなやりとりが行われるか、全体的に把握しようとしたものである。なお、「挨拶」という点では、〈別れの挨拶〉の出現も予想される。

1–48．朝、家族と顔を合わせる〈朝の挨拶〉

AとBは夫婦です。朝、起きて最初に顔を合わせたときのやりとりを実演してみてください。

⇒ 1–47「朝、道で出会う」に対して、家庭内の朝の出会いの場面である。

1–49．昼、道端で出会う〈昼の挨拶〉

AとBは、昼、道端で会いました。出会ってから別れるまでのやりとりを実演してみてください。

①男性→女性

②女性→男性

⇒ 1–47「朝、道で出会う」と同じ趣旨である。

1–50．夕方、道端で出会う〈夕方の挨拶〉

A と B は、夕方、道端で会いました。出会ってから別れるまでのやりとりを実演してみてください。

①男性→女性

②女性→男性

⇒ 1–47「朝、道で出会う」と同じ趣旨である。

1–51. 夜、道端で出会う 〈夜の挨拶〉

A と B は、夜、道端で会いました。出会ってから別れるまでのやりとりを実演してみてください。

①男性→女性

②女性→男性

⇒ 1–47「朝、道で出会う」と同じ趣旨である。

1–52. 夜、家族より先に寝る 〈夜の挨拶〉

A と B は夫婦です。夜、A はテレビを見ている B より先に寝ることにしました。A にそのことを伝えるときのやりとりを実演してみてください。

⇒家庭内の場面である。夫婦のうちどちらが先に寝るかで様相が変わる可能性がある。

1–53. 晴れの日に、道端で出会う 〈天候の挨拶〉

春の昼間、晴天でとても天気の良い日に、道端で A と B が出会ったとき、A は B にどのように声をかけますか。また、B はどのように返事をしますか。出会ってから別れるまでのやりとりを実演してみてください。

⇒会話の冒頭のみでなく、出会いから別れまでの会話全体を記録する。その点、実際には多様な内容が話される可能性がある。なお、天候ごとに設定した場面であるが、そもそも天候に関する話題が出現するか否かも注目点である。

1–54. 雨の日に、道端で出会う 〈天候の挨拶〉

梅雨の昼間、かなり雨が降っている日に、道端で A と B が出会ったとき、A は B にどのように声をかけますか。また、B はどのように返事をしますか。出会ってから別れるまでのやりとりを実演してみてください。

⇒ 1–53「晴れの日に、道端で出会う」と同じ趣旨である。

1–55. 暑い日に、道端で出会う 〈天候の挨拶〉

夏の昼間、カンカン照りでとても暑い日に、道端で A と B が出会ったとき、A は B にどのように声をかけますか。また、B はどのように返事をしますか。出会ってから別れるまでのやりとりを実演してみてください。

⇒ 1–53「晴れの日に、道端で出会う」と同じ趣旨である。

1–56. 寒い日に、道端で出会う 〈天候の挨拶〉

冬の昼間、雪が降っていてとても寒い日に、道端で A と B が出会ったとき、A は B にどのように声をかけますか。また、B はどのように返事をしますか。出会ってから別れるまでのやりとりを実演してみてください。

⇒ 1–53「晴れの日に、道端で出会う」と同じ趣旨である。

1–57. 正月の三が日に、道端で出会う〈時候の挨拶〉

年が明けて正月の三が日に、道端でAとBが出会ったとき、AはBにどのように声をかけますか。また、Bはどのように返事をしますか。出会ってから別れるまでのやりとりを実演してみてください。

⇒時候の挨拶についても出会いから別れまでの会話全体を記録する。正月らしい挨拶表現の存在を確認すると同時に、積極的に正月(大晦日・お盆)が話題化されるかどうかを見ることがねらいである。

1–58. 大晦日に、道端で出会う〈時候の挨拶〉

年末の12月31日に、道端でAとBが出会ったとき、AはBにどのように声をかけますか。また、Bはどのように返事をしますか。出会ってから別れるまでのやりとりを実演してみてください。

⇒ 1–57「正月の三が日に、道端で出会う」と同じ趣旨である。

1–59. お盆に、道端で出会う〈時候の挨拶〉

8月のお盆頃に、道端でAとBが出会ったとき、AはBにどのように声をかけますか。また、Bはどのように返事をしますか。出会ってから別れるまでのやりとりを実演してみてください。

⇒ 1–57「正月の三が日に、道端で出会う」と同じ趣旨である。

1–60. 友人宅を訪問する〈訪問・辞去の挨拶〉

昼間、AがBの家を訪れるときに、Aは玄関先でBにどのように声をかけますか。また、Bはどのように返事をしますか。そのやりとりを実演してみてください。

①男性→女性(気仙沼市のみ)

②女性→男性

⇒〈訪問の挨拶〉に対して、相手が応じる反応についても観察できる。

1–61. 友人宅を辞去する〈訪問・辞去の挨拶〉

それでは用事を済ませたAがBの家から帰るとき、Bにどのように声をかけますか。また、Bはどのように返事をしますか。そのやりとりを実演してみてください。

①男性→女性(気仙沼市のみ)

②女性→男性

⇒〈訪問の挨拶〉に対して、相手が応じる反応についても観察できる。

1–62. 商店に入る〈訪問・辞去の挨拶〉

B宅は個人商店だとします。昼間、AがBの店に買い物で訪れるときにどのように声をかけますか。また、それに対してBはどのように返事をしますか。そのやりとりを実演してみてください。

⇒ 1–60「友人宅を訪問する」は一般の家への訪問であるが、こちらは商店の場合である。

1–63. 商店を出る〈訪問・辞去の挨拶〉

それでは買い物を終えたAが店を出るとき、Bに対してどのように声をかけますか。また、Bはどのように返事をしますか。そのやりとりを実演してみてください。

⇒ 1–61「友人宅を辞去する」は一般の家からの辞去であるが、こちらは商店の場合である。

1–64. 友人が出かける〈出発・帰着の挨拶〉

昼間、A が道を歩いていると、普段よりも着飾っていて、どこかへ出かけるように見える B と会いました。出会ってから別れるまでのやりとりを実演してみてください。

①男性→女性(気仙沼市のみ)

②女性→男性

⇒着飾った相手に道で出会う場面であるため、行く先を〈尋ねる〉行動や相手の服装を〈褒める〉〈からかう〉行動なども現れる可能性がある。

1–65. 友人が帰ってくる〈出発・帰着の挨拶〉

夕方、再び A が道を歩いていると、先ほどとは逆の方向から、普段よりも着飾った B が歩いてきました。そのとき A は B にどのように声をかけますか。また、B はどのように返事をしますか。再び出会ってから別れるまでのやりとりを実演してみてください。

①男性→女性(気仙沼市のみ)

②女性→男性

⇒ 1–64「友人が出かける」と同じ趣旨である。

1–66. 夫(妻)が出かける〈出発・帰着の挨拶〉

A と B は夫婦です。昼間、A が出かけようとする時、A と B はどのように声を掛け合いますか。そのやりとりを実演してみてください。

①夫が出かける(名取市では、妻が行き先を知らない場合と知っている場合とに分けた)

②妻が出かける(名取市では、夫が行き先を知らない場合と知っている場合とに分けた)

⇒出かける人物が夫と妻の場合で様相が異なる可能性がある。

1–67. 夫(妻)が帰宅する〈出発・帰着の挨拶〉

A と B は夫婦です。夕方、出かけていた A が自宅へ帰った時、A と B はどのように声をかけ合いますか。そのやりとりを実演してみてください。

①夫が帰宅する

②妻が帰宅する

⇒ 1–66「夫(妻)が出かける」と同じ趣旨である。

1–68. 食事を始める〈食事の挨拶〉

A と B は夫婦です。A と B は、家で一緒に昼ご飯を食べようとしています。食事に手を付ける前のやりとりを実演してみてください。

⇒食事の前に何か言葉を発するかどうかが注目される。また、食事の内容に対する〈褒める〉〈けなす〉などの要素が現れる可能性もある。なお、関連場面として 3–18「食事をする(開始と終了)」がある。

1–69. 食事を終える〈食事の挨拶〉

A と B は夫婦です。A と B は、家で昼ご飯を食べ終わりました。箸を置いたときのやりとりを実演してみてください。

⇒食事の後に何か言葉を発するかどうかが注目される。また、食事の内容に対する〈褒める〉〈けなす〉などの要素が現れる可能性もある。なお、関連場面として 3–18「食事をする(開始と終了)」がある。

1–70．土産のお礼を言う〈謝礼の挨拶〉

道端で、AはBに会ったとき、先日Bから旅行のお土産にお菓子をもらい、とても美味しかったことを思い出しました。それをBに伝えます。そのやりとりを実演してみてください。

⇒礼を言う相手が土産をくれた本人の場合。〈褒める〉や〈謙遜する〉といった要素も出現するかもしれない。

1–71．相手の息子からの土産のお礼を言う〈謝礼の挨拶〉

道端で、AはBに会ったとき、先日Bの息子から旅行のお土産にお菓子をもらい、とても美味しかったことを思い出しました。それをBに伝えます。そのやりとりを実演してみてください。

⇒ 1–70「土産のお礼を言う」に対して、礼を言う相手が土産をくれた人の関係者(身内)の場合である。

1–72．息子の結婚式でお祝いを言う〈祝儀の挨拶〉

AはBの息子の結婚式に招待されました。Aは結婚式当日にBにどのように声をかけますか。また、Bはどのように返事をしますか。そのやりとりを実演してみてください。

⇒祝う対象が相手の関係者(身内)の場合である。1–28「道端で息子の結婚を祝う」に対して、結婚式という改まりの場での会話を記録する。

1–73．喜寿の会でお祝いを言う〈祝儀の挨拶〉

AはBの喜寿を祝う会に招待されました。Aは会の当日にBにどのように声をかけますか。また、Bはどのように返事をしますか。そのやりとりを実演してみてください。

⇒祝う対象が相手本人の場合である。1–29「のど自慢での優勝を祝う」に対して、喜寿の会という改まりの場での会話を記録する。

1–74．兄弟の葬式でお弔いを言う〈不祝儀の挨拶〉

Bの兄の葬式に弔問したAは、葬式当日にBにどのように声をかけますか。また、Bはどのように返事をしますか。そのやりとりを実演してみてください。

⇒弔う対象が相手の関係者(身内)の場合である。1–30「道端で兄弟を弔う」に対して、葬式という改まりの場での会話を記録する。

1–75．客に声をかける〈物売りの呼びかけ〉

Bは八百屋だとします。AはBの八百屋の前を通りかかりました。BがAに商品を買ってもらいたいとき、どのように声をかけますか。また、Aはどのように返事をしますか。そのやりとりを実演してみてください。

⇒ 1–62「商店に入る」は入店にあたり客が先に声をかける場合だが、こちらは、店の人が先に声をかける場合である。いわゆる「呼び込み」にあたる行動とそれに対する客側の反応が期待される。

2–1．醤油差しを取ってもらう〈頼む－受け入れる〉

AとBは夫婦です。家族でテーブルを囲み、食事をしています。Bは醤油差しをとろうと思いますが、少し離れた位置にあり、手が届きません。そこで、Aに醤油差しを取ってくれるよう頼みます。そのときのやりとりを実演してみてください。

⇒依頼と受託についての項目である。ここでは、夫婦の日常生活における、ごくありふれた一場面を取り上げた。夫から妻への〈呼びかける〉行動も観察される可能性がある。

2–2. ハサミを取ってきてもらう〈頼む－受け入れる／断る〉

AとBは夫婦です。Bは脚立に上がって庭木の剪定をしていますが、普通の剪定バサミでは、高いところの枝に手が届きません。そこで、長い剪定バサミを取ってきてもらおうと思い、ちょっと離れたところにいるAを呼びます。そのときのやりとりを実演してみてください。

① Aが受け入れる場合：単純にBの頼みを聞き入れます。

② Aが断る場合：これ以上、高い所の作業をするのは危なそうなので、Bに向かって止めた方がいいと言います。

⇒この場面でも夫婦間の〈呼びかける〉行動の出現が期待される。ただし、前出の場面とは異なり、呼びかける相手は離れた位置にいる。②の状況では〈止めさせる〉言語行動も観察されるであろう。

2–3. 庭に来た鳥を見せる〈誘う－受け入れる〉

AとBは夫婦です。Bが家の中から庭を眺めていると、見慣れない鳥がやってきました。何という鳥かわかりません。そこで、Aにも見せようと思い、BはAを呼びます。Aはやって来ましたが、庭を見ても、その鳥がどこにいるかわかりません。BはAに鳥のいる位置を教えてやります。そのときのやりとりを実演してみてください。

⇒〈呼びかける〉行動が予想されるほか、会話の進行に応じて、〈尋ねる〉〈教える〉〈確認する〉といった要素の出現も期待される。

2–4. 畳替えをもちかける〈同意を求める－同意する／同意しない〉

AとBは夫婦です。Bは家の畳が古くなったので、そろそろ新しくしようと提案します。それに対して、Aが反応します。そのときのやりとりを実演してみてください。

① Aが同意する場合：たしかに、畳は擦り切れたり、日に焼けたりしているので、Aもそのとおりだと思います。

② Aが同意しない場合：たしかに、畳は古くなっていますが、来年、法事があって親戚が集まるので、それまで待って、法事の前に新しくするのがよいと思います。

⇒ 1–9「町内会費の値上げをもちかける」に対して、家庭内のできごとが話題になっている。

2–5. 朝、起きない夫を起こす〈促す〉

AとBは夫婦です。朝、出勤の時間が近づいても、Bが起きてきません。そこで、AはBを起こします。そのときのやりとりを実演してみてください。

①起きない理由が納得できる場合：Bは、仕事が忙しく、帰宅が遅い日が続いています。最近、たいへん疲れているようです。

②起きない理由が納得できない場合：Bは、いつも遅くまで飲み歩いており、午前様になることもしばしばです。昨夜は特に遅かったようです。

⇒〈気遣う〉〈非難する〉に当たる要素の出現も予想される。

2–6．いじめを止めさせるよう話す〈申し入れる－受け入れる／受け入れない〉

Aの孫がBの孫にいじめられているようです。AはBの家を訪問し、孫を諭してくれるよう申し入れます。そのときのやりとりを実演してみてください。

①Bが受け入れる場合：Bの孫はいじめっ子として有名であり、Aの申し入れはもっともだと思われます。

②Bが受け入れない場合：Bは自分の孫を、他の子供をいじめるような孫ではないと信じています。

⇒話し相手の行為を制限する内容ではなく、話し相手の関係者の行為を〈止めさせる〉ことを依頼する内容である。

2–7．玄関の鍵が開いていて不審がる〈不審がる〉

AとBは、夫婦で買い物に出かけました。家に帰ってみると、玄関のドアに鍵がかかっていません。Aは確かに鍵をかけたという記憶があり、どうして開いているのか不審です。そのときのやりとりを実演してみてください。

⇒〈心配する〉〈非難する〉といった要素も出現する可能性がある。

2–8．玄関の鍵をかけたか確認する〈確認する〉

AとBは、夫婦で買い物に出かけました。家から少し行ったところで、Bは家に鍵をかけたか心配になりました。そこで、Aに鍵をかけたか確認します。そのときのやりとりを実演してみてください。

⇒〈心配する〉に当たる要素も出現するかもしれない。

2–9．夫が飲んで夜遅く帰る〈非難する〉

AとBは夫婦です。Bは酒を飲んで遅く帰ってきました。すでに夜中の12時を回っています。こういうことは、最近しょっちゅうなので、Aは堪忍袋の緒が切れました。Aは玄関の鍵を開けながらBを非難します。そのときのやりとりを実演してみてください。Bが玄関のチャイムを鳴らすところから始めてください。

⇒ 1–35「ゴミ出しの違反を非難する」は近所の知り合いに対する場面であるが、ここでは家庭内の場面を取り上げた。〈怒る〉に当たる強い口調が現れる可能性もある。

2–10．娘の帰宅が遅い〈叱る〉

Bの娘のAはまだ結婚前ですが、ときどき帰宅が遅くなります。Bは見かねてAを叱ります。そのときのやりとりを実演してみてください。

⇒ Aの反応のしかたによって、〈従う〉〈謝る〉〈反発する〉〈ふてくされる〉などさまざまな要素が現れる可能性がある。

2–11．息子が勉強しない〈叱る〉

Aの息子のBは大学受験を控えていますが、勉強に身が入らず、このままでは進学が難しそうです。今日も保護者面談で、担任の先生にそう言われてしまいました。Aは見かねてBを叱ります。そのときのやりとりを実演してみてください。

⇒ここでも、2–10「娘の帰宅が遅い」と同様の要素の出現が見込まれる。AがBに担任の先生の発言を〈伝える〉という要素も見られるかもしれない。

2–12. 息子がよく勉強する〈褒める〉

Aの息子のBは大学受験を控えています。今日は保護者面談で、担任の先生にBはよく勉強していると言われました。AはBにそのことを伝えて褒めます。そのときのやりとりを実演してみてください。

⇒ 2–11「息子が勉強しない」と逆の場合として設定した。

2–13. 嫁の起きるのが遅い〈愚痴を言う〉

AとBは夫婦です。息子が結婚し、嫁を迎えましたが、その嫁は朝寝坊でなかなか起きてきません。Aは嫁に朝ご飯を作ってほしいのですが、家族の朝食は、いままでどおりAが作っています。AはBに愚痴を言います。そのときのやりとりを実演してみてください。

⇒嫁に対して直接非難するのではなく、AとBが嫁を話題にして愚痴を言い合う場面として設定した。

2–14. 冷房の効いた部屋から外へ出る〈暑がる〉

AとBは町内会が終わって、冷房の効いた部屋から外へ出ました。すると、外はたいへんな暑さで、頭がくらくらしそうです。そのときのやりとりを実演してみてください。町内会の会場から外へ出た瞬間から会話を始めてください。

⇒〈驚く〉行動の出現も予想される。2–15「暖房の効いた部屋から外へ出る」と対になる項目である。

2–15. 暖房の効いた部屋から外へ出る〈寒がる〉

AとBは町内会が終わって、暖房の効いた部屋から外へ出ました。すると、外はたいへんな寒さで、体が縮みあがりそうです。そのときのやりとりを実演してみてください。町内会の会場から外へ出た瞬間から会話を始めてください。

⇒〈驚く〉行動の出現も予想される。2–14「冷房の効いた部屋から外へ出る」と対になる項目である。

2–16. 初物のカツオ(タケノコ)を食べる〈うまがる〉

AとBは夫婦です。初ガツオをもらったので、さっそく夕飯に食べることにしました。一口食べてみると、脂がのっていて、うまいことうまいこと。こんなにおいしいカツオは食べたことがありません。そのときのやりとりを実演してみてください。※カツオの代わりにその地域で一般的な魚や野菜を指定してよい。

⇒〈驚く〉行動の出現も予想される。

2–17. 久しぶりに友人に出会う〈驚く〉

Aは、町で、東京に行っていたはずのBに、ばったり出会いました。Bが気仙沼に帰っているとは知らず、本当に久しぶりです。そのときのやりとりを実演してみてください。

⇒〈喜ぶ〉〈尋ねる〉といった要素のほか、挨拶関係の要素なども得られる可能性がある。

2–18. 見舞いに行くべきか迷う〈迷う〉

AとBは夫婦です。親戚が入院しました。遠い親戚なので、お見舞いに行かなくともよいとは思いますが、一方で、行った方がよいような気もします。そのときのやりとりを実演してみてください。

⇒ 1–42「畑の処理を迷う」に比べると、日常よく起こりそうな場面である。〈伝える〉〈同意を求める〉〈同意する〉などの要素も現れそうである。

2–19. 瓶の蓋が開かない〈困る〉

A と B は夫婦です。A は瓶の蓋を開けたいと思ってひねりますが、堅くてなかなか回りません。そこへ、B が帰って来たので、開けてくれるように頼みます。そのときのやりとりを実演してみてください（名取市では、なんとか開ける場合と、どうしても開けられない場合とに分けた）。

⇒特に〈困る〉に注目した場面として設定したが、目の前の相手とのやりとりの中で〈頼む〉〈受け入れる〉に当たる要素も観察可能である。

2–20. 買ってくるのを忘れる〈呆れる〉

A と B は夫婦です。A は買い物から帰って来ました。買い物袋の中のものを出してみると、人参がありません。そもそも、今日の夕飯はカレーライスにしようと思い、足りない人参を目当てにスーパーに行ったのですが、他の物は買ったのに、肝心な人参を買うのを忘れて帰ってきてしまいました。驚くやら呆れるやらです。傍で聞いていた B も会話に加わります。そのときのやりとりを実演してみてください。

⇒〈けなす〉〈からかう〉といった要素も出現する可能性がある。

2–21. 生徒の成績を説明する〈説明する〉

A は保護者面談で、自分の子供のことについて、先生の B と話をします。先生の話では、子供の成績がよくなく、このままでは大学への進学が難しいと言われます。そのときのやりとりを実演してみてください。

⇒〈尋ねる〉〈忠告する〉といった要素も出そうである。

2–22. 息子の成績が悪いことを話す〈打ち明ける〉

A と B は夫婦です。今日、保護者面談があり、A が出かけて行きましたが、先生の話では、あまり成績がよくなく、このままでは進学が難しいと言われてしまいました。A は家に帰って、そのことを B に打ち明けます。そのときのやりとりを実演してみてください。

⇒〈困る〉〈迷う〉などの要素も現れるかもしれない。

2–23. 外が暑いことを話す〈教える〉

今日はものすごい暑さです。B は外から帰って、そのことを妻の A に教えます。そのときのやりとりを実演してみてください。家に入るところから会話を始めてください。

⇒ 2–14「冷房の効いた部屋から外へ出る」はその場で〈暑がる〉行動であるが、こちらは、それを人に教える状況として設定した。〈帰宅の挨拶〉も聞かれるであろう。

2–24. 外が寒いことを話す〈教える〉

今日はものすごい寒さです。B は外から帰って、そのことを妻の A に教えます。そのときのやりとりを実演してみてください。家に入るところから会話を始めてください。

⇒ 2–15「暖房の効いた部屋から外へ出る」はその場で〈寒がる〉行動であるが、こちらは、それを人に教える内容として設定した。〈帰宅の挨拶〉も聞かれるであろう。

2–25. ガソリンの値上がりについて話す〈共感する〉

ガソリンの値段がどんどん上がっていきます。このあたりは、自家用車でなければ買い物に行くのも不便です。Bはそのことを話題にして、ガソリンの値上がりは本当に困ってしまうと訴えます。Aはそれに共感します。そのときのやりとりを実演してみてください。

⇒〈驚く〉〈説明する〉〈困る〉などの要素も出現する可能性がある。

2–26. 町内会の連絡を伝える〈伝える〉

AはBの家に、町内会の連絡を伝えに行きます。今日、予定されている町内会が、会場の都合で、急きょ開始が1時間遅くなった(午後2時からが3時からになった)という連絡です。町内会長の佐藤さんからAさんのところに連絡があり、Bさんにも伝えてほしいということです。そのときのやりとりを実演してみてください。AがBの家に入るところから始めてください。

⇒〈修正する〉〈指示する〉といった要素も現れるはずである。〈訪問の挨拶〉も観察されそうである。

2–27. 回覧板を回す〈伝える〉

AはBの家に回覧板を渡しに行きました。そのときのやりとりを実演してみてください。

⇒〈指示する〉〈受け入れる〉といった要素や訪問の挨拶なども出現が予想される。

2–28. 遠くにいる人を呼び止める〈呼び止める〉

今日は町内会の会合があります。ただ、最初、予定していた会場が使えなくなったために、別の会場に変更になりました。Bが変更後の会場に向かおうとすると、Aがその変更を知らないらしく、間違った方向へ行こうとしています。そこで、BはAを呼び止めます。AとBとの距離はだいぶ離れているので、大きな声を出さないと気付かないかもしれません。そのときのやりとりを実演してみてください。

⇒〈答える〉〈尋ねる〉〈確認する〉〈教える〉といった要素も現れることが考えられる。

2–29. バスの中で声をかける〈声をかける〉

Bがバスに乗っていると、次の停留所でAが乗り込んできました。AはBに気付かないらしく、Bのすぐ横の座席に座りました。そこで、BはAに声をかけます。そのときのやりとりを実演してみてください。

⇒〈驚く〉〈答える〉〈尋ねる〉などの要素も現れるかもしれない。

2–30. 近所の家に来たお嫁さんに出会う〈自己紹介する〉

Bは、近所の家の息子が結婚し、その家にお嫁さんのAが来たことは知っています。ただ、まだAの顔を見たことはありません。ある朝、その家の前を通りかかると、Aと思われる人物が玄関前の掃き掃除をしていました。BはAとは初対面なので、自己紹介をしようと思います。BがAに声をかけるところから会話を始めてください。

⇒〈交誼を結ぶ〉表現や〈尋ねる〉〈答える〉などといった表現も得られそうである。

2–31. 結婚相手を紹介する〈人を紹介する〉

Aの家では息子の結婚相手が決まらず、以前からBに対して、誰か適当な人がいたら紹介してほしいと頼んでありました。ここにきて、お嫁さんにふさわしい女性が現れたので、BはAにその女性のことを紹介します。そのときのやりとりを実演してみてください。

⇒この場合の「紹介する」は、ある立場にとって適当な人物として推薦するという意味であり、その点、〈勧める〉に近いものである。〈尋ねる〉〈頼む〉〈感謝する〉などの表現が出現する可能性もある。

3–1. ティッシュペーパーを補充する〈指示する－受け入れる／受け入れない〉

AとBは夫婦です。Aはこれから買い物に行くと言っています。Bはティッシュペーパーが切れたことを思い出して、買ってくるように言います。そのときのやりとりを実演してみてください。

①Aが了解する場合

②Aが了解しない場合：ティッシュペーパーの買い置きがあった場合

⇒指示と受託についての項目である。夫婦の日常生活における、ごくありふれた一場面を取り上げた。依頼場面の一つと言えるが、この設定は頼む側・頼まれる側共通の利益に関わる場合を見ようとしたものである。ティッシュペーパーの買い置きをめぐって、〈尋ねる〉〈確認する〉〈答える〉といった要素の出現も期待される。

3–2. バスの時間が近づく〈促す〉

AとBは夫婦です。今日は日曜日で、Bは町で会合があり、出かけることになっています。しかし、Bはバスの時間が近づいてもなかなか家を出ようとしません。AはBを促します。どうやら、Bはバスの時間が平日ダイヤと日曜ダイヤで異なることを忘れていたようです。そのときのやりとりを実演してみてください。

⇒〈促す〉については、2–5「朝、起きない夫を起こす」を取り上げているが、こちらは相手が勘違いをしているという設定である。それに関わる〈確認する〉〈教える〉〈驚く〉などの要素も見られそうである。

3–3. 夕飯のおかずを選ぶ〈同意を求める－同意する／しぶる〉

AとBは夫婦です。一緒にスーパーに買い物に来ました。魚のコーナーに来たところ、今日はカツオが新鮮でしかも安いようです。そこで、Aはカツオを夕飯のおかずにしようと思い、Bにそのように言います。そのときのやりとりを実演してみてください。※カツオの代わりにその地域で一般的な魚や野菜を指定してよい。

①Bが同意する場合

②Bがしぶる場合：Bはこのところカツオを食べることが多く、少々飽き気味です。

⇒〈同意を求める〉については、1–8「人物を特定する」、1–9「町内会費の値上げをもちかける」、2–4「畳替えをもちかける」を取り上げている。ここの設定は私的な場面という点では畳替えと近いが、食べ物の選択という個人の嗜好に関わるレベルの同意・不同意の会話を観察することがねらいである。

3–4. 訪問販売を断る〈頼む(売り込む)－断る〉

Aは主婦、Bは新聞のセールスマンです。Aが一人で家にいる時に、新聞購読(「東北日報」)を勧める男のセールスマンが訪ねてきたとします。その人の話を断るとしたらどんなやりとりになりますか。そのときのやりとりを実演してみてください。

⇒依頼と断りといっても、この場面は訪問販売という売買・契約がからむ状況である。見ず知らずの関係で、一方は売り込もうと説得に努め、もう一方は何とかその場をやり過ごそうとする、そのやりとりの様子を見ようとした。なお、〈物売りの呼びかけ〉として1–75「客に声をかける」という場面を設定している。そこで繰り広げられる日常的な買物場面のやりとりとの対比も興味深い。

3–5. 主人がいるか尋ねる〈尋ねる－答える〉

AとBは近所の知り合いです。Aの夫とBは、今、町内会の役員をしているとします。Bは町内会の行事のことで相談したいことができ、Aの家を訪ねます。Aは夫を呼びますが、返事がありません。そのときのやりとりを実演してみてください。

⇒訪問の上で人物の所在を尋ねるという状況を設定している。訪問や辞去の際の挨拶のほか、訪問の用件や夫の不在について〈説明する〉、夫を〈呼ぶ〉といった要素なども現れるであろう。

3–6. 夫の友人が訪ねてくる〈尋ねる－答える〉

Aが家にいると、夫の友人であるというBが訪ねてきました。特に約束をしたわけではなく、用事があって近くまで来たから立ち寄ってみたということです。Bは自分で採った山菜をお土産に持って来てくれました。Aは夫を呼びますが、返事がありません。そのときのやりとりを実演してみてください。なお、AとBは初対面です。

⇒訪問および所在の確認という点は3–5「主人がいるか尋ねる」と共通である。こちらは、話し手同士が初対面であり、しかも、訪問者が土産を持参している点などが異なる。

3–7. 天気予報を不審がる〈不審がる〉

AとBは夫婦です。天気予報では今日は「晴れ」の予報ですが、空を見るとかなり曇っています。これでは、本当に晴れるかどうか疑わしい感じです。Bはこれから出掛けるのですが、荷物になるのでなるべく傘は持って行きたくありません。Aも本当に晴れるなら洗濯物を外に干したいと思っています。そのときのやりとりを実演してみてください。

⇒〈不審がる〉については、2–7「玄関の鍵が開いていて不審がる」がある。また、1–41「タバコのことを隠している夫を疑う」も関連場面と言える。こちらは、天気予報という公的、かつ、自分たちの行動を規制する情報が対象である。

3–8. 魚の新鮮さを確認する〈確認する－答える〉

Aは客、Bは魚屋です。Aはサンマを買いに来ましたが、置いてあるサンマはどうも古いように見えます。そこで、そのことを魚屋のBに確認します。そのときのやりとりを実演してみてください。

①確かに少々古い場合

②それほど古くはない場合

⇒買い物時の客と店側の交渉の中に現れる確認がテーマである。〈疑う〉〈説明する〉〈反論する〉〈納得する〉などといった要素も出現する可能性がある。

3–9．福引の大当たりに出会う〈祝う〉

AとBは近所の知り合いです。町内会の福引を引きに行ったところ、最初にクジを引いたAの景品はポケットティッシュでしたが、次にクジを引いたBはなんと温泉旅行を引き当てました。その温泉はAがずっと行きたいと思っていたところでした。そのときのやりとりを実演してみてください。

⇒この場面は〈祝う〉に分類したが、その場で起こったできごとを目の当たりにして驚きながら祝うという場面である。瞬間的に〈喜ぶ〉という行動も見られるかもしれない。

3–10．福引の大当たりについて話す〈うらやむ〉

AとBは夫婦です。Aが町内会の福引を引きに行ったところ、最初にクジを引いたAの景品はポケットティッシュでしたが、次にクジを引いた隣の家の佐藤さんはなんと温泉旅行を引き当てました。その温泉はAがずっと行きたいと思っていたところでした。Aは家に帰ってきてそのことを夫であるBに話します。そのときのやりとりを実演してみてください。

⇒ 3–9「福引の大当たりに出会う」の場面のあと、そのできごとを家に帰ってから家人に話すという状況である。〈うらやむ〉のほかにも〈報告する〉〈なぐさめる〉〈なだめる〉といった要素が出現する可能性がある。

3–11．食事の内容が気に入らない〈けなす〉

AとBは夫婦です。このところ、夕飯のおかずに揚げ物が出ることが多いのですが、どうやらその揚げ物はスーパーで買ってきたものか、冷凍食品を電子レンジでチンしたもののようです。そうした揚げ物に、Bは本当に飽き飽きしています。今日も、食卓に揚げ物が出ています。Bはとうとう頭に来て、Aの料理をけなします。しかし、Aも仕事や介護で忙しい中、なんとか食事を作っているので、けなされるのはよい気分ではありません。そのときのやりとりを実演してみてください。

①Aが折れる場合

②Aが折れない場合

⇒この場面では、〈言い張る〉〈受け入れる〉〈しぶる〉〈反論する〉といった要素の出現も観察できるかもしれない。

3–12．隣人が回覧板を回さない〈非難する〉

AとBは夫婦です。隣の家の佐藤さんはゴミの日でないのにゴミを出したり、回覧板を回さずにずっと自分のところに留めて置いたりと、どうも行いがよくありません。Bはそのことを日ごろから腹立たしく思っています。今日も、すでに催し物の期日が過ぎてから回覧板を持ってきました。Bはいよいよ頭に来て、Aにそのことを話します。そのときのやりとりを実演してみてください。

①Aが同意する場合：Aもそのように思っていたので、Bに同調します。

②Aが同意しない場合：Aもそうは思うのですが、佐藤さんが仕事の関係で、朝早く出勤し夜遅く帰ることを知っているので、Bに完全に同調はできません。

⇒〈非難する〉については、1–35「ゴミ出しの違反を非難する」、2–9「夫が飲んで夜遅く帰る」がある。それらはいずれも相手を直接非難する場合であるが、この場面は話題の人物を非難するという設定である。非難の相手が近所の知り合いであるという点では、1–35と共通する。〈同調する〉〈擁護する〉といった要素も現れると思われる。

3–13. 見舞いと友人との再会で悩む〈迷う〉

AとBは夫婦です。Bの兄が入院したというので、今度の日曜日に夫婦そろってお見舞いに行くことにしていました。ところが、東京に出ていたAの友人が一日だけ気仙沼／名取に帰るので会いたいと言ってきました。Aは久し振りに友人と再会したい気持ちが強いものの、Bの兄の見舞いの予定が先に入っているので、大いに悩みます。そこで、Bと相談します。そのときのやりとりを実演してみてください(気仙沼市では、夫が譲る場合と、妻が譲る場合とに分けた)。

⇒〈迷う〉については、1–42「畑の処理を迷う」、2–18「見舞いに行くべきか迷う」がある。それらとの違いは、今回の場合、全く別のことがら間の選択が問題になっていることと、選択によっては相手に迷惑をかける可能性があることである。〈相談する〉〈許可を求める〉〈受け入れる〉〈勧める〉〈しぶる〉〈あきらめる〉などの要素の出現が予想される。

3–14. 猫を追い払う〈驚く〉

AとBは夫婦です。ふと縁側を見ると、野良猫が干してあった魚をとろうとしています。Aはそれに気づき、慌てて猫を追い払います。Bは騒々しい音を聞きつけ、何事が起こったかとAに尋ねます。そのときのやりとりを実演してみてください。

⇒〈驚く〉場面の中では1–44「花瓶を倒す」と同様にマイナスの事態であり、緊急性も高い。ただし、こちらは、それが動物によって引き起こされ、その動物を追い払うという状況になっている点が特徴的である。その意味では、動物に対する要求・指示の言語行動を観察するというねらいもある。

3–15. よそ見をしていてぶつかる〈謝る〉

AとBは他人です。Bが街を歩いていたとき、よそ見をしていてうっかりAにぶつかってしまったとします。そのときのやりとりを実演してみてください。

⇒この場面は1–24「お茶をこぼす」と同じく自分の不注意による瞬間的な過失の場合であるが、動きのある状況の中での会話となっている。〈驚く〉〈気遣う〉〈許す〉といった要素も観察されるであろう。

3–16. 出店のことで話す〈説明する〉

AとBは近所の知り合いです。2人は町内会の夏祭りで、焼きそばの出店を手伝うことになりました。Bは出店の手伝いを何回もやったことがありますが、Aは初めてです。そこで、AはBの家を訪ね、当日の仕事の段取りや分担について教えてもらうことにしました。そのときのやりとりを実演してみてください。※出店の内容は、焼き鳥やたこ焼き、かき氷、輪投げなど、なんでもけっこうです。話題にしやすいものを取り上げてください。

⇒一方が他方に知識を提供する場面であり、相談的な要素も兼ね備えている。1–22「店の場所を尋ねる」における道教えのやりとりとも趣旨が共通する部分がある。

3–17. 折り紙を折る〈説明する〉

AとBは近所の知り合いです。今日は敬老会で折り紙を折って遊ぶことになりました。Bはあまり折り紙の経験がないので、Aから折り方を教わります。そのときのやりとりを実演してみてください。※何を折るかはお任せします。

⇒3–16「出店のことで話す」と同様、知識提供の説明である。ただし、こちらの場面ではAがBに折り紙の折り方を解説しながら互いに折り紙を折るという具体的な動作を伴う。〈尋ねる〉〈確認する〉〈指示する〉〈注意する〉などといった要素の出現も期待される。

3–18. 食事をする(開始と終了)〈挨拶する〉

AとBは夫婦です。夕飯の支度ができたので、AはBを呼びます。Bはやって来て食卓に着き、Aと一緒に夕飯を食べます。その後、食事が済んだので、Bは食卓を離れます。そのときのやりとりを実演してみてください。※食事中の会話は省略します。

⇒この場面に関しては、1–68「食事を始める」と1–69「食事を終える」もある。それらで対象にしている部分に加え、こちらでは食卓につく前の部分と、食卓を離れる部分も範囲に含めている。また、ここでは夕食を指定し、昼食の場面である1–68・1–69とは違いを持たせてある。

3–19. ハンカチを落とした人を呼び止める〈呼び止める〉

AとBは他人です。Bが道を歩いていると、前を歩いていたAがハンカチを落としました。BはAに声をかけます。そのときのやりとりを実演してみてください。

①相手が見ず知らずの人

②相手が近所の知り合い

⇒〈呼び止める〉には2–28「遠くにいる人を呼び止める」もあるが、こちらの場面は相手が至近距離にいる場合であり、ハンカチを拾ってやるという行為を伴う。〈教える〉〈驚く〉〈感謝する〉といった要素も現れそうである。また、ここでは近所の知り合いのほかに見ず知らずの人の場合も取り上げ、相手による違いも見る。

3–20. 子供の結婚相手の親と会う〈交誼を結ぶ〉

AとBはもともと知り合いではありませんが、近く互いの息子と娘が結婚することになり、今日、初めてお互いに顔を合わせました。そのときのやりとりを実演してみてください。

⇒祝儀に至る段階の一コマとして設定した場面である。話の内容や表現の定型性などについて観察することがねらいである。

4–1. 遊具が空かない〈頼む－受け入れる〉

AとBは他人です。Aは孫を連れて公園に来ました。孫を乗せようと思ったブランコはすでに他の子供が遊んでいます。しばらくブランコが空くのを待っていましたが、その子供は一向に譲ってくれる気配はありません。側には子供の祖父らしき人物(B)が付いています。AはBに声をかけます。その時のやりとりを実演してみてください。

⇒依頼と受託について見るための場面である。他の同様の場面とは、公園の遊具という公共の場での権利を譲り受ける依頼である点と、孫という第三者が関与している点が異なる。〈催促する〉の要素も含んでいる。

4–2. 出前が遅い〈催促する〉

Bは蕎麦屋です。Aは家に来ているお客用に蕎麦の出前を頼みましたが、なかなか配達に来ません。AはBに催促の電話をかけます。その時のやりとりを実演してみてください。

⇒〈促す〉場面としては、2–5「朝、起きない夫を起こす」と3–2「バスの時間が近づく」があるが、こちらは蕎麦屋へ出前を請求するという、お店に対して〈催促する〉場面として別に設定した。蕎麦屋の側に〈謝る〉という要素が現れる可能性もある。

4–3. 写真を撮る〈注意する〉

AとBは近所の知り合いです。町内会の行事があり、集合写真を撮ることにしました。Bはカメラマンを引き受け、写真を撮ろうとしますが、Aが後ろの人とおしゃべりをしていて体が動いています。これではうまく写真は撮れません。その時のやりとりを実演してみてください。

⇒他の〈注意する〉場面は、相手が危険な状況に陥る可能性や忘れ物をしてしまう恐れのある場合であった。同じく〈注意する〉に分類したものの、この場面はそれらとは異なり、相手の行儀の悪さを指摘するものである。相手に対して〈呼びかける〉という要素も現れるであろう。

4–4. 預かった荷物を届ける〈申し出る－受け入れる〉

AとBは隣人同士です。Aは、Bの留守中にBの家に来た親戚から荷物を預かっています。夕方になり、Bが帰宅したようなので、Aは預かった荷物を届けに行きます。その時のやりとりを実演してみてください。

⇒〈訪問の挨拶〉のほか、荷物を預かった事情について〈説明する〉、荷物を届けてもらったことに対して〈感謝する〉といった要素なども見られそうである。

4–5. 知らない人について尋ねる〈尋ねる－答える〉

AとBは近所の知り合いです。近所の人のお葬式に一緒に行きました。するとBはCから声をかけられ、Bも挨拶をしました。AはCのことを知りません。Cがどこかへ行った後、AはBにCは誰なのか尋ねます。そのときのやりとりを実演してみてください。

⇒人の素性について〈尋ねる〉場面である。答える側が一定量の情報を提供することを考えると、〈答える〉というより〈教える〉という性格が強い。

4–6. 間違い電話をかける〈確認する〉

Bは知り合いの佐藤さんに電話を掛けました。しかし、電話番号を間違えてしまい、出たのは佐藤さんではなくAでした。そのときのやりとりを実演してみてください。

①相手が見ず知らずの人：番号を間違えて知らない人につながってしまった場合

②相手が近所の知り合い：見ていた電話帳の欄を一段間違えて電話をかけてしまった場合

⇒〈確認する〉については1–23「開始時間を確認する」などもあるが、この場面は明らかな間違いに基づく確認のケースである。間違いに気づいて〈謝る〉、それを〈許す〉といったやりとりも聞かれるかもしれない。①と②の相手の違いによって、どのような差が現れるのかも興味深い。

4–7. お釣りが合わない〈確認する〉

Aは行きつけのBのお店で買物をしました。お釣りをもらったところ、お釣りが足りませんでした。自分の計算に間違いはなく、確かにBの間違いだということがはっきりしています。その時のやりとりを実演してみてください。

⇒これも〈確認する〉であるが、間違い電話のようにすぐに誤りだとわかるのではなく、互いに同意するまで一定のやりとりが必要になる場面である。その点では、〈説明する〉〈納得する〉といった要素も出現すると思われる。また、間違いが判明したあと、〈謝る〉〈許す〉という要素が現れる可能性がある。

4–8. 孫が粗相をした〈謝る－許す〉

AとBは近所の知り合いです。Aの孫が遊んでいたときに、Bの家の車にボールを当てて傷をつけてしまいました(ボールの跡が薄く残る程度の軽微な傷)。その日のうちに、親が孫を伴って謝りに行きました。翌日、AはBと道で出会いました。その時のやりとりを実演してみてください。

⇒ 1–24「お茶をこぼす」、1–25「約束の時間に遅刻する」、3–15「よそ見をしていてぶつかる」に比べて事の重大さはやや深刻である。また、これらの場面がいずれも自分自身の過失であるのに対して、今回の場面は孫という第三者(身内)の失敗が問題となっている。さらに、より当事者に近い立場にある親がすでに謝罪を行っている点や、失敗をした当事者が子供という責任能力に乏しい存在である点など、やや特殊なケースと言える。その点、孫の扱いをめぐって、〈けなす〉〈擁護する〉〈気遣う〉等の要素も見られるかもしれない。

4–9. 景品がみすぼらしい〈呆れる〉

Aは正月の初売りでアルミホイルを景品にもらいました。昔の景品はお皿のセットなど、もっと豪華だったように思います。そのことで、Aは帰宅してからBと話をします。その時のやりとりを実演してみてください。

⇒〈呆れる〉の場面としては、ほかに2–20「買ってくるのを忘れる」がある。その対象は相手の行動であったが、この場面では初売りの景品という第三者が提供する品物になっている。〈けなす〉〈あきらめる〉〈同調する〉といった要素も現れそうである。

4–10. 沸騰した薬缶に触れる〈熱がる〉

Aは沸騰した薬缶に誤って触れてしまいました。テレビを見ていたBは驚いて駆けつけます。その時のやりとりを実演してみてください。

⇒気温の〈暑がる〉については2–14「冷房の効いた部屋から外へ出る」があるが、ここは温度の〈熱がる〉である。1–33「足をくじいた相手を気遣う」のように、〈驚く〉〈気遣う〉といった要素も出現が期待される。

4–11. 渋い柿を食べる〈まずがる〉

AとBは夫婦です。知り合いからもらった柿を切って食べましたが、たまたま渋い柿にあたってしまいました。そのときのやりとりを実演してみてください。

⇒ 2–16「初物のカツオ(タケノコ)を食べる」の〈うまがる〉との対比が興味深い。

4–12. 頼まれたものを買って帰る〈報告する〉

AとBは夫婦です。Bは、仕事の帰りに牛乳を買ってくるようにAに頼まれたので、スーパーで牛乳を買って家に帰りました。その時(Bが家に帰ってきたところから)のやりとりを実演してみてください。

⇒この場面では、〈確認する〉〈感謝する〉等の要素の出現も考えられる。

4–13. 自動車同士が接触する〈言い張る〉

AとBは他人です。Aの車の前を走っていたBの車が急に車線変更してきたために、避けきれずに軽く接触してしまいました。Bはウインカーを出したと言いますが、Aは見た覚えはありません。互いに自分は悪くなく、相手に落ち度があると思います。その時のやりとりを実演してみてください。

⇒〈言い張る〉については1–46「メガネを探す」もあるが、これはそれとは異なり、深刻な事態を目の前にして他人相手に〈言い張る〉場面である。話の展開のしかたによって、〈非難する〉〈謝る〉〈説明する〉といった要素も見られるであろう。

4–14. 伝言を伝える〈伝える〉

AとBは夫婦です。Bは町内会の役員をしています。Bが不在のときに、同じ役員をしているCさんから電話が入り、Aが用件を聞きました。今度の土曜日の10時に予定していた打ち合わせを、日曜日の同じ時間に変更してもらえないかということです。Aは帰宅したBにそのことを伝えます。Bは日曜日のその時間は、別の用事がすでに入っています。そのときのやりとりを実演してみてください。

⇒〈伝える〉はほかにも2–26「町内会の連絡を伝える」と2–27「回覧板を回す」があるが、この場面は伝言を伝えるという間接的な伝達のケースである。Bの予定が合わないため、〈困る〉など他の要素も観察されるかもしれない。

4–15. 働いている人の傍を通る〈働いている人への挨拶〉

AとBは近所の知り合いです。Bが畑仕事をしている傍らをAが通ります。その時のやりとりを実演してみてください。

⇒〈ねぎらう〉要素が現れる可能性がある。その点では、1–36「退任した区長をねぎらう」と関連させて観察するのもおもしろい。

4–16. 市役所の窓口へ行く〈訪問・辞去の挨拶〉

Bは市役所の窓口で働いています。そこへAが住民票の写しが欲しいとやって来ます。Aは窓口のBにどのように声をかけますか。また、Bはどのように返事をしますか。そのやりとりを実演してみてください。

⇒〈訪問・辞去の挨拶〉は、他の場面では友人宅および商店を舞台に設定している。それに対して、ここでは公共性の高い場として、市役所の窓口という場面を設けてみた。用件をめぐるやりとりに発展する可能性もある。

4–17. 市役所の窓口から帰る〈訪問・辞去の挨拶〉

それでは用事を済ませたAが窓口から帰るとき、窓口のBにどのように声をかけますか。また、Bはどのように返事をしますか。そのやりとりを実演してみてください。

⇒ 4–16「市役所の窓口へ行く」と対になる場面である。

4–18. 入院中の知り合いを見舞う〈見舞いの挨拶〉

AとBは近所の知り合いです。Bが庭仕事中に脚立から落ち、腰を痛めて入院したという話を聞いたので、Aはお見舞いに行きます。その時のやりとりを実演してみてください。

⇒〈気遣う〉〈恐縮する〉などといった要素の出現も予想される。

4–19. スーパーで声をかける〈声をかける〉

AとBは近所の知り合いです。Aが近所のスーパーに行くと、Bが買い物をしていました。Aから声をかけます。そのときのやりとりを実演してみてください。

⇒ 2–29「バスの中で声をかける」に対して、スーパーマーケットではどうかを見ようとした場面である。声のかけ方や、その後の会話の展開のしかたに違いが出る可能性が考えられる。

4–20. 荷物運びを頼む：1–1「荷物運びを頼む」の再収録である。

4–21. 傘忘れを知らせる：1–13「傘忘れを知らせる」の再収録である。

4–22. 傘の持ち主を尋ねる：1–21「傘の持ち主を尋ねる」の再収録である。

4–23. 福引の大当たりに出会う：3–9「福引の大当たりに出会う」の再収録である。

4–24. 猫を追い払う：3–14「猫を追い払う」の再収録である。

4–25. 朝、道端で出会う：1–47「朝、道端で出会う」の再収録である。

4–26. 夕方、道端で出会う：1–50「夕方、道端で出会う」の再収録である。

4–27. 働いている人の傍を通る：4–15「働いている人の傍を通る」の再収録である。

4–28. 友人宅を訪問する：1–60「友人宅を訪問する場面」の再収録である。

4–29. 友人宅を辞去する：1–61「友人宅を辞去する場面」の再収録である。

4–30. 主人がいるか尋ねる：3–5「主人がいるか尋ねる」の再収録である。

4–31. 夫(妻)が出かける：1–66「夫(妻)が出かける」の再収録である。

4–32. 夫(妻)が帰宅する：1–67「夫(妻)が帰宅する」の再収録である。

4–33. ハンカチを落とした人を呼び止める：3–19「ハンカチを落とした人を呼び止める」の再収録である。

5. 収録方法

5.1 収録調査の概要

最初にも述べたように、対象地域は宮城県気仙沼市と名取市の2つである。同じ宮城県内でありながら、方言上ある程度の異なりが予想されると同時に、仙台市のような大都市であるがゆえの激しい共通語化を免れていることを条件にこの2地域を選定した。もちろん、東日本大震災の被災地として沿岸部を選ぶことが前提にあり、同時に、過去の方言調査で訪れたことがあったり、方言関係の民間団体が存在したりするなど、収録に対する協力が得られやすいことも考慮に入れた。

収録期間は 2013 年度〜2016 年度の 4 年間である。それぞれ夏期に数回にわたって収録を行い、冬期には聞き取りの不明箇所について確認調査のために現地を訪れた。収録を担当したのは、主として東北大学方言研究センターの教員と学生たちである。指導的立場の教員・大学院生と経験の少ない学部生とがチームを組んで作業にあたった。

収録に当たっては、気仙沼市については同市教育委員会生涯学習課(担当：幡野寛治氏)に、名取市については「方言を語り残そう会」(代表：金岡律子氏)にご協力いただいた。また、気仙沼市役所、気仙沼市民会館、気仙沼市中央公民館、気仙沼市松岩公民館、名取市市民活動支援センター、名取市館腰公民館、名取市植松集会所、慶雲院(名取市)には収録会場としてたいへんお世話になった。

話者は、各地域の生え抜き高年層の男女各 1 名ずつであり、『会話集』1〜4 を通じて同じ方々にお願いした。その 2 人にペアになってもらい、会話をしていただいた。どの話者も一般の方々であり、特に語りや演技の専門家ではない。

以上の、収録地域や収録時期、話者、担当者などの情報は、会話資料の冒頭に詳しく記しておいたのでご覧いただきたい。なお、これらの収録作業は、文化庁の「被災地方言の保存・継承のための方言会話の記録と公開」の補助金を得て行われたものであることを付記しておく。

5.2　会話の収録方式

この会話集で採用している収録方式は、大きく次の 3 つに分類できる。

a. 着座式

b. 行動式

　b-1. 擬似的環境

　b-2. 現実的環境

「着座式」は話者が座卓やテーブルに座り、多くの場合、向かい合って会話をするやり方である。会話資料の収録では一般的であり、話者にも収録者にも負担の少ない効率的な方式と言える。この会話集でもほとんどの場面をこの方式で収録した。

ただし、この方式は雑談を主とした自由会話の収録では問題にならないが、場面設定会話では現実の場面と環境が大きく異なるため、話者はその場面を思い浮かべながら会話をしなければいけないという難しさがある。これに対して、「行動式」は話者に動作を行ってもらいながら収録する方式であり、それによって、より現実的な場面に近づけた会話の収録を行おうというものである。

このうち、「擬似的環境」というのは、収録会場の中に現実に似た環境を整え、話者に演技してもらう方式である。「猫を追い払う」場面を例にとれば、収録会場(室内)に猫や魚の模型を用意し、調査員が猫の模型を操作するのに合わせて話者にも行動してもらいながら会話を収録する。実際の猫や魚ではなく、また自宅という現実の環境でもないが、着座式に比べると臨場感はかなり出てくる。一方、「現実的環境」というのは実際にありうる現場で会話を収録する方式である。例えば、「朝、道端で出会う」場面で言えば、調査会場(室内)で収録するのではなく、屋外に出て、話者に道路を歩きながら出会う場面を演じてもらう。演技とはいえ、実際の場面をそのまま再現するものであるため、擬似的環境よりさらに現実味が増した収録が可能になる。

こうした「行動式」の収録方式も、この会話集では一部に取り入れている。

5.3　同一場面の再収録

前節に記した収録方式に関して、この会話集では、同一の会話場面を複数の方式で収録する試みを行った。基本的には1つの場面について1つの方式で収録するのみであるが、いくつかの場面については、方式を変えて複数回収録を行った。

この試みには2つの目的がある。ひとつは、それにより同一の場面でも異なった会話の展開を記録しうるという点である。同じような状況にあっても、そこで行われる会話は毎回何らかの点で異なるのが普通である。そうした会話の柔軟さやバリエーションの広がりをとらえることは、地域の言語生活の実態をより深く知ることにつながると考えられる。

もうひとつの目的は、収録の方法についての検討である。場面設定会話の課題として、いかに現実に近い会話を収録できるかという点がある。複数の方式によって収録された会話を比較し、それらに共通する部分と異なる部分を検討することで、より良質な記録のための方法論について吟味することができると思われる。

再収録を行ったのは次の14場面である。第1集ないし第3集の場面を、第4集で収録し直している。

○先に「着座式」で収録し、あとで「行動式(現実的環境)」で再収録した場面

1–1(4–20). 荷物運びを頼む－①受け入れる場合

1–13(4–21). 傘忘れを知らせる(気仙沼市のみ)

1–21(4–22). 傘の持ち主を尋ねる－①相手の傘だった場合(気仙沼市のみ)

1–47(4–25). 朝、道端で出会う－②女性→男性

1–50(4–26). 夕方、道端で出会う－①男性→女性(気仙沼市のみ)、②女性→男性(名取市のみ)

1–60(4–28). 友人宅を訪問する(名取市のみ)

1–61(4–29). 友人宅を辞去する(名取市のみ)

1–66(4–31). 夫(妻)が出かける(名取市のみ)

1–67(4–32). 夫(妻)が帰宅する(名取市のみ)

3–5(4–30). 主人がいるか尋ねる(名取市のみ)

○先に「行動式(擬似的環境)」で収録し、あとで「着座式」で再収録した場面

3–9(4–23). 福引の大当たりに出会う(名取市のみ)

3–14(4–24). 猫を追い払う

3–19(4–33). ハンカチを落とした人を呼び止める－①相手が見ず知らずの人の場合、②相手が近所の知り合いの場合(名取市のみ)

○「着座式」と「行動式(現実的環境)」を同時に収録した場面

4–15(4–27). 働いている人の傍を通る(名取市のみ)

5.4　収録環境と小道具

会話の自然性の確保のために、その場面を現実の環境にどのように近づけるかは大きな課題である。前節ではこの会話集において、部分的に「行動式」の収録方法を採用したことを述べた。現実的な環境の中で会話を収録するために、話者を屋外に連れ出したり、さまざまな小道具を使ったりしたのである。具体的にどのような工夫を行ったのか、場面ごとにその概要を記す。一部の場面については、収録風景の写真を掲載するので合わせてご覧いただきたい。

1–24. お茶をこぼす：空の茶碗を用意し、ひっくり返す動作をしながら会話をしてもらった。

1–38. 孫が一等になって喜ぶ：調査員数名が走る演技をし、それを見ながら会話をしてもらった。

1–39. 孫が一等を逃しがっかりする。調査員数名が走る演技をし、それを見ながら会話をしてもらった。

2–1. 醤油差しをとってもらう：実際の醤油差しを使用し、触れながら会話をしてもらった。

2–19. 瓶の蓋が開かない：瓶の実物を用意し、話者に開ける動作をしてもらった。

2–28. 遠くにいる人を呼び止める：2 人の話者に離れた位置に立って会話をしてもらった。

3–8. 魚の新鮮さを確認する：サンマの模型を使用し、触れながら会話をしてもらった(写真)。

3–9. 福引の大当たりに出会う：抽選機の模型を用意し、話者に実際に動かす演技をしてもらった。当たりを知らせる鐘や景品のポケットティッシュなども使用した。調査員は抽選の役員役として、声かけをしたり、当たり鐘を鳴らしたりした(写真)。

3–11. 食事の内容が気に入らない：茶碗や箸・皿、揚げ物の模型などを使いながら収録した。また、話者には席につくところから演じてもらった。

3–14. 猫を追い払う：猫の模型を用意し、調査員が操作しながら、話者に追い払う演技をしてもらった。魚の干物の模型も準備した(写真)。

3–15. よそ見をしていてぶつかる：実際に歩きながらぶつかる演技をしてもらった。

3–17. 折り紙を折る：実際に折り紙を折りながら会話をしてもらった(写真)。

3–18. 食事をする(開始と終了)：茶碗や箸・皿、おかずの模型などを使用し、それらを手に取りながら会話をしてもらった(写真)。

3–19. ハンカチを落とした人を呼び止める：実際に歩きながらハンカチを落とし、それを呼び止めるという演技をしてもらった(写真)。

4–2. 出前が遅い：電話機を用意し、話者に電話をかける演技をしながら会話をしてもらった(写真)。

4–3. 写真を撮る：話者と複数名の調査員が並び、それを別の話者が写真機で撮影する演技をしながら会話をしてもらった。

4–6. 間違い電話をかける：電話機を用意し、話者に電話をかける演技をしながら会話をしてもらった。

4–10. 沸騰した薬缶に触れる：薬缶を用意し、話者に薬缶に触れる演技をしながら会話をしてもらった(写真)。

4–13. 自動車同士が接触する：話者に立ち上がって会話をしてもらった。

4–16. 市役所の窓口へ行く：申し込み用紙や住民票に当たる紙を用意し、それを使いながら会話をしてもらった。

4–20. 荷物運びを頼む：野菜(実物)の入った袋やサンマ(模型)の入った箱を用意し、それを使いながら会話をしてもらった。屋外での収録である(写真)。

4–21. 傘忘れを知らせる：雨傘を用意し、それを使いながら会話をしてもらった。公民館の玄関付近での収録である(写真)。

4–22. 傘の持ち主を尋ねる：折り畳み傘を用意し、それを使いながら会話をしてもらった。

4–25. 朝、道端で出会う：屋外で収録した。

4–26. 夕方、道端で出会う：屋外で収録した。

4–27. 働いている人の傍を通る：屋外で収録した(写真)。

4–28. 友人宅を訪問する：話者宅の玄関で収録した。

4–29. 友人宅を辞去する：話者宅の玄関で収録した。

4–30. 主人がいるか尋ねる：話者宅の玄関で収録した。

4–31. 夫(妻)が出かける：話者宅の玄関で収録した(写真)。

4–32. 夫(妻)が帰宅する：話者宅の玄関で収録した。

3-8．魚の新鮮さを確認する

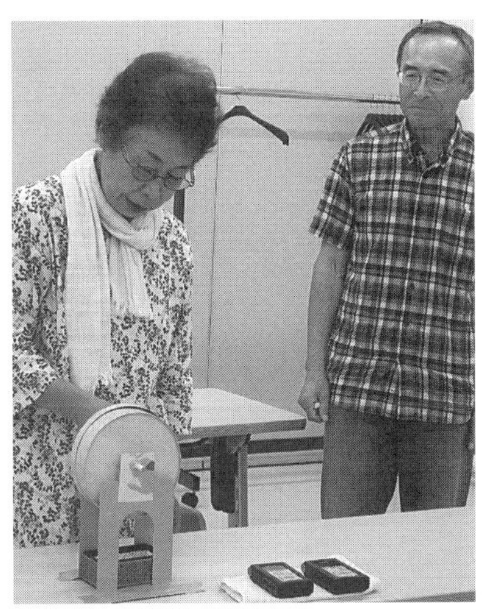

3-9．福引の大当たりに出会う

3-14．猫を追い払う

3-17．折り紙を折る

3-18．食事をする

3-19．ハンカチを落とした人を呼び止める

4-2．出前が遅い

4-10．沸騰した薬缶に触れる

4-21．傘忘れを知らせる

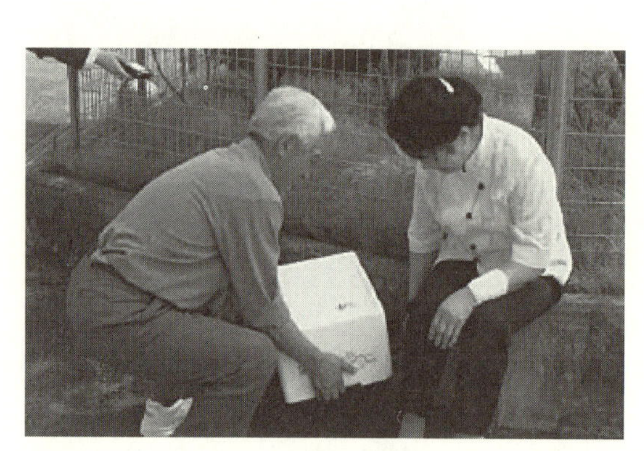

4-20．荷物運びを頼む

4-31．妻が出かける

4-27．働いている人の傍を通る

6.　資料作成の方法

6.1　文字化の方法

文字化はまず各地点の収録担当者たちが原案を作成し、その後、文字化担当者全員で検討会を開き、音声を聞きながら修正していった。文字化の方式の参考にしたのは、基本的には国立国語研究所編『日本のふるさとことば集成』である。一部、国立国語研究所編『方言談話資料』の方式も取り入れた。その方式を以下に示す。

(a)文字化の概要

文字化にあたっては、方言音声を文字化したものと、それを共通語訳したものを上下2段に並べて表示した。方言音声は上段に表音的カタカナ表記で記し、共通語訳は下段に漢字かなまじり表記で記してある。なお、基本的には文節で分かち書きしてある。

方言音声 → 上段：表音的カタカナ表記
共通語訳 → 下段：漢字かなまじり表記

(b)発話者の表示

①発話の単位

発話権が移行するまでの連続した発話を1発話とした。あいづちの類は別に処理した。

②話者記号

話者2名に対し女性を「A」、男性を「B」とし、調査者の発話には「調」の記号を与えた。

③発話番号

発話の通し番号を、話者記号の前に入れてある。

例：001A：～
　　002B：～

(c)固有名詞

本文中の話者名及び人名、地名については、アルファベットに置き換えてある。

話者：「A」「B」の話者記号を使用。

第三者・地名：「X」を使用。区別する必要のある場合は「C」「D」等も用いた。

(d)文字表記の基準

【方言文字化部分】

表音的カタカナ表記を用いた。音声の方言的特徴は、それが著しい場合に表記に反映させた。ガ行鼻濁音など、判定が難しかったものや、母音の無声化など、もともと表記しなかった音声的特徴もある。

助詞　：「は」→「ワ」　例：ソイズワ　ワガンネンダー
「を」→「オ」　例：コレオ　モッテゲ
「へ」→「エ」　例：ガッコーエ　イグ
長音　：「ー」例：ソーナンダ(×ソウナンダ)
四つ仮名：「ジ」「ズ」に統一した。(「ヂ」「ヅ」の表記は使用していない)
例：「トモダジ(友達)」「ホーズ(法事)」
鼻濁音　：半濁点を使用した。
ガ行鼻濁音「カ゜」「キ゜」「ク゜」「ケ゜」「コ゜」
入り渡り鼻音は上付き文字を使用「ンダ」
連母音　：「ア」と「エ」の中間の音については「エァ」「アェ」という表記も許容した。
例：「ンメァ(うまい)」「ナェ(ない)」
広母音化：「イ」が著しく「エ」に近い場合、「エ」の仮名を使用した。
例：「エマ(今)」「センダエ(仙台)」
中舌化　：「シ」「ジ」「チ」の中舌化が著しい場合、「ス」「ズ」「ツ」の仮名を使用した。
例：「スコス(少し)」「オナズ(同じ)」「ツカ゜ウ(違う)」
有声化　：カ行・タ行の有声化が著しい場合、ガ行・ダ行の仮名を使用した。
例：「サギ(先)」「イダ(居た)」
口蓋化　：「キ」の口蓋化が著しい場合、「チ」の仮名を使用した。
例：「ヤルチ(やる気)」「カッテチタ(買ってきた)」

【共通語訳部分】

基本的に方言の直訳とした。意味を通りやすくするため、一部意訳となっている箇所もある。

助詞　：ないと理解しにくい場合は、適宜補い、[ ]で示した。
長音　：感動詞などには長音記号「ー」を使用した場合がある。
その他　：直訳では意味が通りにくい場合は、語句を補い、[ ]で示した。

(e)記号の見方

【方言文字化部分】

。(句点)　：意味的に1つのまとまりを持つ文の最後に付した。
、(読点)　：意味的、音声的に切れ目のある部分に付した。一部読みやすさのために付した場合もある。
(　)　：あいづちなど、発話権が移っていない時に話をさえぎったり、口を挟んだりした箇所。
例：ヒデリデー(A　ウーン)タイヘンダドオモッテッサ。
{　}　：笑い声、拍手などの非言語音。
例：{笑}{拍手}
〰〰〰　：聞き取れない部分には、波線を引いた。

例：オチャズケノ＿＿＿
聞き取りが不十分な部分は、聞こえた音を記した箇所に波線を引いた。
例：コエズカレデ
＿＿＿＿：発話が重なっている部分には、下線を引いた。
例：(A　ウン)ホンデァ
＿＿＿＿：発話が重なり、聞き取れない部分には、二重下線を引いた。
例：(B　イヤイヤイヤ)＿＿＿＿＿＿カラー。
発話が重なり、聞き取りが不十分な部分にも、聞こえた音を記した箇所に二重下線を引いた。
例：(B　イヤイヤイヤ)イタダイテオッカラー。
〔　〕：注記。〔　〕内の数字は注記番号で、場面ごとの最後に注記をまとめて記した。
地域特有の言葉の意味や用法、特殊な音声、あるいは、特に注意しておきたいことがらに注記をつけた。
例：クイタデランネ〔1〕ッツッテ

【共通語訳部分】

。(句点)：意味的に１つのまとまりを持つ文の最後に付した。
、(読点)：基本的に意味的に切れ目のある部分に付した。読みやすさを重視して付した部分もある。
？：疑問文であることがわかりにくい箇所に適宜使用する。
例：モッテッテケネー。
持っていってくれない？
(　)：あいづちなど、発話権が移っていない時に話をさえぎったり、口を挟んだりした箇所。
例：ソーヤッテ　ムガシワネー(B　ンダネー)ヤッタンダー。
そうやって　昔はね　(B　そうだね)やったんだ。
{　}：笑い声、拍手などの非言語音。
例：{笑}{拍手}
××××：言い間違いや言い淀みなど、共通語訳ができない部分。
例：ム　ム　ムツカシー
×　×　難しい
＿＿＿＿：聞き取れず、共通語訳も不明な部分には、波線を引いた。聞き取りが不十分で共通語訳も不十分な部分にも、該当箇所に下線を引いた。
例：ツナミ　＿＿＿＿ネクテ
津波　＿＿＿＿なくて
＿＿＿＿：発話が重なっている部分には、下線を引いた。
例：005A：ハイ　コイッテ　イーベガネッスー。

はい　これで　　いいでしょうか。

006B：アー　ソイズダー。　モラッテクダサイ(A　ソーダ)

あー　それだー。　もらってください(A　そうだ)

＿＿＿＿：発話が重なっており、聞き取れない、または、聞き取りが不十分であり、共通語訳も不明な部分には、二重下線を引いた。

例：ビョーギ　＿＿(B　＿＿)シタンダ。

病気　＿＿(B　＿＿)したんだ。

［　］：方言音声には出てこないが、共通語訳の際に補った部分。

例：アンマリ　ヨケー　　ナインダヨー。

あんまり　余計［に持って］ないんだよ。

意味の説明や意訳にも使用した。その場合は「＝」を付してある。

例：イマ　ユー

今　いう［＝今話題にあがった］

(f)注記等

場面設定や会話の進行について補足しておきたい点、あるいは、具体的な語句で説明が必要なものなどには注記を施した。本文の該当箇所に〔1〕〔2〕〔3〕のように番号を付し、その会話の末尾で解説を行った。

なお、本文の確定や共通語訳、注記の作成にあたっては、加藤正信(1992)、小林隆編(2012)、佐藤亨(1982)、尚学図書編(1989)、菅原孝雄(2006)のほか、多くの先行研究を参考にした。

6.2　音声データの方法

会話の収録に使用した録音機はRoland社のEDIROL(R-09HR)であり、WAVE形式で録音した。「着座式」の場合には卓上に配置し、「行動式」の場合には調査員が手に持ち話者の側で録音を行った。その様子は、5.4に掲げた収録風景の写真をご覧いただきたい。

本書にはCD-ROMが付属しており、会話音声をMP3形式で収めている。基本的に調査時に収録した通りの音声であり、原則として意図的な編集・加工は行っていない。

また、会話の中には、話者の名前や架空の人名が登場することがあり、本文中ではAやB、Xなどと表示しているが、音声では、話者の許可を得て、特に加工を施していない。

7.　今後に向けて

ここでは、本書に収録した方言会話資料について解説した。その根本にある考え方から説き起こし、データ作成の具体的な側面に及んだ。特に、方言会話資料のあり方として場面設定会話の有効性を論じ、言語行動の枠組みに基づいた会話の記録を提案した。地域の言語生活を記録し後世に伝えるためにも、言語運用面についての研究資料を蓄積するためにも、方言会話を言語行動の枠組みに従って記録することは有益である。これからの方言会話資料のあるべき姿の一つとして、ここで述べたような方法論がさらに検討されることが期待される。

しかし、考えなければいけない課題も多い。会話の自然性の確保や、多様な話者の組み合わせの実現といった課題は場面設定会話全般に通じるものである。特に、会話の自然性の確保は話者の技量に頼らざるを得ない面があるが、収録作業の現場を現実の環境にいかに近づけるかという収録側の努力も重要である。これについては5.2で述べたような「行動式」の収録方法に工夫を凝らしていくことが必要であろう。

この「行動式」の収録という課題に関しては、映像による記録も重要である。言語生活の記録という点では、会話が繰り広げられる場面の様子もとらえてみたい。言語行動の観察という面では、発話に伴う身体言語のありさまも把握したいものである。そうしたリアリティのある言語生活・言語行動の記録のためには、音声だけでなく映像の力も借りなければならない。

こうした課題に対しては、今回、上に提示した「行動式」のいくつかの場面において動画も併せて収録している。それらは、本書には収めることができなかったものの、東北大学方言研究センターのWebサイト「東日本大震災と方言ネット」(http://www.sinsaihougen.jp/)で公開している。具体的にどの場面の動画か、以下に示しておく。

●『会話集』3

［気仙沼市］

11. 食事の内容が気に入らない－②折れない
14. 猫を追い払う－①実演1・②実演2
17. 折り紙を折る
19. ハンカチを落とした人を呼び止める－①相手が見ず知らずの人

［名取市］

9. 福引の大当たりに出会う
14. 猫を追い払う
17. 折り紙を折る
19. ハンカチを落とした人を呼び止める－①相手が見ず知らずの人・②相手が近所の知り合い

●『会話集』4

［気仙沼市］

2. 出前が遅い
3. 写真を撮る
6. 間違い電話をかける－①相手が見ず知らずの人・②相手が近所の知り合い
10. 沸騰した薬缶に触れる
13. 自動車同士が接触する
20. 荷物運びを頼む－①受け入れる
21. 傘忘れを知らせる

22. 傘の持ち主を尋ねる－①相手の傘だった

25. 朝、道端で出会う－②女性→男性

26. 夕方、道端で出会う－①男性→女性

［名取市］

2. 出前が遅い

3. 写真を撮る

6. 間違い電話をかける－①相手が見ず知らずの人・②相手が近所の知り合い

10. 沸騰した薬缶に触れる

20. 荷物運びを頼む－①受け入れる

25. 朝、道端で出会う－②女性→男性

26. 夕方、道端で出会う－②女性→男性

28. 友人宅を訪問する

29. 友人宅を辞去する

30. 主人がいるか尋ねる

31. 夫(妻)が出かける－①夫が出かける、妻は行先を知らない・②夫が出かける、妻は行先を知っている・③妻が出かける、夫は行先を知らない・④妻が出かける、夫は行先を知っている

32. 夫(妻)が帰宅する－①夫が帰宅する・②妻が帰宅する

これらの動画データを文字化資料と合わせて利用することで、より現実味のあるかたちで実際の方言会話に触れることができるであろう。

文献

井上文子(1999)「談話資料による方言研究」真田信治編『展望現代の方言』白帝社

加藤正信(1992)「宮城県方言」平山輝男・大島一郎・大野眞男・久野眞・久野マリ子・杉村孝夫編『現代日本語方言大辞典 1』明治書院

国立国語研究所編(1978～1987)『方言談話資料』全 10 巻、秀英出版

国立国語研究所編(2001～2008)『全国方言談話データベース　日本のふるさとことば集成』全 20 巻、国書刊行会

小林隆編(2012)『宮城県・岩手県三陸地方南部地域方言の研究』東北大学国語学研究室

小林隆・内間早俊・坂喜美佳・佐藤亜実(2014)「言語行動の枠組みに基づく方言会話記録の試み」『東北文化研究室紀要』55

小林隆・内間早俊・坂喜美佳・佐藤亜実(2015)「言語生活の記録―生活を伝える方言会話集―」大野眞男・小林隆編『方言を伝える―3.11 東日本大震災被災地における取り組み―』ひつじ書房

坂喜美佳・佐藤亜実・内間早俊・小林隆(2015)「方言会話の記録に関する一つの試み」『日本語学会 2015 年度春季大会予稿集』

佐藤亨(1982)「宮城県の方言」飯豊毅一・日野資純・佐藤亮一編『講座方言学 4 北海道・東北地方の方言』国書刊行会

椎名渉子・小林隆(2017)「談話の方言学」小林隆・川﨑めぐみ・澤村美幸・椎名渉子・中西太郎『方言学の未来をひらく―オノマトペ・感動詞・談話・言語行動―』ひつじ書房

尚学図書編(1989)『日本方言大辞典』全 3 巻、小学館

菅原孝雄(2006)『けせんぬま方言アラカルト　増補改訂版』三陸新報社

杉戸清樹(1986)「行動の中の方言」飯豊毅一・日野資純・佐藤亮一編『講座方言学 3 方言研究の問題』国書刊行会

東北大学方言研究センター(2011)『東日本大震災と方言』東北大学国語学研究室

東北大学方言研究センター(2012)『方言を救う、方言で救う―3.11 被災地からの提言―』ひつじ書房

東北大学方言研究センター(2013)『伝える、励ます、学ぶ、被災地方言会話集―宮城県沿岸 15 市町―』東北大学国語学研究室〈http://www.sinsaihougen.jp/ センターの取り組み/伝える-励ます-学ぶ-被災地方言会話集/〉

東北大学方言研究センター(2014)『生活を伝える被災地方言会話集―宮城県気仙沼市・名取市の 100 場面会話―』〈http://www.sinsaihougen.jp/ センターの取り組み/生活を伝える被災地方言会話集/〉

東北大学方言研究センター(2015)『生活を伝える被災地方言会話集 2―宮城県気仙沼市・名取市の 100 場面会話―』〈http://www.sinsaihougen.jp/ センターの取り組み/生活を伝える被災地方言会話集/〉

東北大学方言研究センター(2016)『生活を伝える被災地方言会話集 3―宮城県気仙沼市・名取市の 100 場面会話―』〈http://www.sinsaihougen.jp/ センターの取り組み/生活を伝える被災地方言会話集/〉

東北大学方言研究センター(2017)『生活を伝える被災地方言会話集 4―宮城県気仙沼市・名取市の 100 場面会話―』〈http://www.sinsaihougen.jp/ センターの取り組み/生活を伝える被災地方言会話集/〉

日本放送協会編(1966～1972)『全国方言資料』全 12 巻、日本放送出版協会

三井はるみ・井上文子(2007)「方言データベースの作成と利用」小林隆編『シリーズ方言学 4 方言学の技法』岩波書店

会話資料

凡　例

1. 『生活を伝える被災地方言会話集』1～4 の本文を統合し、気仙沼市と名取市に分けて掲載した。最後に、付録として『伝える、励ます、学ぶ、被災地方言会話集』の気仙沼市と名取市の本文を載せた。

2. 各場面の設定、すなわち、収録に当たっての話者への指示については本書「解説」の「4.2.各場面の解説」を参照していただきたい。その他、収録方法の全般については、同じく「5.収録方法」をご覧いただきたい。

3. 文字化に際しての約束ごとは、本書「解説」の「6.1.文字化の方法」を参照していただきたい。

4. 『生活を伝える被災地方言会話集』1～4、および、『伝える、励ます、学ぶ、被災地方言会話集』の本文を本書に収めるに当たっては、誤記や不備の修正、表記の統一等、いくらかの改訂を行った。その作業は小林隆（東北大学）と佐藤亜実（東北文教大学）が担当した。

気仙沼市

『生活を伝える被災地方言会話集』1

収録地点　　宮城県気仙沼市

収録日時　　2013（平成25）年6月21日・28日、7月6日

収録場所　　気仙沼市役所、気仙沼市松岩公民館

話　者
　A　女　1941（昭和16）年生まれ（収録時72歳）　［Bの知人］
　B　男　1940（昭和15）年生まれ（収録時72歳）　［Aの知人］

話者出身地
　A　気仙沼市波路上（ハジカミ）
　B　気仙沼市松崎前浜（マツザキマエハマ）

収録担当者　　小林隆（東北大学教授）、佐藤亜実、邢叶青、菊地恵太、工藤千桜秀、厳梓涵（以上、東北大学大学院生）、高橋良、佐々木元気、佐藤志保美、高塚恵、福島貴介（以上、東北大学学生）、周于禎、湯浩清（以上、東北大学研究生）　※所属は収録時。

文字化担当者　　小林隆、佐藤亜実

1-1. 荷物運びを頼む

①受け入れる〔1〕

001A：Bサーン　アダシ　コレ　サンマ　モラッテ、イッパイ　モライスギダヤー。
Bさん　私　これ　サンマ　もらって、いっぱい　もらいすぎたよ。

002B：ナーント　ドッサリデー。
なんと　どっさりで。

003A：ンダカラー〔2〕。アノ　モジキレネモンダガラ
そうなんだよ。　あの　持ちきれないもんだから

モッテスケテ〔3〕モラッテ　イーベガネー。
持って[助けて]もらって　いいだろうかね。

004B：アンダノゴッダカラ　ヨグタゲダンダベヨ。
あなたのことだから　欲張ったんだろうよ。

005A：ンダカラー。　ナーニ　イッパイ　モッテゲモッテゲッテユーガラネ
そうなんだよ。なに　いっぱい　持っていけ持っていけっていうからね

（B　ウン）ダレガサ　アゲテモイーガドモッテ　モラッタノッサ。
（B　うん）誰かに　あげてもいいかと思って　もらったのさ。

006B：アーアー。イー　イーガスヨ　モッテスゲッガラ。
ああああ。××　いいですよ　持ってやるから。

007A：ハー。ホンデ　タスカルガラ（B　ウン）Bサンモ　ハンブン
はい。それで[は]　助かるから　（B　うん）Bさんも　半分

モッテッテケライン。
持っていってください。

008B：ナーヌ　イーガスー。コゴデ　ワゲルスカ。
なに　いいです。　ここで　分けますか。

009A：ンダネー（B　ウン）モジキレネガラ　（B　ウンウンウンウン）
そうだね（B　うん）持ちきれないから（B　うんうんうんうん）

タベキレナイシー。
食べきれないし。

010B：ホンデァ　コゴデ　ワゲッガ。
それじゃあ　ここで　分けるか。

011A：ンダネー。
そうだね。

012B：ウン　ソースレバ（A　アー　ヤ）アンダモ　ラクダイッチャナ。
うん　そうすれば（A　ああ　×）あなたも　楽だろうな。

013A：ンダネー（B　アー　ヤ）モーシワゲネーケッド　ンデ。
そうだね（B　ああ　×）申し訳ないけれど　それで。

014B：オライ〔4〕ドゴ　チョード　サンマ　キレダガラッサ。（A　アー
うちのところ　ちょうど　サンマ　なくなったからさ。（A　ああ

ホンデ　イガッダヤ。）ウン　ウンウン。
それで[は]　よかったよ。）うん　うんうん。

015A：ハイ。
はい。

016B：ホンデネー。
それで[は]ね。

017A：ハイハイ。
はいはい。

018B：アリガトーネー。
ありがとうね。

019A：ハーイ　カエッテ　アリガトゴザリシター。
はい　かえって　ありがとうございました。

②断る

001A：Bサン　アダシ　ニ　コレ　コンナニ　サンマ　モラッデ
Bさん　私　×　これ　こんなに　サンマ　もらって

ハゴビキレネンダゲント　イエマデ　ハゴンデモラッテイーベガー。
運びきれないんだけれど　家まで　運んでもらっていいだろうか。

002B：ズイブン　ノッコラ　モラッタネー。
ずいぶん　たくさん　もらったね。

003A：ンダガラッサー。
そうなんだよ。

004B：マーダー　ヨグタケデー。
また　欲張って。

005A：ンダーガラー。
そうなんだよ。

006B：オレッサー　テズダッテーンダゲンドモ　オレ　ヤクソグー　イマ
私さ　手伝いたいんだけれども　私　約束　今

アンノッサー。サンジマデヌ　コイッテー　トモダジニ　イワレッタガラー。
あるのさ。　三時までに　来いって　友達に　言われているから。

アー　イントワ　イソガシンダナー。
ああ　本当は　忙しいんだな。

007A：ンダ　ン　アー　ソースカー。ン
××　×　ああ　そうですか。×

008B：ホンデモー（A　ウン）ドーダベナー　モシ　ナンダラバ
それでもー（A　うん）どうだろうな　もし　なんならば

ソッチサ、　イーイー　オレ　ケータイデ　オソグナッガラッテ
そっちに[=友達に]、いいよいいよ　私　携帯で　遅くなるからって

ヤッカラ。　アノー　フグロノ　フグロゴト　ヨゴサイン。
[電話を]やるから。あの　××××　袋ごと　渡しなさい。

モッテスケッガラ。
持ってやるから。

009A：ホンナゲット　ホラ　ジカンデ　イグンダベガラ
そうだけれども　ほら　[約束の]時間で　行くんだろうから

{物がぶつかる音}イーガライーガラ　ホンデ　ナントガスッカラ。
{物がぶつかる音}いいからいいから　それで　なんとかするから。

010B：ソースカー。
そうですか。

011A：ウーン。
うん。

012B：ホンデモ　ヤッテヤリデードゴダゲントモナー。
それでも　やってやりたいところだけれどもな。

013A：ウンウン　イガスイガスー。
うんうん　いいですいいです。

014B：ゴメンネー。(A　ハイハイ) ウン。ホンデ　　ユックリ　ヤラインヨー。
ごめんね。　(A　はいはい) うん。それで[は]　ゆっくり　やりなさいよ。

(A　ハイハイ) ウン。
(A　はいはい) うん。

〔1〕①受け入れる
Aの代わりにBが荷物を運ぶのではなく、BがAの荷物を半分もらうことで解決を図る展開となっている。

〔2〕ンダカラー
接続詞「(それ) だから」の感動詞的用法。同意の意味を表す。

〔3〕モッテスケテ
「〜スケル」は、助ける、してやるの意。「モッテスケル」「イッテスケル」「ヤッテスケル」など。

〔4〕オライ
「俺の家」。建物としての家の意のほか、自分の家族・家庭の意でも使用される。

1-2. お金を借りる

①受け入れる

001A：Bサン　アダシ　コマッタヤー　ナント　イマ　サイフ　ミダッケ　コレ
Bさん　私　困ったな　なんと　今　財布　見たら　これ

オガネ　タンネノッサー。
お金　足りないのさ。

002B：バー〔1〕アンタ　イソガシー　ズイブン　イソガシグ　デテジタネー。
ええ　あなた　×××××　ずいぶん　慌てて　出てきたね。

003A：ホンダーカラー　タンナクテー。モシ　イガッタラ
それだから　足りなくて。　もし　よかったら

カシテケンネベガ。
貸してくれないだろうか。

004B：ウーン　イーガスイーガス。(A　ウン) チョードネ　オレ　キョー
うーん　いいですいいです。(A　うん) ちょうどね　私　今日

キューリョー　モラッタノッサ。(A　ウン) ウン。ナンボー　ツカウガ。
給料　もらったのさ。　(A　うん) うん。いくら　使うか。

005A：アー　タスカルヤ　ナントー (B　ウン) ズイブン　スコダマ
ああ　助かるな　なんと　(B　うん) ずいぶん　たくさん

モッテダゴドー。
持っていたこと。

006B：コマコイノホー　モ　イーンデネヤ。　ツカイヤスクテ。
細かい×方　×　いいのではないか。使いやすくて。

（A　ンダネーンダネー）ウン。
（A　そうだねそうだね）うん。

007A：ホンデ　カシテケンネベガー。
　　それで　貸してくれないだろうか。

008B：ウン。（A　アー　タスカリマシター　ウーン）ホンデネ　コマコイノ　ヤ
　　うん。（A　ああ　助かりました　うん）　それで[は]ね　細かいの　×

　　ヤッカラ。
　　やるから。

009A：ハイハイ（B　ハイ）ナント　タスカルヤー。
　　はいはい（B　はい）なんと　助かるな。

010B：スグニ　カエサナクテモイーガラー。
　　すぐに　返さなくてもいいから。

011A：ア　ホンデネ、｛笑｝
　　あ　それではね、｛笑｝[そうさせてもらいますね。]

012B：ネ　ウン　アンダノ　ツコ゜ーノイードギデ　イーカラ。
　　ね　うん　あなたの　都合のいいときで　いいから。

013A：アリガトゴザリスー。
　　ありがとうございます。

②断る

001A：Bサン　アダシ　コマッタヤー。
　　Bさん　私　困ったよ。

002B：ナーニシタ。
　　どうした。

003A：オカネー　テ　ナクテ　コマッタノデー　カリカットオモッタンダゲント
　　お金　×　なくて　困ったので　借りるかと思ったんだけれど

　　ドーダベ。
　　どうだろう。

004B：アンダ　ジェンゴ　ネーナンツノワー　メズラシーッチャ。
　　あなた　お金　ないなんていうのは　珍しいよね。

005A：ナンニ　ソッチュダケンドモー　（B　ウン）アララー　ゼンコ
　　なに　しょっちゅうだけれども（B　うん）あらら　お金

　　タンナクテ　カシテケンネベガ。
　　足りなくて　貸してくれないだろうか。

006B：ナーンボグレー。
　　いくらぐらい。

007A：ホレ　サンゼンエングレモアレバ　イーゴッデネー。
　　ほれ　三千円ぐらいもあれば　いいだろうね。

008B：サンゼンエン。（A　ウン）ダーレ〔2〕オラー　キョー　ネ　アノー
　　三千円？　（A　うん）なに　ほら　今日　×　あの

　　ネンキンカ゜　マダー　アスアサッテーナンネート　ハイッテコネーガラサ。
　　年金が　まだ　明日明後日[に]ならないと　入ってこないからさ。

009A：ンダオンネー（B　ウン）ンダネ　ダレネー（B　アー　イヤ）イヤイヤ
　　そうだもんね（B　うん）そうだね　なに　（B　ああ　いや）いやいや

　　　コマッタネ。
　　　困ったね。

010B：オレモー　ホントワ　コマンダー。マゴサモー、オリャー　アシタ
　　　私も　　　本当は　　困るんだ。　孫にも、　　ほら　　　明日

　　　シューカ゜グリョコーダッツーガラ　ケッペド
　　　修学旅行だっていうから　　　　　　[お金を]やろうと

　　　オモッテンダケットモ。　（A　ウーン）バーサマガラ　カリデー
　　　思っているんだけれども。（A　うーん）女房から　　　借りて

　　　ナントガスナクテワネトオモッテダ。
　　　なんとかしなくてはいけないと思っていた。

011A：アー　ンダヨネ　　ダレ　キューニー　ネー（B　ウン）Bサンノサイフ
　　　ああ　そうだよね　なに　急に　　　　ね　（B　うん）Bさんの財布

　　　ノゾイダワゲデネンダケッドモ。　　（B　ウン）キューダガラネー。
　　　覗いたわけで[は]ないんだけれども。（B　うん）急だからね。

012B：ナーニ　キョーデ　ナクテモ　イーンダベー　ソイズアー。
　　　なに　　今日で　　なくても　いいんだろう　そいつは。

013A：ンダネー　ンデ　　　　ソースッカラ。
　　　そうだね　それで[は]　そうするから。

014B：ウン。（A　ウン）ゴメンナー。
　　　うん。（A　うん）ごめんな。

015A：ハイハーイ。
　　　はいはい。

016B：コノツギー　ナン　イードジー　カダッテケロー。
　　　この次　　　××　いいとき　　話してください[＝誘ってください]。

017A：ハーイ。
　　　はい。

018B：ウン。
　　　うん。

〔1〕バー
　感動詞。予期せぬ驚きを表す。

〔2〕ダーレ
　疑問詞「誰」の感嘆用法。共通語の「なに」「どうして」などにあたる言い方。

1-3. 役員を依頼する

001B：イヤイヤ　コマッタヤー。チョーナイカイノ　Xサンカ゜
いやいや　困ったな。　町内会の　Xさんが

カバネ〔1〕　コワシテ　シマッテッサ。
体　壊して　しまってさ。

002A：アラララ。
あららら。

003B：イマ　ソノアトカ゜マ　サガシテノッサ。
今　その後釜　探しているのさ。

004A：ウーン。
うーん。

005B：Aチャン　アンダ　タノマレデケネスカー。
Aちゃん　あなた　頼まれてくれないですか。

006A：エー　ウジデスカー。
ええ　うちですか。

007B：ウン。（A　ウジデ　）アンダイデッサー　カゾグモ　オーイシー
うん。（A　うちで　）あなたの家で[は]さ　家族も　多いし

ジョーケン　ソロッテルモンナー。
条件　揃っているもんな。

008A：ダレー　ムリダテバー　オラエデー。
なに　無理だってば　うちでは。

009B：シー　ンダデバサー　トーチャンド　ソーダンシテミ　イ　イチド　チョ
うーん　それではさ　父ちゃんと　相談して×　×　一度　××

トーチャント　ソーダンシテミテケンネガナー。
父ちゃんと　相談してみてくれないかな。

010A：オラエデ　ヤメロッテ　ゼッテー　ユーデバ。
うちで[は]　やめろって　絶対　言うってば。

011B：イヤーイヤヤヤ。ホンデ　オンバ　トーチャンサ　カタリサ　インカラ。
いやいやいや。それで[は]　私　父ちゃんに　話に　行くから。

012A：{笑}ムリダガラ。{笑}ダレガ　ホカ　アタッテケンネベガ。
{笑}無理だから。{笑}誰か　他　当たってくれないだろうか。

013B：ジャー　オレモネ　ソッチャコチャ　アルイテチタンダゲドモッサ　アンマ
いや　私もね　そっちこっち　歩いてきたんだけどもさ　あまり

キューナゴトダカラナー。
急なことだからな。

014A：ウーン。カラダ　コワシタノスカー。
うーん。体　壊したのですか。

015B：ウーン。タノムデバー。
うん。頼むってば。

016A：バヤバヤネー。ソーヤッテ　オシツケラレソーデ　ヤンタンダケンド
あらまあ。そうやって　押し付けられそうで　嫌なんだけれど

ホンデー　Bサン　タイヘンダベガラ　オシエテモラエバ　ヤッカナ。
それでは　Bさん　大変だろうから　教えてもらえば　やるかな。

017B：ウン。ソーヤッテケネガナー。
　　　うん。そうやってくれないかな。

018A：ナンニモ　ワカンナイゲンドモ　ンデ　　　　ヨロシグー。
　　　なんにも　わからないけれども　それで[は]　よろしく。

019B：ウン。（A　ハイ）タスカッタタスカッタ。
　　　うん。（A　はい）助かった助かった。

020A：ホントニー。
　　　本当に。

021B：ンジャ　　　トーチャンサモ　ヨロシグネ。（A　ハイー）オレモ　アドデ
　　　それじゃあ　父ちゃんにも　　よろしくね。（A　はい）　私も　　あとで

　　　デンワシテエッカラー。
　　　電話しておくから。

022A：ハイ。ホンデー（B　ハイ）ハイ。アノー　フツツカダケンドモ
　　　はい。それでは（B　はい）はい。あの　　不束だけれども

　　　ヨロシクー。
　　　よろしく。

023B：イヤイヤ。ンデ　　　　タノミスー。
　　　いやいや。それで[は]　頼みます。

024A：ハイ。ンデ　　　　ヨロシク　オネガイスッカラー。
　　　はい。それで[は]　よろしく　お願いするから。

〔1〕カバネ
　体のこと。カバネコワシテ（体を壊して）。「かばね（屍）」は、共通語では死体のことを指すが、気仙沼方言のカバネは生きている人の体を指す。カバネヤミ（屍病み。怠け者のことを指す）という表現もある。

1-4. 旅行へ誘う

①受け入れる

001A：コンニツワー。
こんにちは。

002B：ハイ。
はい。

003A：ア　Bサンイダノー。
あ　Bさんいたの。

004B：イダヨ。
いたよ。

005A：アノネー（B　ウン）オジャマシテモイーベガ。
あのね　（B　うん）お邪魔してもいいだろうか。

006B：イーヨー　アガ゜ラインン。
いいよ　上がりなさい。

007A：ハイ。アノー　ミンナデサ　リョコーサ　イグゴトヌナッタンダゲントモ
はい。あの　みんなでさ　旅行へ　行くことになったんだけれども

（B　ホーホー）Bサン　ウタモ　ウマイシ　オモシェガラ　ミンナ
（B　ほうほう）Bさん　歌も　上手だし　面白いから　みんな

サソエッテユーノデ（B　マーダ）イマ　サソイサ　キタノッサ。
誘えっていうので　（B　また）今　誘いに　来たのさ。

008B：アー　シバラグ　イッテネヨナ　ソイエバナ。
ああ　しばらく　行っていないよな　そういえばな。

009A：ウーン　ダカラ　ヤバイン〔1〕。
うん　だから　いらっしゃい。

010B：ウーン　チョット　マデヨー　ニッテーヨ　イズー。
うーん　ちょっと　待てよ　日程×　いつ。

011A：ンートネ　ジューゴニチ。
うんとね　十五日。

012B：ジューゴニヒ。（A　ウン）ナン　ナンニジッサ。ヒトバンー　デ　ト
十五日？　（A　うん）××　何日さ。　一晩　×　×

013A：ウン　ヒトバン　トマッテー（B　ヒトバンモ）オフロサ　ウン
うん　一晩　泊まって　（B　一晩も）　お風呂に　うん

オユッコサ　ハイッテー（B　アー）ユックリシテキテネッテ　ミンナ
お湯に　入って　（B　ああ）ゆっくりしてきたいねって　みんな

ユーモンダガラー。
言うもんだから。

014B：アー　ソースカー。（A　ウン）ンー　オラモ　ソロソロ　イーナード
ああ　そうですか。（A　うん）うん　私も　そろそろ　いいなと

オモッテタガラー。
思っていたから。

015A：アー　ソースカー。
ああ　そうですか。

016B：モシ　ナンダラ　ハメデケライン。
もし　なんなら　入れてください。

017A：アー　ホンデー　イガッタヤ　チョード　ヒトリーガフタリー
ああ　それでは　よかったよ　ちょうど　一人か二人

タンネナードオモッテタッタノッサ。
足りないなと思っていたのさ。

018B：アー　ソー。
ああ　そう。

019A：ハー　ンデー　イッショニ　イグスペ。
はい　それでは　一緒に　行きましょう。

020B：ウン。デキレバ　オラエノガガモ（A　ンダネー）
うん。できれば　うちの女房も　（A　そうだね）

ツレデイギデンダゲンドモナー。（A　ンダネー）ウン。
連れていきたいんだけれどもな。（A　そうだね）うん。

021A：ウン　スト　ミンナ　ヨロコブガラ。
うん　そうすると　みんな　喜ぶから。

022B：イーベガ。
いいだろうか。

023A：ウン。
うん。

024B：ウン。
うん。

025A：ホンデー　タノムガラネー。
それでは　頼むからね。

026B：ウン（A　ハイ）アトデー　ジカン　オシェデネ。
うん（A　はい）あとで　時間　教えてね。

027A：ンダネー（B　ハイハイ）ハイハイ。
そうだね（B　はいはい）はいはい。

②断る

001A：コンニツワー。
こんにちは。

002B：ハイ。
はい。

003A：Bサン　イダノ。
Bさん　いたの。

004B：イダヨー。
いたよ。

005A：ア　チョッコラー　アカ゜ッテモイーベガ。
あ　ちょっと　上がってもいいだろうか。

006B：ウンウン　アカ゜ライン。
うんうん　上がりなさい。

007A：ハイ。アノ　コンド　ホラ　ナンニンカデ　リョコーサ　イグゴトニ
はい。あの　今度　ほら　何人かで　旅行に　行くことに

シタンダケンドモ。
したんだけれども。

008B：ホーホー。
ほうほう。

009A：Bサン ウダッコモ ウマイシー イロイロ メンド ミテケルシ
Bさん 歌も うまいし いろいろ 面倒 見てくれるし

オモシェガラ ミンナ サソエッツーノッサ。
面白いから みんな 誘えっていうのさ。

010B：バーー。ミンナカラ ソーオモワレデンノガナー。
ああ。 みんなから そう思われているのかな。

011A：ウーン アド フタリグレーテユーノデ ホンデー Bサンサ コエ
うーん あと 二人ぐらいっていうので それで Bさんに 声

カゲッカドオモッデ キタンダゲント（B イズ）イカ イガネスカ。
かけるかと思って 来たんだけれど（B いつ）×× 行かないですか。

012B：イズノーハナシ（A ウン）デッサ ソレワ。
いつの話 （A うん）ですか それは。

013A：ジュ ジューゴニチ。
×× 十五日。

014B：ジューゴニチ。（A ウン）チョット マダインヨー。
十五日？ （A うん）ちょっと 待ってくださいよ。

ジューゴニチダナー キン キンヨービダネー。
十五日だな ×× 金曜日だね。

015A：ンダネー。
そうだね。

016B：アレヤー オレッサー ドーキューセーノーー アレダナーー
あれ 私さ 同級生の あれだな

コドモノ アレー ナゴードノーハナシ タノマレナゴドー〔2〕アッテ
子供の あれ 仲人の話 頼まれ仲人 あって

（A アラ）ソイズノ ウジアワセー アンダヤー。
（A あら）そいつの 打ち合わせ あるんだな。

017A：アララ ザンネンダゴト。バー ホントニー。（B ウン）アラアラ
あらら 残念だこと。 ああ 本当に。 （B うん）あらあら

ナンダベナー。イッショニ イゲッガドオモッテ
なんだろうな。一緒に 行けるかと思って

キタイシテキタンダゲントモ ンデ ムリダネー。
期待してきたんだけれども それで[は] 無理だね。

018B：ホンデ オレー イゲネケントモ ンダゲットモナー
それで[は] 私 行けないけれども そうだけれどもなー

オラエノバーサンモ ナンダカナー オレ イガネド イガネベナ。
うちの女房も なんだかな 私 行かないと 行かないだろうな。

019A：ンダベネー。 （B ウン）ンー。 （B ウン）アラー ホンデ ヒ
そうだろうね。（B うん）うーん。（B うん）あら それなら 日

アラダメッペガナー。
あらためようかな。

020B：イヤー ゴメンゴメン。
いや ごめんごめん。

021A：ウーンウン。(B　ウン) Bサン　イガネド　　オモシェグネーガラッサ。
　　　うんうん。　(B　うん) Bさん　行かないと　面白くないからさ。

022B：イヤイヤイヤ　ソンナネ、(A　ウン) アノー　ミンナデッサ　マズー
　　　いやいやいや　そんなね、(A　うん) あの　　みんなでさ　　まあ

　　　ハバギヌギ〔3〕シテダイ。
　　　慰労会　　　　しておいでなさい。

023A：ンダベガネー　(B　ハイ) ナンゲ　ミンナサ　モイッカイ
　　　そうだろうかね (B　はい) ×××　みんなに　もう一回

　　　ユッテミッカラ。
　　　言ってみるから。

024B：ハイハイ。
　　　はいはい。

025A：ウン。
　　　うん。

〔1〕ヤバイン
「歩む」の意味の動詞「ヤブ」の未然形に尊敬の勧誘形式「イン」が付いたもの。「おいでなさい」「いらっしゃい」という意味で使われる。

〔2〕タノマレナゴドー
「頼まれ仲人」。知り合いから依頼されて仲人をすること。

〔3〕ハバギヌギ
「脛巾脱ぎ」。話者の指摘によると、慰労の会を開くことで、ゆっくりすることやリラックスすることの喩えにも使われる。

1-5. コンサートへ誘う

001A：コンニチワー。
　　　こんにちは。

002B：ハイ。
　　　はい。

003A：Bサン　イダノ。
　　　Bさん　いたの。

004B：イダヨ。
　　　いたよ。

005A：アー　チョッコラ (B　ウン　ユーライ　アガライン)　アー　ハイハイ。
　　　ああ　ちょっと　(B　うん　いいから　上がりなさい) ああ　はいはい。

　　　アノー　コンドサ　イツキヒロシノコンサートガ　アンノネ。(B　ホーホー)
　　　あの　　今度さ　　五木ひろしのコンサートが　　あるのね。(B　ほうほう)

　　　ウン　ワダシ　ダイファンナノデ (B　オー) Bサンモ　ウダッコ
　　　うん　私　　　大ファンなので　(B　おお) Bさんも　歌

　　　ウマイガラ　モシカシテ　イーガナトモッテ　サソイニ　キタノッサ。
　　　うまいから　もしかして　いいかなと思って　誘いに　　来たのさ。

006B：アー　ソスカー。　(A　ウン) ンー　　イツキーシロシネー　ウーン
　　　ああ　そうですか。(A　うん) うーん　五木ひろしね　　　　うーん

　　　ダレダレ　イグノ。
　　　誰と誰　　行くの。

007A：ン　ケン　ニマイシカネーガラー（B　ウン）ワダシト　Bサンデ
ん　券　二枚しかないから　（B　うん）私と　Bさんで

ナゾッタベナードオモッテ。
どうだろうなと思って。

008B：アー　ソー。
ああ　そう。

009A：ウン。
うん。

010B：ウーーン　セッカグナンダゲッドモッサー（A　ウン）オレモ　コゴー
うーん　せっかくなんだけれどもさ　（A　うん）私も　ここ

ズットー　ヨルー　オソガッタガラネー。ナンカー　シビズケネー[1]ナー。
ずっと　夜　遅かったからね。　なんか　気が乗らないな。

011A：アー　ホントニー。
ああ　本当に。

012B：ウン。
うん。

013A：ホンデー　シ　シガタネネー。ダレガ　ベズナヒト　ホンデ
それなら　×　仕方ないね。　誰か　別な人　それで[は]

サソーベガナー。
誘おうかな。

014B：ウン　アノー　アレ　ムガイノー　アレ　ナンタッケナ　アノヒト
うん　あの　あれ　向かいの　あれ　なんていったっけかな　あの人

サソッテミダラ。
誘ってみたら。

015A：ンダネー。ワダシ　マダ　Bサンガ　ファンカナードオモッテ{笑}
そうだね。私　また　Bさんが　ファンかなと思って　{笑}

（B　ウーーン）キッタンダゲントモ　ウーン。
（B　うーん）　来たんだけれども　うーん。

016B：オ　イ　オレモ　イツキシロシデワナー。（A　ウーン）ウン　ゴメンネー。
×　×　私も　五木ひろしではな。　（A　うーん）うん　ごめんね。

017A：ウン。アンマリー　ネ　ムリニ　サソッテモ　ワルイガラー　ホンデ
うん。あまり　ね　無理に　誘っても　悪いから　それで

（B　ウン）アー　ンデ　シガタネガラー（B　ウン）ハイハイ
（B　うん）ああ　それで[は]　仕方ないから　（B　うん）はいはい

ゴメンナハリセー。
ごめんなさいね。

018B：イーエー（A　ウン）マダネー。
いいえ　（A　うん）またね。

019A：ハイハイ。
はいはい。

020B：ナニガ　アッタラ　キ　サソッテケライン。
なにか　あったら　×　誘ってください。

021A：ンダネー。
そうだね。

022B：ハイ。
　　　はい。

023A：ハイ。
　　　はい。

〔1〕シビズケネー
「しびつけない」は気仙沼市では「気乗りしない」「おっくうだ」といった意味で使われる。

1-6. 駐車の許可を求める

001A：Bサン　アノ　オネカ゜イニ　キタンダケントモ。
　　　Bさん　あの　お願いに　　来たんだけれども。

002B：ハイ　ナンダベネー。
　　　はい　なんだろうね。

003A：ハイ　ウチデ　チョット　アノー　ヒトカ゜　アツマルヨーカ゜
　　　はい　うちで　ちょっと　あの　人が　集まる用が

　　　デタ〔1〕ノッサ。デ　ウチデ　クルマ　ニダイシカ　オゲナークテー
　　　できたのさ。　で　うちで　車　二台しか　置けなくて

　　　（B　ウン）アノー　ココサ　クルマ　ニダイク゜レァ
　　　（B　うん）あの　ここに　車　二台くらい

　　　オカセテモラーエネベカー。
　　　置かせてもらえないだろうか。

004B：アー　ヨガスヨ。　オラエデ　ナニ　ベツニ　ヨー　ネーガラ。
　　　ああ　いいですよ。うちで　なに　別に　用　ないから。

　　　ドーゾドーゾ。
　　　どうぞどうぞ。

005A：ア　アリカ゜トゴザリス。　ンデ　アノ　ナンジコ゜ロ　クッカ
　　　あ　ありがとうございます。それで　あの　何時頃　来るか

　　　アトデ　マタ　カオ　ダスゲットモ　オカセテケライン。
　　　あとで　また　顔　出すけれども　置かせてください。

1-7. 訪問の許可を求める

001調：リーンリーン。〔1〕
リーンリーン。

002A：ハイ、Aデスー。
はい、Aです。

003B：アー　イガッタイガッタ。イエニ　イデ。（A　ハイハイ）
ああ　よかったよかった。家に　いて。（A　はいはい）

チョーナイカイノBデス。
町内会のBです。

004A：ハイ　イツモ　ドーモ　オセワサマデスー。
はい　いつも　どうも　お世話様です。

005B：アノッサー（A　ハイ）コレカラ　チョッコラ　イエサ
あのさ　（A　はい）これから　少し　家に

イギデンダゲントモー。
行きたいんだけれども。

006A：ア　オラエサネ。
あ　うちにね。

007B：ウン。（A　ハイハイ）チョットネー（A　ハイ）コミアッテッカラ
うん。（A　はいはい）ちょっとね　（A　はい）××××××××

コミイッテッカラッサ（A　ハイ）デンワデァ　マズインダナー。
込み入っているからさ（A　はい）電話じゃあ　まずいんだな。

006B：ハイハイ。
はいはい。

007A：ハイ　アリカ゜トゴザリス。
はい　ありがとうございます。

008B：キカ゜ネスネデ　ツカッテクダンセ。
気兼ねしないで　使ってください。

009A：ハイ　ドーモドーモ。ンデ　オコトバニ　アマエデ
はい　どうもどうも。それで[は]　お言葉に　甘えて

オカセテモラウカラ。
置かせてもらうから。

010B：ハイ。
はい。

011A：ハイ。
はい。

〔1〕デタ
「できた」「生じた」の意。

008A：アー　ハイハイ。
　　　ああ　はいはい。

009B：アノー　クワシーゴド　イッテ　カ　ハナスカラッサ（A　ハイ）ホンデ
　　　あの　　詳しいこと　　行って　×　話すからさ　　（A　はい）それで

　　　イマスグ　イッテイー。
　　　すぐ　　　行っていい？

010A：ア　イマスグネ。（B　ウン）ハイハイ。
　　　あ　今すぐね。　（B　うん）はいはい。

011B：ホンデ　インカラネー。
　　　で[は]　行くからね。

012A：ハイ　ヨゴザリス。ンデ　　　　マッテッカラー。
　　　はい　いいですよ。それで[は]　待っているから。

013B：ホンデ　　　タノミストー。
　　　それで[は]　頼みますよ。

014A：ハイ。
　　　はい。

〔1〕001 調：リーンリーン。
　調査者が電話の呼び鈴の音を真似て発話した。

1-8. 人物を特定する

①同意する

001A：Bサン　アレ　アソコニ　イルヒト　Cサンミタイダケント
　　　Bさん　あれ　あそこに　いる人　　Cさんみたいだけれど

　　　チカ゜ウベカネー。
　　　違うだろうかね。

002B：ンダンダ。　　マチケ゜ネーナー。
　　　そうだそうだ。間違いないな。

003A：シバラク　ミネカラネ　　アタシモ　ナンダカ　ワスレテシマッタヤー。
　　　しばらく　見ないからね　私も　　　なんだか　忘れてしまったな。

004B：ホンダケットモ　ホラ　マエカラ　ミナレテタカラ　　マチケ゜ネーナー。
　　　そうだけれども　ほら　前から　　見慣れているから　間違いないな。

005A：アー　ホンダエカネー。
　　　ああ　そうだろうかね。

②同意しない

001A：Bサン　アレ　アソコニ　イルヒト　Cサンダエガネー。シバラク
　　　Bさん　あれ　あそこに　いる人　　Cさんだろうかね。しばらく

　　　アタシモ　ミネガラー。
　　　私も　　　見ないから。

002B：ドーダガナー。アノスカ゜ターツジー　ナンカ　Dサンデネーノカナー。
　　　どうだかな。　あの姿つき　　　　　　なんか　Dさんでないのかな。

003A：アー　ホンダエガネー。シバラク　ミナイカラ　アタシモ　ナンダカ
　　　ああ　そうだろうかね。しばらく　見ないから　私も　　　なんだか

　　　ワスレテシマッタヤー。
　　　忘れてしまったな。

004B：スコシ　カオ　ホソクナッタモンナー。
　　　少し　　顔　　細くなったもんな。

005A：ンダエガネー。　ア　チカ゜ウネー。
　　　そうだろうかね。あ　違うね。

1-9．町内会費の値上げをもちかける

①同意する

001B：Aチャン。
　　　Aちゃん。

002A：ハイ。
　　　はい。

003B：チョーナイカイノ　ツキ゜ノ　カイ　カイコ゜ーデッサ（A　ハイ）アレ
　　　町内会の　　　　　次の　　　××　会合でさ　　　　（A　はい）あれ

　　　アノー　ケンアンノ　カイシノネアゲノゴド（A　ハイ）コイズ
　　　あの　　懸案の　　　会費の値上げのこと　（A　はい）こいつ

　　　ダソートオモーノッサ。
　　　出そうと思うのさ。

004A：ハイ。
　　　はい。

005B：オメァモ　カダッテスケライネー。
　　　あなたも　話してやってくださいね。

006A：アー　アノ　ネアゲニツイデネ。（B　ウン）ハイハイ。ンダオネ
　　　ああ　あの　値上げについてね。（B　うん）はいはい。そうだよね

　　　カイチョーサン　ズット　マエカラネー　ギリギリーダッテイッテタガラ。
　　　会長さん　　　　ずっと　前からね　　　ぎりぎりだっていっていたから。

007B：ウン。（A　ウーン）アノー　ムズカシーゴトモ　カダルヒトモ
　　　うん。（A　うん）　あの　　難しいことも　　　話す人も

アッカラッサ。(A　ウーン) アンダー　オンナノヒトデー　ヤンワリドー
いるからさ。　(A　うん)　あなた　女の人で　やんわりと

アンダガラ　カダラレッド　ミンナ　シッコムカラ。
あなたから　話されると　みんな　引っ込むから。

008A：ウン。
うん。

009B：ネ。(A　ウーン) タノミストー。
ね。(A　うーん) 頼みますよ。

010A：ウン　ナンカネ　ホンデモ　ホントニ　コー　ミンナノカイダガラネー。
うん　なんかね　それでも　本当に　こう　みんなの会だからね。

ナットグシテモラエルヨーニ (B　ウーン) ウーン。
納得してもらえるように　(B　うーん) うーん。

011B：ヤッパリ　アンダノ　チカラ　カリネド　ダメダー。
やっぱり　あなたの　力　借りないと　だめだ。

012A：ソ {笑} ソンナゴトモナインダケンドモ　ヤッパリネ。ンジャ
× {笑} そんなこともないんだけれども　やっぱりね。それじゃあ

ミンナサンニ　コー　キョーリョクモラエルヨーニネ　ハナシ
みなさんに　こう　協力もらえるようにね　話

ススメルシカナイネ。
進めるしかないね。

013B：ウン。ジゼンニ　デキレバ　カダッデテケライネー。
うん。事前に　できれば　話しておいてくださいね。

014A：ンダネー。ハイハイ。
そうだね。はいはい。

②同意しない

001B：Aチャン。
Aちゃん。

002A：ハイ。
はい。

003B：チョーナイカイデッサー (A　ウン) ケンアンノー　カイシー
町内会でさ　(A　うん) 懸案の　会費

ネアゲ゜スッペトオモーンダゲンドモ (A　ウン) オメァモ
値上げしようと思うんだけれども　(A　うん) あなたも

カダッテスケライネー。
話してやってくださいね。

004A：ア　ネアゲニゴドニツイデネ〔1〕。
あ　値上げのことについてね。

005B：ウン。(A　ウン) ムズカシンダゲッドモナー (A　ウーン) アンダニ
うん。(A　うん) 難しいんだけれどもね　(A　うん)　あなたに

ヤッパリ　ンーー　ホンキニナッテモラワネド　オレモ　コマンノッサー。
やっぱり　うーん　本気になってもらわないと　私も　困るのさ。

006A：エー。アノ　ネ　ホント　カイヒッテ　ムズカシーオンネ。サゲ゜ンノワ
ええ。あの　ね　本当　会費って　難しいもんね。　下げるのは

マズ　カンタンナンダゲッド　アケ゜ルッテユードネー　ミナサンノ　ホ
まあ　簡単なんだけれど　上げるっていうとね　みなさんの　×

セーカツノイチブオ　ケズッテモラウガラ　ナンダガネー　ユーノ
生活の一部を　削ってもらうから　なんだかね　言うの

（B　ウーン）モッケナドゴモ〔2〕アルシー。
（B　うーん）申し訳ないところも　あるし。

007B：シー　ミンナノフドゴログアイモ（A　ウーン　エー）
うーん　みんなの懐具合も　（A　うん　ええ）

カンカ゜エナクテワガンネ〔3〕グテケッドモッサ。
考えなくて[は]いけない　××けれどもさ。

008A：ンダオネー　ムズカシーモンダイダネー。
そうだものね　難しい問題だね。

009B：ヤンナクテワガンネゴト　オーグナッテキダガラッサ。
やらなくてはいけないこと　多くなってきたからさ。

010A：ウンウーン。ホンデ　アノ　イッカイ　コー　ミンナ　アズメテ
うんうん。　それで　あの　一回　こう　みんな　集めて

セツメーシテ　アノ　ソノ　ネアゲニツイデ　ヤッタホー
説明して　あの　その　値上げについて　やった方

イーンデネ。　ワタシコジンドシデワ　ナントモ　インナイヤー。
いいんで[は]ない。私個人としては　なんとも　言えないや。

011B：ウン。ホンデッサ　（A　ウン）モット　アノ　ヒログ
うん。それで[は]さ（A　うん）もっと　あの　広く

ヤグインノミナサンドカ（A　ウン）ク　クミノヒトガラ　ハナシ
役員のみなさんとか　（A　うん）×　組の人から　話

キーデカラ　ヤッカ。
聞いてから　やるか。

012A：ソノホー　イーガナートオモーノッサー（B　ウーン）ナンカネ　イロイロ
その方　いいかなと思うのさ　（B　うん）　なんかね　いろいろ

メンドー　カケッケンドモ。
面倒　かけるけれども。

013B：シー　マー　イソケ゜バマワレダガラナ。
うーん　まあ　急がば回れだからな。

014A：シー　ソーユーゴトモ　アルガラネ。チグノゴトッテ　イガイトネー
うーん　そういうことも　あるからね。地区のことって　意外とね

（B　ウン）タイヘンナンダヨネー。
（B　うん）大変なんだよね。

015B：ワガッタワガッタ。（A　ウン）ンデ　ソースッカラ。
わかったわかった。（A　うん）それで[は]　そうするから。

016A：ウン　モーシワゲネーケンドー。
うん　申し訳ないけれど。

017B：シー　イーンダインダ。
うん　いいんだいいんだ。

018A：ウン。タノムガラネ。
うん。頼むからね。

〔1〕ネアゲニゴドニツイデネ
ネアゲニと発音しているが、「値上げに」ではなく「値上げの」と言いたかったものと推察される。

〔2〕モッケナドゴモ
「勿怪な」。モッケダは「申し訳ない」の意味を表す。

〔3〕カンカ゜エナクテワガンネ
「ワガンネ（わからない）」は「いけない」「だめだ」の意味。「～テワガンネ」で「～てはいけない」「～てはだめだ」の意味となる。

1-10. 不法投棄をやめさせる

001A：コレッサ　ナンダベ　アンダー。ナニ　ソコサ　ナケ゜ッドコ　シテンノ。
　　　これ　なんなの　あなた。　なに　そこに　捨てようと　しているの。

002B：イヤー　ミグルシードゴ　ミラレテシマッタヤー。イガスイガス。
　　　いや　見苦しいところ　見られてしまったな。　いいですいいです。

　　　ゼンブ　カタズゲッガラッサ。
　　　全部　片付けるからさ。

003A：ダレー　コンナトゴサ　ナケ゜デー。
　　　なに　こんなところに　捨てて。

004B：ヤーヤーヤー。ワリゴト　シタナー。
　　　いやいやいや。悪いこと　したな。

005A：ダレー　テレビダノ　レイゾーコ　ナゲライダッテ　オラエダッテ
　　　なに　テレビとか　冷蔵庫　捨てられたって　うちだって

　　　コマッカラネー。
　　　困るからね。

006B：ハーイ　ワカリシター。ホカサ　カタネデケライネー。　カタズケッガラ。
　　　はい　わかりました。他に　話さないでくださいね。片付けるから。

007A：ソシテケライン。　ソスト　オラモ　タスカッカラ。
　　　そうしてください。そうすると　私も　助かるから。

008B：ハイハイ。
　　　はいはい。

1-11. 車の危険を知らせる

001A：アラ　アブネーヨ　Bサン　ナンダベー。
　　　あら　危ないよ　　Bさん　なんだろう。

002B：アー　ブッタマケ゜タヤー。アブネグ　アブネゴト　シテシマッタナー。
　　　ああ　ぶったまげたな。　　××××　危ないこと　してしまったな。

　　　アンダノオカケ゜ダ。イガッタイガッタ。
　　　あなたのおかげだ。　よかったよかった。

003A：タレー　オッカネカッタヨ　ホントニ。アブネカラネー
　　　なに　　恐ろしかったよ　　本当に。　危ないからね

　　　キオツケライン。
　　　気をつけなさい。

004B：ンダナー。トシ　トルモンデネーナー。
　　　そうだな。年　　取るもんでないな。

005A：ンダカラネー。
　　　そうだね。

1-12. 工事中であることを知らせる

001A：Bサン　アレ　ソコッサ〔1〕コージチューデ　アナ　アイタリ　ミチ
　　　Bさん　あれ　そこさ　　　　工事中で　　　　穴　　開いたり　道

　　　ワルグナッテンノネ。キオツケテ　アルイタホー　イーガスト。
　　　悪くなっているのね。気をつけて　歩いた方[が]　いいですよ。

002B：アー　ソースカー。シバラク　コネガッタガラッサー。ンデァ
　　　ああ　そうですか。しばらく　来なかったからさ。　　それじゃあ

　　　ソロ　ソロリソロリデ　エンカラネ。
　　　××　そろりそろりと　行くからね。

003A：ウン　ソノホー　　イガスー。（B　ウン）ウン。
　　　うん　その方[が]　いいです。（B　うん）うん。

004B：アリカ゜トネー。
　　　ありがとうね。

005A：ハイハーイ。
　　　はいはい。

006B：アンダデネート　ワガンネァー。
　　　あなたでないと　わからないねえ。

007A：ソンナコトモネンダケントモ。　キオツケテクダハリセー。
　　　そんなこともないんだけれども。気をつけてください。

008B：ハイハイ。
　　　はいはい。

〔1〕ソコッサ

「サ」は「に」にあたる格助詞ともとれるが、「ソコッサ」と促音が入っているところから、間投助詞の「サ」と解釈した。

1-13. 傘忘れを知らせる

001A：BサンBサン　カサ　ワスレネカッタスカー。
　　　BさんBさん　傘　　忘れなかったですか。

002B：アー　ワスイダー。
　　　ああ　忘れた。

003A：ホラー　ヤッパリネー。
　　　ほら　　やっぱりね。

004B：ヤーヤ　イガッタイガッタ。アリカ゜トネー。
　　　やあ　　よかったよかった。ありがとうね。

005A：Bサンノカサダッタノネ。
　　　Bさんの傘だったのね。

006B：ンダンダ。
　　　そうそう。

007A：ハイ。
　　　はい。

1-14. 荷物を持ってやる

①受け入れる

001B：ナーント　Aチャン　ソンナニ　イソイデ　ドコサ　イグノッサ。
　　　なんと　　Aちゃん　そんなに　急いで　　どこに　行くのさ。

002A：イマ　ユービンキョクサ　ニモツ　ダシニ　インカトオモッテ。
　　　今　　郵便局に　　　　　荷物　　出しに　行くかと思って。

003B：アー　ソー。ナンダカ　ツカレテタヨーダカラ
　　　ああ　そう。なんだか　疲れているようだから

　　　モッテスケッカナトオモッテ。
　　　持ってやろうかなと思って。

004A：アラー　アリカ゜トゴザリスー。
　　　あら　　ありがとうございます。

　　　ンデー　　ハンブン　モッテスケラエッペカ。
　　　それでは　半分　　　持ってもらえるだろうか。

005B：ンー　イーヨー。エンリョシナクテイー。
　　　うん　いいよ。　遠慮しなくていい。

006A：アー　タスカルー。ンジャー　　タノムカラ。
　　　ああ　助かる。　　それじゃあ　頼むから。

007B：ハイハイ〔1〕。
　　　はいはい。

②断る

001B：ナント　Aチャン　ソンナニ　イソイデ　ドゴサ　イグノッサ。
　　　なんと　Aちゃん　そんなに　急いで　　どこに　行くのさ。

002A：イマ　ユービンキョクサ　コレ　ニモツ　ダシニ　イグドコナノネ。
　　　今　　郵便局に　　　　　これ　荷物　　出しに　行くところなのね。

003B：アー　ソー。（A　ウン）ナンダカ　ツカレデルヨーダガラ
　　　ああ　そう。（A　うん）なんだか　疲れているようだから

　　　モッテスケッカトオモッテー。
　　　持ってやろうかと思って。

004A：アー　ンダガラ　　コレ　オモデガラネー　アイッタンダケト
　　　ああ　それだから　これ　重いからね　　　あれなんだけれど

　　　ユービンキョク　ミーッタカラー　ダイジョブダガラ。
　　　郵便局　　　　　見えているから　大丈夫だから。

005B：ンデ　　　　シズカニ〔2〕イガインヨ。
　　　それで[は]　気をつけて　　いらっしゃいよ。

006A：ハイハーイ。アリガトゴザリシター。
　　　はいはい。　ありがとうございました。

〔1〕007B：ハイハイ
　007Bの「ハイハイ」の後に「ドッコイショト」という発話があったが、調査員の声が重なってしまったため、編集時に省略してある。

〔2〕シズカニ
　「静かに」。慌てず、穏やかなさま。「オシズカニ」は、別れの挨拶言葉として使われる。

1-15. 野菜をおすそ分けする〔1〕

001A：Bサーン　アノー　カツオー　タベルスカ。
Bさん　あの　カツオ　食べますか。

002B：ハイ。オラエデ　ミンナ　ダイスキダデバ。
はい。うちで　みんな　大好きだってば。

003A：アー　キョーネー　イッポン　モラッテー　ウチデモ　タベキレネガラー
ああ　今日ね　一本　もらって　うちでも　食べきれないから

タベテスケラエットオモッテ　ハンブン　ハンミ
食べて[助けて]もらおうと思って　××××　半身

モッテキタンダゲント。
持ってきたんだけれど。

004B：ハイハイ。
はいはい。

005A：ンデ　タベテケライン。
それで[は]　食べてください。

006B：ハイ。
はい。

007A：ハイ。
はい。

008B：ドーモネー　イツモネー。（A　エーエー）アリガドーネー。
どうもね　いつもね。（A　ええええ）ありがとうね。

009A：ハイ　ハツガツオダカラ。
はい　初ガツオだから。

010B：アー（A　ハイ）ホントダー。
ああ（A　はい）本当だ。

011A：ウマク　ウマソーダナー。
×××　うまそうだな。

012B：ンダーネー。
そうだね。

〔1〕1-15. 野菜をおすそ分けする
気仙沼市では野菜よりも魚のおすそ分けをすることの方が日常的に行われるとの話者の発言を踏まえ、魚をおすそ分けする場面を演じてもらった。

1-16. ゴミ当番を交替してやる

001A：ワダシ　アノー　ムスメー　オカケ゜サマデ　アカチャン　ウマレダノネ。
　　　私　　　あの　　娘　　　　おかげ様で　　　赤ちゃん　　生まれたのね。

　　　（B　アー）ンデー　トーキョーニ　スンデルモンダガラー
　　　（B　ああ）それで　東京に　　　　住んでいるもんだから

　　　イガナクテネーガナートオモッテンダゲントー　　ライシュー
　　　行かなくてはいけないかなと思っているんだけれど　来週

　　　ゴミトーバンデ　アノ　オソージ　アンノネー。ドースッカナード
　　　ゴミ当番で　　　あの　お掃除　　あるのね。　どうしようかなと

　　　オモッテー。
　　　思って。

002B：ナーヌ　Aチャン　イーガラ。カワッテヤッカラ　イッテオンナイ。
　　　なに　　Aちゃん　いいから。替わってやるから　行っておいでなさい。

003A：アラー　ダッテ　イッツモイツモー　オセワニナリッパナシデ
　　　あら　　だって　いつもいつも　　　お世話になりっぱなしで

　　　モーシワゲネーネー。
　　　申し訳ないね。

004B：ナーニ　オダガイサマダデバー。
　　　なに　　お互い様だってば。

005A：アラ　イーベカネ。
　　　あら　いいかな。

006B：ウーン。マゴノカオ　ミッド｛笑｝クローモ　ワスレッカラ。
　　　うん。　孫の顔　　　見ると｛笑｝苦労も　　忘れるから。

007A：ハーイ。（B　ウン）ホンダガラ　アダシモ　イギデナードオモッテー。
　　　はい。　（B　うん）それだから　私も　　　行きたいなと思って。

008B：ハーイ。イッテオンナイン＿。
　　　はい。　行っておいでなさい×。

009A：アラー　ンデ　　　イッツモイッツモ　ナンカ　メーワグ　カゲテ
　　　あら　　それでは　いつもいつも　　　なんか　迷惑　　　かけて

　　　モーシワケネーケント。
　　　申し訳ないけれど。

010B：ソンナコトネーデバ。　オタガイサマダガラ。
　　　そんなことないってば。お互い様だから。

011A：アー　アリガトゴザリス。　　　ホンデ　　　イッテクッカラ。（B　ハイハイ）
　　　ああ　ありがとうございます。それで［は］　行ってくるから。（B　はいはい）

　　　タノミ　タノンデ　イーベガ。
　　　×××　頼んで　　いいかな。

012B：ウン　イーヨ。
　　　うん　いいよ。

013A：ハイ　ンデー　　オネガイスッカラー。
　　　はい　それでは　お願いするから。

1-17. 食事を勧める

①受け入れる

001A：Bサン　キョー　アノネ　オイシーサゲ　サゲッコ　アルシ　ハツガツオモ
　　　Bさん　今日　あのね　おいしい××　酒　あるし　初ガツオも

　　　アッカラ　ゴハン　タベテガネスカー。　オトーサンモ　ホラ　アイテ
　　　あるから　ご飯　食べていかないですか。お父さんも　ほら　相手

　　　アルト　タノシソーダガラ。
　　　いると　楽しそうだから。

002B：アー　ソースカー。セッカクダガラ　ゴッツォーニナッカナー。
　　　ああ　そうですか。せっかくだから　ごちそうになるかな。

003A：ンダネー。ソーシテケライン。
　　　そうだね。そうしてください。

004B：アー　キョー　ホンデア　イーシダナー。ゴッツォーニナッカラ。
　　　ああ　今日　それでは　いい日だな。　ごちそうになるから。

005A：ハイハイ。コンナモンダケド　タベデッテケライ。
　　　はいはい。こんな物だけど　食べていってください。

006B：イヤーイヤーヤ　ドーモ。
　　　いやいやいや　どうも。

②断る

001A：ア　Bサン　キテ　チョード　イガッタヤー〔1〕。イマ　ウチデ
　　　あ　Bさん　来て　ちょうど　よかったよ。　今　うちで

　　　ゴハンナノネー。オトーサンモ　ホラ　サゲッコ　ノミデッツーカラ
　　　ご飯なのね。　お父さんも　ほら　酒　飲みたいっていうから

　　　イッショニ　ゴハン　タベテッテケライン。
　　　一緒に　ご飯　食べていってください。

002B：イヤイヤ。サレカマネデ〔2〕ク＿　クダハリセヤ。
　　　いやいや。一切構わないで　××　くださいよ。

003A：ダレヤ　ホンナコト　イワネデ、　イガスト　タマニー
　　　なにさ　そんなこと　言わないで、いいではないですか　たまに

　　　イッショニ。ホラ　ハツガツオモ　アルシー。
　　　一緒に。　ほら　初ガツオも　あるし。

004B：ンナゲットモネー。オラエデモ　マ　マゴ　キデダガラッサー。ソッチサモ
　　　そうだけれどもね。うちでも　×　孫　来ているからさ。　そっちにも

　　　イカナクテナンネカラネー。
　　　行かなくてはいけないからね。

005A：アラー　ソスカー。　ナンダベー。（B　ウン）オラエデ
　　　あら　そうですか。なんだろう。（B　うん）うちで

　　　ガッカリスッカモー。
　　　がっかりするかも。

006B：ンデ　コノツギネー。
　　　それで[は]　この次ね。

007A：ンダ　ンデー　ネ　アンマリー　サソッテモ　ワルイガラ。
　　　そうだね　それでは　ね　あまり　誘っても　悪いから。

1-18. 頭痛薬を勧める

001A：Bサン　ナニシテダベー。
　　　Bさん　なにしていただろう。

002B：{咳}ハーイ。ンー　イマネー、ユーベカラー　アダヤ
　　　{咳}はい。　うーん　今ね、　昨夜から　×××

　　　アダマヤミ〔1〕シテッサー。ネブソグーキ゜ミナノッサ。
　　　頭痛してさ。　寝不足気味なのさ。

003A：アラ　ンデ　タイヘンダネー。
　　　あら　それで[は]　大変だね。

004B：ウーン。コンナコド　アンマリ　ネーンダゲンドモネー。
　　　うん。　こんなこと　あまり　ないんだけれどもね。

005A：ウーン。ワダシモ　ス　アノ　アダマヤミスンノネー。
　　　うん。　私も　×　あの　頭痛するのね。

　　　ンデー　アノ　トッテモ　イークスリ　アッカラー　ノンデミルスカ。
　　　それで　あの　とても　いい薬　あるから　飲んでみますか。

006B：アー　ソーヤッテモラート　タスカルナー。
　　　ああ　そうやってもらうと　助かるな。

007A：ウーン。ホンデ　イマ　エサ　イッテ　モッテクッカラー。
　　　うん。　それで　今　家に　行って　持ってくるから。

008B：ハイ。ソンデ　（A　マッテ　ウン）マッテッカラ。
　　　はい。それで[は]（A　待って　うん）待っているから。

008B：ハイ。
　　　はい。

009A：ハイ　ホンデ　コノツギノタノシミニ（B　ハイ。コンド）
　　　はい　それで[は]　この次の楽しみに　（B　はい。今度）

　　　トッテオッカラネ。
　　　取っておくからね。

010B：ンジャ　オトーサンサ　ヨロシグ　ハナシテケライン。
　　　それでは　お父さんに　よろしく　話してください。

011A：ハイ　ハイハイ。ンデー。
　　　はい　はいはい。それでは。

〔1〕ア　Bサン　キテ　チョード　イガッタヤー
　Bがもともと Aの家に遊びに来ていたのではなく、偶然Aの家に来たような場面になっている。

〔2〕サレカマネデ
　あまり構わないで。「サレ」は強調を表す接頭語。

1-19. 入山を翻意させる

001A：アラ　Bサン　サンサイトリニイグカッコシテ。
あら　Bさん　山菜採りに行く格好して。

002B：ンダガラー。　ソロソロ　ハエデクルコロダドオモッテッサ。
そうなんだよ。そろそろ　生えてくる頃だと思ってさ。

003A：キョー　ナンダガ　ホラ　アメ　フリソーナンダヨネー。
今日　なんだか　ほら　雨　降りそうなんだよね。

004B：ウーン。ドーダガナー。コジアケ゜〔1〕ダガラー　フッペガナー。
うーん。どうだろうな。東風だから　降るだろうかな。

005A：ンー　フッカモシャネネー。アド　ホラ　スベッタリスッドー
うーん　降るかもしれないね。あと　ほら　滑ったりすると

ケカ゜スルシー。ヤメタホー　イーンデネーノー。
怪我するし。　やめた方　いいんではないの。

006B：ウーン。ホンデー　オラエノド　ソーダンシテミッガナー。
うーん。それでは　うちの[妻]と　相談してみるかな。

007A：ソノホー　イーネ。オクサンモ　ホラ　アツコド〔2〕スッカラ。
その方　いいね。奥さんも　ほら　心配するから。

008B：ンデネ。　チューコグ　アリガトネー。
それで[は]ね。忠告　ありがとうね。

009A：ウーン。ソノホー　イーガモヨー。
うーん。その方　いいかもよ。

009A：ウン。デ　マッテテケラインネ。　イマ　イソイデ　イッテクッカラ。
うん。で[は]　待っていてくださいね。今　急いで　行ってくるから。

010B：ホンデァ　タノミス。
それじゃあ　頼みます。

011A：ハイハイ。
はいはい。

〔1〕アダマヤミ
「頭病み」。頭痛のこと。

1-20. 病院の受診を促す

001A：Bサン　イダノスカ。
　　　Bさん　いるのですか。

002B：ハイ　オリシター。
　　　はい　おりました。

003A：ナンダベ　　カオイロノ　ワリーゴドー。ナニシタベ。
　　　どうしたの　顔色の　　　悪いこと。　　どうしたんだろう。

004B：イヤイヤ。キノッサー　スッカリ　アヌ　ヌレクサレデシマッテ〔1〕
　　　いやいや。昨日ね　　　すっかり　××　[雨で]濡れてしまって

　　　サンザンデガシタ。
　　　散々でした。

005A：アー　ヤッパリ　ヤマサ　イッタンダネー。アノグレ
　　　ああ　やっぱり　山に　　行ったんだね。　あれほど

　　　イグナッテユッタノヌー。
　　　行くなっていったのに。

006B：ンダカラ　　アンダノユーゴト　キケバ　イガッタノッサー。
　　　それだから　あなたの言うこと　聞けば　よかったのさ。

007A：アラアラアラ　ナンダカ。ネズモ　アリソーナカオシテ。
　　　あらあらあら　なんだか。熱も　　ありそうな顔して。

008B：ンー　　ネズッポイネー。
　　　うーん　熱っぽいね。

010B：ハイハイ。ヤッテミッカラー。
　　　はいはい。やってみるから。

011A：ハイ。ソノホー　イートモー。
　　　はい。その方　　いいと思う。

〔1〕コジアケ゜
　沖の方から吹く、水分を多く含んだ風。夏場によく吹く。東風。

〔2〕アツコド
　「案じ事」からきた語で、「心配」「気苦労」の意味を表す。

009A：アー　ンダスペー。　ンデ　　　ビョーインサ　イッタホー　イーヨー。
ああ　そうでしょう。それで[は]　病院に　　　行った方　　いいよ。

010B：ンーダネー。(A　ウン) キョーゴソ　イ　イクベド　イマ
そうだね。　(A　うん) 今日こそ　　×　行こうと　今

オモッテタノッサー。
思っていたのさ。

011A：ンダンダ。アノ　ハヤグ　ミテモラッタホー　ナオリモ　ハヤグナッガラー。
うんうん。あの　早く　　診てもらった方　　治りも　　早くなるから。

012B：ンー。カゾクモ　シンパイシテルヨーダガラネー。
うん。家族も　　心配しているようだからね。

013A：ンー　ンダスペー。　ダレー、イグナッツーノニ　　イグヒトダモノ。
うん　そうでしょう。なに、　行くなっていうのに　行く人だもの。

014B：ンダ。　アンダノユーゴト　チケバ　イガッタヤー。
そうだ。あなたの言うこと　聞けば　よかったよ。

015A：ンー　ムリシネゴトダガラ。　　　　ンデ　　　イッテ
うん　無理しないこと[が大事]だから。それで[は]　行って

ミテモラッテゴザイ。
診てもらってください。

016B：ハイ。
はい。

〔1〕ヌレクサレデシマッテ
「濡れ腐れる」。ひどく濡れることを表す。

1-21. 傘の持ち主を尋ねる

①相手の傘だった

001A：アラ　ココニ　カサ　アルヤー。コレ　Bサンノデネガッタベカ。
あら　ここに　傘　　あるな。　これ　Bさんのでなかっただろうか。

002B：アー　オレナダネー。ソコノ　イノドコサ　　ナマエ
ああ　私のだね。　　そこの　柄のところに　名前

カイテアルハズダナー。
書いてあるはずだな。

003A：アー　ホンダホンダ　カイテアッタネー。コェ　Bサンノカサダネー。
ああ　そうだそうだ　書いてあったね。　これ　Bさんの傘だね。

004B：アー　ンダンダンダ。マチケ゜ーネーデバ。
ああ　そうそうそう。間違いないってば。

005A：ウン　アー　ヨカッタネ。ホンデネ。　(B　ハイハイ) ハイ。
うん　ああ　よかったね。それで[は]ね。(B　はいはい) はい。

②相手の傘ではなかった

001A：アラ　Bサン　コレ　カサ　Bサンノデナイノ。
あら　Bさん　これ　傘　　Bさんのでないの。

002B：ンー　　チカ゜ウチカ゜ウ。ナマエ　カカッテネッスカ。
うーん　違う違う。　　　名前　　書かれていないですか。

003A：ン　カカッテナイネー。
ん　書かれていないね。

004B：ソー　　ソデァ　　　コー　アゲテミレバ　インデネァ。
　　　うーん　それじゃあ　こう　開けてみれば　いいんじゃない。

005A：ウン。アタシ　マタ　Bサンノカナトオモッタンダゲットモ
　　　うん。私　　　また　Bさんのかなと思ったんだけれども

　　　チカ゜ッタカネ。
　　　違ったかね。

006B：ソー　　チカ゜ウ　チカ゜ウナ。（A　アー　ソデ）　オラエニ　ソンナン
　　　うーん　違う　　　違うな。　　（A　ああ　それで）うちに　　そんなの

　　　ネーオンナ。
　　　ないもんな。

007A：アー　ソー　ソデァ　　　チカ゜ウヒトノカシラネ。
　　　ああ　そう　それじゃあ　違う人のかしらね。

1-22. 店の場所を尋ねる

001A：アラ　Bサン。イードコデ　　アッタヤ。アノー（B　ウン）アダシ　イマ
　　　あら　Bさん。いいところで　会ったよ。あの　（B　うん）私　　　今

　　　コンド　カイテンシタスーパーサ　イギタイトオモッタンダケド（B　ウン）
　　　今度　　開店したスーパーに　　　行きたいと思ったんだけれど（B　うん）

　　　ワガンナクッテー。
　　　[道が]わからなくて。

002B：アー　ソー。（A　ウン）イマ　オレ　ソゴデ　オスバデ
　　　ああ　そう。（A　うん）今　　私　　そこで　酒の肴

　　　カッテキタンダデバ。
　　　買ってきたんだってば。

003A：アラ　ホントニ。
　　　あら　本当に。

004B：コゴノネー（A　ウン）カド　ミギサ　マガッテッサ（A　ウン）
　　　ここのね　（A　うん）角　　右に　　曲がってさ　（A　うん）

　　　サンゲンメナノッサ。
　　　三軒目なのさ。

005A：アー　ソー。ウン。
　　　ああ　そう。うん。

006B：ナーニ　モハヤ　　ヘーテンナンダ。イソガイ　イソイダホー　イーヨ。
　　　なに　　もうすぐ　閉店なんだ。　　××××　急いだ方　　いいよ。

007A：アー　ホントニー。（B　ウン）アラアラ。カド　マカ゜ッテ　サンゲンメネ。
ああ　本当に。　（B　うん）あらあら。角　曲がって　三軒目ね。

008B：ウン。
うん。

009A：イゲバ　ワガッペガー。
行けば　わかるだろうか。

010B：ダン　ワガルワガルー。
わかるわかる。

011A：アー　ホント。
ああ　本当。

012B：アノー　ワガルグ〔1〕オーキナミセダガラ。
あの　わかるくらい　大きな店だから。

013A：アー　ホントニ。
ああ　本当に。

014B：ハイ。
はい。

015A：ハイハイ。ホンデー　ナントカ　イッテミッカラ。
はいはい。それでは　なんとか　行ってみるから。

016B：ハイ。
はい。

017A：ハイ　ドーモネー。
はい　どうもね。

018B：イソガリン〔2〕。
急ぎなさい。

019A：ハイハイ。
はいはい。

〔1〕ワガルグ
話者に確認したところ、「ワカルグレァ（わかるくらい）」と言うつもりで発話したとのことであった。

〔2〕イソガリン
このように聞こえるが、話者に確認したところ「イソガイン（急ぎなさい）」と言うつもりで発話したとのことであった。

1-23. 開始時間を確認する

001A：ア　Bサン　チャリティショーノジカン　ワタシ
あ　Bさん　チャリティショーの時間　私

ワスレテシマッタンダケントモ　アレ　ナンジダッタベネー。
忘れてしまったんだけれども　あれ　何時だっただろうね。

002B：Aチャン　ハジマリ　ニジダデバ。　ワスレネッス〔1〕ニジデガッゾー。
Aちゃん　始まり　二時だってば。忘れ　二時ですよ。

003A：アレ　ホンダッタベカ。　アタシ　サンジダトオモッテデー。
あれ　そうだっただろうか。私　三時だと思っていて。

004B：アー　ホンデ　キカレテ　イガッタ。
ああ　それで[は]　聞いてもらって　よかった。

005A：アー　ンダネー。
ああ　そうだね。

006B：ホンデァ　ヨッカラネー。　イッショニ　イギスペ。
それじゃあ　[家に]寄るからね。一緒に　行きましょう。

007A：ハイハイ。アー　アリカ゜トコ゜ザリシター。ドーモドーモ。
はいはい。ああ　ありがとうございました。　どうもどうも。

〔1〕ワスレネッス
このように聞こえるが、話者に確認したところでは、「ワスレッタノスカ（忘れていたのですか）」と言ったつもりだということである。

1-24. お茶をこぼす

001B：サササササ〔1〕Aチャン　オチャッコ　コボスツマッタ。
あららららら　Aちゃん　お茶　こぼしてしまった。

002A：アラララ。ナン　ナンダベ。　ヨコ゜シテシマッテ、ズボンマデー。
あららら。××　なんだろう。汚してしまって、　ズボンまで。

003B：ンダガラ。　ヤーヤーヤー　コレ　フトンコマデ
そうだよな。やあやあやあ　これ[は]　布団まで

ヨコ゜スツマッタナー。
汚してしまったな。

004A：アー　アラララ　イガスイガス。　ンデ　イマ　フグガラ。
ああ　あららら　いいですいいです。それで[は]　今　拭くから。

005B：アー　ソー。（A　ハイ）アンダー　カゾグノシトニ　オゴラレネガナー。
ああ　そう。（A　はい）あなた　家族の人に　怒られないかな。

006A：ア　ダイジョブダガラー。
あ　大丈夫だから。

007B：アー（A　ウン）ホンダラ　イーケットモサー。
ああ（A　うん）それなら　いいけれどもさ。

008A：ハイハイ　ナント　カエッドギ　ヨコ゜シテシマッテ。
はいはい　なんと　帰るとき[に]　汚してしまって。

（B　ウーン）ウーン　カ　カワガシテ　カエッペシ。
（B　ウーン）うーん　×　乾かして　帰ろうよ。

009B：ソースカー。(A　ウーン) ホンデー　モスコス　オチャッコ
そうですか。(A　うーん) それでは　もう少し　お茶

ノンデッカ。
飲んでいくか。

010A：ンダネー。(B　ウーン) アナ　　スグ　イマ　セツ〔2〕イーガラ
そうだね。(B　うーん) あんな[の]　すぐ　今　季節　　いいから

(B　ウン) カワグガラッサ。
(B　うん) 乾くからさ。

011B：マモナグサー (A　ウン) ホリャ　スモ　ハズマルカモシネ。
間もなくさ　(A　うん) ほら　　相撲　始まるかもしれない。

(A　ウンウン) デ　　ハジメノホーガラ　ミデンガナ。
(A　うんうん) では　初めの方から　　　見ていくかな。

012A：ソノホ　イーガス。(B　ハイ　ハイ) ハーイ。
その方　いいです。(B　はい　はい) はーい。

013B：ンデァ　　タノムガラネ。
それじゃあ　頼むからね。

014A：ハイハーイ。ンデ　　カワガシテ　カエッペシー。
はいはい。　それで[は]　乾かして　　帰ろうよ。

015B：ハイ。
はい。

016A：ハイ。
はい。

〔1〕ササササ
失敗したときの感動詞。

〔2〕セツ
「節」。季節の意味。

1-25. 約束の時間に遅刻する

①許す

001A：アー　ヤットキタヤ　Bサン。
　　　ああ　やっときたな　Bさん。

002B：Aチャン　オソグナッデ　ゴメーン。
　　　Aちゃん　遅くなって　　ごめん。

003A：ハイハイ。
　　　はいはい。

004B：マッタベー。
　　　待っただろう。

005A：ンダカラ。ナ　ナーンダガ　オソグナッタガラ　ナゾスッペトオモッテー。
　　　そうだよ。×　なんだか　　遅くなったから　　どうしようと思って。

006B：アー　ソー。マコ゜ネー、(A　エー）ヨーチエンガラ　ナカナカ
　　　ああ　そう。孫[が]ね、　(A　ええ）幼稚園から　　　なかなか

　　　カエッテコネガッタガラッサ、(A　アー）オラエノサトマコ゜〔1〕ダガラ。
　　　帰ってこなかったからさ、　　(A　ああ）うちのかわいい孫だから。

　　　(A　ハイハイ）ハーイ。ゴメンネー。
　　　(A　はいはい）はい。　ごめんね。

007A：ハイ。
　　　はい。

008B：ンジャ　　　イマカラデモ　ア　オミマイサ　イガスペ。
　　　それじゃあ　今からでも　　×　お見舞いに　行きましょう。

009A：ンダネー。ダイジョブダネー。(B　ウン）ウーン。マ　マゴー　ネ
　　　そうだね。大丈夫だね。　　　(B　うん）うん。　×　孫　　　ね

　　　メンコイカラネー、Bサン（B　ウン　ハイ）サドマゴデ
　　　かわいいからね、　Bさん（B　うん　はい）かわいい孫で

　　　ナメテンデネ、　　　　マイニチ。
　　　舐めているんじゃない、毎日。

010B：ンダ。　ンデァ〔2〕
　　　そうだ。それじゃあ

011A：ンデ　　　　イギスペ。
　　　それで[は]　行きましょう。

012B：ウン。(A　ハイ）イマカラネ。
　　　うん。(A　はい）今からね。

013A：ウン。
　　　うん。

014B：ハイ。
　　　はい。

②非難する

001A：Bサン　ナント　オソイゴド。イッツモダモノ。ソシテ　ナンーボ
　　　Bさん　なんと　遅いこと。　いつもだもの。　そして　どれだけ

　　　マダセレバ　キースムンダベ。
　　　待たせれば　気が済むんだろう。

002B：ヤー　ゴメンネー。トナリノXサンドッサー、スコシ
いや　ごめんね。　隣のXさんとさ、　　　少し

ハナシコンデスマッテー。
話しこんでしまって。

003A：アラー　イッツモダガラ。
あら　　いつもだから。

004B：イヤーヤヤヤ　　モーシゲネー。ンデモ　　アワテデ　キタンダヨー。
いやいやいやいや　申し訳ない。　それでも　慌てて　　来たんだよ。

005A：アー　ソー。(B　ウン) ナンート　ナンボ　　マタセンダガ　　ホントニ
ああ　そう。(B　うん) なんと　　どれだけ　待たせるんだか　本当に

モ。
もう。

006B：イヤー　アンダノコトダカラ　キーモンデタトオモッタンダ。
いや　　あなたのことだから　気を揉んでいると思ったんだ。

007A：イガスイガス。　　シカタネネー。
いいですいいです。仕方ないね。

008B：ンダガラネー（A　ウン）オレモ　キータイデンワデ　レンラグ　トレバ
それだからね（A　うん）私も　　携帯電話で　　　連絡　　　取れば

エガッタノナー。
よかったのな。

009A：ウーン　ンダネー。
うーん　そうだね。

010B：コレガラ　チースキッカラ。ウン　ゴメンネ。
これから　気をつけるから。うん　ごめんね。

011A：ハイ。
はい。

〔1〕サトマコ゜
語源不詳。話者は「砂糖孫」と意識する。砂糖のように舐めてもよいくらいにかわいいことの喩えだという。

〔2〕ンデァ
「ンデァ」と言い差したところで、Aに発話権が移っている。

1-26. 孫の大学合格を褒める

001A：アラ　Bサン　ナント　ドゴサ　イクドコダガ。
あら　Bさん　なんと　どこへ　行くところだか。

002B：ハイ。イマネ　ユービンキョグサ　イグドオモッデアノッサ。
はい。今ね　郵便局へ　行こうと思っていたのさ。

003A：ハーハーハー。アラ　ソイバ　ナント　Bサン　マコ゜サンカ゜
はいはいはい。あら　そういえば　なんと　Bさん　お孫さんが

ナント　ダイカ゜グ　ウガッタソーデ。
なんと　大学[に]　受かったそうで。

004B：ホンダガラ、オラエノXネー、(A　ウン) オガケ゜サマデ
そうなんだ、うちのXね、(A　うん) おかげ様で

センダエノダイカ゜グサ　ハイルヨンナッタノ。
仙台の大学に　入ることになったの。

005A：ア　ナントーーー。
あ　なんと[喜ばしいことだ]。

006B：ミナサン　シンパイ　カゲダネー。
みなさん[に]　心配　かけたね。

007A：ウーンウン　ズンネ〔1〕ゴドネー。ナント　メンチャコガッタッケー
うんうん　立派だことね　なんと　小さかったのに

ダイカ゜クセ　ナッタンダー。
大学生[に]　なったんだ。

008B：ホンダガラネー、(A　ウーン) ヒトリムス　アノ　マコ゜ノネー〔2〕
そうなんだよね、(A　うーん) 一人××　あの　孫のね

(A　ウーンウン) オレァー　シトリッコダガラッサー (A　ハイハイ)
(A　うんうん)　ほら　一人っ子だからさ　(A　はいはい)

オラエノズンツァマモ〔3〕ヨロゴンデオリシタ。
うちの爺さんも　喜んでおりました。

009A：アー　オメデトゴザリシター。
ああ　おめでとうございました。

010B：ハエ。コレガラモ　ヒトズー (A　ハイ) ナニカニ
はい。これからも　ひとつ　(A　はい) なんやかや

オセワナッカラネ。
お世話[に]なるからね。

011A：ハイ。ヨガッタネー。
はい。よかったねー。

012B：ハイ。
はい。

〔1〕ズンネ
「図無い」。「ズンネゴド」で子供を褒める慣用句としてよく使用される。「感心だ」「よくやった」。

〔2〕マコ゜ノネー
次への文の続き具合からすると、「ノ」は不要と思われる。

〔3〕オラエノズンツァマモ
曽祖父のことか。あるいは、話者Bが自分の立場を取り違えて発話したものか。

1-27. のど自慢への出演を励ます

001B：ヤー　Aチャン、(B　ハイ) コンドサ (B　ハイ)
いや　Aちゃん、(B　はい) 今度さ　(B　はい)

イヌイチケノノドジマン、(B　オ) ヨセン　ウガッタ。
NHKののど自慢、　(B　お) 予選[に]　受かった。

002A：アラ　ナントシター、　スコ゜イゴド。
あら　なんとしたこと、すごいこと。

003B：ウーン、ンダガラネー　コンドー　ホンバン　ゼヒ　ミサ
うーん、それだからね　今度　本番　ぜひ　見に

キテケラインヤ。
きてくださいな。

004A：ハー　スコ゜イ、イッツモ　ウマイモノネー。(B　イヤーイヤイヤ) ウダ
はあ　すごい、　いつも　上手いもんねー。(B　いやいやいや)　歌

ウダ　ウマイガラ。イガッタゴド。
歌　うまいから。よかったこと。

005B：ナーニ。ソデネーンダゲットモッサー、(A　ウーン) ホンデモ　ヤッパリ
なに。　そうでないんだけれどもさ、　(A　うーん) それでも　やっぱり

マワリノヒトダチカ゜ネ　ア　オーエンシテケッガラッサ。
周りの人たちがね　×　応援してくれるからさ。

006A：ハイハイ。(B　ウン) モドモド　ジョーズダッタガラネ。
はいはい。(B　うん) もともと　上手だったからね。

(B　イヤーイヤイヤ) ハイ　ガンバッテケライネ。
(B　いやいやいや)　はい　頑張ってくださいね。

007B：ホンダガラネー (A　ハイ) オレモ　カンカ゜エタノッサ、(A　ウン)
それだからね　(A　はい) 私も　考えたのさ、　(A　うん)

ゲーワミオタスケルッテネー。{笑} ホントニ　コンドー　ウーン
芸は身を助けるってね。　{笑} 本当に　今度　うーん

ヒトズノオモイデ　ツクッタデバ。
一つの思い出　作ったってば。

008A：ンダネー。　(B　ウン) スバラシー。
そうだねー。(B　うん) 素晴らしい。

1-28. 道端で息子の結婚を祝う

001A：アラ　Bサン　イートゴデ　　アッタヤー。マー　アノ　コナイダ
あら　Bさん　いいところで　会ったな。　××　あの　この間

ムスコサンカ゜　ケッコンスルッテ　キーデ（B　ハイ）
息子さんが　　　結婚するって　　　聞いて（B　はい）

オメデトーゴザイマス。
おめでとうございます。

002B：ハイハイハイ　オラエノXネー、（A　ウン）ンダガラ
はいはいはい　うちのXね、　　（A　うん）そうなんだ

トシトッテキタカラッサー、ドーナッカドオモッテ
年取ってきたからさ、　　　どうなるかと思って

シンパイシテダッタノッサ。
心配していたのさ。

003A：アー　ナント　イガッタゴドネーーー。
ああ　なんと　よかったことね。

004B：ウーン　オカケ゜サマデネー。（A　ウーン）ホレァー　オバチャンーガネ、
うん　　おかげ様でね。　　　（A　うーん）ほら　　　おばちゃんがね、

セワシテクレダガラッサ、（A　アーーー）ンダガラ　　マー　ミアイ
世話してくれたからさ、　（A　ああ）　　それだから　まあ　見合い

ヤッテミダノッサ。
やってみたのさ。

005A：アー　ナントネー、イガッダゴドネーー。
ああ　なんとね、　よかったことね。

006B：ウン　アド　アンマリネー　トシ　トッドッサー、ナニガ　アッテモ
うん　あと　あまりね　　　年　　取るとさ、　　なにか　あっても

コマッカラ　ハヤグードオモッテダッタナ。
困るから　　早くと思っていたんだよ。

007A：ウーン　イガッタネー。
うーん　よかったね。

008B：オガケ゜サマダデバ。
おかげ様だってば。

009A：ハイハイ　オメデトゴザリシター。
はいはい　おめでとうございました。

010B：ウーン。ホンダガラネ、アイデノヒトモネ　オリョーリ
うん。　そうなんだよ、相手の人もね　　　お料理

ジョーズダッツガラッサ。
上手だっていうからさ。

011A：アラ　ナニヨリダゴド。
あら　なによりだこと。

012B：ホンダガラ　オレ　イズバンネー、（A　ウン）オシバデ
それだから　私　　一番ね、　　　（A　うん）酒のつまみ

ツグッテモラウノ｛笑｝タノシミニシテンノッサ。
作ってもらうの　｛笑｝楽しみにしているのさ。

013A：ナントー（B　ウン）タノシミ　フエダゴド。
　　　なんと　（B　うん）楽しみ　　増えたこと。

014B：ンダンダ。
　　　そうだそうだ。

015A：ハー（B　ハイ）イガッタネー（B　ハイ）ホンデ。
　　　はあ（B　はい）よかったね　（B　はい）それで[は]。

016B：アドデ　アソビサ　ダイ〔1〕ヨ。
　　　あとで　遊びに　　おいでよ。

017A：ハイハイ。（B　ハイ）デ　アノー　アドデ　アノ　オカーサンサモ
　　　はいはい。（B　はい）で　あの　　あとで　あの　お母さんにも

　　　アイニイクノデ　ハイ（B　ハイハイ）ツタエデデクダ
　　　会いに行くので　はい（B　はいはい）伝えておいてくだ

　　　（B　マッテッガラ）　ハイ（B　ハイ）ツタエデデモラエバ。
　　　（B　待っているから）はい（B　はい）伝えておいてもらえば。

018B：ハイ。
　　　はい。

019A：ハーイ。
　　　はい。

020B：ワガリマシタ。
　　　わかりました。

021A：ハーイ　オメデトゴザイマシタ。
　　　はい　　おめでとうございました。

〔1〕ダイ
　「ダイ」は「いらっしゃい」の意。語源ははっきりしないが、「お出であれ」に由来する形態が激しく変化したものか。

1-29. のど自慢での優勝を祝う

001A：ナント　Bサン　テレビデ　ミタデバ。　ユーショシタンダネ、
なんと　Bさん　テレビで　見たってば。優勝したんだね、

スゴイネーー。
すごいね。

002B：ンダガランダガラー。
そうなんだそうなんだ。

003A：アラーー。
あら。

004B：ナヌー　ドゴデ　ミダッタ。
なに　どこで　見た。

005A：テレビデ　ミダデバ。
テレビで　見たってば。

006B：テレビデ。(A　ハイー) オー　イガッダ。
テレビで。(A　はい)　おお　よかった。

007A：タイシタモンダ、イチバン　ウマガッタガラ。
たいしたもんだ、一番　うまかったから。

(B　イヤーイヤイヤイヤイヤイヤ) ヤッパリー
(B　いやいやいやいやいやいや)　やっぱり

ユーショーモンダッダネーー、ハイ。
優勝ものだったね、　はい。

008B：ウン。アノー　アンダエノッサ　アノ　マコ゜ノケッコンシジデモ
うん。あの　あなたの家のさ　あの　孫の結婚式でも

オンナジノウダッテアケ゜ッカラ。
同じの歌ってあげるから。

009A：ハイ。タノムガラー。(B　ウン) ナントナント　スコ゜イー。ウダー
はい。頼むから。　(B　うん) なんとなんと　すごい。　歌

ウマイネー　アイカワラズー。
うまいね　相変わらず。

010B：ホンダガラ　ミンナガラネ、(A　ウン) コンド　ドーキューセーデ
それだから　みんなからね、(A　うん) 今度　同級生で

オイワイカイ　ヤッテケルッテ。
お祝い会　やってくれるって。

011A：アー　スコ゜イスコ゜イ。ホントニ。(B　イヤー) イガッタネー。
ああ　すごいすごい。　本当に。　(B　いや)　よかったね。

012B：ハイハイ。
はいはい。

013A：ハイ。
はい。

1-30. 道端で兄弟を弔う

001A：アラ　Bサン　ドゴサ　イグドゴダベ。
あら　Bさん　どこへ　行くところだろう。

002B：イマネー（A　ウン）チョット　コマッダゴド　アッテッサー、（A　ウン）
今ね　（A　うん）ちょっと　困ったこと　あってさ、　（A　うん）

ホラ（A　ア）ソゴマデ。
ほら（A　あ）そこまで。

003A：アノー　ナンカ　アダシモ　サッキ　キータンダケントモ、
あの　なんか　私も　さっき　聞いたんだけれども、

トーキョーニイダオニーサン　ナグナッタッテ　ホントッスカ。
東京にいるお兄さん　亡くなったって　本当ですか。

004B：ウンー　ンダガラネー。（A　ウン）イヤー　チャッコイガラネ、カラダ
うん　そうなんだよね。（A　うん）いや　小さいからね、　体

ジョーブデネガッタモンネー。
丈夫でなかったもんね。

005A：アラー（B　ウーン）ナントナントーー。
あら　（B　うーん）なんとなんと。

006B：マダ　オレ　クワシーゴド　マダ　ワガンネノッサ。（A　ウーン）ウン。
まだ　ほら　詳しいこと　まだ　わからないのさ。（A　うーん）うん。

007A：デ　イマッカラ　イグドゴッスカ。
[それ]で　今から　行くところですか。

008B：ウン　イマカラネ（A　ウンウン）アノー　オンツァマド〔1〕スコシ
うん　今からね　（A　うんうん）あの　おじさんと　少し

オシェライデッサ、（A　ハー）ドーヤッタライーガ。（A　アーーー）ウン。
教えてもらってさ、（A　はい）どうやったらいいか。（A　ああ）　うん。

009A：デ　トーキョーサ　イマガラ　イグドゴ。
[それ]で　東京へ　今から　行くところ？

010B：イヤヤヤ　トーキョーデネーノ。（A　ウン）オンツァマノエサ　イッデ
いやいや　東京じゃないの。　（A　うん）おじさんの家へ　行って

（A　イッデ　ハーハー）コレガラ　ドーシタライーガ。
（A　行って　はいはい）これから　どうしたらいいか。

011A：アー　キメデネ、（B　ウン）ハーハーハー。ホンデー　アダシダジモ
ああ　決めてね、（B　うん）はいはいはい。それでは　私たちも

アドガラ（B　ウン）オカ゜ミサ　イグガラー。
あとから（B　うん）拝みに　行くから。

012B：マーダネー（A　ウン）ヒドリシテネーガラッサー、
まだね　（A　うん）[葬式の]日取りを決めていないからさ、

（A　アー　ソーカソーカ）ウン。（A　ウン）
（A　ああ　そうかそうか）うん。（A　うん）

013A：ホンデー　ナントネー　タイヘンデシターー。
それでは　なんとね　大変でした。

014B：ヒドリ　キマッタラバサー（A　ウン）シンブンコーコグ
日取り　決まったらばさ　（A　うん）新聞広告[を]

スッカラ　　　　　　（A　ウン）ソ　ソンドギ　オセワナッカラネー。
するから[＝出すから]　（A　うん）×　そのとき　お世話[に]なるからね。

（A　ハイハイ）ハイ。
（A　はいはい）はい。

015A：ンデ　　　ソンドギ　オシエデケライン。（B　ハイ）ハイ。
それで[は]　そのとき　教えてください。　（B　はい）はい。

016B：ヨロシグ　オネカ゜イシマスー。
よろしく　お願いします。

017A：ハイ　タイヘンダッタネー。
はい　大変だったね。

〔1〕オンツァマド
続きを見ると、文が不整合になっている。「おじさんと相談して」と「おじさんに教えられて」とが混線したようである。

1-31. のど自慢での不合格をなぐさめる

001A：Bサン　コナイダ　テレビデ（B　ウン）ノドジマン　ミ
Bさん　この間　テレビで（B　うん）のど自慢　×

ミタンダケントモ。
見たんだけれども。

002B：アー　ソー。
ああ　そう。

003A：ウーン、ナント　ジョーズナノニ　オシガッタネー。
うーん、なんと　上手なのに　惜しかったね。

004B：ナーニー　アーリャー　アンナモノッサ。
なに　あれは　あんなものさ。

005A：ダレダレァーー〔1〕。
なにそんなこと。

006B：ダーレー。
なに。

009A：アカ゜ッタゴッテ。
あがった[＝緊張した]ようだね。

010B：ンー　ソンナーノデモネンダゲットモネー。ヤッパリ
うーん　そんなのでもないんだけれどもね。　やっぱり

011A：ウーン。ナンカ　イツモダド　ホラ　モット　ジョーズニ　ウダッテンノニ。
うーん。なんか　いつもだと　ほら　もっと　上手に　歌っているのに。

012B：イヤー　ヤッパリ（A　ウン）ウエニワ　ウエカ゜　アッテネ、（A　ウーン）
いや　やっぱり（A　うん）上には　上が　あってね、（A　うーん）

ミンナ　ジョーズダゲントモ（A　アーー）ウン。
みんな　上手だけれども　（A　ああ）　うん。

013A：ザンネンダッタベケントモー、（B　ウン）マダ　ガンバッテ
残念だっただろうけれども、（B　うん）また　頑張って

ウダッテケラインネ。
歌ってくださいね。

014B：ホンデモネ（A　ウン）イーオモイデダッタデバ。
それでもね（A　うん）いい思い出だったってば。

015A：ホンダネーー。（B　ハエ）イヤ
そうだね。　（B　はい）いや

016B：メードノミヤケ゜ダデバ。{笑}
冥土の土産だってば。　{笑}

〔1〕ダレダレァーー
「ダレ（誰）」を重ねたもの。疑問詞の感嘆用法。共通語の「なに」「どうして」などにあたる。

1-32. 寂しくなった相手をなぐさめる

001A：Bサン　ナント　ゲンキノネカオシテ　ナニシタベ。
Bさん　なんと　元気のない顔して　どうしただろう。

002B：ンー。　イマッサ　ヨータシサ　イグンダゲットモ、
うーん。今さ　用足しに　行くんだけれども、

オラエノヒトリムスメネー、（A　ウーン）トラレデスモーノッサ〔1〕。{笑}
うちの一人娘ね、　（A　うん）［嫁に］とられてしまうのさ。{笑}

003A：ハイハイハイ　ソーダネ、コナイダ　ケダモノネー。
はいはいはい　そうだね、この間　［嫁に］やったもんね。

004B：ンダガラネー。（A　ウーン）ンデモーッサー　アイデ
そうなんだよね。（A　うーん）それでもさ　［結婚の］相手

イーヒドダガラッサ（A　ウーン）ウーン　ナカ゜グ　シトリミデ
いい人だからさ　（A　うーん）うーん　長く　独り身で

インノモネー　カワイソダガラッサ。
いるのもね　かわいそうだからさ。

005A：バヤバヤ〔2〕。（B　オレ）ヒトリムスメ　ケデシマッテ　{笑}
あらあら。　（B　私）　一人娘　［嫁に］やってしまって{笑}

ホンデ　ガオッテ〔3〕タンダネ。
それで　落ち込んでいるんだね。

006B：ンダー。
そうだ。

007A：アーーー。(B　ン) ナニ　ソノウジ　マゴデモ　デット〔4〕、ジッカサ
ああ。　(B　ん) なに　そのうち　孫でも　できると、　実家に

カエッテクッカラ、(B　ウーン) タノシミモ　フエッガラ
帰ってくるから、　(B　うーん) 楽しみも　増えるから

ガマンシテガラニ。
我慢していなさいな。

008B：ンダガラ　ソレマデ (A　ウン) バサマド　フタリデ　ガンバッテッペ。
それだから　それまで (A　うん) 女房と　二人で　頑張っていよう。

009A：ソーソーソー。(B　ウン) ウーン　ホント　サビシーネー、
そうそうそう。(B　うん) うーん　本当[に]　寂しいね、

(B　ウーン) イネグナッドネー。
(B　うーん) いなくなるとね。

010B：ソーダデバ。
そうだってば。

011A：ウーン　ワガリスー。(B　ウン) Bサンノキモジ　ヨク　ワガッカラ。
うーん　わかります。(B　うん) Bさんの気持ち　よく　わかるから。

012B：ミンナー　アソビサ　キテケライン。
みんな　遊びに　来てください。

013A：ハイハーイ。
はいはい。

014B：オラモー　イ　ズーット　イエニバリ　イッカラッサー。
私も　×　ずっと　家にばかり　いるからさ。

015A：ウーン　ンダネ、　タマニ　ソトサ　デデー。
うーん　そうだね、たまに　外に　出て。

016B：ハイ。
はい。

017A：ハイ。
はい。

018B：ンダー　シバラグ　リョコーサモ　イッテネァ。　(A　アーー) ウーン。
そうだ　しばらく　旅行にも　行っていないや。(A　ああ)　うーん。

019A：ホントニネー。メデタインダケントモ　フクザズダネー。
本当にね。　めでたいんだけれども　複雑だね。

020B：ハヤグ　マコ゜　デデ　カオ　ミサ　イギデモンダ。
早く　孫　生まれて　顔　見に　行きたいもんだ。

021A：ンダネー。
そうだね。

022B：ウーン。
うん。

023A：ハイ。
はい。

〔1〕トラレデスモーノッサ
当該部分単体の意味は「嫁にとられてしまうのさ」であるが、全体の文脈から考えると、「嫁にとられてしまったのさ」という意味で発話したと考えられる。

〔2〕バヤバヤ

感動詞。「バ」単独でも使用される。

〔3〕ガオッテ
「我折って」。ガオルは、「元気をなくす」「しおれる」などの意。

〔4〕デット
「出ると」。デルは子供が生まれるという意味でも使う。

1-33. 足をくじいた相手を気遣う

001A：アイデヤー、　アシ　イダグシタヤ。
　　　あっ痛いなあ、足　　痛くしたよ。

002B：バッ　Bチャン　ナニシタナ。
　　　あら　Bちゃん　どうしたの。

003A：ナンダガ　コレ　アシ　クジーダミデデ　　アイデデアイデデ。
　　　なんだか　これ　足　　くじいたみたいで　あいたたあいたた。

004B：アー　イデズ　イダムー。
　　　ああ　×××　痛む？

005A：ウーン　イテーヤー　ナンダベ　　オレモ　ハ。
　　　うん　　痛いよ　　　なんだろう　私は　　もう。

006B：バ　　ココア　コマッタナ。ビョーインモ　トーイスナ。
　　　あら　ここは　困ったな。　病院も　　　　遠いしな。

　　　（A　アーーー〔1〕）ウッ　オレ　オブッテヤルスカ。
　　　（A　ああ）　　　　××　私　　おぶってやりましょうか。

007A：アー　オ　オモー　オモイガラネ、モーシワゲネーガラー。
　　　ああ　×　×××　重いからね、　申し訳ないから。

008B：ナーヌ　オモイタッテ　オラノオガダモ　オモインダー。ソノオモイスレバ
　　　なに　　重いったって　うちの妻も　　　重いんだ。　　その思いすれば

　　　ダイジョブダガラ。｛笑｝
　　　大丈夫だから。　　｛笑｝

1-34. 孫が最下位になったことを気遣う

001A：アラ　Bサン　マコ゜サン　アレ　ガンバッテダンダケントモ
　　あら　Bさん　お孫さん　あれ　頑張っていたんだけれども

　　オイヌガレタネー。
　　追い抜かれたね。

002B：ウーン　ンダガラー。　ザンネンダー。
　　うーん　そうなんだよ。残念だ。

003A：アラアラアラ　ナンタ　アラー　ナントアレ、アレー　ダンダン
　　あらあらあら　なんと　あら　なんとあれ、あれ　だんだん

　　オグレダネー。
　　遅れたね。

004B：イヤーイヤーイヤーヤヤヤヤ。イダマシガッター〔1〕。
　　いやいやいやいやいや。　残念だった。

005A：ンダガラネーー（B　ウン）バヤバヤ。
　　そうだね　（B　うん）あらあら。

006B：オラー　ガッコデ　サントイガ　トッタゴトネーンダゲットモ
　　私は　学校で　三等以下　取ったことないんだけれども

　　（A　ウーン）ダレニ　ニダンダベナー。オラエノバーヤサ　ニダノガナー。
　　（A　うーん）誰に　似たんだろうな。うちのばあさんに　似たのかな。

007A：イッツモ　ハイェイ　マ　マコ゜ナノニネー。
　　いつも　速い　×　孫なのにね。

009A：ホンデ　カダ　カシテケンネベガ。
　　それで[は]　肩　貸してくれないだろうか。

010B：ウン。ンデッサ（A　ウン）ソゴノ　オレァ　カドニネ（A　ウン）
　　うん。それでさ（A　うん）そこの　ほら　角にね　（A　うん）

　　オレノシリアイ　イッガラ、ソゴマデ　アバイン。
　　私の知り合い　いるから、そこまで　歩きなさい。

011A：ホンデー　カダー　ウン。
　　それでは　肩　うん。

012B：アド　ク　クルマ　ヨブナリ　スッペス。
　　あと　×　車　呼ぶなり　しようよ。

013A：ハイ。ンデ　（B　ネ）カダ　カシテケラーイ。
　　はい。それで[は]（B　ね）肩　貸してください。

014B：ハイハイ。
　　はいはい。

015A：アー　イデーゴドイデーゴド。
　　ああ　痛いこと痛いこと。

〔1〕アーーー
この「アーーー」は軟口蓋の無声摩擦音。痛みを表現していると考えられる。007A冒頭の「アー」も同様。

008Ｂ：ンーー　ウエノホワ　　　　　　ハヤインダゲッドモッサ、
　　　うーん　上の方[＝孫の兄や姉]は　速いんだけれどもさ、

　　　（Ａ　ウーン）アノマコ゜ダゲワネ。マ　　コレワ　シカタネァ。
　　　（Ａ　うーん）あの孫だけはね。　　まあ　これは　仕方ない。

009Ａ：ンダネ。
　　　そうだね。

〔1〕イダマシガッター
「イタマシー」は、気仙沼では「惜しい」「残念だ」の意。

1-35．ゴミ出しの違反を非難する

①従う

001Ａ：アレ　Ｂサン　キョー　ゴミーナケ゜ノヒデナインダケントー。
　　　あれ　Ｂさん　今日　　ゴミ捨ての日でないんだけれど。

002Ｂ：アー　ソースカー。マツカ゜ッタガナー。ナンヨービダッタベ　キョワ。
　　　ああ　そうですか。間違ったかな。　　何曜日だっただろう　今日は。

003Ａ：キョー　カヨービデー、ナ　アノー　ゴミノヒデナイノッサ。
　　　今日　　火曜日で、　×　あの　　ゴミの日でないのさ。

004Ｂ：アシタガ。
　　　明日か。

005Ａ：アシタダガラー。
　　　明日だから。

006Ｂ：アー　ソーカー。（Ａ　ウーン）オレッサ、アシタ　ホレァ　アメ
　　　ああ　そうか。（Ａ　うーん）私さ、　　明日　　ほれ　　雨

　　　フルツーガラ　　　ツイツイ　モッテシテシマッタヤ。
　　　降るっていうから　ついつい　持ってきてしまったよ。

007Ａ：アー　オグド　　　　　ホラ　カラス　ウルサクテネーーー。
　　　ああ　[ゴミを]置くと　ほら　カラス　うるさくてね。

008Ｂ：アー　ソーダガナー。
　　　ああ　そうだかな。

009Ａ：ウーン（Ｂ　ンデ）　　　アシタ　ダ　アシタノアサ　ナケ゜ッペシ〔1〕。
　　　うん　（Ｂ　それで[は]）明日　　×　明日の朝　　　捨てようよ。

010B：ンダナー（A　ウーン）モチカエッガラ。
　　　そうだね（A　うーん）持ち帰るから。

011A：ホンダネー。（B　ハイハイ）ソノホー　イートオモーネー。
　　　そうだね。（B　はいはい）その方　いいと思うね。

012B：ハイ。ダレガ　ミデッガナー。
　　　はい。誰か　見ているからな。

013A：ンダガラ。（B　ウン）モ　カラス　ウルサクテ　ドーニモナンネノッサ。
　　　そうだよ。（B　うん）もう　カラス　うるさくて　どうにもならないのさ。

014B：ワガリシタ。
　　　わかりました。

015A：ウーン。
　　　うーん。

016B：ウン。
　　　うん。

017A：ハイ。
　　　はい。

②従わない〔2〕

001A：Bサン　キョー　ゴミー　ダスヒデナインダケントモ。
　　　Bさん　今日　ゴミ　出す日でないんだけれども。

002B：アー　オン　ン　ワガッテヤンダゲッドモッサー、イマカラ
　　　ああ　××　ん　わかっていたんだけれどもさ、　今から

　　　デガゲンノッサ。ンダガラ　アシタノゴミダシー
　　　出かけるのさ。　それだから　明日のゴミ出し

　　　マニアワネドオモッテーモッテシタンダゲントモ。
　　　間に合わないと思って持ってきたんだけれども。

003A：アー　ソー　ナ　イズー　アシタ　デハルノ。
　　　ああ　そう。×　いつ　明日　出かけるの。

004B：シーン　イマカラ　デカゲンノ。
　　　いや　今から　出かけるの。

005A：ア　イマカ　デハンノネ。（B　ウン）ホンジャ　アイッタネー。
　　　あ　今から　出かけるのね。（B　うん）それじゃあ　あれだね。

　　　ンデ　アダシ　アシタ　ナゲ゜テヤッカラー。
　　　それで[は]　私　明日　捨ててやるから。

006B：アー　ソースカー。（A　ウーン）ソエズナラ　イーンダゲットナー
　　　ああ　そうですか。（A　うーん）それなら　いいんだけれどな

　　　（A　ウーン）モ　ソーシテモラエネカナー。オレ　ホントワ
　　　（A　うーん）×　そうしてもらえないかな。私　本当は

　　　ウマグネドオモッデヤンダゲッドモッサー。
　　　[今ゴミを捨てるのは]うまくないと思っていたんだけれどもさ。

007A：ウーン。ヤッパリ　ホラ　ヒトリ　イハンスルト（B　ウーン）
　　　うーん。やっぱり　ほら　一人　違反すると（B　うーん）

　　　ヨグナイガラー（B　ウーン）ウン　コナイダモ　カラス　イッパイ
　　　よくないから（B　うーん）ウン　この間も　カラス　いっぱい

ツッズイデチラガッダノッサ。(B　アララララララ) ンー　ンダガラ
突ついて散らかったのさ。　(B　あらららららら) うーん　それだから

ワダシ　ナケ゜テヤッガラ (B　ウン) オラエサ　オイデオグベシ。
私　捨ててやるから　(B　うん) うちに　置いておこうよ。

〔1〕ナケ゜ッペシ
「ナゲル」は、気仙沼では「捨てる」の意でも使う。この部分は、共通語のような「放り投げる」の意ではない。

〔2〕②従わない
設定場面として、BがAの言うことに従わない会話を収録しようとしたが、実際にはAが代案を提示し、Bがそれを受け入れる会話となっている。

1-36. 退任した区長をねぎらう〔1〕

001A：カイチョーサン　ナント　ナガイアイダー　ウザネハガセデー〔2〕
会長さん　なんと　長い間　苦労させて

ゴクロ　カケマシター。
ご苦労　かけました。

002B：ヤーヤー　ミンナノオカケ゜デネー　オレモ　ナントガ　ツトメダデバ
いやいや　みんなのおかげでね　私も　なんとか　務めたってば

ハイ。
はい。

003A：ゴクロ　カケテネ　ホントニ　ミンナ　オカゲサマデ　コレー。
ご苦労　かけてね　本当に　みんな　おかげ様で　これ。

004B：ウーン。アノー　ツキ゜ノネ　ヒトモ　イーヒトダガラッサ、(A　ウン)
うーん。あの　次のね　人も　いい人だからさ、　(A　うん)

アドカ゜マーニ　メク゜マレデ (A　ハー) オレモ　アンシンシテ
後釜に　恵まれて　(A　はあ) 私も　安心して

ヤメンノイーベガラ〔3〕。
やめられるだろうから。

005A：ウーン　ホントニネーー。(B　ハイ) アノ　オカケ゜サマデ　ミンナ　ホラ
うーん　本当にね。　(B　はい) あの　おかげ様で　みんな　ほら

アノー　チクノゴド　ヤッテモラッタカラ　カンシャシテマスー。
あの　地区のこと　やってもらったから　感謝しています。

006B：アー（A　ハイ）アリカ゜ト　アリカ゜トネー。（A　ハイ）コレガラネー
　　　ああ（A　はい）ありがとう　ありがとうね。（A　はい）これからね

　　　コンド　ツキ゜ノヒト　モリアケ゜テケライネー。
　　　今度　次の人　盛り上げてくださいね。

007A：ンダネー（B　ウン）ホントニ　ゴクロー　カゲマシター。
　　　そうだね（B　うん）本当に　ご苦労　かけました。

008B：イーエ、ドーモネー　カエッテネ（A　アリガトゴザリシタ　ハイ）
　　　いいえ、どうもね　かえってね（A　ありがとうございました　はい）

　　　オセワサンネ。
　　　お世話様ね。

009A：ハイ。
　　　はい。

〔1〕1-36．退任した区長をねぎらう
区長よりも町内会長の方がなじみがあるという話者の指摘を踏まえ、区長ではなく町内会長をねぎらうという設定で演じてもらった。

〔2〕ウザネハガセデー
「ウザネハク」は「難儀する」「苦労する」などの意。「ウザネ」の語源は若者語の「ウザイ」と共通であり、「ウザ音（ね）を吐く」と考えられる。

〔3〕ヤメンノイーベガラ
「～するのいい」は可能の言い方。

1-37．車を出せずに困る

001B：コリャ。トナリサチュスヒトノクルマ〔1〕アレ　ジャマダナ。
　　　おい。　隣に駐車[している]人の車　あれ　邪魔だな。

002A：ンダネー。
　　　そうだね。

003B：イッデー　カダッテケロ。
　　　行って　話してくれ。

004A：イヤー　デモネー　ナンダガ　モーシャゲネーネ。
　　　いや　でもね　なんだか　申し訳ないね。

005B：ンーダケッド　オラホデ　オライダッデ　イマカラ
　　　そうだけれど　××××　うちだって　今から

　　　イガナクテワガンナイッチャ。
　　　行かなくてはいけないよ。

006A：アラ　イズマデ　イルンダガネー。
　　　あら　いつまで　いるんだかね。

007B：ンー。　ンナケド　ケサカラ　ミ　アッタンデネーノ　クルマ。
　　　うーん。そうだけど　今朝から　×　あったんで[は]ないの　車。

008A：アー　ホンダッケオンネー。
　　　ああ　そうだったもんね。

009B：ナーニ　イマゴロ　カイッカモシレネガラサー　チョット
　　　なに　今頃　帰るかもしれないからさ　ちょっと

ヨケテケロッデイエバ　インダガラ。　(A　ウーン)ウン。
よけてくれっていえば　いいんだから。(A　うーん)うん。

010A：オトーサン　イッデ　ユッデダイン。
お父さん　行って　言ってください。

011B：バー　オレガー。(A　ウーン)ンー　マー　オレ　カダッデモ
えっ　私か。　(A　うん)　うーん　まあ　私　話しても

イーケッドモサ。
いいけれどもさ。

012A：ウーン。チョッコラ　ヨケデケラインッデ　カダッデキテケライン。
うん。　ちょっと　よけてくださいって　話してきてください。

013B：ナーニ　オンナノヒドノホー　ヤンワリデ　イーンデネガ。
なに　女の人の方　やんわりで　いいんで[は]ないか。

014A：ンダイガ。　(B　ウーン)ホンデ　ワダシ　イッテ
そうだろうか。(B　うん)　それで[は]　私　行って

ユッデミデクッカラ。
言ってみてくるから。

015B：ンー　タノム。(A　ハイ)オレ　ソノウジ　エンジン　カゲテ
うん　頼む。(A　はい)私　その間　エンジン　かけて

マッデッガラ。
待っているから。

016A：ンー　ンダネー。(B　ウン)ンデ　イッテクッガラ。
うん　そうだね。(B　うん)それで[は]　行ってくるから。

017B：ウンウン。
うんうん。

〔1〕トナリサチュスヒトノクルマ
「隣に駐車している人の車」と言いたかったのだと推察される。

1-38. 孫が一等になり喜ぶ

001A：オトーサン　アレ　X　スタートサ　ツイダヨ　ホラ。
お父さん　あれ　X　スタートに　ついたよ　ほら。

002B：アーー　ナンダガ　キンチョースルナー。
ああ　なんだか　緊張するな。

003A：ンダネー。アラアラーー。
そうだね。あらあら。

004B：アー。
ああ。

005調：ヨーイ　ドン〔1〕。
用意　ドン。

006A：アラ　X　ガンバレ　X（B　オーー　X　ハヤエハヤエ）X
あら　X　頑張れ　X（B　おお　X　速い速い）　X

ナンダベ　（B　ハヤグ）オグレッタヤ。アラララ。
なんだろう（B　速く）　遅れているよ。あららら。

007B：オーオー　オダズイダガ〔2〕。（A　X　ガンバレガンバレ　X
おおおお　追いついたか。　（A　X　頑張れ頑張れ　X

ガンバレー）ホレ　ガンバレル　ガンバレ。{手を叩き始める}
頑張れ）　ほら　頑張れる　頑張れ。　{手を叩き始める}

008A：オ　オ　オー　カッター。
お　お　おお　勝った。

009B：オ　オ　オー　イッター　アーアー。
お　お　おお　いった　ああああ。

010A：ワーー　イットーショー。（B　ヤーヤーヤーヤーヤー）アララララ
わあ　一等賞。　（B　いやいやいやいや）　あらららら

スゴーイ。{手を叩きやむ} ナント　ガンバッタゴドーー。
すごい。　{手を叩きやむ} なんと　頑張ったこと。

011B：アー　ヤッパリ　オレノマゴダナ。
ああ　やっぱり　私の孫だな。

012A：ホンダーネーー。ナント　ガンバッタネー。
そうだね。　なんと　頑張ったね。

013B：ウン。ホンダガラサー　カエリヌナ　ゴホビ　カッテグベナ。
うん。それだからさ　帰りにな　ご褒美　買っていこうな。

014A：ンダネー。
そうだね。

015B：ウン。ツイデヌ　オレノサゲッコモ　カッテケロヨー。
うん。ついでに　私の酒も　買ってくれよ。

016A：ナヌス。
なにさ。

〔1〕005調：ヨーイ　ドン
調査者がスタートの号令をかけた。また、005調と013Bの発話の途中に、調査風景をカメラで撮影するシャッター音が入っている。

〔2〕オダズイダガ

このように聞こえるが、話者に確認したところ「オイズイダガ（追いついたか）」と言うつもりで発話したとのことであった。

1-39．孫が一等を逃しがっかりする

001A：アレ、オトーサン　X　スタートサ　ツイダヨー。
　　　あれ、お父さん　　X　スタートに　ついたよ。

002B：アーアーー　ヤーハ。
　　　ああああ　　いやはや。

003A：ホラ　オッキナコイデ　オーエンスッペシー。
　　　ほら　大きな声で　　　応援しようよ。

004B：ウンウン。キンチョースルナー。
　　　うんうん。緊張するな。

005A：ンダガラー。
　　　そうだよね。

006調：ヨーイ　ドン〔1〕。
　　　　用意　　ドン。

007A：ホラ　ガンバッテ。
　　　ほら　頑張って。

008B：オーー　ハヤイハヤイハヤイ。（A　オ　オ　ハヤイゴダハヤイゴダ）
　　　おお　　速い速い速い。　　　（A　お　お　速いこと速いこと）

　　　｛手を叩き始める｝ホレ　ガン　X　ガンバレ。
　　　｛手を叩き始める｝ほれ　××　X　頑張れ。

009A：X　ガンバレガンバレ。ホラ　ナンダベナンダベ。（B　ホレ　キダガ）
　　　X　頑張れ頑張れ。　　ほら　どうしたどうした。（B　ほれ　来たか）

ア、アラ　オグレダヤ　アララ。
あ、あら　遅れたよ　あらら。

010B：ダメダ　オソグナッダ。（A　アラララ　ナンダベ）　アレレレレ。
だめだ　遅くなった。（A　あららら　なんだろう）あれれれれ。

011A：アラ（B　アッラー）｛笑｝ナンダベー　X　オソイゴド　アラー。
あら（B　あら）　｛笑｝なんだろう　X　遅いこと　まあ。

012B：アー　イヤイヤイヤ　ザンネン　サントーガナー。
ああ　いやいやいや　残念　三等かな。

013A：アラーー　ガッカリシテデ、　アレ　ミライン。
あら　がっかりしていて、あれ　見なさい。

014B：ドンジリ。（A　ウーン）ドンジリダッタガー。
最下位？（A　うーん）最下位だったか。

015A：ンダネー　バヤバヤ。
そうだね　あらあら。

016B：バー。キョネンナー　ハエガッタ、サンバンメダッタンダゲットモナー。
ああ。去年な　速かった、　三番目だったんだけれどもな。

017A：ンデ　コンド　ガンバレバ　インダガラ。
それで[は]　今度　頑張れば　いいんだから。

018B：ウー　スコス　シリ　オモグナッタガナー。
うーん　少し　尻　重くなったかな。

019A：マンツマンツ。
まあまあ。

〔1〕006 調：ヨーイ　ドン
調査者がスタートの号令をかけた。004Bの途中にも調査者の号令が入っている。また、004Bから013Bの発話にかけて、調査風景をカメラで撮影するシャッター音が数回入っている。

1-40. タバコをやめない夫を叱責する

001A：オトーサン　ナンダベ　タバコ　ヤメダノニ　マダ　スッテンノ。
お父さん　なんだろう　タバコ　やめたのに　また　吸っているの。

002B：ンー　コナイダサー　ドーキューカイデ　サゲッコ　ノンダドギ
うーん　この間さ　同級会で　酒　飲んだとき

ミンナガラー　ナーニー　イマデモ　スエッガラ　ヤッデミロッデ
みんなから　なに　今でも　吸えるから　やってみろって

イワレダノサ。ソノキンナッテ　ヤッテッキャ　マーダナー
言われたのさ。その気になって　やってしまったら　またな

ハジメテシマッタ。
始めてしまった。

003A：バー　ナンダベ。　セッガグ　ヤメダノニー。
あら　なんだろう。せっかく　やめたのに。

004B：ンー　ンデモナー　アノ　タバゴノナー　アーサーノーイップグ
うーん　そうだけれどもな　あの　タバコのな　朝の一服

オイシグデナー。
おいしくてな。

005A：カラダサモ　ヨクネーガラッデー（B　ウーン）ヤメダノニー。アンダ
体にも　よくないからって　（B　うーん）やめたのに。　あなた

マゴサ　ホラ　ヨグナイガラッサー（B　ウーンウンウン）
孫にも　ほら　よくないからさ　（B　うんうんうん）

ガンバッデ　ヤメラーイン
頑張って　やめなさい。

006B：ンダナー。マゴサー　ウーン　マゴーナー　セッガグ　マゴサーナー
そうだな。孫に　うーん　孫な　せっかく　孫にな

オレモ　カンガエナグデワネーナー。
私も　考えなくてはいけないな。

007A：ンダデバ　ダレー　コレガラノヒドダジサ　アンダ　ガイ　アタエデ
そうだってば　なに　これからの人たちに　あなた　害　与えて[は]

ダメナンダガラ。
だめなんだから。

008B：ンー　ンデー　ガムデモ　カジッデミッガ。
うーん　それでは　ガムでも　噛んでみるか。

009A：ンダネー　ガム　イイネ　ガム。
そうだね　ガム　いいね　ガム。

010B：ソガー。（A　ウン）ホンデー　コンド　デカケダジ　ガムー
そうか。（A　うん）それでは　今度　出かけるとき　ガム

カッテチテケロ、（A　ウン）ミッツモ。
買ってきてくれ、（A　うん）三つも。

011A：ナニ　クジサビシーノスカ。
なに　口寂しいんですか。

012B：ウーン。ヤッパリナー。ナー　イシ　ヨワイノガナー。
うーん。やっぱりな。　××　意志　弱いのかな。

013A：ウーン。ンデ　　　マズ　ガムデモ　カジッテー　ガンバッテミスカ。
　　　うーん。それで[は]　まあ　ガムでも　噛んで　　　頑張ってみますか。

　　　（B　ウーン）アド　マゴノカオ　オモイウカベット　ホラ
　　　（B　うん）　あと　孫の顔　　　思い浮かべると　　ほら

　　　ノマナイガモッシャネガラ。（B　アー　ホンダホンダ）ウン。ソレ　イーネ。
　　　吸わないかもしれないから。（B　ああ　そうだそうだ）うん。それ　いいね。

014B：ワガッダ。
　　　わかった。

1-41. タバコのことを隠している夫を疑う

001A：オトーサン　ナンダガ　タバコノニオイ　スッケント　マサカ
　　　お父さん　　なんだか　タバコのにおい　するけれど　まさか

　　　ノンデタンデネーベネ。
　　　吸っていたんでないでしょうね。

002B：ダーン。ヤッテネーデバー。
　　　なに。　やっていないってば。

003A：ソスカー。
　　　そうですか。

004B：ウーン。
　　　うん。

005A：ナンダガ　クセーンダヨネ　フグナンカー。
　　　なんだか　臭いんだよね　　服なんか。

006B：ンー　フグサー　シ　シミツイダガナンダガ　ソイズワ
　　　うん　服に　　　×　染みついたかどうだか　そいつは

　　　ワカンナイゲンドモ。
　　　わからないけれども。

007A：ウソー。ホントニ　ノンデナイスカー。
　　　嘘。　　本当に　　吸っていないですか。

008B：マーサガ　キノーノ　ドーキューセーノ　カ　トギー　ンー
　　　まさか　　昨日の　　同級生の[会の]　　×　とき　　うーん

アソコデ　フ　ウワキ゜ー　ア　キョ　キョーモ　キテッダガラ
あそこで　×　上着　あ　××　今日も　着ていったから

オナジモンダ。ンー　ナラ　キノーノヤズデネーガナ　ホンディァ。
同じ物だ。うん　それなら　昨日のやつでないかな　それじゃあ。

009A：ソーンデモ　ダンレ　キノーノ　コンナニ　ニオーベガネー。
それでも　なに　昨日の[が]　こんなに　臭うだろうかね。

010B：ンダッデ　ノンデネーモノー。
それだって　吸っていないもの。

011A：ポケット　サガスッカラ　ドレ　アッガネガ。
ポケット　探すから　どれ　あるかないか。

012B：ナーニ　サガサイン。
なに　探しなさい。

013A：ホラ　アッタッチャ。（B　コー　コンー）ホーラ　アッタッチャ。
ほら　あったよ。（B　××　×××）ほら　あったよ。

014B：コイズワー　アー　アイダ　イ　アノー　トナリノシドガラー　ア
こいつは　ああ　あれだ　×　あの　隣の人から　あ

イチバーン　コマッダドギ　コイズー　イッポンダケ　ヤライッデ
一番　困ったとき　こいつ　一本だけ　やりなさいって

モラッタノッサ。
もらったのさ。

015A：アー　ホントニー。（B　ウン）ホンデ　ノンデナイノネ。
ああ　本当に。（B　うん）それで　吸っていないのね。

016B：ノンデネノンデネ。
吸っていない吸っていない。

1-42. 畑の処理を迷う

001A：オトーサーン　コノコ゜ロー　ハダゲシゴト　ユルグネンダケントモ
お父さん　この頃　畑仕事　容易でないんだけれども

ナゾスッペネー。
どうしようかね。

002B：ンダナー。オメサ　クサドリサセデナー。
そうだな。お前に　草取りさせてな。

モーシワゲネードオモッテンダー。
申し訳ないと思っているんだ。

003A：ンー　トシモトシダシネー。
うーん　年も年だしね。

004B：ウーン　ナニ　ムスコモー　ヤルフー　ネヨナー。（A　ンダネー）
うーん　なに　息子も　やる様子[が]　ないよな。（A　そうだね）

ウーン。
うーん。

005A：ナゾスッペネー。
どうしようね。

006B：コノハタゲーナー（A　ウーン）セ　センゾガラ　モラッダヤズナー
この畑な　（A　うーん）×　先祖から　もらったやつな

（A　ダカラ　モー）イマー（A　ウーン）タダ　アラシデオガレネガラー。
（A　だから　もう）今　（A　うーん）ただ　荒らしておけないから。

シトニモ　ワラワレッガラ　ワラワレッガラサー。
人にも　×××××××　笑われるからさ。

007A：ウーン。ホシヒトサ　カシタリスンノモ　イーシー。
うーん。欲しい人に　貸したりするのも　いいし。

008B：ウーン　ンダナー。ホンデ　コー　アリャ　イマー
うーん　そうだな。それで　こう　あれ　今

シミンノーインドガッテユー（A　ウンウンウン）ノ　アッガラー。
市民農園とかっていう　（A　うんうんうん）の　あるから。

（A　ンダカラネ）　ンデー　シヤクショサ　カタッデー　カリデケッ
（A　それだからね）それで　市役所に　話して　借りて××

モラエッカナンダガ　ソーダンシテミッガナー。
もらえるかどうだか　相談してみるかな。

009A：ンダネー。ンデ　オトーサン　ナンニモー　アダシモ　ムリダシ
そうだね。それで　お父さん　なんにも　私も　無理だし

オトーサンダッテ　ホラ　クワ　モズノ　ユルグネスペ。
お父さんだって　ほら　鍬　持つの　容易でないでしょう。

010B：ンー。ン　スコシグレダラナ。（A　ウーン）ケンコーノタメダドオモエバ
うん。×　少しぐらいならな。（A　うーん）健康のためだと思えば

インダケンドモ。（A　ウーン）ヤーッパリ
いいんだけれども。（A　うーん）やっぱり

コノグレノメンセギナットナー　ズンケネヨナー。
このくらいの面積[に]なるとな　どうしようもないよな。

011A：ンダネー。ユルグネーネー。
　　　そうだね。容易でないね。

012B：ウーン。
　　　うーん。

1-43. 帰宅の遅い孫を心配する

001A：アレ　オジーサン、X　マダ　カエッテコネオンネ。
　　　あれ　おじいさん、X　まだ　帰ってこないもんね。

002B：アー　ソーガー。ナヌガ　アッダノガナー。
　　　ああ　そうか。　なにか　あったのかな。

003A：ンダカラネー。イッツモダト　モー　カエッテクルジカンナノッサ。
　　　そうだよね。　いつもだと　もう　帰ってくる時間なのさ。

004B：ソーイエバ　トナリノイエノマエササ　クルマー　イッパイ
　　　そういえば　隣りの家の前にさ　車　いっぱい

　　　トマッデダンダゲントモ　ナニガ　ソレト　カンケーアンノガナ。
　　　とまっていたんだけれども　なにか　それと　関係あるのかな。

005A：ナンジゴロッサ。
　　　何時頃さ。

006B：ンー　モースコシ　マエダー。
　　　うん　もう少し　前だ。

007A：アレ　ホントニー。ホンデモ　イッカイ　エサ
　　　あら　本当に。　それでも[いつもなら]　一回　家に

　　　カエッテキテガラ　デハッカラネ。
　　　帰ってきてから　出かけるからね。

008B：ンー　イッツモ　ソーユッテンダゲントモナー。
　　　うーん　いつも　そう言っているんだけれどもな。

1-44. 花瓶を倒す

001B：ササササ　マーダ　カビン　タオステシマッタヤー。
あららら　また　花瓶　倒してしまったよ。

002A：ナニスナニス　マダ　コボシタノスカー。
なんですなんです　また　こぼしたのですか。

003B：ウーン　ナンガ　シタノホーマデ　シミダヨーダナー。
うーん　なんか　下の方まで　[水が]染みたようだな。

（A　バー）ゾージン　モッテコー。
（A　ああ）雑巾　持ってこい。

004A：ハイハイ　ナンットマダ　マダコボシテガラニー。（B　ンダナー）
はいはい　なんとまた　またこぼしてからに。（B　そうだな）

ホントニホントニー。ホラ　ミズガー　ナンダベ　シタマデ　イッダネー。
本当に本当に。ほら　水が　なんだろう　下まで　いったね。

005B：コーコサー　イツモ　オグナッテユッタンダゲントモ。デマドサ
ここに　いつも　置くなっていったんだけれども。出窓に

オイダライーンデネーノガ。
置いたらいいんではないのか。

006A：デ　ココサ　オグノ　ワルイノネ。
で［は］　ここに　置くの[が]　悪いのね？

007B：ウン。ダーレ　ホレ　ココ　シンブン　ヒロゲダリナンカ　スルドゴダモノ。
うん。なに　ほら　ここ　新聞　広げたりなんか　するところだもの。

009A：ウーン。アラ　ホンデー、イッテ　チョッコラ　ミデクッカラ。
うーん。あら　それでは、行って　少し　見てくるから。

010B：ウーン。ソーヤッテケロー。
うん。　そうしてくれ。

011A：ホントニ　ナンダベネ。　シンパイダゴドネー。
本当に　なんだろうね。心配だことね。

012B：ウン。ンデ　タシカメテケロー。
うん。それで[は]　確かめてくれ。

013A：ウン。ンデ　イッテクッカラ。
うん。それで[は]　行ってくるから。

014B：ウン。
うん。

008A：イヤイヤー。バー　シタマデ　コレー　コンナニ　バーバー。タダミマデ
いやいや。　ああ　下まで　これ　こんなに　ああああ。畳まで

イッタガモー。
いったかも。

009B：ンー　シカタネナ　イマドナッテナー。
うーん　仕方ないな　今となって[は]な。

010A：タダミ　カワキヌクグテネ　コマッタヤー。
畳　乾きにくくてね　困ったな。

011B：ホンデサ　アノー　コレガラ　デマドサ　オゲ。
それで[は]さ　あの　これから　出窓に　置け。

012A：ンダネ　ホンデー（B　ウン）オトーサンニ　コボサレッガラ　デマドサ
そうだね　それでは（B　うん）お父さんに　こぼされるから　出窓に

オグガラ。
置くから。

013B：ウーン　ソノホ　イー。
うん　その方[が]　いい。

1-45. 会合を中座する

001A：Bサン　アダシ　イマー　アノ　マダ　カイゴ　トチューナンダケントモ
Bさん　私　今　あの　まだ　会合　途中なんだけれども

ワリンダケント　トチューデ　カエリデーノッサ、ビョーインサ
悪いんだけれど　途中で　帰りたいのさ、　病院へ

イガナクテネノ。
行かなくてはいけないの。

002B：アー　ソスーカー。
ああ　そうですか。

003A：ウーン　タノンデ　イーベガ。
うーん　頼んで　いいだろうか。

004B：ウン　イーヨー。
うん　いいよ。

005A：ホンデ　オネガイスッガラー。
それで[は]　お願いするから。

006B：ウン　アドガラネ、キマッタノ　オシェッカラ。
うん　あとからね、決まったこと　教えるから。

007A：ハイ
はい。

008B：ウン。
うん。

009A：ンデ　　　ソシテモラウド　タスカルヤー。
　　　それで[は]　そうしてもらうと　助かるな。

010B：シリョーダゲ　モッテガインヨ。
　　　資料だけ　　持っていきなさいよ。

011A：ウン。
　　　うん。

012B：ウン。
　　　うん

013A：ンデー　サ　オサギニ　シツレスッガラー。
　　　それでは　×　お先に　失礼するから。

014B：ハイハイ。アトデ　ミナサンサ　ユッテオッカラ。
　　　はいはい。あとで　みなさんに　言っておくから。

015A：ハイ。オネカ゜イスッカラネ。（B　ウン）ハイ。
　　　はい。お願いするからね。　（B　うん）はい。

1-46. メガネを探す

001B：コリャ。オレノメカ゜ネ　ッシャネガ。
　　　おい。　私のメガネ　　知らないか。

002A：アラ　ワガンネヤー。
　　　あら　わからないや。

003B：ナーンダ　イツモノトダナッコサ　オイダンダケンドモナー。
　　　なんだ　いつもの戸棚に　　置いたんだけれどもな。

004A：オイダラ　アンデナイノスカ。
　　　置いたら　あるので[は]ないですか。

005B：アールッタッテ　　ネーモノー。
　　　あるっていったって　ないもの。

006A：アラ　ドコサ　ヤッタベー。
　　　あら　どこに　やっただろう。

007B：オドー　ドーコサー　　ワガレバ　タノマネ。
　　　×××　どこに[あるか]　わかれば　頼まない。

008A：アラ　キョー　ミテネンダケントモ。
　　　あら　今日　見ていないんだけれども。

009B：シーダッテ　ン　メガネサ　アシ　ツイタッテガー。
　　　そう言ったって　×　メガネに　足　ついたってか。

010A：アリャー。ドコサ　イッタベー。
　　　あら。　どこに　行っただろう。

011B：マーズサ　シカタネー。タンズ　タズネデスケロー。
　　　まあ　　　仕方ない。　×××　探してくれ。

012A：ヨク　サガシタノスカー。
　　　よく　探したんですか。

013B：ウーン。イーチョ　ミタンダゲントモナ。
　　　うーん。一応　　　見たんだけれどもな。

014A：ハー　ナイネー。
　　　はあ　ないね。

1-47．朝、道端で出会う

①男性→女性

001B：ナント　Aチャン（A　ハイ）ドコサ　イグノ。
　　　なんと　Aちゃん（A　はい）どこへ　行くの。

002A：ハイハイ。イマー　アンマリ　アツグナンネーウジニトオモッテー、
　　　はいはい。今　　　あまり　　暑くならないうちにと思って、

　　　チョッコラハタケッコ　アンノデ　ニンジン　ヌキサ
　　　ちょっと畑　　　　　　あるので　人参　　　抜きに

　　　イギデトオモッテー。
　　　行きたいと思って。

003B：アー　ソー。（A　ハイ）アンタ　ニンジンノホカニ　ナニ　ツクッテンノ。
　　　ああ　そう。（A　はい）あなた　人参の他に　　　　なに　作っているの。

004A：アトネ　キューリト　トマト。
　　　あとね　きゅうりと　トマト。

005B：アー、アンダ　モトモト　ハナッコ　スーキダッタ。（A　ウン）イロイロ
　　　ああ、あなた　もともと　花　　　　好きだった。　（A　うん）いろいろ

　　　ツクッテンダネー。
　　　作っているんだね。

006A：スコシバリネ。ネコノヒテーグレンドゴ　カリデー。
　　　少しばかりね。猫の額くらいのところ　　借りて。

007B：アー　ソー。（A　ハイ）ホンジャー　ツカレネーヨーニ（A　ハイハイ）
　　　ああ　そう。（A　はい）それじゃあ　疲れないように　（A　はいはい）

オセッカグ〔1〕。
さようなら。

008A：ハイ。ドーモドーモー。
はい。どうもどうも。

②女性→男性

001A：アラ　Bサン　オハヨーゴザリス。
あら　Bさん　おはようございます。

002B：ハイ。Aチャン　オハヨー。
はい。Aちゃん　おはよう。

003A：ナント　コンナニ　アサハヤク　ドコサ　イグドゴダカ。
なんと　こんなに　朝早く　どこへ　行くところだか。

004B：ホンダカラネー。ホレ　トモダジ　イギサ　クルッツカラ、　イマ
そうなんだよね。ほら　友達　駅に　来るっていうから、今

ムカエサ　イグドゴッサ。
迎えに　行くところさ。

005A：ハー。ンデ　キオツケテ　イッテオンナイ。
はあ。それで[は]　気をつけて　行っておいでなさい。

006B：ハイハイ。ドーモネー。
はいはい。どうもね。

007A：ハイ。
はい。

〔1〕オセッカグ
「お折角」。別れの挨拶言葉として使用される。

1-48. 朝、家族と顔を合わせる

001B：ナント　ハヤグオキデー　ナニ　ヤッテダ。
なんと　早く起きて　なに　やっていた。

002A：ハイ。キョー　ナニスッガナードオモッテ　イマ　カンガエッタノッサ。
はい。今日　なにしようかなと思って　今　考えていたのさ。

003B：アー　ソー。フダンナラバ　イッツモ　イ　イマッコロ　ハナッコノテイレ
ああ　そう。普段ならば　いつも　×　今頃　花の手入れ

ヤッテンダ。（A　ハエ）シンブン　モッテキタ。
やっているんだ。（A　はい）新聞　持ってきた？

004A：アー　マダ　モッテコネガ　（B　アー）イマ　モッテクッガラ
ああ　まだ　持ってこなか[った]（B　ああ）今　持ってくるから

マッテテ。
待っていて。

005B：ウーンー　アドワ　イヌー　イヌモ　ハナシテヤッペス。ハッパリ　ア
うーん　あとは　犬　犬も　放してやろうよ。やっぱり　あ

イヌモ　オリャ　バタバタッデ　イタベオン。
犬も　ほら　バタバタと[して]　いるだろう。

006A：マッテダネー（B　ウン）ジカンナンノ　マッテッガラネー。
待っているね（B　うん）時間[に]なるの　待っているからね。

007B：ンダンダ。　ンデ　タノムガンネー。
そうだそうだ。それで[は]　頼むからね。

008A：ウン　ホンデ　オトーサン　ソコデ　チョット（B　ウン　オレ）
うん　それで　お父さん　そこで　ちょっと（B　うん　私）

オルスバン　シテテケライン。　サギ　イヌサ　イッテクッガラ。
お留守番　していてください。先　犬[のところ]に　行ってくるから。

009B：ウン　オレ　イマ　オリャ　ホトケサンサ　オチャッコ　アゲッガラ。
うん　私　今　ほら　仏様に　お茶　あげるから。

010A：アー　タスカル。（B　ウン　ウン）アゲテデケライン。
ああ　助かる。（B　うん　うん）あげていてください。

1-49. 昼、道端で出会う

①男性→女性

001B：アレッ　Aチャン（A　ハイ）ドコサ　イグノッサ。
あれ　Aちゃん（A　はい）どこに　行くのさ。

002A：イマ　オホ　オヒルナットオモッテー　ウドンデモ　カイサ
今　××　お昼[に]なると思って　うどんでも　買いに

インカナートオモッテイタトコ。
行くかなと思っていたところ。

003B：アー　ソスカ。　（A　ウン）オライデモ　イマ　オライナ　イマ
ああ　そうですか。（A　うん）うちでも　今　うちの[妻]　今

イネーガラッサ、オヒル　ナヌスッカトオモッター〔1〕、
いないからさ、　お昼　なに[に]しようかと思った、

ナヤンタンダゲントモ　チョード　イガッタイヤー。アンダ
悩んでいたんだけれども　ちょうど　よかったな。　あなた

オラエノブンモ　ウドンコ　カッテシテケンネ。
うちの分も　うどん　買ってきてくれない？

004A：ハイハイ。ナンデモ　インダスペ。
はいはい。なんでも　いいんでしょう。

005B：ウン　イーイェイェ。（A　ウン）マカセッカラ。
うん　いいいいいい。（A　うん）任せるから。

006A：ハイハイ。ホンデー　カッテクッカラ。
はいはい。それでは　買ってくるから。

007B：ハイ　タノミスー。
はい　頼みます。

008A：ホンデー　ウン　ホンデマズネ。
それでは　うん　それじゃあね。

009B：ハイ。
はい。

②女性→男性

001A：アラ　Bサン　オヒルダデバ。
あら　Bさん　お昼だってば。

002B：アー　ソー。（A　ハイ）イマネー　オレ　アノー　ソコノ　ホリャ
ああ　そう。（A　ハイ）今ね　私　あの　そこの　ほら

ハタケサネ　クサトリサ　イッテキタトコッサ。（A　ハーハー）ウーン
畑にね　草取りに　行ってきたところさ。（A　はいはい）うーん

ハラドケデワ　ソノゴロカナートオモッタンダゲントモ。チョード
腹時計では　その頃かなと思ったんだけれども。　ちょうど

イガッタヤー、アンダガラ　キーデ。（A　ウーン）ハイ。
よかったな、　あなたから　聞いて。（A　うーん）はい。

003A：オヒルダガラ　オヒルアガリナサッタホー　イーガストー。
お昼だから　お昼上がりなさった方　いいですよ。

004B：ハイ。
はい。

005A：ホンデマズネ。
それじゃあね。

006B：ホンデネ、　　ウーン　マタネ。
それで[は]ね、うーん　またね。

007A：ハイ。
はい。

〔1〕オモッター
文脈からすると、「オモッテ」が期待されるところ。発話の途中で文の不整合が生じたものと思われる。

1-50. 夕方、道端で出会う

①男性→女性

001B：ナント　Aチャン。
なんと　Aちゃん。

002A：ハイ。
はい。

003B：ユーク゜レドジ　ドッサリ　カッテチタコト。
夕暮れ時　　　どっさり　買ってきたこと。

004A：ホダカラネー。イマカラ　ホレー　オシタク　シナクテネートオモッテー。
そうなんだよね。今から　ほら　お支度　しなくてはいけないと思って。

005B：アー、コア　キョー　ナヌッサ。
ああ、××　今日　なにさ。

006A：ナニシタライーカ　　コイズ　アゲテミテカラ　ツクッカナートオモッテ。
なに[に]したらいいか　こいつ　開けてみてから　作ろうかなと思って。

007B：アー　ソー。ンデ　オライデモ　ナニ　アッカナー。タノシミニ
ああ　そう。それで　うちでも　なに　あるかな。　楽しみに

カエッカラー。
帰るから。

008A：ホンダネー。
そうだね。

009B：ハイ。ゴメンネー。
はい。ごめんね。

1-51. 夜、道端で出会う

①男性→女性

001B：オバンデスー。（A　アラ　ハイ）ダレダトオモッタッケ　Aチャンスカ。
　　　こんばんは。　（A　あら　はい）誰かと思ったら　　　Aちゃんですか。

002A：ハイハイ。ダンダトオモッタッケ　ナント　Bサン、ハイ。
　　　はいはい。誰だと思ったら　　　　なんと　Bさん、はい。

003B：ハエ。ドコサ　イグノ。
　　　はい。どこに　行くの。

004A：イマ　ホレ　フジンブノヨリアイデー。
　　　今　　ほら　婦人部の寄り合いで。

005B：ア　カエットコ。
　　　あ　帰るところ？

006A：ハイハイ。
　　　はいはい。

007B：アー　ソー。（A　ウーン）イッパイ　ヨッタッタ。
　　　ああ　そう。（A　うーん）いっぱい　寄って[＝集まって]いた？

008A：ウーン、イ　イツモノグレダネー。
　　　うーん、×　いつものくらいだね。

009B：アー　ソー。（A　ウーン）コンドワ　ナヌー　アッタノッサ。
　　　ああ　そう。（A　うーん）今度は　　なに　　あったのさ。

010A：コンドワネー　アノー　ウンドーカイノ（B　ウン）フ
　　　今度はね　　　あの　　運動会の　　　（B　うん）×

010A：ハイハーイ。
　　　はいはい。

②女性→男性

001A：アレ　Bサン　オバンデスー。
　　　あれ　Bさん　こんばんは。

002B：ハイ。
　　　はい。

003A：ア　イマ　オガエンナスッタノネー。
　　　あ　今　　お帰りなさったのね。

004B：エー。ヤット　キュ　カエッテシタデバ。
　　　ええ。やっと　××　帰ってきたってば。

005A：ハーイ。オツカレサンデゴザリシター。
　　　はい。　お疲れ様でございました。

006B：ハイ。
　　　はい。

フジンブノオセワヤグ　キメンノデ。
婦人部のお世話役　　決めるので。

011B：アー　ホンダー　アンダダチワ（A　エーエー）イッショケンメダカラナー。
ああ　それでは　あなたたちは（A　ええええ）一生懸命だからな。

（A　ハイ）タノムガラー。
（A　はい）頼むから。

012A：ハイハーイ。ホンジャー　キオツケテ　オンナイ。
はいはい。　それじゃあ　気をつけて　おいでなさい。

013B：ハイ。
はい。

014A：オヤスミナサーイ。
おやすみなさい。

015B：ハーイ。
はい。

②女性→男性

001A：アレ　ダレガトオモッタッケ　Bサン。
あれ　誰かと思ったら　　Bさん。

002B：ハイ。
はい。

003A：キョー　ナニッサ。
今日　　なに[があったの]さ。

004B：アー　イマネー（A　ハイ）ジチカイノーヨリアイ　アッテー（A　エー）
ああ　今ね　　（A　はい）自治会の寄り合い　　あって　（A　ええ）

イマ　カエットコダ。
今　　帰るところだ。

005A：アー　ナントナントー、コンナオソクマデ　ゴクロハンデ。
ああ　なんとなんと、　こんな遅くまで　　ご苦労様で。

006B：ンダガラネー。　ホラ　チカグー　アノー　ボンオドリ
そうなんだよね。ほら　近く　　　あの　　盆踊り

ヤルッテユーカラー　ソイツノー　カイコ゜ダデバ。
やるっていうから　　そいつの　　会合だってば。

007A：ハー、ソンナセツンナッタンダネー。
はあ、そんな季節になったんだね。

008B：ンダネー。
そうだね。

009A：ハイハイ。オンデ　　　タノムカラネス。
はいはい。それで[は]　頼みますからね。

010B：アンダモ　アノー　ソントギ　キテケラインヨ。
あなたも　あの　　そのとき　来てくださいよ。

011A：ハイハイ。ンデ　　　ソンドキ　マザッカラ。
はいはい。それで[は]　そのとき　混ざる[＝参加する]から。

012B：ハイ。オネカ゜エシマスー。
はい。お願いします。

013A：ゴクロハンデシター。
　　　ご苦労様でした。

1-52. 夜、家族より先に寝る

001B：ラクテン　イッパイ　カッダガラ〔1〕 オレァー　サギー　フロサ
　　　楽天　　　たくさん　点を入れたから　私は　　　先に　風呂に

　　　ハイッテ　ネッカナー。
　　　入って　　寝るかな。

002A：アー　ソースカ。
　　　ああ　そうですか。

003B：ウン　ナーニ　コノブンダト　カズモノ。
　　　うん　なに　　この分だと　　勝つもの。

004A：アー　ンダイガ。（B　ウン）ホンデー　ワダシワ　モースコシ　ミテ
　　　ああ　そうですか。（B　うん）それでは　私は　　　もう少し　　見て

　　　ネッガラ。
　　　寝るから。

005B：ウン　キョー　ツカレダガラッサー（A　ウン）ンデー　オメァーモ
　　　うん　今日　　疲れたからさ　　　（A　うん）それで　あなたも

　　　ハヤグ　ネレバ　インダ。
　　　早く　　寝れば　いいんだ。

006A：ハイハイ　ンデ　　ハヤグ　ハイッテ　ネサハリセ。
　　　はいはい　それで　早く　　入って　　おやすみなさい。

007B：ウン　ホンジャ　　ト　トジマリ　タノムゾ。（A　ハイハイ）ウン。
　　　うん　それじゃあ　×　戸締り　　頼むぞ。（A　はいはい）うん。

〔1〕ラクテン　イッパイ　カッダガラ
後の「コノブンダト　カズモノ(この分だと　勝つもの)」という発言からすると、「楽天がたくさん点を入れたから」という意図で発言したものと推測できる。

1-53. 晴れの日に、道端で出会う

001A：アラ　Bサン。
あら　Bさん。

002B：ハイ。
はい。

003A：キョー　ナントー　イーテンキダネー。
今日　なんと　いい天気だね。

004B：ホンダネー。キモジ（A　ウン）イーネー。
そうだね。　気持ち（A　うん）いいね。

005A：ダカラー。ナント　ハルダネーー。
そうだね。なんと　春だね。

006B：ウーン　オンダ。
うーん　そうだ。

007A：ハナコ　サグシネー。
花　咲くしね。

008B：ンダネー。（A　ウーン）コノカスミモ　イーモンネー。（A　ンダネーー）
そうだね。（A　うーん）この霞も　いいもんね。（A　そうだね）

ハルカ゜スミッツノスカ。（A　ハイハイ）アーーー。（A　アーー）オラモ
春霞っていうんですか。（A　はいはい）ああ。（A　ああ）　私も

コンナノー　ミットネー、ヤマ　オモイダスノッサ、（A　ウーン）ウン。
こんなの　見るとね、　山　思い出すのさ、　（A　うーん）うん。

アンダワ　ヤッパリ　ハナッコ　スジダッタオネー。
あなたは　やっぱり　花　　　好きだったもんね。

009A：ンダネーー。(B　ウン) Bサンガ　ホラ　ブンガクセーネンダッタガラ
そうだね。　(B　うん) Bさんが　ほら　文学青年だったから

(B　ナーンノナンノ) ハルカ゜スミナンテ　キグド　ナントネー
(B　なんのなんの)　春霞なんて　　　　聞くと　なんとね

ジョーチョガ　アッコト。
情緒が　　　あること。

010B：ヤーヤーヤヤーヤ。アンダノ　オデライ　ア　オダデラレダゲントモ、
いやいやいやいや。あなたの　××××　×　おだてられたけれども、

ナカナカ　コノゴロ　ナヌモ　デキナグナッタデバ。
なかなか　この頃　　なにも　できなくなったってば。

011A：ソンナコト　アレァヘーン。ハルンナッタガラ (B　ハイ) タノシムベシ。
そんなこと　ありません。　春になったから　(B　はい) 楽しもうよ。

012B：ンダネ。(A　ハイ) ハイ。
そうだね。(A　はい) はい。

013A：ホンデマズネ。
それじゃあね。

014B：マダネー。
またね。

015A：ハイ。
はい。

1-54. 雨の日に、道端で出会う

001A：アラ　Bサン　ドゴサ　イグドゴダベ、　　コンナ　アメ　イッペ
あら　Bさん　どこへ　行くところだろう、こんな　雨　　いっぱい

フッテットギー。
降っているとき。

002B：ウン。イマネー、アノー　アレダデバ、トナリノネ　オバチャンカ゜
うん。今ね、　　あの　　あれだってば、隣のね　　おばちゃんが

ナンダガー　グエー　ワルイッツカラッサ、ソイズ　ミサ　イグトコ。
なんだか　　具合　　悪いっていうからさ、そいつ　見に　行くところ。

003A：アー、ナントネー　コー　ジメジメシテ　フッタリハレタリー　テンキ
ああ、なんとね　　こう　ジメジメして　降ったり晴れたり　　天気

ワルイトネー (B　シーダガラ) グアイモ　ワルクナルシネー。
悪いとね　　(B　そうなんだ) 具合も　　悪くなるしね。

004B：ンダカラー。ダイジンナンネバ　イーナートオモッテッサ。
そうなんだ。大事にならなければ　いいなと思ってさ。

005A：アーー　オンデ　　　シンパイダゴトネ。
ああ　　それで[は]　心配なことね。

006B：ハイ。ホンデネー。　(A　シー　オンデー) イソク゜モンダカラ。
はい。それで[は]ね。(A　うん　それでは) 急ぐもんだから。

007A：ハイハイ。オンデ　　　オダイジニー。
はいはい。それで[は]　お大事に。

1-55. 暑い日に、道端で出会う

001A：アラ　ナント　アズイコトアズイコト。アレ　ソコニイタヒト　Bサンデ
　　あら　なんと　暑いこと暑いこと。　あれ　そこにいる人　Bさんで

　　ネーベカ。
　　ないだろうか。

002B：ハイ。ホンダデバ。
　　はい。そうだってば。

003A：アズイコトネー。
　　暑いことね。

004B：ンーダ。キョーワ　ブンケ゜〔1〕アズイオンネー。
　　そうだ。今日は　特別　暑いもんね。

005A：ンダネーー。ボーシモ　カブンナェデ　ダレーー。
　　そうだね。　帽子も　被らないで　どうしたの。

006B：ンー　ハエ　ア　スッカリ　ワスレタッタヤ。
　　うーん　はい　あ　すっかり　忘れていたよ。

007A：ンダガラ、ボーシ　カブンネート　ホレ、コンナニ　アズイド　アダマ
　　そうだよ、帽子　被らないと　ほら、こんなに　暑いと　頭

　　イタクナッカラー。
　　痛くなるから。

008B：ハエ。ワカリシタ。（A　ウーン）ホイデ　イマ　イーサ　イッテ
　　はい。わかりました。（A　うーん）それで[は]　今　うちへ　行って

008B：ハイ。
　　はい。

1-56. 寒い日に、道端で出会う

001A：ナント　サムイゴトネー　キョーワ　マダー。
　　　なんと　寒いことね　　今日は　　また。

002B：ンダネー。キョーワ　ウントニ　シバレルゴトネー。
　　　そうだね。今日は　　本当に　　寒いことね。

003A：フーントニネ。サムイノ　クルッツノ　　　ワカッテンダケントモネー。
　　　本当にね。　　寒いの　　来るっていうの　わかっているんだけれどもね。

004B：ウーン。トシ　トットネー（A　ウーン）ズンケネー〔1〕デバ。
　　　うーん。年　　取るとね　（A　うーん）やりきれないってば。

005A：ダカラー、　ナントナントヤ、テーノサギャ　イテーコトネー。
　　　そうだよね、なんとなんと、　手の先が　　　痛いことね。

006B：ンダガラー。（A　ホンデ）アンダモー　コロバネヨーヌ（A　ハイ）
　　　そうだよね。（A　それで）あなたも　　転ばないように（A　はい）

　　　ホッカミシネデ　アルガインヨ。
　　　よそ見しないで　歩きなさいよ。

007A：ホンダガラネー。（B　ハイ）ホントニ　シバレネバ
　　　そうだよね。　　（B　はい）本当に　　冷え込まなければ

　　　イーケントモネー。
　　　いいけれどもね。

008B：ンダネ。
　　　そうだね。

　　　トッテクッカラ。
　　　取ってくるから。

009A：ホンダネー。（B　ハイ）ホントニ　アズコトネー。
　　　そうだね。　（B　はい）本当に　　暑いことね。

010B：ハイ。アンダモ　キオツケラインヨ。
　　　はい。あなたも　気をつけなさいよ。

011A：ハイハイ。アリガトネー。ホンデマズネ。
　　　はいはい。ありがとうね。それじゃあね。

012B：はい。
　　　ハイ。

〔1〕ブンケ゜
　「分外」。思いのほか、格別に、といった意味。

1-57. 正月の三が日に、道端で出会う

001A：アラ　Bサン。(B　ハイ) ナント　コトシモ　オショーガツンナッタネー。
あら　Bさん。(B　はい) なんと　今年も　お正月になったね。

002B：ホンダガラー。オラモ　イマー　アレダデバ　ガンチョマイリ〔1〕サ
そうだね。　私も　今　あれだってば　初詣に

イッテキタオン。
行ってきたもの。

003A：アー。コトシモ　ナント　オセワンナッカラ　ヨロシクネー。
ああ。今年も　なんと　お世話になるから　よろしくね。

004B：イーイーイーエ。オラエゴソー。
いえいえいえ。　うちの方こそ。

005A：ハヤイゴトネー　ホントニー。キョネンモ　アッタケ
早いことね　本当に　去年も　あれほど

オセワンナッタンダケントモ。
お世話になったんだけれども。

006B：ウーン。(A　ソーン) デモ　コトシネー　ハレデッサ　キモジ　イーネー。
うーん。(A　んーん) でも　今年[は]ね　晴れてさ　気持ち　いいね。

007A：ンダガラネーー。(B　ウン) マズ　ヨロシク　タノミマスー。
そうだね。　(B　うん) まあ　よろしく　頼みます。

008B：ハイ。デワ　コトシモ　ヨロシグネー。
はい。では　今年も　よろしくね。

009A：ウーン。オンデマズ。
うーん。それじゃあね。

010B：ハイ。
はい。

011A：ハイ
はい。

〔1〕ズンケネー
「めんどうだ」「やりきれない」「やっかいだ」などの意。語源は不詳。

1-58．大晦日に、道端で出会う

001A：Bサン。
　　　Bさん。

002B：ハイ。
　　　はい。

003A：モジツギ　オワッタノスカ。
　　　餅搗き　　終わったんですか。

004B：ウン。オラエデ　　オワッタワ。（A　ハーハー）ナニ　フタウスモ
　　　うん。うちで[は]　終わったわ。（A　はいはい）なに　二臼も

　　　ツゲバッサ（A　ウン）スムガラ。
　　　搗けばさ　（A　ウン）済むから。

005A：ウーン。カミダナーカザリ　イソガシーネ、イマカラ、ホンデネ〔1〕。
　　　うーん。神棚飾り　　　　　忙しいね、　　今から、　それで[は]ね。

006B：オラー　ムカシー　ゴコ゜カラ　ヤッタゲントモ　コノコ゜ロワ　アサカラ
　　　私は　　昔　　　　午後から　　やったけれども　この頃は　　　朝から

　　　ヤルモン。
　　　やるもの。

007A：アー。（B　ウン）ヤッパリー。
　　　ああ。（B　うん）やっぱり。

008B：ヤッパリ　ゴコ゜ーダト　ホレ　シ　ミジケーガラッサ、（A　ウーン）
　　　やっぱり　午後だと　　　ほら　日　短いからさ、　　　（A　うーん）

009A：ハイ。ホンデマズ。
　　　はい。それじゃあね。

〔1〕ガンチョマイリ
　「元朝参り」。初詣のこと。

ンダガラ　アサカラ　ヤルゴトニシタオン。
だから　朝から　やることにしたもの。

009A：ナンダカ　ベットサン〔2〕ガ　ゴゴー　ゴゴ　カザレッテユッテタガラ
なんだか　神主さんが　午後　午後　飾れっていっていたから

オラエデ　イッツモ　ゴゴナノサ。
うちで[は]　いつも　午後なのさ。

010B：アーー。マー　カテードコデァ　ソーダベゲントモネ。
ああ。　まあ　固いところじゃあ　そうだろうけれどもね。

011A：ウーン。ナンダカ　セワシネネー、トシ　オグンノモネー。
うーん。なんだか　せわしないね、年　送るのもね。

012B：ンダガラネー。
そうだね。

013A：ウーン。ナント　ホントニ　ホンデ　イートシコシ　シテクダハリセ。
うーん。なんと　本当に　それで[は]　いい年越し　してください。

014B：ハイ。ドーモネー。
はい。どうもね。

015A：ハイハイ　オンデー。
はいはい　それでは。

〔1〕カミダナーカザリ　イソガシーネ、イマカラ、ホンデネ
「餅を搗いた」すなわち、鏡餅を作ったという話を受けて(＝ホンデネ)、今から、その鏡餅を供える神棚飾りの支度をするとなると忙しいね」といった趣旨と解釈される。

〔2〕ベットサン
「別当さん」。神主のこと。

1-59. お盆に、道端で出会う

001A：オハカマイリ　オワッタノスカ　Bサン。
お墓参り　終わったんですか　Bさん。

002B：ハイ。オラエデワ　ゴゼンチューニー　イグゴドニシテンノッサ。
はい。うちでは　午前中に　行くことにしているのさ。

003A：アー　ンダネー。アズイカラ　アサ　ハエーホー　イーカモネー。
ああ　そうだね。暑いから　朝　早い方　いいかもね。

004B：ウン。ソレニネ（A　ウーン　ハイ）ホラ　チューシャジジョワ　アンマリ
うん。それにね（A　うーん　はい）ほら　駐車場は　あまり

コマネーガラッサ（A　ウンウン）ウン。
混まないからさ　（A　うんうん）うん。

005A：ンダオネー。イマ　ミンナ　クルマデー　オガミサ　クッカラネー。
そうだよね。今　みんな　車で　拝みに　来るからね。

006B：ンダガラネー。（A　ウーン）アンダモ　イソカ゜イン。
そうなんだよね。（A　うーん）あなたも　急ぎなさい。

007A：ハイハイ。マゴダチモ　キタトコ。
はいはい。孫たちも　来たところ？

008B：ウーン。アシタ　カエルッツカラ。
うーん。明日　帰るっていうから。

009A：ハーハー。ナントネ　ホドゲーサマモー　アズイガラ　ホントニー
はいはい。なんとね　仏様も　暑いから　本当に

マズッテヤンナクテネーシネー。　イソガシーネー。
祀ってやらなくてはいけないしね。忙しいね。

010B：ホンダデバ。
そうだってば。

011A：ウーン。オンデマズネ。
うーん。それじゃあね。

012B：ハーイ。ドーモネ。
はい。　どうもね。

013A：ハイハーイ。
はいはい。

1-60. 友人宅を訪問する

①男性→女性

001B：コンニズワー。
　　こんにちは。

002A：ハーイ。
　　はい。

003B：イタスカー。
　　いましたか。

004A：ハイハイ。オリシター。
　　はいはい。おりました。

005B：アー。アノッサー。
　　ああ。あのさ。

006A：ハイ。
　　はい。

007B：チョットー　コミイッタコトデ、(A　ハイ) オハナス　ステーンダゲットモ。
　　ちょっと　込み入ったことで、(A　はい) お話　したいんだけれども。

008A：ハイハイ。
　　はいはい。

009B：アカ゜ッテイーベガ。
　　上がっていいだろうか。

010A：ハイ。ナントナント　ゴクローサン。ドーゾドーゾ。
　　はい。なんとなんと　ご苦労様。　どうぞどうぞ。

011B：ウン。ンデ　(A　ン) アンマリ　ジカン (A　ウン) テマ
　　うん。それで[は] (A　ん) あまり　時間　(A　うん) 手間

　　トラセネーガラッサ。
　　取らせないからさ。

012A：ウン。
　　うん。

013B：ンデ　アカ゜ラセテモラウガラ。
　　それで[は]　上がらせてもらうから。

014A：ハイハイ。アガッテケライン。ドーゾ。
　　はいはい。上がってください。どうぞ。

015B：ハイ。
　　はい。

②女性→男性

001A：コンニチワー。
　　こんにちは。

002B：アー　Aチャンスカー。
　　ああ　Aちゃんですか。

003A：ハイ。ワタシダケントモ　イタンダベガ。
　　はい。私だけれども　いたのだろうか。

004B：ウン。チョード　イマ　カエッテチタバリダ。
　　うん。ちょうど　今　帰ってきたばかりだ。

1-61．友人宅を辞去する

①男性→女性

001B：アリヤー　ウスク゜ラクナッテシマッタヤー。スッカリ
　　　あら　　　薄暗くなってしまったな。　　　すっかり

　　　ナカ゜イシテシマッタネー　Ａ　アノー　Ａチャーン。
　　　長居してしまったね　　　×　あの　　Ａちゃん。

002A：イヤイヤー　ナニ、ホンダネー　イットキダトオモッテモネー。
　　　いやいや　　なに、そうだね　　一時だと思ってもね。

003B：ウーン。
　　　うーん。

004A：ジカン　タズノ　ハイェゴトネー。
　　　時間　　経つの　早いことね。

005B：ンダガラー。　ホンデネ　　コノツキ゜ネー。
　　　そうなんだよね。それで[は]ね　この次ね。

006A：ハイハイ。
　　　はいはい。

007B：マダ　クッカラー。
　　　また　来るから。

008A：ハイ。ナンカ　オソマズ　　モーシアゲテシマッタネー。
　　　はい。なんか　お粗末なこと　してしまったね。

009B：イヤイヤイヤヤヤ。ソンナゴトネーデバ。
　　　いやいやいや。　　そんなことないってば。

005A：ウン。
　　　うん。

006B：ナニカ　ヨー　アッタ。
　　　なにか　用事　あった？

007A：ウン。チョッコラ　アガラセテモラッテ　イーベカネー。
　　　うん。ちょっと　　上がらせてもらって　いいだろうかね。

008B：ハイ。ドーゾドーゾ。
　　　はい。どうぞどうぞ。

009A：アー　モーシワケネケッド　ホンデー　チョッコラ。
　　　ああ　申し訳ないけれど　　それでは　ちょっと。

010B：オラエデモ　オレァ　チラカッテケットモッサ。
　　　うちでも　　ほら　　散らかっているけれどもさ。

011A：ナニモナニモ。
　　　なにもなにも。

012B：ウン。
　　　うん。

013A：ホンデ　　　アガラセテモラウガラネ。
　　　それで[は]　上がらせてもらうからね。

014B：ハイ　ドーゾドーゾ。
　　　はい　どうぞどうぞ。

015A：ハーイ。
　　　はい。

010A：ハイ。
　　　はい。

②女性→男性

001A：ナント　ナガナガ　オジャマシタカラネー。
　　　なんと　長々　　　お邪魔したからね。

002B：アー。アノ　モー　カエンノスカ。
　　　ああ。あの　もう　帰るんですか。

003A：ハイハイ。オカゲサマデ　ヨー　タセタガラ。
　　　はいはい。おかげ様で　　用　　足せたから。

004B：アー　ソー。（A　ウーン）ナーンダベァ　ズイブン　イソク゜ゴドァ。
　　　ああ　そう。（A　うん）　なんだろう　　ずいぶん　急ぐこと。

005A：ﾝダッテ　　ナガ　オンデ　イットキバリトオモッタンダケット
　　　そうだって　××　それで　一時ばかりと思ったんだけれど

　　　ナカ゜イシテシマッテネー。
　　　長居してしまってね。

006B：ナーンダヤ　カラチャ〔1〕ダ　ダケダッタナー。
　　　なんだよ　　空茶　　　　×　だけだったな。

007A：ナニモ　ソンナコトナイカラ。
　　　なにも　そんなことないから。

008B：ホンデァ　　マタ（A　ウーン）キテオンナイ。
　　　それじゃあ　また（A　うーん）来てください。

009A：ハイハイ。オカゲサマデ　ヨー　タセタガラ　アリガトゴザリシター。
　　　はいはい。おかげ様で　　用　　足せたから　ありがとうございました。

010B：ハイ。
　　　はい。

〔1〕カラチャ
「空茶」。茶のみを客に出して、菓子などは出さないこと。

1-62. 商店に入る

001A：ゴメンナーイ。
ごめんください。

002B：ハイハイ。
はいはい。

003A：キョー　サガナ　ナニ　アッペネ。
今日　魚　なに　あるだろうね。

004B：アー　キョーネー　ウン。イギノイーサンマ　ハイッタ。
ああ　今日ね　うん。活きのいいサンマ　入った。

005A：アラ　ハイェゴドー　ナンドー。
あら　早いこと　なんと。

006B：コドシ　デッケーヨー。
今年　大きいよ。

007A：アー　ホントニー。（B　ウン）アド　ナニ　アッペ。
ああ　本当に。　（B　うん）あと　なに　あるだろう。

008B：アードー　オリャー、シズガワノタゴー　ハイッタガ。
あと　ほら、　志津川のタコ　入ったか。

009A：アラー（B　ウン）ナントー。ホンデー　タゴドー、サンマ　モラウガラ。
あら　（B　うん）なんと。　それでは　タコと、　サンマ　もらうから。

010B：アー　ソー。
ああ　そう。

011A：ウン（B　ウン）ナンボダガ。
うん（B　うん）いくらだか。

012B：ウーン　ナンボヤーテ　サンマ　ナンビギ。
うーん　いくらかって　サンマ　何匹。

013A：ンダネ　ニホンズズ　タベデー　ヨンホン。
そうだね　二本ずつ　食べて　四本。

014B：オーキサワ。
大きさは？

015A：ダイデ。
大で。

016B：ダイデ。（A　ウン）ウン。ンデー　ダイワネー　ヒャクサンジューエン。
大で。　（A　うん）うん。それでは　大はね　百三十円。

（A　ハイ）アド　タゴワ　ド　ドノクﾟラエッサ。
（A　はい）あと　タコは　×　どのくらいさ。

017A：イッポン、アシ　イッポンデ　イーナー。
一本、　足　一本で　いいな。

018B：アシ　イッポン。（A　ウン）バ　ナント　スコシバリダゴダー。{笑}
足　一本？　（A　うん）あら　なんと　少しばかりだこと。　{笑}

デ　イマ　シャググラムーネ（A　ウン）デ
で[は]　今　百グラム×　（A　うん）で

ヤッテッカラッサ〔1〕。　アー　コノタゴ　オッギー。ンデ
やっている[＝売っている]からさ。ああ　このタコ　大きい。　それで[は]

アワセーデーネー、ヨンヒキガー。ウート　コエド
合わせてね、　　　四匹か。　　　ええと　これと[合わせて]

ハッピャッゴジュエンダナ。
八百五十円だな。

019A：アラ　ヤスイゴド。ホンデー。
あら　安いこと。　それでは。

020B：ンー　　ナ　ンナゲッド　　イーヤ　ハッピャグエンデ　イーガラ。
うーん　×　そうだけれど　いいや　八百円で　　　　　いいから。

021A：アラ　ナント（B　ウン）モシャゲネーゴド　イッツモイッツモ
あら　なんと（B　うん）申し訳ないこと　　いつもいつも

マゲライデ。
負けてもらって[ありがたいこと]。

022B：イヤイヤイヤイヤヤヤ。マダ　カッテケライ。
いやいやいやいや。　　また　買ってください。

023A：ハイハイ　ンデ　　　　ソレデ　オネガイスッカラー。
はいはい　それで[は]　それで　お願いするから。

024B：ウン。コーリ　イレッスカ。
うん。氷　　　入れますか。

025A：ンダネ　　スコシ　イレデモラッテ。
そうだね　少し　　入れてもらって。

026B：ウン　ホンデー　アノー　ソゴデ　イマー　フルイヤズ　イレモノ
うん　それで　　あの　　そこで　今　　　古いやつ　　入れもの

サガシテグッカラ。
探してくるから。

027A：アリガトゴザイマスー。
ありがとうございます。

〔1〕シャググラムーネ　デ　ヤッテッカラッサ
「百グラムね」と言ってから「百グラムで売っている」という意図で言い直したと考えられる。

1-63. 商店を出る

001A：ナントー　キョー、イーサガナ　カッタヤー、アリガドネー。
なんと　今日、　いい魚　買ったよ、　ありがとうね。

002B：ンー　イッペ　カッテモラッデ　アリガドネー。
うん　いっぱい　買ってもらって　ありがとうね。

003A：カエッテカエッテ。オダグサ　クット　イッツモ　イギ　イーガラー。
かえってかえって。お宅に　来ると　いつも　活き　いいから。

004B：ウン。アドッサ（A　ウン）ホリャ、カズオノハラス　スコシ　アッカラ。
うん。あとさ　（A　うん）ほれ、　カツオのハラス　少し　あるから。

（A　ウン）ナニ　ヨニンバリダラバー　サンマイモ　アレバ　イーガナー。
（A　うん）なに　四人ばかりならば　三枚も　あれば　いいかな。

ヨッツ　ヨンマイガ、ケ（A　アラ）ケッカラー。
四つ　四枚か、　×（A　あら）やるから。

005A：アラ　ナントー。（B　ウン）ハラス　ウンメノニー。
あら　なんと。　（B　うん）ハラス　うまいのに。

006B：ウン。
うん。

007A：ホンデ　ヒトツ（B　コイヅ）リョーリ　フイダヤ。
それで[は]　一つ　（B　こいつ）料理　増えたよ。

008B：ウン。コイズ　ホレー　ヤイデ　ダイゴンナマス　ヤット　オイシーガラ。
うん。こいつ　ほら　焼いて　大根なます　やると　おいしいから。

009A：ンダオネー。（B　ハイ）アララ　オンデー　モラッテインカラー。
そうだよね。（B　はい）あらら　それでは　もらっていくから。

010B：ウン。
うん。

1-64. 友人が出かける

①男性→女性

001B：コンニチワー。
こんにちは。

002A：ハーイ　コンニチワ。
はい　　こんにちは。

003B：ナント　Aチャン。
なんと　Aちゃん。

004A：ハイ。
はい。

005B：アラダマッタカッコデ　ドゴサ　イグノッサ。
あらたまった格好で　　どこへ　行くのさ。

006A：ハイハイー、ミテケライン。イマカラネ、(B　ウン)
はいはい、　見てください。今からね、　(B　うん)

ブンカサイノレンシュ　モー　ハジマッタノッサ〔1〕。
文化祭の練習　　　　　もう　始まったのさ。

007B：ホーー。
ほう。

008A：キョー　オケーコガ　アルノデ、(B　ホーー)スコシ　オメカシ　シマシタ。
今日　　お稽古が　　あるので、(B　ほう)　少し　　おめかし　しました。

009B：アー　ソー。
ああ　そう。

010A：ハイ。
はい。

011B：ホンデァ　　アノ　セッカグ〔2〕ネ　（A　ン）ヤッテクダンセ。
それじゃあ　あの　精を出してね　　（A　ん）おやりください。

012A：ハイ。
はい。

②女性→男性

001A：アラー　ナント　Bサン、キョワ　マダー　カッコイーゴド。ビッシリ
あら　　なんと　Bさん、今日は　また　　かっこいいこと。びっしり

キメテガラニ。
決めちゃって。

002B：ハイハエ。キョワ　イーゴト　アンノッサ。
はいはい。今日は　いいこと　あるのさ。

003A：アララ　ナンダベ。
あらら　なんだろう。

004B：オラエノオイッコネ（A　ハイ）キョワ　オミヤイ　アッテッサ、
うちの甥っ子ね　　　（A　はい）今日は　お見合い　あってさ、

（A　ハイ）ソンデ　オレァ　オンツァマモ　タジアッテケロッテイワレデ。
（A　はい）それで　ほら　　おじさんも　　立ち会ってくれっていわれて。

005A：アラーー。
あら。

006B：ナニ　オレァー　トシ　　　トッテチテッカラネー、ウン、ミンナ
なに　ほら　　[甥は]年　取ってきているからね、うん、みんな

ヨロコンデンダベケントモ。　オレミテナモンデモ　ンデァ
喜んでいるんだろうけれども。私みたいな者でも　　それじゃあ

ドンナシトダガ　ミサ　イグノッサ。
どんな人だか　　見に　行くのさ。

007A：アラ　ナントナント　メデタイガラネー。
あら　なんとなんと　めでたいからね。

008B：ハイ。
はい。

009A：アカイネクタイ　トッテモ　イガストー。（B　イヤッイーヤイヤイヤ）
赤いネクタイ　　とても　　いいですよ。（B　いやいやいやいや）

イヤーー　ホントニーー。
いや　　　本当に。

010B：ソンナコトワ　ネーデバ。
そんなことは　ないってば。

011A：ナント　カッコイーゴド　ホントニ。（B　アンダニ　ホメライダナー）
なんと　かっこいいこと　本当に。　（B　あなたに　褒められたな）

ハイハイ。ホンデ　　　イッテオンダイン。
はいはい。それで[は]　行ってらっしゃい。

012B：ハイ。
はい。

〔1〕イマカラネ、ブンカサイノレンシュ　モー　ハジマッタノッサ
「イマカラネ」と言った後に「文化祭の練習の稽古がある」と続けようとしたが、それだと文脈がわかりにくいと感じたためか、稽古があることを言う前に「文化祭の練習がすでに始まった」という状況説明を加えている。

〔2〕セッカグ
「折角」。別れの挨拶言葉として使用されるが、ここは「精を出して」「努めて」といった元の意味が感じられる。

1-65. 友人が帰ってくる

①男性→女性

001B：アレ　Aチャーン。
　　　あれ　Aちゃん。

002A：ハイ。
　　　はい。

003B：マダ　アッタネー。
　　　また　会ったね。

004A：ンダネー。
　　　そうだね。

005B：ナーントー　メカシコンデー　オフルマエ〔1〕ノカエリスカ。
　　　なんと　めかしこんで　お祝いの帰りですか。

006A：ンー　ダカラネ、　アノー　イマッサ　タノシクテ
　　　うーん　それだからね、あの　今さ　楽しくて

　　　ルンルンツドゴ。
　　　ルンルンってところ。

007B：アー　ソー。
　　　ああ　そう。

008A：ハイ。
　　　はい。

009B：ナーヌ　ドゴノーコトッサ。
　　　なに　どこのことさ[＝どこのお祝い？]。

010A：マゴブルマイ〔2〕サ　イッテキタノ。
　　　孫のお披露目に　行ってきたの。

011B：アーー。アンダー　ノド　イーガラ　ウタッテキタンダガッペヤ〔3〕。
　　　ああ。　あなた　のど　いいから　歌ってきたんだろうよ。

012A：ハイハイ。ウタッテ　オドッテ　タノシマセテモラッテキタヤ。
　　　はいはい。歌って　踊って　楽しませてもらってきたよ。

013B：バーバババババ　オラエデモ　ハヤグ　マコ゜　ホシーナー。
　　　あらららららら　うちでも　早く　孫　欲しいな。

014A：アー　イマニ　デルガラー。
　　　ああ　今に　できるから。

015B：ンダイガー。
　　　そうだろうか。

016A：ハイハイ。
　　　はいはい。

017B：ア　ンデァ　ソントジネ（A　エー）アンタモ　ヨブガラネー。
　　　あ　それじゃあ　そのときね（A　ええ）あなたも　呼ぶからね。

018A：タノシミニ　マッテッカラネー。
　　　楽しみに　待っているからね。

019B：ハイ。
　　　はい。

②女性→男性

001A：アラ　Bサン　ビシット　キメデ　ドコサ　イッテキタドコダカ。
　　　あら　Bさん　びしっと　決めて　どこに　行ってきたところだか。

002B：イマサ（A　ハイ）ホレ　シャデノー　ムスコー　アノー
　　　今ね　（A　はい）ほら　うちの弟の　息子　　あの

　　　オイワイカイダッテッサ。
　　　お祝い会だっていうんでさ。

003A：ハイ。
　　　はい。

004B：ナニー　アイデネーベガ、　イマデユー　オリャ　デキタデ　ナンダ
　　　なに　あれでないだろうか、今で言う　ほら　できたて　×××

　　　ナンダガデネーベガネ。
　　　なんだか[＝できちゃった結婚]でないだろうかね。

005A：アー　イガスト、　ナニー。
　　　ああ　いいですね、なに。

006B：ウーン。ンダガラ　マズネー　アトヘンズケ〔4〕ダケントモッサ
　　　うん。　それだから　まずね　後付けなんだけれどもさ

　　（A　ウーン）シカタネートオモッテッサ。
　　（A　うん）　仕方ないと思ってさ。

007A：アー　アラ　アリガテガストー。
　　　ああ　あら　ありがたいですよ。

008B：ウン。
　　　うん。

009A：ホンダカラ　ピンクノネクタイダネ　キョー。
　　　それだから　ピンクのネクタイだね　今日。

010B：ソーソーソーソーソ。
　　　そうそうそうそうそう。

011A：ア　ナント　イーコトイーコトー。
　　　あ　なんと　いいこといいこと。

012B：キョーワ　ユックリ　ノメッテバ。
　　　今日は　ゆっくり　飲めるってば。

013A：ホンダネー、オメデタエゴドデ　イガストー。
　　　そうだね、　おめでたいことで　いいですね。

014B：ンジャ　マタネ。
　　　それじゃあ　またね。

015A：ハイハイ。ドーモドーモー。
　　　はいはい。どうもどうも。

〔1〕オフルマエ
「お振舞い」。婚礼や孫のお披露目などの饗応。

〔2〕マゴブルマイ
「孫振舞い」。食い初めなどで親戚に孫をお披露目する時の饗応。

〔3〕ウタッテキタンダガッペヤ
なんと言っているのかはっきりしない。「ウタッテキタンダベヤ」として共通語を当ててみた。

〔4〕アトヘンズケ
「跡偏（跡篇）付け」か。時機に遅れる意の「跡偏」と、後で付け足す意の「後付け」が合成されたものと思われる。

1-66. 夫（妻）が出かける

①夫が出かける

001B：オーイ。イッテクッゾー。
　　　おうい。行ってくるぞ。

002A：アラ　ドゴサ　イグッツッタベ。
　　　あら　どこへ　行くっていっただろう。

003B：ナーンダッケー。キョー　ハヤバンダデバー。
　　　なんだよ。　　　今日　　早番だってば。

004A：ア　ホンダーッタネー。
　　　あ　そうだったね。

005B：ウン。チャントー　アノー　アイダヨー、ユービンブズナンカ　ミ
　　　うん。ちゃんと　　あの　　あれだよ、　郵便物なんか　　　×

　　　ミデオガインヨー。
　　　見ておきなさいよ。

006A：ハイハイ。ナント　ワセッタッタヤ。ホンデ　　　キョーツゲデ　ハヤグ
　　　はいはい。なんと　忘れていたよ。　それで[は]　気をつけて　　早く

　　　オンナイン。
　　　おいでなさい。

②妻が出かける

001A：オトーサン、イマカラ　デガケデクンダゲントモ。
　　　お父さん、　今から　　出かけてくるんだけれども。

002B：アー　ソー（A　ウン）キョーワ　ドゴサ。
　　　ああ　そう（A　うん）今日は　　どこへ。

003A：キョーネー　トモダジドー、ランチ。
　　　今日ね　　　友達と、　　　ランチ。

004B：ウーワー。オレ　クーノ　ノゴシデダ。
　　　うわあ。　私　　食うの　残している？

005A：アレ　ホンダネー　ナニガ　オミヤゲ　カッテクッガラ。
　　　あれ　そうだね　　なにか　お土産　　買ってくるから。

006B：バー。ナーンジニ　カエンノッサ。
　　　えっ。何時に　　　帰るのさ。

007A：オソクトモ　サンジマデニ　カエッカラー。
　　　遅くとも　　三時までに　　帰るから。

008B：バー　ナンダ　ホンデー　オソイベッチャナー。
　　　ええ　なんだ　それでは　遅いだろうよ。

009A：アレ　レンジデ　チンスンノ　フタッツ　アッガラ。
　　　あれ　レンジで　チンするの　ふたつ　　あるから。

010B：アー　ホンダラ　イー。
　　　ああ　それなら　いい。

011A：モーシャゲネーケントモ（B　ンー）ソレ　タベデデケンネベガ。
　　　申し訳ないけれども　　（B　んー）それ　食べていてくれないだろうか。

012B：アード　アイダベー、ソノヘン　ナニガ　　　　　　　　　イー、ミデ
　　　あと　　あれだろう、その辺　　なにか[あるだろうから]　いい、見て

1-67. 夫（妻）が帰宅する

①夫が帰宅する

001B：ヨーイ、イマ　モドッタゾー。
おうい、今　戻ったぞー。

002A：バヤバヤ　イマ　カエッテキタノスカー。
あらあら　今　帰ってきたんですか。

003B：ウーン。ソゴデーサー　イマー　ホレ　センダエノドーキューセーヌ
うーん。そこでさ　今　ほれ　仙台の同級生に

アッテサ。
会ってさ。

004A：ダラララ。
あららら。

005B：ウン。イッパイヤデ　スコシ　ヤッテチタ。
うん。飲み屋で　少し　やってきた。

006A：アー　ソースカー。（B　ウン）ンダラ　インダケントモ　ナンダガ
ああ　そうですか。（B　うん）それなら　いいんだけれども　なんだか

スゴシ　シンパイシタノッサ　オソイガラー。
少し　心配したのさ　遅いから。

007B：アー　ソー　オレモナー、デンワシトゲバ　イガッタンダゲッドナー。
ああ　そう　私もな、　電話しておけば　よかったんだけれどもな。

008A：ンダネー。オソグナットギ　コンド　デンワ　ケライネー。
そうだね。遅くなるとき　今度　電話　くださいね。

タベッカラー。
食べるから。

013A：ワー　オトーサン　アリガトー。（B　ウン）ホンデ
わあ　お父さん　ありがとう。（B　うん）それで[は]

イッテクッカラネー。
行ってくるからね。

014B：ウンウン。
うんうん。

009B：ンダナー。（A　ウーン）ウン　コレガラ　キーツケッカラ。
そうだな。（A　うーん）うん　これから　気をつけるから。

010A：ハイ　ソーシテモラエバ　アト　ワタシモ　アンシンダガラッサ。
はい　そうしてもらえば　あと　私も　安心だからさ。

011B：ンー　ワガッタ。
うーん　わかった。

②妻が帰宅する

001A：イヤイヤ　オソグナッテー　オトーサン。
いやいや　遅くなって　お父さん。

002B：ナーント　ユックリダゴダー。
なんと　ゆっくりだこと。

003A：ンダカラネー　ナンカ　ハナシ　ハズンデシマッテッサ。
そうなんだよね　なんか　話　はずんでしまってさ。

004B：ナンダベ　イッツモー、テッポダマド　オナズデー。
なんだろう　いつも、鉄砲玉と　同じで。

（A　ホンダガラネ）　イ　イッタラ　カエッテクルゴド　ッシャネデー。
（A　そうなんだよね）×　行ったら　帰ってくること　知らないで。

005A：{笑} ソーオモッタンダゲントッサ。
{笑} そう思ったんだけれどもさ。

006B：ンー。　キョーノゴドサー、オレー　ワ　アノ　ジジョー
うーん。今日のことさ、　私　×　あの　事情

ワガッカラダゲントモ。　アイダヨー、ケータイ
わかるから[いいん]だけれども。あれだよ、　携帯電話

モッテンダベー。　アーノー、シトゴド　ヨゴシタラ
持っているんだろう。あの、　一言　[連絡]よこしたら

イッチャーナー。
いいよな。

007A：ンダッタネー。コレガラ　オソグナットギ　デンワスッカラー。
そうだったね。これから　遅くなるとき　電話するから。

008B：ンダンダー。　オラ　チャント　コノコ゜ロ　ケータイ
そうだそうだ。ほら　[私は]ちゃんと　この頃　携帯[電話]

モッテアルグンダヨー〔1〕。
持って歩いているんだよ。

009A：ウーン。ゴメンナハリセー。
うん。　ごめんなさい。

〔1〕オラ　チャント　コノコ゜ロ　ケータイ　モッテアルグンダヨー
話者に確認したところ、「私のように、きちんと携帯電話を持ち歩きなさい」という意味が込められているとのことであった。

1-68. 食事を始める

001A：オトーサン　オヒル　　　デギダデバ。
お父さん　　お昼[ご飯]　できたってば。

002B：アー　ソーガ。(A　ウン) イマ　インカラー。
ああ　そうか。(A　うん) 今　　行くから。

003A：ウン。キョー　アノ　ホラ　アツイドオモッテ　チョット　ツメタイノモ
うん。今日　　あの　ほら　暑いと思って　　　ちょっと　冷たいのも

ツグッテミダカラ。
作ってみたから。

004B：アー　ソーガ。(A　ウン) ンダゲットモッサ　ゴハン　ミツブモ〔1〕ツ
ああ　そうか。(A　うん) そうだけれどもさ　ご飯　　三粒も　　　×

スコシ　ホシーナー。
少し　　欲しいな。

005A：ア　ホント (B　ウン) ンデ　　　　ゴハンネ。
あ　本当　(B　うん) それで[は]　ご飯ね。

006B：ウン。
うん。

007A：アド (B　ア) ナニカ　ホシーノ　　アルスカ。
あと (B　あ) なにか　欲しいもの　ありますか。

008B：アードー　オリャー　オズゲ (A　ウン) ワガスカエスーダガ〔2〕。
あと　　　ほら　　　汁物　(A　うん) 温め直しか。

009A：アー　キョーワネー　オヒル　　ツグッタンダゲントモ。
ああ　今日はね　　　お昼[に]　作ったんだけれども。

010B：アー　ソー (A　ウン) アー　ソイデァ　　ナオディ　ン　ナオ
ああ　そう (A　うん) ああ　それじゃあ　××××　×　なお

イーナー。ウン　ホンデ　　　スコシ　ケロヤー。
いいな。　うん　それで[は]　少し　　くれよ。

011A：アジ　ナゾッタベ。
味　　どうでしょう。

012B：ンー　ドレヤ。ンーー　スコシ　ショッペケントモナ。
うん　どれ。　うーん　少し　　しょっぱいけれどもな。

013A：アー　ヤッパリネー。(B　ンー) ホンデ　チョット　オユッコ　タスガラ。
ああ　やっぱりね。　(B　んー) それで　ちょっと　お湯　　　足すから。

014B：ウン　ツンツダゾ。
うん　少しだぞ。

015A：ハイ。
はい。

〔1〕ミツブモ
「三粒も」は「三粒くらい」、つまり「ほんの少し」という意味である。

〔2〕ワガスカエスダガ
「ワガスカエス」は、一度作った汁物を繰り返し温めるという意味である。ここでは、温め直した汁物のことを指す。

1-69．食事を終える〔1〕

001B：ヤー　キョーノゴハン　サメデモ　ウ゛メガッタヤ。ドッカラ
　　　いや　今日のご飯　　　冷めても　うまかったよ。　どこから

　　　モラッタコメッサ。
　　　もらった米だ。

002A：ナンダベ　　ホレ　ムスメ　トズイダイノ　コメダデバー。
　　　なんだろう　ほら　娘　　　嫁いだ家の　　米だってば。

003B：アー　ヤッパリー（A　ウーン）コメドゴノコメダガラナー。
　　　ああ　やっぱり　（A　うーん）米どころの米だからな。

004A：ウンメネー。
　　　うまいね。

005B：ウーン　コレガラモー　ヤッパリ　アノー　アイダヨー
　　　うーん　これからも　　やっぱり　あの　　あれだよ

　　　タウエダナンカントキャ　カナラズ　サガナッコ　オグッデオグドネー〔2〕。
　　　田植えやなんかのときは　必ず　　　魚　　　　　送っておくとね。

　　　（A　ンダネー）ウン　オグラッテクッカラ。
　　　（A　そうだね）うん　[米が]送られてくるから。

006A：ダカラ　　アリガデゴドネー　コンナオイシーコメ　マダ　アッテー。
　　　そうだね　ありがたいことね　こんなおいしい米　　まだ　あって。

007B：ウーンウーン　マダ　クッペドー。
　　　うんうん　　　また　来るだろうよ。

008A：ンダガラネー。
　　　そうだね。

009B：ウン。モー　コノマエモ　サンジュッキロ　モラッタンダ。マダ　ア
　　　うん。もう　この前も　　三十キロ　　　　もらったんだ。まだ　あ

　　　ノゴッテッガナー。
　　　残っているかな。

010A：ウン　マダ　アルガラ。
　　　うん　まだ　あるから。

011B：アー　ンデ　　　　タノシミダナー。
　　　ああ　それで[は]　楽しみだな。

012A：ンダガラネー（B　ウン）ナント　ホントニ　アッチノオヤゴサマ
　　　そうだね　　（B　うん）なんと　本当に　　あっちの親御さま

　　　アリガデガッス。
　　　ありがたいです。

〔1〕1-69．食事を終える
途中から食事の前のような会話になってしまったため、後半部分の会話を省略した。

〔2〕タウエダナンカントキャ　カナラズ　サガナッコ　オグッデオグドネー
「毎回お米が送られてくるので、こちらもそのお礼として魚を送らなくてはいけない、送るのが普通だ」という意図で発話されたものと推察される。

1-70. 土産のお礼を言う

001A：ナント　Bサン。コナイダワ　オミヤゲ゜　イタダイデ
なんと　Bさん。この間は　お土産　いただいて

アリカ゜トゴザリシタ。
ありがとうございました。

002B：アー　ヤマカ゜タノマンジューネ。（A　ウーン）ドーダッタッス。
ああ　山形の饅頭ね。（A　うーん）どうでしたか。

003A：トッテモ　オイシク　イタダイタデバー。ナント（B　アー　ソスカ）
とても　おいしく　いただいたってば。なんと（B　ああ　そうですか）

ウーン。
うーん。

004B：オラエデゴソネー　アンタカラー　ヤッサラ〔1〕モラッテネー。
うちでこそね　あなたから　たびたび　もらってね。

005A：ナニモナニモー。イッツモ　ウジデモ　イタダキッパナシデガラニ。
なにもなにも。いつも　うちでも　いただきっぱなしだからね。

006B：イーエ。ホンデ　イガッタネー。
いいえ。それで[は]　よかったね。

007A：ハーイ。ホント　モッケナコトネー〔2〕。（B　イヤイヤイヤ）
はい。本当　申し訳ないことね。（B　いやいやいや）

イタダイテオッカラー。
いただいておくから。

008B：タベテケライ。
食べてください。

009A：ハイハイ。アリガトゴザリシタ。
はいはい。ありがとうございました。

〔1〕ヤッサラ
「しょっちゅう」「頻繁に」の意。

〔2〕モッケナコトネー
モッケナは「勿怪な」。いただき物をしたときの恐縮した気持ちを表す言葉。

1-71. 相手の息子からの土産のお礼を言う

001A：Bサン。
　　　Bさん。

002B：ハイ。
　　　はい。

003A：ナント　コナイダッサー（B　ウン）ムスコサンガラー
　　　なんと　この間さ　　　（B　うん）息子さんから

　　　メズラシーオミヤゲ　モラッタンダデバ。
　　　珍しいお土産　　　　もらったんだってば。

004B：アー　ソー。
　　　ああ　そう。

005A：ウーン。
　　　うーん。

006B：ナーント　オラノムスコモー　ズンネー〔1〕コトー。
　　　なんと　　私の息子も　　　　感心だこと。

007A：ホンダカラー。メンコイコトネー。
　　　そうだね。　　かわいいことね。

008B：ウーン。ソイズワ　イガッタイガッタ。
　　　うーん。そいつは　よかったよかった。

009A：ナニ　ミンナシテ　ホラ　オイシク　イタダイタノッサ。
　　　なに　みんなして　ほら　おいしく　いただいたのさ。

010B：ウーン。
　　　うーん。

011A：アリガトゴザリシター。
　　　ありがとうございました。

012B：アー　ソー。（A　ハイ）ホーンデァ　オレ　カダッテオクカラ。
　　　ああ　そう。（A　はい）それじゃあ　私　　話しておくから。

013A：ンダネー。ムスコサンサモ　ユッテテモラエバ　　アリガテヤー。
　　　そうだね。息子さんにも　　言っておいてもらえば　ありがたいな。

　　　（B　ハイハイ）ナント　イームスコダコトネー。
　　　（B　はいはい）なんと　いい息子だことね。

014B：ウーン　ソスカ。　　（A　ウーン）オラエノワ　カーチャンモ　オンデァ
　　　うーん　そうですか。（A　うーん）うちのは　　母ちゃんも　　それでは

　　　ソイズ　チグト　ウレシーベナー。
　　　そいつ　聞くと　嬉しいだろうなあ。

015A：ホンダガラーー。ナント　ソダテカタ　イガッタンダネー。
　　　そうだよね。　　なんと　育て方　　　よかったんだね。

016B：マータ　ソンナゴト　カダッテ。
　　　また　　そんなこと　言って。

017A：ホンダ。ホンダガラホンダガラ。ナント　ウレシガッタデバ。（B　アー）
　　　そうだ。そうだよそうだよ。　　なんと　嬉しかったってば。（B　ああ）

　　　ハーイ。アリガトゴザリシター。
　　　はい。　ありがとうございました。

018B：ハイ。ンデ　　　　タベテケライ。
　　　はい。それで[は]　食べてください。

019A：ハイハーイ。ドーモドーモ。
　　　はいはい。　どうもどうも。

〔1〕ズンネー
「図無い」。子供などが、分を越えてよい行いをしたことを褒めて言う言葉。「感心だ」「よくやった」。

1-72. 息子の結婚式でお祝いを言う

001A：キョーワ　Bサン　オメデトーゴザイマスー。
　　　今日は　　Bさん　おめでとうございます。

002B：ハイ　ドーモネ（A　ハイ）イソガシードゴ　アリガトーゴザリス。
　　　はい　どうもね（A　はい）忙しいところ　　ありがとうございます。

003A：エー　キョーワ　ヒモ　イーシ　ホントニ　ナント　メデタクテー
　　　ええ　今日は　　日も　いいし　本当に　　なんと　めでたくて

　　　ヨロゴンデ　サンカサセテモライマシター。
　　　喜んで　　　参加させてもらいました。

004B：ハイ　ドーモネ（A　ハイ）オラエノモ　　　ヤット　ヒトニナッテネ〔1〕
　　　はい　どうもね（A　はい）うちの[息子]も　やっと　一人前になってね

　　　（A　エー）ミナサンガラ　コリャ　ソダデテモラッテ（A　ウーン）ウン
　　　（A　ええ）みなさんから　これ　　育ててもらって　（A　うん）　うん

　　　ホントニ　カゾクデ　ヨロコンデオリシタ。
　　　本当に　　家族で　　喜んでおりました。

005A：ハイ　リッパナ　オズゲ〔2〕モラッテ。
　　　はい　立派な　　ご案内　　もらって。

006B：イヤイヤイヤ（A　ンデ）　ンジャー　　ユックリネ（A　エー）
　　　いやいやいや（A　それで）それじゃあ　ゆっくりね（A　ええ）

　　　イワッテケライン。
　　　祝ってください。

007A：ハイハイ　ホントニ　アリガトーゴザイマス。(B　ハイ　ユ)
はいはい　本当に　ありがとうございます。(B　はい　×)

オメデトーゴザイマシタ。
おめでとうございました。

008B：ヨロシグ　オネガイシマス。
よろしく　お願いします。

009A：ハイ。
はい。

〔1〕ヒトニナッテネ
「ヒトニナル」で、結婚して一人前になることを指す。

〔2〕オズケ
話者の指摘によると、式の案内状を指すとのことである。「お使い」と考えられる。

1-73. 喜寿の会でお祝いを言う

001A：ナント　Bサン　オメデトゴザリスー。　(B　ハイ)ナント
なんと　Bさん　おめでとうございます。(B　はい)なんと

キジュナンテ　スバラシーゴトネー。
喜寿なんて　すばらしいことね。

002B：ンダカラネー、(A　エー)オラモ　コノトシマデ　コーナット
それだからね、(A　うん)私も　この年まで　こうなると

オモワネガッタノッサ。
思わなかったのさ。

003A：アイー　オヨバレイタダイデ　アリガトゴザイマスー。
はい　お呼ばれいただいて　ありがとうございます。

004B：イーエ(A　ハイ)ホントニネー　ミナサンガラ　ツネシゴロ
いいえ(A　はい)本当にね　みなさんから　常日頃

セワーナッテッサ、マズ　コレマデ　キタガラ　ウン　モースコシ
世話[に]なってさ、まあ　ここまで　きたから　うん　もう少し

コンド　ハチジューノサガ〔1〕ガンバッカラ。
今度　八十の坂　頑張るから。

005A：ソーダネー　ナガナガ　ホントニネ　コンナニ　ケンコーデ　ゲンキデ
そうだね　なかなか　本当にね　こんなに　健康で　元気で

イラレルツノ　(B　ン)アリガタイゴッダネー。
いられるっていうの[は](B　ん)ありがたいことだね。

006B：ンダデバ　　（A　ハイ）ヤッパリネ　ナンダッテ　　カゾグノネ
そうだってば（A　はい）やっぱりね　なんといっても　家族のね

ミンナノキョーリョグ、キンジョノキョーリョグ　ネートッサ
みんなの協力、　　　近所の協力　　　　　　ないとさ

トテモトテモ　イキデラレネバ〔2〕。
とてもとても　生きていられないってば。

007A：アー　ナントネー　ソーユーカンシャノキモチ　モッテ　イギレバ
ああ　なんとね　　そういう感謝の気持ち　　　持って　生きれば

インダネ。
いいんだね。

008B：ンー　マズ　ヤットネー　ナンボガ　ソーユーキモジナッタネー。
うん　まあ　やっとね　　いくらか　そういう気持ち[に]なったね。

009A：アー　イーゴッダネー。
ああ　いいことだね。

010B：コレカラモ　タノミスト。
これからも　頼みますよ。

011A：ハイ　ホントニ　キョーワ　オメデトゴザイマス。
はい　本当に　　今日は　　おめでとうございます。

012B：ハイ　ユックリシテクダサイ。
はい　ゆっくりしてください。

013A：ハイ　アリガトゴザイマス。
はい　ありがとうございます。

〔1〕ハチジューノサガ
話者の指摘によると、五十歳以降であれば、このような表現を使用することができるという。

〔2〕イキデラレネバ
このように聞こえるが、話者から「イギデラレネデバ」というつもりで発音したと確認を得た。

1-74．兄弟の葬式でお弔いを言う

001A：ナント　Bサン　コノタビワー　タイヘンダッタネー。
　　　なんと　Bさん　この度は　　　大変だったね。

002B：ンダカラー。オラエノアニキモ　コンナスガダナッドオモワネガッタノッサ。
　　　それだから。うちの兄貴も　　　こんな姿[に]なると思わなかったのさ。

003A：ウーン。ナント　チョーシデモ　ワルガッタベガ。
　　　うーん。なんと　調子でも　　　悪かったんだろうか。

004B：ウーン　コノコダネー　ヤッパリ　カゼ　コ　コザシタノガ
　　　うーん　この頃ね　　　やっぱり　風邪　×　こじらせたのが

　　　ワルカッタンダヨナー。
　　　悪かったんだよな。

005A：アララー（B　ウーン）ナントネー　オイダワシーゴトネー。
　　　あららら　（B　うん）　なんとね　　おいたわしいことね。

006B：ハイー。（A　シー　　ウーン）ダカラ　　　カゾグネー（A　ウーン）
　　　はい。　（A　うーん　うーん）それだから　家族ね　　　（A　うーん）

　　　コドモモ　インダ、　ドーヤッタラ　イーガネー。
　　　子供も　　いるんだ、どうしたら　　いいかね。

007A：ンダネー。オセンコ　アゲサセテモラウガラネ。（B　ハイハイ）ハイ。
　　　そうだね。お線香　　あげさせてもらうからね。（B　はいはい）はい。

008B：コレガラモネ（A　ハイ）コエ　カケテケライン。
　　　これからもね（A　はい）声　　かけてください。

009A：ハイハイ　ンデ　　　　ゲンキ　ダシテ　ガンバッテケデ　モラッテ。
　　　はいはい　それで[は]　元気　　出して　頑張って××　　もらって。

010B：ハイ　ドーゾ　イ　オネガイシマス。
　　　はい　どうぞ　×　お願いします。

011A：ハイ。
　　　はい。

1-75. 客に声をかける

001B：アー　イードゴサ　　チター。Aチャン。
　　　ああ　いいところに　来た。　Aちゃん。

002A：ハイ。
　　　はい。

003B：ウナギ　ハイッタ。マモナグ　ホリャー、アノ
　　　ウナギ　入った。　まもなく　ほら、　　あの

　　　アイダッツーガラー、　　　　　　　　ウー　イギノイーウナギ
　　　あれ[＝土用の丑の日]だっていうから、ええ　活きのいいウナギ

　　　ハイッテダガラ。
　　　入っているから。

004A：アー　ウナギスカー。
　　　ああ　ウナギですか。

005B：ウナギ、ナガイモノ　スカネァー〔1〕。
　　　ウナギ、長い動物　　好かない？

006A：ウーン　ヌ　スンナゴドモネンダケッド　　タガイスペー。
　　　うーん　×　そんなこともないんだけれど　高いでしょう。

007B：ンー　　イマーネー　ニホンウナギワ　タゲーンダ。
　　　うーん　今ね　　　　ニホンウナギは　高いんだ。

008A：ンダネー。
　　　そうだね。

009B：ウン。ネ　マモナグネー、（A　ウーン）アノー
　　　うん。ね　まもなくね、（A　うん）　あの

　　　ジズムーキグシュドガッテユーガラッサ。
　　　絶滅危惧種とかっていうからさ。

010A：アーー。
　　　ああ。

011B：ナーヌ　タベンダラ　イマノウズデガッツォー。
　　　なに　　食べるなら　今のうちですよ。

012A：ンダイガネー　（B　ウン）アダシ　ン　アンマリ　ウナギ
　　　そうだろうかね（B　うん）私　　　×　あまり　　ウナギ

　　　スギデネンダゲントモ　　オンデー（B　ウン）イーノシトダジサ
　　　好きでないんだけれども　それでは（B　うん）うちの人たちに

　　　ドレヤー、カイリ　ヨッカラ。
　　　どうかな、帰り　　寄るから。

013B：ウンウン　イーヨー。ヤッパリ　ナズバデーボーシニワネー、
　　　うんうん　いいよ。　やっぱり　夏バテ防止にはね、

　　　（A　ンダオネー）ウン。ウナギ　クッテー、ゲンキ　ダスベス。
　　　（A　そうだよね）うん。ウナギ　食べて、　元気　　出しましょう。

014A：ダネー　　　エーヨーマンテンダガラネー。
　　　[そう]だね　栄養満点だからね。

015B：ンデ　　　　カエリ　マッテケライヨー。
　　　それで[は]　帰り　　回ってくださいよ。

016A：ハイハイ。イヤイヤ　イードゴデ　ミツカッテシマッタヤー。
はいはい。いやいや　いいところで　見つかってしまったな。

〔1〕ナガイモノ　スカネァー
話者によると、ナガモノやナガイモノという表現は蛇などの細長い生き物という意味があり、ウナギを指すときにも使用できるということであった。ここではウナギの話をしていることから、ウナギをナガイモノという表現に言い換え、「ウナギは好きではないのか」と尋ねたものと考えられる。

『生活を伝える被災地方言会話集』2

収録地点	宮城県気仙沼市
収録日時	2014（平成26）年6月29日、7月6日・13日
収録場所	気仙沼市中央公民館、同松岩公民館

話　者

A	女	1941（昭和16）年生まれ（収録時73歳）	［Bの知人］
B	男	1940（昭和15）年生まれ（収録時73歳）	［Aの知人］

話者出身地

A　気仙沼市波路上（ハジカミ）

B　気仙沼市松崎前浜（マツザキマエハマ）

収録担当者　小林隆（東北大学教授）、佐藤亜実、鄭熙轍、張春陽、湯浩清、福井幸、劉川菡（以上、東北大学大学院生）、藤田圭吾、石山葉月、小野澤友里、小野寺啓、川澄祥久、佐々木颯太、松山飛鳥、米田裕輝、渡邉幸佑（以上、東北大学学生）　※所属は収録時。

文字化担当者　佐藤亜実、小林隆

2-1. 醤油差しを取ってもらう

001B：A。
　　　A。

002A：ハイ。
　　　はい。

003B：ショーユサシ　ノビテケロー〔1〕。
　　　醤油差し　　　取ってくれ。

004A：ハイ。{醤油差しを置く音}
　　　はい。{醤油差しを置く音}

〔1〕ノビテケロー
　「ノビテ」は「伸べて」にあたる。

2-2. ハサミを取ってきてもらう

①受け入れる

001B：オーイ　A。
　　　おうい　A。

002A：ハーイ　ナニッサー。
　　　はい　　なあに。

003B：コノハサミゼァ　ウエノイダ　キレネ。　モノオギガラ　アリャ、
　　　このハサミでは　上の枝　　　切れない。物置から　　　あれだ、

　　　イノナガイイノハサミ　モッテシテケロ。
　　　柄の長い柄のハサミ　　持ってきてくれ。

004A：アラ　ナガイノスカ。（B　ウン）ハイハイ。ワガリシター。
　　　あら　長いのですか。（B　うん）はいはい。わかりました。

②断る

001B：オーイ　A。
　　　おうい　A。

002A：ハーイ　ナニッサー。
　　　はい　　なあに。

003B：コノハサミサー　ミジカクテ　ウエノイダ　キレネー。モノオギガラ
　　　このハサミさ　　短くて　　　上の枝　　　切れない。物置から

　　　アリャ、イノナンガェハサミ　モッテシテケロヤ。
　　　あれだ、柄の長いハサミ　　　持ってきてくれよ。

2-3．庭に来た鳥を見せる

001 B：ヤーイ　A。
　　おうい　A。

002 A：ハーイ　ナニッサー。
　　はい　　なあに。

003 B：ミダゴドネーサー、トリッコ　イダガラ　ミサ　コー。
　　見たことないさ、　鳥　　　　いるから　見に　こい。

004 A：ア　ナニッス　ドレ、ドゴダベー。
　　あ　なんです　どれ、どこだろう。

005 B：ホーレ、イヌゴヤノウシロノドゴノナ、ナンテンノドゴダ。
　　ほら、　犬小屋の後ろのところのな、　南天のところだ。

006 A：ナンテンドゴネ。ドレドレ。アレー、ドゴダガ　ミエネヤー。
　　南天のところね。どれどれ。あれ、　どこだか　見えないや。

007 B：モーツント　マエサ　デデミロー。
　　もう少し　　前に　　出てみろ。

008 A：ア　モシカシテ　アレガナー。アラ　ナンート。アラ
　　あ　もしかして　あれかな。　あら　なんと。　あら

　　ミダゴトネートリダネ。
　　見たことない鳥だね。

009 B：ンー。ミズラシーガモシンニナー。
　　んー。珍しいかもしれないな。

004 A：ナニッス　アブネガラ　ヤメラーイン。
　　なんです　危ないから　やめなさい。

005 B：ダーイジョブダッテバー。
　　大丈夫だってば。

006 A：ダメダメー　アブネガラー。ヤメダホ　イガストー。
　　だめだめ　　危ないから。　やめた方　いいですよ。

007 B：ホンナゲッドモサー、ミグセーガラサー。モスコシ　ヤッテミッガラ。
　　そうだけれどもさ、　見苦しいからさ。　もう少し　やってみるから。

008 A：ナーニ　アブネガラ　ヤメラインヤメライン。
　　なに　　危ないから　やめなさいやめなさい。

2-4. 畳替えをもちかける

①同意する

001B：バヤバヤ。オラドゴノータダミ　ミスボラシグナッタナー。
あらあら。私のところの畳　みすぼらしくなったな。

002A：ンダネー。オトーサンー　ユートーリデー、コレ　ミデー、スリーヘッテー。
そうだね。お父さん　言う通りで、　これ　見て、　すり減って。

003B：ウーン　ソロソロ　カイドギガナー。
うーん　そろそろ　替え時かな。

004A：オモデガエスカ。
表替えですか。

005B：ウーン　アノー　コノマエワー　オリャー　オモデダゲ　カエダガラ
うーん　あの　この前は　ほら　表だけ　替えたから

コンド　カエッドギワー　ミンナダベナー。
今度　替えるときは　全部だろうな。

006A：ンダオンネー。
そうだよね。

007B：ウン。
うん。

008A：ゼンコ　カカッケント　シカタネベガネ。
お金　かかるけれど　仕方ないだろうかね。

009B：ウン　オモイタッダトギー　ヤンネド　ウソダガラナ。ヤッペ　ヤッペー。
うん　思い立ったとき　やらないと　だめだからな。やろう　やろう。

010A：ウンウンウン　ンダネー。
うんうんうん　そうだね。

011B：ドッガガラ　ハズレテシタノガナー。
どこか[の群れ]から　はずれてきたのかな。

012A：ウン。メンコイゴドネー。
うん。かわいいことね。

010A：ソスカー。　カーネモ　カガルシネー、ンデモ　シガタネガネー。
そうですか。金も　かかるしね、　それでも　仕方ないかね。

②同意しない

001B：バヤバヤー。オラドゴデモ　タダミー　ミスボラシグナッタナー。
あらあら。　私のところでも　畳　みすぼらしくなったな。

ソロソロ　カエドキガナーー。
そろそろ　替え時かな。

002A：シーダネー　スリヘッテネ。
そうだね　すり減ってね。

003B：ウーン。
うーん。

004A：ンダケントー　ライネン　ホラ　ホージ　アッガストー。ダガラ　ソレー
そうだけれど　来年　ほら　法事　ありますよ。　だから　それ

ソンドギデ　インデネーベガネー。
そのときで　いいのではないだろうかね。

005B：フンダッテ　ホージワー　ナズバダベ。ターレー　ソレマデガー。
そうだって　法事は　夏場だろう。なに　それまで[このまま]か。

イマー　シンサイコ゜サー　ダイクサンダナンカー　シコ゜ト
今　震災後さ　大工さんやなんか　仕事

イソガシーッテユーカラサー。チョード　コッチデー　ハイ
忙しいっていうからさ。　ちょうど　こっちで　はい

イマッテイッタッテ　ナガナガ　ソイズワ
今[替えてください]っていったって　なかなか　そいつは

ムズカシンデネガー。
難しいのでないか。

006A：ンダイガネー。
そうだろうかね。

007B：ホンダガラサー　ナヌ　ハントシナンツーノワ　ツ　スグダガラサ。
それだからさ　なに　半年なんていうのは　×　すぐだからさ。

ヤーッパリ　オモイタッタトギ　タノンダホ　イーンデネガ。
やっぱり　思い立ったとき　頼んだ方　いいのでないか。

008A：ンー　ソイズ　ソイド　ソーダケントモー、アーネ　アイッタネー。
うーん　そいつ　そういうと　そうだけれども、　あれね　あれだね。

ゴザデモ　カッテ　イチオ　シーテデー、　ナゾッタベー。
ござでも　買って　一応　敷いておいて、どうだろう。

009B：ナーニ　ソンナゴト　ヤッタッテサー。オラー　アイダ　イーガラ、
なに　そんなこと　やったってさ。　ほら　あれだ　いいから、

ゼンコーワー　シンペシネデイーガラ。ヤッドギ　ヤッペ。
お金は　心配しなくていいから。やるとき　やろう。

010A：アラ　オトーサン　ダシテケンノスカ。
あら　お父さん　出してくれるのですか。

011B：ウーン。オレダッテ　ナンボガ　ヘソクリ　アンダ。
うん。　私だって　いくらか　へそくり　あるんだ。

012A：アッラー　ホンデー　カンガエデミッガラ。ナゾスッペネ。
　　　あら　　　それでは　考えてみるから。　　どうしようね。

2-5. 朝、起きない夫を起こす

①起きない理由が納得できる

001A：ア　オトーサン、ジカンナンダケントー。
　　　あ　お父さん、　時間なんだけれど。

002B：ウーーン。ナーンジナッタヤー。
　　　うーん。　何時[に]なったよ。

003A：イマ　シチジハンナッタンダケントー。ダイジョブスカー。
　　　今　　七時半[に]なったんだけれど。　大丈夫ですか。

004B：ウーン。ツカレテチタナー。
　　　うーん。疲れてきたな。

005A：ウーン。ガオッタカオシテー　ナンダベー。
　　　うーん。疲れた顔して　　　　なんだろう。

006B：マー　ソーモ　　　　　　　　カダッデラレネガラー。イマ　カオ
　　　まあ　そうも[＝疲れたとも]　言っていられないから。今　　顔

　　　アラッテ　イッカラ。ゴハンノヨーイ　シテデケロー。
　　　洗って　　行くから。ご飯の用意　　　していてくれ。

007A：ハイハイ　ワガリシター。
　　　はいはい　わかりました。

②起きない理由が納得できない

001A：オトーサン。ナンダベ、ハヤグ　オギラーイン。サゲクセゴトー。
　　　お父さん。　なんなの、早く　　起きなさい。　酒臭いこと。

2-6．いじめを止めさせるよう話す

①受け入れる

001A：Bサーン、イダノスカ。
　　　Bさん、　いましたか。

002B：ハイ。
　　　はい。

003A：キョー　キタノネスー、　　オライノマゴ　アンダイノマゴニ
　　　今日　　来たの[は]ですね、うちの孫　　　あなたのうちの孫に

　　　ナーンダガ　イジメラエンダッテッサー。
　　　なんだか　　いじめられるんだってさ。

004B：アー　ソー。
　　　ああ　そう。

005A：ダガラー　ナントガナンネガトオモッテ　イマー　キタンダゲントモー。
　　　だから　　なんとかならないかと思って　今　　　来たんだけれども。

006B：ンーー。オラエノマゴモナー、キカンポダカラサー。ンー　　ソンナゴトワ
　　　うーん。うちの孫もな、　　　きかん坊だからさ。　うーん　そんなことは

　　　アッカナンダガ。アドガラ　キーデミッカラ。
　　　あるかどうだか。あとから　聞いてみるから。

007A：ンダガラネー。ナンカ　ソッチューラシーノッサ　ンダガラ　{息を吸う音}
　　　それだからね。なんか　しょっちゅうらしいのさ　それだから {息を吸う音}

　　　アレー　ナンジョシダゴッダベナドオモッテー。
　　　あら　　どうしたことだろうなと思って。

002B：ウーン。イマ　ナンジヤ。
　　　うーん。今　　何時だ。

003A：シチジハンダケントモー。マイーバンマイバン　ノンデアルイデ
　　　七時半だけれども。　　　毎晩毎晩　　　　　　飲んで歩いて

　　　オギランネンダスペ。
　　　起きられないんでしょう。

004B：ンナゲッドモサ　　ユーベワナ、ナゴドサンド　バッタリ
　　　そうだけれどもさ　昨夜はな、　仲人さんと　　ばったり

　　　アッテシマッテサ。ウーン。セワナッダガラドオモッデ
　　　会ってしまってさ。うーん。世話[に]なったからと思って

　　　ツーギアッダンダ。
　　　付き合ったんだ。

005A：ソイツワ　ワカッゲントモ　テーゲニスラインヤー。ダレ
　　　それは　　わかるけれども　大概にしなさいよ。　　なに

　　　マイバンマイバンッテ。
　　　毎晩毎晩って。

006B：アド　シバラグ　ネーガラ　　　　　ガマンシテケロー。
　　　あと　しばらく　[予定は]ないから　我慢してくれ。

007A：カラダ　キツケネドネー、　　トシダガラネ。
　　　体[に]　気[を]つけないとね、年だからね。

008B：ハイハイ。
　　　はいはい。

008B：アー　ソー。
　　ああ　そう。

009A：ウーン。
　　うーん。

010B：オンデァー　ミョーヌズデモー　ハナシテミッカラ。
　　それでは　　明日でも　　　　　話してみるから。

011A：デァ　オカーサンド　オトーサンサモ　ユッデミテケンネベガ。
　　では　お母さんと　　お父さんにも　　言ってみてくれないだろうか。

012B：ハイ。
　　はい。

013A：オライデモ　ホレ　オトーサンモ　オカーサンモ　カセーデッガラ　イサ
　　うちでも　　ほら　お父さんも　　お母さんも　　働いているから　家に

　　イネモンダガラッサ。ババヤ　　　オメ　イッテコッツガラ　　　アダシ
　　いないもんだからさ。ばあさんや　お前　行ってこいっていうから　私

　　キタノッサー。
　　来たのさ。

014B：ワガリシタ。
　　わかりました。

015A：ハーイ。ナントガ　アノー　コドモノゴッタガラネ。
　　はい。　なんとか　あの　　子供のことだからね。

016B：フンダデバ。
　　そうだってば。

②受け入れない〔1〕

001A：コンニズワー。
　　こんにちは。

002B：ハイー。
　　はい。

003A：オリシタガ。
　　いましたか。

004B：ハイハイ。
　　はいはい。

005A：アノー　ナンダガ　コレ　イーニグイーンダケントモー。
　　あの　　なんだか　これ　言いにくいんだけれども。

006B：ウーン。
　　うん。

007A：オダグノマーゴーガー　ナントー　オライノマゴ　ユ　イッソ〔2〕
　　あなたのうちの孫が　　なんと　　うちの孫　　×　いつも

　　イジメデ　ワガンネンダッテッサー。
　　いじめて　だめなんだってさ。

008B：ホー。
　　ほう。

009A：ナンドガシデモラエネベガー。
　　なんとかしてもらえないだろうか。

010B：ホー。ナヌ　オラエノマゴ　カモー〔3〕ノスガー。
　　ほう。なに　うちの孫　　　いじめるのですか。

011A：ンー　ンダガラ　アダシモ　ホレ　ヨグ　キータンダゲントモネー。
うーん　それだから　私も　ほら　よく　聞いたんだけれどもね。

012B：ウン。
うん。

013A：イッカイニカイデネーンダッテッサ。
一回二回でないんだってさ。

014B：ホーー。ハジメデダヤ。ソンナゴド　キーダノワ。
ほう。　初めてだよ。　そんなこと　聞いたのは。

015A：オラエンナモ　ホレー、ナンダガ　オドナシーガラー、サッパリ
うちのも　ほら、　なんだか　おとなしいから、　さっぱり

グズグズッテ　イワネドゴモ　アンダゲントモー。
ぐずぐずして　言わないところも　あるんだけれども。

016B：ウーン。ナーニ　ワラシタジノゴッダガラ　ドッチ　ワリンダガ
うーん。なに　子供たちのことだから　どっち　悪いんだか

ソイズワ　ワガンネンダー。
そいつは　わからないんだ。

017A：ン　マズ　ソ　ソイツンゴト　ソーオモッタンダゲントモネー。
ん　まず　×　そのこと[は]　そう思ったんだけれどもね。

（B　ウーン　ン）アンマリー　ホレー　イジメラレッド　ナンダガー
（B　うーん　×）あまり　ほら　いじめられると　なんだか

{息を吸う音} ガッコサ　イガネグナッタリシテモ　コマッガラッサー。
{息を吸う音} 学校に　行かなくなったりしても　困るからさ。

018B：ウーン　ソレワ　ソーダゲンドモッサー。
うーん　それは　そうだけれどもさ。

019A：ウーン。ナンカ　ケサネー、メズラシグ　イガネッテイーダシタガラ。
うーん。なんか　今朝ね、　珍しく　行かないっていい出したから。

020B：ホーー。ソレァ　コマッダゴダ。（A　ウン）ホンデァ　キーデミッガラ。
ほう。　それは　困ったこと。　（A　うん）それでは　聞いてみるから。

021A：ホンナンダデバー。
そうなんだってば。

022B：ウーン。
うん。

023A：ナンカ　イーズラクテ　ワリケンドモ　タノムガラネスー。
なんか　言いづらくて　悪いけれども　頼みますからね。

024B：ハイハイ。オヤサモ　ユッテオッカラ。
はいはい。親にも　言っておくから。

025A：ハイ　オネガイスッカラー。
はい　お願いするから。

〔1〕②受け入れない
調査の際には、受け入れない場合を演じてほしい旨を説明したが、会話では①受け入れるよりも抵抗はするものの、最終的にBはAの申し入れを受け入れている。話者によると日常ではこのようなやり取りが普通であり、申し入れを受け入れないということはないとのことだった。

〔2〕イッソ
いつも、始終などの意。

〔3〕カモー

「カマウ」の音便形。いじめる、からかうなどの意。

2-7. 玄関の鍵が開いていて不審がる

001A：アラ。カキ゜　カゲダツモリデ　デハッタッケ　カガッテネガッタヤ。
　　　あら。鍵　かけたつもりで　出かけたら　かかっていなかったよ。

002B：ナニー。ヨグ　カンガエテミライン。
　　　なに。　よく　考えてみなさい。

003A：アラ　タシカニ　カゲダヨナ　キーシタンダゲントナー。
　　　あら　たしかに　かけたような　気がしたんだけれどな。

004B：シーダガラー、カラカッツマンネガラー〔1〕。
　　　それだから、　だらしがないんだから。

〔1〕カラカッツマンネガラー

「カッツマンネ」は「締まりがない」「だらしがない」といった意味。それに、軽視を表す接頭辞「カラ」が加わったものが「カラカッツマンネ」と考えられる。

2-8. 玄関の鍵をかけたか確認する

001B：アレー。サッキー　トノグジ〔1〕サー　カギ　カゲタッゲガ。
あれ。　さっき　玄関に　　　鍵　かけたっけか。

002A：アレ。ソーユワレデミッド　カゲダッゲガネー。
あれ。そう言われてみると　かけたっけかね。

003B：ウーーン　センダッデミダイナ　カンチガイモ　アッガラナー。
うーん　この間みたいな　勘違いも　あるからな。

004A：アラー　ソーユワレッド　ナンダガー　カゲダガカゲデネガ
あら　そう言われると　なんだか　かけたかかけていないか

ホデネグナッダヤー〔2〕。
わからなくなったよ。

005B：ンデ　　モドッカー。ジ　ドーセ　ジカン　アッカラナー。
それで[は]　戻るか。　×　どうせ　時間　あるからな。

006A：ア　ソスカー。（B　ウン）ンデ　　モドッテケラーイン。
あ　そうですか。（B　うん）それで[は]　戻ってください。

007B：ウン。イマ　オンデァ　クルマー　モドスガラ。
うん。今　それでは　車　　戻すから。

〔1〕トノグジ
「戸の口」。玄関、入り口の意。

〔2〕ホデネグナッダヤー
「ホデネ」は「放題ない」。覚えがない、判断できないなどの意。

2-9. 夫が飲んで夜遅く帰る

001調：ピンポーン。ピンポーン。〔1〕
ピンポーン。ピンポーン。

002B：オーイ　イマ　カエッタゾー。
おうい　今　帰ったぞ。

003A：アー〔2〕ヤット　カエッテキタヤ。イマ　ナンジダドオモッテンノー。
ああ　やっと　帰ってきたよ。　今　何時だと思っているの。

004B：ナンジダヤ。
何時だよ。

005A：ゴゼンサマデゴザリス。
午前様でございます。

006B：アーー　ソーガー。キョービー　ギリスビ〔3〕オークテナー。
ああ　そうか。　この頃　付き合い　多くてな。

007A：ダレー　マイバンデガストー。テーゲーニシタラ　イーベ。
なに　毎晩ですよ。　大概にしたら　いいだろう。

008B：ンー　オレモサー　ソレナリヌ　ウザネハイデッガラサー　タマニワ
うーん　私もさ　それなりに　苦労しているからさ　たまには

イギヌギダドオモッテサー。
息抜きだと思ってさ。

009A：ンットニホンットニ　マッテルヒトモ　ユルグネンダガラネ。
本当に本当に　待っている人も　容易でないんだからね。

010B：ンー。　ナーニ　ネデモインダゾー。
　　うーん。なに　寝てもいいんだぞ。

011A：ダレー　ダイジナダンナサン　カエッテコナェマニ　ネライネガス。
　　なに　大事な旦那さん　帰ってこないうちに　寝られないです。

012B：スコシ　オーメニ　ミデケロー。
　　少し　大目に　見てくれ。

〔1〕001調：ピンポーン。ピンポーン。
　調査者が玄関の呼び鈴の音を真似ている。

〔2〕アー
　摩擦の激しい無声音。

〔3〕ギリスビ
　「義理首尾」。社交上の義理立て、人付き合いなどの意。

2-10. 娘の帰宅が遅い

001B：オイオイ　Aヤ。ユンベモー　ケァーリー　オソガッタヨーダゲドモ。
　　おいおい　Aよ。昨夜も　帰り　遅かったようだけども。

　　オメモ　イートシコベヤンダガラ。キオツケナゼー。
　　お前も　いい年頃なんだから。　気をつけるんだぞ。

002A：ヨー　アッテ　マイニチー　アノー　オソグナッケントー、ナンニモ
　　用　あって　毎日　あの　遅くなるけれど、　なにも

　　ワルイゴド　シテナイシー。
　　悪いこと　していないし。

003B：シーダゲッドモサー　ナンカ　ヤッサガ〔1〕ナヨーダガラー。
　　そうだけれどもさ　なんか　しょっちゅうなようだから。

004A：カーサンニワ　ユッテダンダゲントー、ヨルネ　ナライモノ
　　母さんには　言っていたんだけれど、夜ね　習い事

　　シテクッカラー。
　　してくるから。

005B：フーンダラ　オレサモ　シドゴド　カダッデオゲバ　イーノニ。
　　それなら　私にも　一言　言っておけば　いいのに。

006A：ア　ホンダッタネー、カーサンニワ　ユッデダーガラ　イーガドオモッテ。
　　あ　そうだったね、　母さんには　言っていたから　いいかと思って。

007B：イーカゲンナゴド　ヤッテッドナ、　ヒドガラ　ワラアインダガラナ。
　　いい加減なこと　やっているとな、人から　笑われるんだからな。

2-11. 息子が勉強しない

001A：B。
　　　B。

002B：ハイ。
　　　はい。

003A：キョーネ　アタシ　ガッコーサ　イッテシタンダゲンドモー。
　　　今日ね　　私　　　学校に　　　行ってきたんだけれども。

004B：ウン。
　　　うん。

005A：タンニンノセンセーガ　ダイガグ　ムリダッテユッテダヤ。
　　　担任の先生が　　　　　大学　　　無理だっていっていたよ。

006B：アレー。ソンナゴド　オラー　センセガラ　イワレダゴドネーヨ。
　　　あれ。　そんなこと　私は　　先生から　　言われたことないよ。

007A：ダッテ　テンスー　タリナイッテ　センセーッサ、ダガラ　ド　ドリョグガ
　　　だって　点数　　　足りないって　先生さ、　　　だから　×　努力が

　　　ヒツヨーダッテユッデダヤ。
　　　必要だっていっていたよ。

008B：センセーノオシエガダ　ワルインデネーノー。
　　　先生の教え方　　　　　悪いんでないの。

009A：シーナゴドワネードオモウンダゲントネー、アンダアンダデ
　　　そんなことはないと思うんだけれどね、　　あなた[は]あなたで

〔1〕ヤッサガ
　「ヤッサカ」「ヤッサラ」の形で、たびたび、しきりになどの意。

2-12. 息子がよく勉強する

001A：B。
　　　B。

002B：ハイ。
　　　はい。

003A：キョー　ガッコニ　イッテー　ス　タンニンノセンセニ　アッタラー、
　　　今日　　学校に　　行って　　×　担任の先生に　　　　会ったら、

　　　（B　ウン）リスーケーガ　スゴグ　ノビテルッデ　　ホメライデキタヤー。
　　　（B　うん）理数系が　　　すごく　伸びているって　褒められてきたよ。

004B：アー　ソー。ア　ミデダンダー　ヤッパリー。
　　　ああ　そう。あ　見ていたんだ　やっぱり。

005A：イ　イガッタッチャー、ガ　センセーガ　チャント　ソーユッデケダモノ。
　　　×　よかったね、　　　×　先生が　　　ちゃんと　そう言ってくれたもの。

006B：ンー。オレ　アノセンセ　スーギダガラッサー、（A　ウーン）スコシ
　　　うん。私　　あの先生　　好きだからさ、　　　（A　うん）　少し

　　　ヤッテミットーオモッテンダー。
　　　やってみようと思っているんだ。

007A：ウン。デ　　ガンバッテー　ヤラハリセ。
　　　うん。では　頑張って　　　やりなさい。

008B：ウーン。ンダガラー、コノツキ°ノーツーシンボ　ミデデケライン。
　　　うん。　それだから、この次の通信簿　　　　　　見ていてください。

　　　ベンキョーシテネッチャ。
　　　勉強していないよね。

010B：ンマー　ソノゴドワーナー　アンマリー　ヤッテネーケントモッサー。
　　　まあ　　そのことはな　　　あまり　　　やっていないけれどもさ。

009A：ンダニェ、ハイ。（B　ウン）タノシミニシテッガラ。
　　　そうだね、はい。（B　うん）楽しみにしているから。

2-13. 嫁の起きるのが遅い

001A：オトーサーン、コンナゴド　ユーノモ　ナンナンダゲントモ、{息を吸う音}
　　　お父さん、　　こんなこと　言うのも　なんなんだけれども、{息を吸う音}

　　　エ　オラエデ　ヨメサン　サポ　アサ　オギンノ　オソイヤネー。
　　　×　うちで　　嫁さん　　××　朝　　起きるの　遅いよね。

002B：ウーーン。キガゲ　　　　　　　　ヨガッダンダゲットモナー。
　　　うーん。　来たばかりのとき[は]　よかったんだけれどもな。

003A：ダガラネー。ムスコサバリモ　ゴハン　カセデヤッテモラエバ
　　　そうだよね。息子にだけでも　ご飯　　食べさせてやってもらえば

　　　インダゲントモー。
　　　いいんだけれども。

004B：ウーン。ムスコサ　カダッデミロヤ。
　　　うーん。息子に　　話してみろよ。

005A：ンダガラネー、ムスコサ　ユーヨリ　アダシワ　ホラ、
　　　それだからね、息子に　　言うより　私は　　　ほら、

　　　モラッタムスメダガラ　　ムスメサ　ユ
　　　もらった娘[＝嫁]だから　娘に　　　×

　　　ユッデミッガナードオモッデンダゲントモー。ドーダベネー。
　　　言ってみるかなと思っているんだけれども。　どうだろうね。

006B：ウーーン。アンマリー　キナリ〔1〕ニサセンノモナー。ソレデモ
　　　うーん。　あまり　　　好きなようにさせるのもな。　　それでも

アイダゲントモ。アンマリ　セーナム〔2〕ヨーナゴド　カダンナヨー。
あれだけれども。あまり　責めるようなこと　話すなよ。

007A：ンダガラネー。オトサンモ　アンダ　ユッデミダラ。
それだからね。お父さんも　あなた　言ってみたら。

008B：ンーーーー。カンガエデミッガラ。
うーん。　考えてみるから。

〔1〕キナリ
「気成り」。気の向くまま、好きなように、といった意味で用いられる。

〔2〕セーナム
「さいなむ（苛む）」。責める、いじめるなどの意。

2-14. 冷房の効いた部屋から外へ出る

001B：バーバーバーバー。オドゲデナグ〔1〕アズイゴドア。
あららら。　とんでもなく　暑いこと。

002A：ンダネー。ナンット　アンベ　ワルグナルグレー　アズイネー。
そうだね。なんと　具合　悪くなるくらい　暑いね。

003B：ウーン。コンデァー　サッサド　カエッテー、ビールデモー　ヤッカ。
うーん。これでは　さっさと　帰って、　ビールでも　やるか。

004A：アー　ナントー　オドゴヒダズ　イーゴドネー。ホンデァー　ズッパリ
ああ　なんと　男の人たち　いいことね。　それでは　たくさん

ノマハリセー。
飲みなさい。

005B：アンダイモ　タマニー　ツギアイン。
あなたのうちも　たまに　付き合いなさい。

006A：{笑} アドニスッカラー。ハイー　オ　ンデ　サヨナラー。
{笑} あとにするから。　はい　×　それで[は]　さようなら。

007B：ハイ。
はい。

〔1〕オドゲデナグ
「おどけ（戯）でない」。冗談では済まされないほどたいへんだの意。

2-15. 暖房の効いた部屋から外へ出る

001B：バーヤ。ソドー　ブンゲ〔1〕 サムイナー。
あらら。外　　　ことのほか　寒いな。

002A：ンーダネ　ナガー　アッタケトオモッタッケ　ズイブン　サミーゴドネー。
そうだね。中　　暖かいと思ったら　　　ずいぶん　寒いことね。

003B：ウーン。コンデナー、　カイコ゜モ　ズンケネー〔2〕。
うーん。これで[は]な、会合も　　楽でない。

004A：ンダネー。ハヤク　カエリスペ、　サミコトサミコト。
そうだね。早く　帰りましょう、寒いこと寒いこと。

005B：ンダンダ。　　シーコンデシタガラ。
そうだそうだ。冷え込んできたから。

006A：ンデ　　　オヤスミナハリセ。
それで[は]　おやすみなさい。

〔1〕ブンゲ
「分外」。思いのほか、ことのほかなどの意。

〔2〕ズンケネー
煩わしい、やり切れないなどの意。

2-16. 初物のカツオを食べる

001A：オトーサン。
お父さん。

002B：ハイ。
はい。

003A：ナント　コレー、ハツガズオ　モラッタヤー。
なんと　これ、　初ガツオ　　もらったよ。

004B：ホー。
ほう。

005A：サシミニシタガラー、(B　ウン) イタダグスペ。
刺身にしたから、　　(B　うん) いただきましょう。

006B：ホンデア　サッスグナ。
それでは　さっそくな。

007A：オトーサン　マ　　タベテミデケンネベガ。
お父さん　　まあ　食べてみてくれないだろうか。

008B：ウン。{間}〔1〕ウーン、アブラ　ノッデデナー、ナント　ンメゴドー。
うん。{間}　　うーん、脂　　のっていてな、なんと　うまいこと。

009A：ハーー　ナヌ　ソノカオ、ナンット　ウマソナカオシテ、ホントニ
ああ　　なに　その顔、　なんと　　うまそうな顔して、本当に

ンメンダネ。　ドレ　オ　アダシモ　イッショニ　タベテミッガラ。
うまいんだね。どれ　×　私も　　　一緒に　　　食べてみるから。

2-17. 久しぶりに友人に出会う

001A：アラ　Bサン。ナンットー　シバラグブリナゴド。
あら　Bさん。なんと　久しぶりだこと。

002B：ホンダオン、ゴネンブリダデバ。
そうだね、　五年ぶりだってば。

003A：ホースカーー。ナニシニキダドゴダガ。
そうですか。　なにしにきたところだか。

004B：ウーン　オリャー、シガシニホンノダイシンサイ　ジッカノホー
うーん　ほら、　東日本の大震災[で]　実家の方

ドーナッタガドオモッデネー。
どうなったかと思ってね。

005A：ハーー　ンダネーーー。
はあ　そうだね。

006B：オレモ　アズッタゲットモッサ。〔1〕
私も　心配していたけれどもさ。

007A：ウーン。アツコド〔2〕シタベモノ。
うーん。心配しただろうね。

008B：ホンダガラ。
それだから。

009A：ウーーン。
うーん。

010B：ンダー。
そうだ。

011A：アラララー　オイシーゴドネーー。
あららら　おいしいことね。

012B：ンメァ。
うまい。

013A：ンメ。
うまい。

014B：コンナノナー、センダイノマゴサモ　カセデーモンダナー。
こんなのな、　仙台の孫にも　食わせたいもんだな。

015A：ホンダネーー。ナンット　アリガデゴドー。ゴッツォンナッテオギスペ。
そうだね。　なんと　ありがたいこと。ごちそうになっておきましょう。

016B：ハイハイ。ホンデ　アノー　アシダニ　カダラインヨ、ゴッツオサン。
はいはい。それで　あの　明日に　言いなさいよ、ごちそうさま[を]。

017A：ンダネー、ハーイ。
そうだね、はい。

〔1〕{間}
話者が初ガツオを食べる演技をしている。

010B：アンダイデア　　イガッダノスカ。
　　あなたのうちでは　よかった[＝被害はなかった]のですか。

011A：ン　オライデ　　ジッカ　ナガサレデネー、（B　ウン）サンカイメデ
　　ん　うちで[は]　実家　　流されてね、　（B　うん）三回目で

　　サンカイメダデバ。（B　アー）ツナミ　　ナガサレダノ。
　　三回目だってば。　（B　ああ）津波[で]　流されたの。

012B：アー　ソー。
　　ああ　そう。

013A：ウーン　ミンナネー　タイヘンダッダガラネーー。
　　うーん　みんなね　　大変だったからね。

014B：ホンデア　ユックリスッカラ。
　　それでは　ゆっくりするから。

015A：ハイ。イズ　カエットゴダガ。
　　はい。いつ　帰るところだか。

016B：アシタ。
　　明日。

017A：ハーー。イソガスゴドネー。
　　はあ。　忙しいことね。

〔1〕006B：オレモ　アズッタゲットモッサ。
「心配はしていたが、気仙沼に帰って状況を確認することはしていなかったので、今回戻ってきた」という趣旨であろう。なお、アズッタは「案じていた」と考えられる。

〔2〕アツコド
「案じ事」。心配ごと、気がかりなことなどの意。

2-18. 見舞いに行くべきか迷う

001A：オトーサーン。アレ、アソゴノXサンガネ　ナンカ
　　　お父さん。　　あれ、あそこのXさんがね　なんか

　　　ニューインシタミデナノッサ。
　　　入院したみたいなのさ。

002B：ウン。
　　　うん。

003A：オミマェサ　イグヨーダベガ　　ナゾスッペネー。
　　　お見舞いに　行く感じだろうか　どうしようね。

004B：アーーー。ドースッペナー。アノーーシト、ススタガリ〔1〕ダガラナー。
　　　ああ。　　どうしような。　あの人、　　　けちん坊だからな。

　　　ンダゲッドモ　　オラエノバーサンガ　アリャー、ケガシダドギ
　　　そうだけれども　うちのばあさんが　　あれだ、　怪我したとき

　　　モラッテアンネーガー。　　　シラベデミロヤ。
　　　もらってあるの[では]ないか。調べてみろよ。

005A：ンーダネーー。ンデー　　イグヨーダベガネー。
　　　そうだね。　　それでは　行く感じだろうかね。

006B：ンーー。マヨードジワ　イッタホ　インデネーガー。
　　　うーん。迷うときは　　行った方　いいのではないか。

007A：ンダガラネー。ンデ、　　　オトーサン　アンダ　イッテケンネスカ。
　　　それだからね。それで[は]、お父さん　　あなた　行ってくれないですか。

008B：オレダゲデ　イーガー。
　　　私だけで　　いいか。

009A：ンダネー、フダリデ　イグゴドモネーベガラー。
　　　そうだね、二人で　　行くこともないだろうから。

010B：ウン　イー、ホンデア　ゴコ゜ニナ。
　　　うん　いい、それでは　午後にな。

011A：ウン。(B　イ)ヨースッコ　ミテキテケライン。
　　　うん。(B　×)様子　　　　見てきてください。

012B：ハイハイ。
　　　はいはい。

〔1〕ススタガリ
　「けち」の意。語源不詳。

2-19．瓶の蓋が開かない

001A：ハーーー。ナンーーダガ　コノビンノフタ　アガネゴトアガネゴト。
はあ。　なんだか　この瓶の蓋　開かないこと開かないこと。

{息を吸う音} アラーー　サッパリ　アガンネヤナー。アレ、オトサン
{息を吸う音} あら　さっぱり　開かないよな。　あれ、お父さん

カエッテキタンデネーベガ。　オトーサン。
帰ってきたのではないだろうか。お父さん。

002B：タダイマ。
ただいま。

003A：ア、チョードイードゴサ　キタヤ。コレ　ビンノフタ　アガナグテ　イマ
あ、ちょうどいいところに　来たよ。これ　瓶の蓋　開かなくて　今

コマッテダヤー。ナガナガ　アガネンダデバー。　ア
困っていたよ。　なかなか　開かないんだってば。×

004B：ウーン。
うーん。

005A：アゲデケライ。
開けてください。

006B：ドーレヤ。{間}〔1〕ウンウン　キズメテーナー。コンナドギサー、
どれよ。{間}　うんうん　きついな。　こんなときさ、

ガースーサ　コゴー {指で蓋をつつく音} アブット　インダゾ。
ガス[の火]に　ここ　{指で蓋をつつく音} あぶると　いいんだぞ。

007A：アブット　イーノネ。
あぶると　いいのね。

008B：ウン。（A　ウン）ホーレ、ヤッテミッカ。
うん。（A　うん）ほれ、　やってみるか。

009A：ンダネー。
そうだね。

010B：{間}〔2〕ホラ。
{間}　ほら。

011A：アラ。イトモ　カンタンニ　アイダゴドーー。
あら。いとも　簡単に　開いたこと。

012B：{瓶をテーブルに打ち付ける音}〔3〕オボエデオガイン。
{瓶をテーブルに打ち付ける音}　覚えておきなさい。

013A：アラララ。ハイハイ　アリガトゴザリス。　{笑} ナンット　マー。{笑}
あらら。はいはい　ありがとうございます。{笑} なんと　まあ。{笑}

〔1〕{間}
話者が瓶の蓋を開けようとする演技をしている。

〔2〕{間}
話者がガスコンロの火で瓶の蓋をあぶる演技をしている。

〔3〕{瓶をテーブルに打ち付ける音}
Bが、瓶の蓋が開いたことをAに示すために、瓶本体をテーブルに軽く打ち付けている。

2-20. 買ってくるのを忘れる

001A：アレ。ニンジン　ナイヤー。
あれ。人参　ないや。

002B：ナニー。
なに。

003A：アレ　タシカニ　カッタハズナンダゲントモナー。
あれ　たしかに　買ったはずなんだけれどもな。

004B：ナーンダッケァ　セッガグ　イッテイナガラー。
なんだい　せっかく　行っていながら。

005A：ンダーガラ。カッタツモリナンダゲッド　ホデネグナッテ
そうだね。　買ったつもりなんだけれど　ぼけてしまって

コマッタヤー。
困ったよ。

006B：ホンダガラ　イッツモ　イッテルッチャー。カウドギャ　チャント
それだから　いつも　言っているだろう。買うときは　ちゃんと

メモシテイガインヨッテ。
メモしていきなさいよって。

007A：メモシテイッタノッサ。
メモしていったのさ。

008B：ナンーット　カラカッツマンネゴドァ。
なんと　だらしがないこと。

009A：ンダーレ　レシート　ミダッケ　ヤッパ　カッテネーヤー。
なに　レシート　見たら　やっぱり　買っていないや。

010B：イーイー。イマ　カッテグッカラー。
いいいい。今　買ってくるから。

011A：アラー　ナント　モースワケネゴトネス。
あら　なんと　申し訳ないことです。

012B：ユーガノ　ユーハンノシタグ　シテオオガインヨー。
××××　夕飯の支度　して×おきなさいよ。

013A：オンデー　オトサン　タスカル　カッテチテケラーイン。
それでは　お父さん　助かる　買ってきてください。

014B：ツイデヌ　アーシタノアサノーヨーイワ　ダイジョブガー。
ついでに　明日の朝の用意は　大丈夫か。

015A：ン　アシタノーワー　マー　マニアウネ。
ん　明日のは　まあ　間に合うね。

016B：ウンウン。ヨシ　ホンデ　イッテクル。
うんうん。よし　それで[は]　行ってくる。

017A：ンデ　タノミマース。
それで[は]　頼みます。

2-21. 生徒の成績を説明する

001A：コンニチワー。センセ　Xノハハデゴザイマスー。
　　　こんにちは。　先生　　Xの母でございます。

002B：アー　ドーモ　イツモネー。
　　　ああ　どうも　いつもね。

003A：オセワサマデゴザイマスー。センセー　アノ、キョーワ
　　　お世話様でございます。　　先生　　　あの、今日は

　　　ムスコノシンガグノコトデ（B　ウン）オキキシタイトオモッテー
　　　息子の進学のことで　　　（B　うん）お聞きしたいと思って

　　　キタンダケントモ。
　　　来たのだけれども。

004B：ハーハーハハー。ウーン。アノー　イジガッキノツーシンショー
　　　はあはあはあ。　うーん。あの　　一学期の通信票

　　　ミセデモラッタ。
　　　見せてもらった。

005A：ハイ。
　　　はい。

006B：ホー。ドンナアンベダッタ。
　　　ほう。どんな具合だった。

007A：ス　ウーン　ワダシモ　ヨク　ホラ　ソノー　ワガンナインダゲントモ
　　　×　うーん　私も　　　よく　ほら　その　　わからないんだけれども

　　　チョット　サガッテッカナードワ　オモッテタンデスー。
　　　ちょっと　下がっているかなとは　思っていたんです。

008B：ウーーン。コノママデッサー、ウーン　チョットー　アノー
　　　うーん。　このままではさ、　うーん　ちょっと　　あの

　　　メザシテルーッテユーダイガグ　ムズガシーガモシンナェナー。
　　　目指しているっていう大学[は]　難しいかもしれないな。

009A：ハー　ヤッパリネー。
　　　はあ　やっぱりね。

010B：ウーン。
　　　うーん。

011A：コレガラー　コー　セーセキー　アガルッツガ　　　アノー
　　　これから　　こう　成績　　　　上がるっていうか　あの

　　　ベンキョーノホーホードガ　センセー　モシー　アトバイス　アッタラー
　　　勉強の方法とか　　　　　　先生　　　もし　　アドバイス　あったら

　　　ヒトズガフタッツー　オシエデケンデモラウド　アリガタイトオモッテー。
　　　一つか二つ　　　　　教え×××てもらうと　　ありがたいと思って。

012B：ウーン。ダイズー　ホンニンガ　ドノヨーヌ　カンガエデンダガナ。
　　　うーん。第一　　　本人が　　　どのように　考えているんだかな。

013A：ソゴナンデスケドネ　センセ。
　　　そこなんですけどね　先生。

014B：ウーン。イッカイー　オトーサンモ　フグメデー　カゾグデ
　　　うーん。一回　　　　お父さんも　　含めて　　　家族で

カタッデミダラ。
話してみたら。

015A：ソーデスカネー。
そうですかね。

016B：ウーン。(A　ハイー) ヤーッパリー　ホンニンノー　マズ　イジバンガー
うーん。(A　はい)　やっぱり　本人の　まず　一番が

ネー〔1〕。マワリデ　ナンボ　サワイデモー、ホンニンシダイーダガラ。
ねえ。　周りで　いくら　騒いでも、　本人次第だから。

017A：ンダースネーー。
そうですね。

018B：ウン。ドンナモクヒョー　ツグッ　タデデインダガー。
うん。どんな目標　×××　立てているんだか。

019A：ハイ。
はい。

020B：ウーン。ジブンノー　ネー (A　ハイ) ヤリダイノワー　ドーナノガー。
うーん。自分の　ねえ (A　はい) やりたいのは　どうなのか。

ソノヒンー (A　ウーン) ヨグ　ハナシアッテガラー　マダ　コーヤッテ
その辺　(A　うーん) よく　話し合ってから　また　こうやって

ハナシタラー。
話したら。

021A：ンダーネー。　ンデ　ム　マダ　スコシ　マ　アノ　ジカンモ
そうだね。　それで[は]　×　まだ　少し　×　あの　時間も

アッコッダガラー、ガンバルヨーニワ　サセッケント　センセー　ヨロシク
あることだから、　頑張るようには　させるけれど　先生　よろしく

ドーゾ　オネガイシマスー。
どうぞ　お願いします。

022B：ハイ。ワダシドンモネー　シンパイワ　シテイッカラッサ。
はい。私どももね　心配は　しているからさ。

023A：ハイ。
はい。

024B：ハイ。
はい。

〔1〕ヤーッパリー　ホンニンノー　マズ　イジバンガー　ネー
016Bの発話全体から考えると、「やはり本人の意志が一番大事である（ため、周りがいくら騒いでも仕方ない）」という意味で発話したと推察される。

2-22. 息子の成績が悪いことを話す

001A：オトーサン。
お父さん。

002B：ウン。
うん？

003A：キョー　アノー　ホ　ガッコニ　イッテキタノネ。
今日　あの　×　学校に　行ってきたのね。

004B：ウン。
うん。

005A：ンデー　オラエノアンコノセーセギー（B　ウン）チョット　ダイガグサ
それで　うちの長男の成績　（B　うん）ちょっと　大学に

イグニワ　タリナイミデッサ。
行くには　足りないみたいさ。

006B：ホー。
ほう。

007A：ナンダガ　キューニ　セーセギ　サガッテルオンネ。
なんだか　急に　成績　下がっているもんね。

008B：ナンーダベ。
なんだろう。

009A：デ　センセーニモ　ハッパ　カゲラレデキタンダゲントー。
で　先生にも　発破　かけられてきたんだけれど。

010B：ナーニ　ソンナニ　シンケータゲダッテー〔1〕イマサラ
なに　そんなに　神経質になったって　いまさら

ドーニモナンネーンデネーガ。
どうにもならないので[は]ないか。

011A：ウーン　ソーオモンダケントモ　ホンニンガ　ホラ　イギダイガッコーサ
うーん　そう思うんだけれども　本人が　ほら　行きたい学校に

イグベッテー　インダケントー、　オトーサン　キーテケライ。
行くって　[言って]いるんだけれど、お父さん　聞いてください。

012B：ウン。フンダナー。
うん。そうだな。

013A：ナジョナアンベダガ。
どのような具合だか。

014B：ウーン。ワガッタワガッタ。マー　オレドシテワ　ソンナ
うーん。わかったわかった。まあ　私としては　そんな[に]

ジタバタシタッテ　ドーヌモナンネドオモンダゲッドモナー。
ジタバタしたって　どうにもならないと思うんだけれどもな。

015A：マダー。オンダッテ　ソンナゴト　イワネデー。
また。　そうだって　そんなこと　言わないで。

016B：ウン。キーデミッカラ。
うん。聞いてみるから。

017A：タノムガラ。
頼むから。

〔1〕シンケータゲダッテー
「シンケータゲ」は「神経（を）たける」。「神経」は神経質な性格、「たける」はよくないものを取り付けること。なお、「神経（が）たかる」は神経質になることで、その他動詞形が「神経たける」である。

2-23. 外が暑いことを話す

001B：ヨーイ。カエッタヨー。
　　　おうい。帰ったよ。

002A：ハーイ　オカエンナサーイ。
　　　はい　　おかえりなさい。

003B：イヤイヤ。コーミンカンノヒヤー　レーボー　キーデヤンダゲットモッサ、
　　　いやいや。公民館の部屋　　　　　冷房　　　効いていたんだけれどもさ、

　　　ナント　ソドサ　デダ　ト　トタンニー　ノボセアカ゜ルヨダッタ。
　　　なんと　外に　　出た　×　途端に　　　のぼせあがるようだった。

004A：アー　キョーネー　インナガモ　アズクテー　オドケデネー〔1〕
　　　ああ　今日ね　　　家の中も　　暑くて　　　とんでもなく

　　　アズガッタデバ。
　　　暑かったってば。

005B：アー　ソーガー。ブンゲダッタオナー。
　　　ああ　そうか。　ことのほかだったもんな。

006A：シーダネー。
　　　そうだね。

〔1〕オドゲデネー
「おどけ（戯）でない」。冗談では済まされないほどたいへんだの意。

2-24. 外が寒いことを話す

001B：イマ　カエッタヨー。
　　今　　帰ったよ。

002A：アー　オトーサン　キョー　サムカッタスペー。
　　ああ　お父さん　　今日　　寒かったでしょう。

003B：ナーントナー、バンカタノスバリー〔1〕ハンパデネガッタデバ。
　　なんとな、　　夕方の冷え込み　　　　半端で[は]なかったってば。

004A：アー　サムイゴドサムーイゴドネー。
　　ああ　寒いこと寒いことね。

005B：コンデァ　アノー　スイドカンー　ナー　アノー　ナヌカ
　　これでは　あの　　水道管　　　　なあ　あの　　なにか

　　マイデオガナクテワネーベオンナー。
　　巻いておかなくてはいけないだろうな。

006A：フンダネー。ストーブ　タイデモー　サッパリ　アッタマンネグレ
　　そうだね。　ストーブ　たいても　　さっぱり　温まらないくらい

　　サムイヒダデバ。
　　寒い日だってば。

007B：ウン。アシタ　ヤッテオッカラ。
　　うん。明日　　やっておくから。

008A：ンダネー　ンデ　　　　タノムガラ。
　　そうだね　それで[は]　頼むから。

〔1〕バンカタノスバリー
「バンカタ」は「晩方」で、夕方から夜にかけての時間帯を意味する。「スバリ」は厳しく冷え込む意の「しばれる」の名詞形「しばれ」。

2-25. ガソリンの値上がりについて話す

001B：ナントナー、キョービー　ガソリン　ウナギノボリデ　タガグナッテナー。
　　　なんとな、　この頃　　ガソリン　うなぎのぼりで　高くなってな。

002A：ンダガラネーー。
　　　そうだよね。

003B：ウーン　コンデサー　　マドモン　トーグサ　ヨータシサモ　イゲネー。
　　　うーん　これで[は]さ　まともに　遠くに　　用足しにも　　行けない。

004A：ンダガラー。アノ　アル　アシデ　アルグノモ　ヒトズガナートオモッテ、
　　　そうだよね。あの　××　足で　　歩くのも　　一つかなと思って、

　　　コノゴロネ。
　　　この頃ね。

005B：ウンウンウーーン。ンダガラ　　オレモー　バイクニ
　　　うんうんうん。　　それだから　私も　　　バイクに

　　　スッカナートオモッテッサー。（A　アーー）テンキノイートギネー。
　　　するかなと思ってさ。　　　　（A　ああ）　天気のいいときね。

006A：ソーダネー。（B　ウン）キューニ　イッペ　　アガッタモンネ。
　　　そうだね。　（B　うん）急に　　　たくさん　上がったもんね。

007B：ソーユ　　ソーユーヤリクリデモシネト　　コリャ　ホントヌー
　　　そういう　そういうやり繰りでもしないと　これは　本当に

　　　コマッテシマウ。
　　　困ってしまう。

008A：ユルグネオンネー。
　　　容易でないもんね。

009B：マー　シカタネケントモサー。
　　　まあ　仕方ないけれどもさ。

010A：ンダガラネー。ア　　コレイジョー　アガンネデケレバ
　　　そうだね。　　あと　これ以上　　　上がらないでくれれば

　　　イーケンドネ。
　　　いいけれどね。

011B：ソーダネー。
　　　そうだね。

012A：ウーン。
　　　うーん。

2-26. 町内会の連絡を伝える

001A：イダノスカー。
　　いましたか。

002B：ハイ。
　　はい。

003A：アノネー　イマ　アノー、カイチョーサンカラ　デンワ　アッテー、
　　あのね　今　あの、会長さんから　電話　あって、

　(B　ウン) キョーノ　アノ　カイゴノジカンガ　イチジカン
　(B　うん) 今日の　あの　会合の時間が[＝を]　一時間

　オグラセデッテユーノッサ。
　遅らせたいっていうのさ。

004B：オー。
　　おお。

005A：ンデー　Bサンサモ　ユッテケロッテ。
　　それで　Bさんにも　言ってくれって。

006B：ホースットー　ニジガ　サンジニナンノー。
　　そうすると　二時が　三時になるの。

007A：ソーユゴドダベネ。
　　そういうことだろうね。

008B：ホー。
　　ほう。

009A：ウン。
　　うん。

010B：ナーニ　アッタンダベー。
　　なに[が]　あったんだろう。

011A：ナーンダガネ。ナンカ　キューダッツガラー。
　　なんだかね。　なんか　急だっていうから。

012B：ナーニ　ログスッポ　ス　シラベネーガッタンデネーノ。
　　なに　ろくに　×　調べなかったんじゃないの。

013A：ナンダガネー。
　　なんだかね。

014B：ウーーーン。
　　うーん。

015A：ウーン。ソーユーゴッダガラ。
　　うーん。そういうことだから。

016B：アー　ソー。
　　ああ　そう。

017A：ハイ。チャント　ツタエダガラネ。(B　ハイハイ) ハイ。
　　はい。ちゃんと　伝えたからね。　(B　はいはい) はい。

018B：ンデァー　アド　サンジュップンモ　スコシ (A　ウン) イエノシゴド
　　それでは　あと　三十分も　少し　(A　うん) 家の仕事

　ヤッテガラ。
　やっているから。

2-27. 回覧板を回す

001A：イダノスカー。
　　いましたか。

002B：ハイ。
　　はい。

003A：ハー。カイランバン。
　　はい。回覧板。

004B：ウン。
　　うん。

005A：イマ　マワッテキタノッサ。
　　今　　回ってきたのさ。

006B：アー　ソー。
　　ああ　そう。

007A：ウジデモ　ミダガラ。マルグシダガラー。
　　うちでも　見たから。丸くした[＝丸をつけた]から。

008B：ハイ。
　　はい。

009A：ナンカ　イソグ　イソギノカイランミデダガラ　タノムガラ。
　　なんか　急ぐ　　急ぎの回覧みたいだから　　　頼むから。

010B：アー　ソ。　ハイハイハイ。
　　ああ　そう。はいはいはい。

011A：ハイ　オネガイシマスカラ。
　　はい　お願いしますから。

012B：ナント　コノゴロ　ヤッサラ　クルナー。
　　なんと　この頃　　たびたび　来るな。

013A：ンダネー。
　　そうだね。

014B：ウーーン。アーー。ホーホーホーホー。〔1〕ハイ　ワガリシター。
　　うーん。　ああ。　ほうほうほうほう。　　はい　わかりました。

015A：ハイ。ホンデー（B　ホ）タノムガラ。
　　はい。それでは（B　×）頼むから。

016B：ハイ。
　　はい。

017A：ハイ。
　　はい。

018B：ホンデァネ。　（A　ハイ）ツギノヒトサ　マワセバ　イーノネ。
　　それじゃあね。（A　はい）次の人に　　　回せば　　いいのね。

019A：ハイ。ホンデネー。
　　はい。それじゃあね。

020B：ハイ。
　　はい。

021A：ハイ。
　　はい。

2-28. 遠くにいる人を呼び止める〔1〕

001B：{足音} ヤーイ　Aチャーン。ドコサ　イグノー。
{足音} おうい　Aちゃん。　どこに　行くの。

002A：アレー　ヨバッタ。ヨバッタ。
あれ　呼んだ？　呼んだ？

003B：ウーン。
うん。

004A：イマ　ホレー、ヨリアイー　アルッツガラ　コーミンカンサ
今　ほら、寄り合い[が]　あるっていうから　公民館に

ムカッテダ。
向かっていた。

005B：コーミンカン。キョー　チガウチガウ。
公民館？　今日　違う違う。

006A：アラ　ナニス。
あら　なんです。

007B：キョー　ノーキョーダッテ。
今日　農協だって。

008A：アリャ。イツ　カワッタノ。
あら。いつ　変わったの。

009B：キューニ　カワッタンダド。
急に　変わったんだと。

〔1〕ウーーン。アーー。ホーホーホーホー。
話者が回覧板を見る演技をしている。

010A：アッ。
　　　えっ？

011B：キューニ　カワッタンダド。
　　　急に　　　変わったんだと。

012A：アーー　ソーナンダー。
　　　ああ　　そうなんだ。

013B：ウン。
　　　うん。

014A：アラ　ンダガラ　　オガシードオモッテ。
　　　あら　それだから　おかしいと思って。

015B：イッショニ　アバイン。
　　　一緒に　　　行きましょう。

016A：アレ　ソー。ハイハーイ。ソーナンダー。ンデ　　ドゴサ　カワッタドゴ。
　　　あれ　そう。はいはい。　そうなんだ。　それで　どこに　変わったところ。

017B：ノーキョー。〔2〕
　　　農協。

018A：コミ　ア　ノーキョーネ。
　　　××　あ　農協ね。

019B：ウン。
　　　うん。

020A：ハイハイ。
　　　はいはい。

021B：アバインアバイン　　　　イッショニ。
　　　行きましょう行きましょう　一緒に。

022A：ハイハイ。{足音}
　　　はいはい。{足音}

〔1〕2-28. 遠くにいる人を呼び止める
　収録の際、話者には実際に部屋の端と端に立って相手に話しかけたり、歩きながら会話をしたりしてもらった。

〔2〕017B：ノーキョー。
　Bは007Bで会合の場所が農協に変わったことをAに伝えているが、016AでAがBに変更場所を再び尋ねたため、007Bと同じことをAに伝えている。Aが一度目に007Bで聞いたときには「集合場所が変更になった」こと自体に対して非常に驚き、「農協に変更になった」という肝心な部分を聞き流してしまったため、016Aでもう一度確認したと考えられる。

2-29. バスの中で声をかける〔1〕

001 調：プシューーー。〔2〕
プシュー。

002A：ハー　ヨッコラショ。{ため息} ドゴサ　スワッカナー。
はあ　よっこらしょ。{ため息} どこに　座るかな。

003B：アレ　Aチャン。
あれ　Aちゃん。

004A：アラ。アラ　ナンダベ。
あら。あら　なんだろう。

005B：ナーン　イッペー〔3〕ナッタネー。
なに　一緒になったね。

006A：シャネヒト　イダヤ。〔4〕
知らない人　いるよ。

007B：ウーン。ドゴサ　イグノッサ。
うーん。どこに　行くのさ。

008A：イマー　ホラ　エマ　ユ　ヨータシニ　イグーガトオモッテー。
今　ほら　今　×　用足しに　行くかと思って。

009B：アー　ソー。
ああ　そう。

010A：ウーン。Bサンワ。
うーん。Bさんは？

011B：ウン。オレワー　イツモノトリー。（A　ハー）クスリ　モライサ　イグノ。
うん。私は　いつもの通り。（A　はあ）薬　もらいに　行くの。

012A：ハリャ。（B　ウン）ナントシタベ。
あら。（B　うん）どうしたんだろう。

013B：ナヌ　オメガシシデー。
なに　おめかしして。

014A：ホンダガ。タマニネーー。
そうなの。たまにね。

015B：ナーンダガ　フダンヨリ　メンコグ　ミエルナ。〔5〕
なんだか　普段より　かわいく　見えるな。

016A：{笑} ホースカー。タマニネー、（B　ウン）コナモ　ヌンナイトー
{笑} そうですか。たまにね、（B　うん）粉[＝白粉]も　塗らないと

（B　ア　ソー）　ヨノナガ　アルゲネガラッサ。
（B　ああ　そう）　世の中　歩けないからさ。

017B：ホンデァ　カエリモ　イッショニナッカナー。
それでは　帰りも　一緒になるかな。

018A：ンダーネー。
そうだね。

019B：ハイ。
はい。

〔1〕2-29. バスの中で声をかける
収録の際、話者には実際に横並びに設置した椅子に座って演技していただいた。

〔2〕001 調：プシューーー。
調査者がバスのドアが開く音を真似ている。

〔3〕イッペー
「一遍に」の変化か。「一緒に」「連れ立って」などの意。

〔4〕006A：シャネヒト　イダヤ。
AはBのことをもちろん知っているが、気心の知れた仲での冗談として「知らない人がいる」と発話したと考えられる。

〔5〕015B：ナーンダガ　フダンヨリ　メンコグミエルナ。
話者によると、相手がめかしこんでいるときに、このように「メンコイ」という言葉を使い相手を褒めることはよくあるという。

2-30．近所の家に来たお嫁さんに出会う

001B：オハヨー。アンダ　コノイサキダオヨメサン。
　　　おはよう。あなた　この家に来たお嫁さん？

002A：ハイ。
　　　はい。

003B：ホー。ドッカラ　キタ。
　　　ほう。どこから　来た。

004A：ハシカミダデバ。
　　　波路上だってば。

005B：ハシカミー。
　　　波路上？

006A：ハイ。
　　　はい。

007B：アー　ナンダ　ハシカミデアー、アノ　ツナミー　アワナガッダ。
　　　ああ　なんだ　波路上では、　あの　津波に　遭わなかった？

008A：アー　ジッカネー、（B　ウン）ナガサレダノー。
　　　ああ　実家ね、　（B　うん）流されたの。

009B：アー　ソーー。
　　　ああ　そう。

010A：ウーーン。
　　　うーん。

011B：ホンデ　　アンダ、イ　コゴサ　キデー　イノジビロイシタッチャ。
それで[は]　あなた、×　ここに　来て　　命拾いしたよね。

012A：ホンダガラ。オカゲサマデー。
そうなの。　おかげ様で。

013B：ウーン。
うーん。

014A：ナンニモ　ワガンナイモンダガラ　ヨロシクー　オネガイシマスー。
なにも　　わからないもんだから　よろしく　　お願いします。

015B：ウーン。オレネー、(A　ハイ) ホレ
うん。　私ね、　　(A　はい) ほら

ソゴノニーゲンウシロノーBッツンダゲンド。
そこの二軒後ろのBっていうんだけれど。

016A：アー　Bサーン。
ああ　Bさん。

017B：ウン。
うん。

018A：ハーイ。ワダシモ（B　オレ）ハジメデ　オメニカガリマスー。
はい。　私も　　（B　私）　初めて　　お目にかかります。

019B：オレ　イーナガー　ホレ　アゲデッサー、(A　ウン) ニョーボサ
私　　家の中　　　ほら　空けてさ、　　(A　はい) 女房に

マガセデッガラー。
任せているから。

020A：ハーーー。
ああ。

021B：ウーン。タマニシカ　アワネケントモネ。
うーん。たまにしか　会わないけれどもね。

022A：ハーイ。
はい。

023B：ヨロシグネ。
よろしくね。

024A：ハイ。カエッテ　アダシモ　ナンニモ　　ワガンナイモンダガラ　イロイロ
はい。かえって　私も　　　なにも　　　わからないもんだから　いろいろ

オシエテクダサイ。
教えてください。

2-31. 結婚相手を紹介する

001B：コンニズワー。
こんにちは。

002A：ハイ。
はい。

003B：オリシタガ。
いましたか。

004A：ハイハイ　オリシタ。ドーゾドーゾ。
はいはい　いました。どうぞどうぞ。

005B：ホンデァ　チョット　アガラセデモラウガラ。
それでは　ちょっと　上がらせてもらうから。

006A：ハイハイ。ドーゾ　アガッテクダハリセー。
はいはい。どうぞ　上がってくださいませ。

007B：アレヤー、アンダガラッサ（A　ウン）マエニ　アノー、
あれだ、　あなたからさ　（A　うん）前に　　あの、

ムスコノーヨメサガシノゴドー　タノマレッタンダゲッドモ。
息子の嫁探しのこと　　　　　　頼まれていたんだけれども。

008A：ア　ホンダッタネー。（B　ウーン）ウン。
あ　そうだったね。　（B　うん）　うん。

009B：ドーナッタンダ　ソノハナシー。
どうなったんだ　その話。

010A：ナニー　オラ　Bサンサ　タノンッタカラ　ソノマンマ、（B　アー　ソー）
なに　　私　　Bさんに　頼んでいるから　そのまま、　（B　ああ　そう）

ススンデネ。　ナンニモネーデバ。
進んでいない。なにもないってば。

011B：アー　ソー。ホンデッサ、マーズ　キニムグガドーガー。アレ　アノー、
ああ　そう。それでさ、　まあ　　心にかなうかどうか。あれ　あの、

ギョーキョーサ　ツトメッタネー、オレノドーキューセーノームスメッコ
漁協に　　　　　勤めているね、　私の同級生の娘

インダデバ。
いるんだってば。

012A：アラーー　ナンットー　ハイ。
あら　　　　なんと　　　はい。

013B：アトデッサー、（A　ウン）シャシン　ヨゴスヨニ　　ユーベガナー。
あとでさ、　　（A　うん）写真　　　よこすように　言おうかな。

014A：アー　ソースカーー。
ああ　そうですか。

015B：ウーン。ナンカー　アノ　キノキグー　ウーン　ムスメダッツケントモー。
うーん。なんか　　あの　気の利く　　うーん　娘だっていうけれども。

016A：ウーン。
うーん。

017B：モシ　ヨゲレバ。
もし　よければ。

018A：アー　ソーー。ナンット、Bサンノトモダジノムスメサンネ。
　　　ああ　そう。　なんと、　Bさんの友達の娘さんね。

019B：ハイハイ。
　　　はいはい。

020A：アー　オンデー（B　ウン）タブン　イームスメッコダベオン。
　　　ああ　それでは（B　うん）たぶん　いい娘だろうよ。

021B：ウーン。ホンデモ　ホンニンガ　ナンテユーガ　ワガンネガラ。
　　　うーん。それでも　本人が　　なんていうか　わからないから。

022A：ウンウンウン。
　　　うんうんうん。

023B：ンデ　　シャシン　アドデ　トドゲッガラ。
　　　それで[は]　写真　　あとで　届けるから。

024A：アラ　ナンットー　ウレシーゴド。アリガトゴザイマスー。
　　　あら　なんと　　嬉しいこと。　ありがとうございます。

025B：ハイ。ンデァ　　カンガエデミデー。
　　　はい。それでは　考えてみて。

026A：ウーン　デー　タノンデー。
　　　うーん　では　頼んで。

027B：ハイ。
　　　はい。

028A：ハイ。オライノアンコサモ　イッテオッカラ。
　　　はい。うちの長男にも　　言っておくから。

029B：ア　ハイハイ。
　　　あ　はいはい。

『生活を伝える被災地方言会話集』3

収録地点　　　宮城県気仙沼市

収録日時　　　2015（平成 27）年 6 月 21 日・28 日

収録場所　　　気仙沼市民会館

話　　者

　　A　　女　　1941（昭和 16）年生まれ（収録時 74 歳）　　［Bの知人］

　　B　　男　　1940（昭和 15）年生まれ（収録時 74 歳）　　［Aの知人］

話者出身地

　　A　　気仙沼市波路上（ハジカミ）

　　B　　気仙沼市松崎前浜（マツザキマエハマ）

収録担当者　　小林隆（東北大学教授）、佐藤亜実、孫士媛（以上、東北大学大学院生）、酒井崇彰、安藤桃子、加藤千晶、貴嶋未弥、寺崎舞、西内彩華、山森美里（以上、東北大学学生）、陳伊雯（東北大学特別聴講生）　※所属は収録時。

文字化担当者　佐藤亜実、小林隆

3-1. ティッシュペーパーを補充する

①了解する

001A：デ　　オトーサーン　アダシー、イマッカラ　カイモノサ
　　　で[は]　お父さん　　私、　　今から　　買い物に

　　　イグンダケントモー（B　ハー）ナニガ　ホシーモノ　アッペガネ。
　　　行くんだけれども　（B　はあ）なにか　欲しい物　　あるだろうかね。

002B：ウーン　ンダナー。ア　ティッシュペーパー　タンナグナッタンデネーガ。
　　　うーん　そうだな。あ　ティッシュペーパー　足りなくなったんでないか。

003A：ア　ソースカー。（B　ウン）アレ　アッタドオモッタケントモー。マズ
　　　あ　そうですか。（B　うん）あれ　あったと思ったけれども。　　まあ

　　　イーッス、カッテクッカラ　ホンデネ。
　　　いいです、買ってくるから　それで[は]ね。

004B：ウンウン。
　　　うんうん。

005A：ウン。アドーワ、ナニガ。
　　　うん。あとは、　なにか。

006B：アドー　オオ　イーナ。
　　　あとは　××　いいな。

007A：イー。
　　　いい。

008B：ウン。
　　　うん。

009A：ハイハイ。
　　　はいはい。

②了解しない（買い置きがある）〔1〕

001A：アレ　オトーサーン　アダシ　イマッカラ　カイモノニ
　　　あれ　お父さん　　私　　今から　　買い物に

　　　イグンダケントモー（B　ウン）ナニガ　ホシーモノー　ナイスカ。
　　　行くんだけれども　（B　ウン）なにか　欲しい物　　ないですか。

002B：アー　ソーダナー、ティッシュペーパー　ナグナッタンデネーガ。
　　　ああ　そうだな、　ティッシュペーパー　なくなったんでないか。

003A：アレ　オンダッケガ。
　　　あれ　そうだっけか。

004B：ホンダッテ　イッツモノドゴニ　ネーゾー。
　　　そうだって　いつものところに　ないぞ。

005A：フンダゲットー　タシカネ　アッタハズナンダケントー。
　　　そうだけれど　　たしかね　あったはずなんだけれど。

006B：ウン。
　　　うん。

007A：エー　ナグナッタガナー。ンデー　　イマ　チョット　ミデクッガラネ。
　　　ええ　なくなったかな。　それでは　今　　ちょっと　見てくるからね。

008B：ウンウン。
　　　うんうん。

009A：アレ　アッタガスト。オトーサン　ナンダベ。
　　　あれ　ありましたよ。お父さん　　なんだろう。

010B：アー　ソーガー。
　　　ああ　そうか。

011A：アー　ホンデモ　ヒトズシガ　ネーガラ　カッテクッガラ。
　　　ああ　それでも　一つしか　　ないから　買ってくるから。

012B：アー　ンダー。ムダンナンネガラナ。
　　　ああ　そうだ。無駄にならないからな。

013A：ウン　ンダネー。
　　　うん　そうだね。

014B：ウン。ンデ　　　　タノムー。
　　　うん。それで[は]　頼む。

015A：ウン。アド　ナニガ　ナイスカ、　ホシーノ。
　　　うん。あと　なにか　ないですか、欲しいの。

016B：{息を吸う音} ウーン　ナ　トグニ　ネーナ。
　　　{息を吸う音} うーん　×　特に　　ないな。

017A：ウン　ホンデ　　　イッテクッガラ。
　　　うん　それで[は]　行ってくるから。

018B：ウン。ンデ　　　　キーツケデナ。
　　　うん。それで[は]　気をつけてな。

019A：ハイハーイ。
　　　はいはい。

〔1〕②了解しない（買い置きがある）
　調査の際には、ティッシュペーパーの購入を了解しない場合を演じてほしい旨を説明したが、実際の会話では「①了解する」よりも抵抗はするものの、最終的にＡはＢの意向を汲んで了解している。話者によると日常ではこのようなやり取りが普通であり、夫の意向を受け入れないということはないとのことだった。

3-2. バスの時間が近づく

001A：アレ　オトーサーン。ノンビリシテ　ナニ　ヤッテンノ。キョー
　　　あれ　お父さん。　　のんびりして　なに　やってんの。今日

　　　デカゲルヒデネガッタ。
　　　出かける日でなかった。

002B：ウン。ワガッテダヨ。　ソンナニ　イソク゜ゴドナイベナ。
　　　うん。わかっているよ。そんなに　急ぐことないだろうよ。

003A：アレ　ホスカー。
　　　あれ　そうですか。

004B：ウン。
　　　うん。

005A：ンダゲド　　キョー　ニチヨービデ　バス　アレ　ナイヒ　ナイジカンガ
　　　そうだけど　今日　　日曜日で　　　バス　あれ　ない×　ない時間が

　　　アンダヨネー。
　　　あるんだよね。

006B：アーー　ソーガ。
　　　ああ　　そうか。

007A：ウン。
　　　うん。

008B：ア　ソイズ　ワスレッタヤー。
　　　あ　そいつ　忘れていたよ。

009A：ンダガラ　　アダシモ　キズカネガッタケントー。
　　　それだから　私も　　　気づかなかったけれど。

010B：ウーン。
　　　うん。

011A：アレ　イソガネバー　マニアワネガスト。
　　　あれ　急がねば　　　間に合わないですよ。

012B：アー　ンダンダ。　　アノ　キョーノカイゴーデ　アノ　ワダイテーキョー
　　　ああ　そうだそうだ。あの　今日の会合で　　　　あの　話題提供

　　　タノマレッタノサ。
　　　頼まれているのさ。

013A：アレー　ホンデ　　　ホラ　ナオサラ。
　　　あれ　　それで[は]　ほら　なおさら。

014B：ホンダガラ　ウン。オグレデ　イガレネンダナ。
　　　それだから　うん。遅れて　　行けないんだな。

015A：アレ　イソガネバ　ホンデ　　　マニアワネガスト。
　　　あれ　急がねば　　それで[は]　間に合わないですよ。

016B：アー　ホンデァ　コノフクソーデ　イーベナー。
　　　ああ　それでは　この服装で　　　いいだろうな。

017A：ダレ。ヒトマエデーー　オシャベリスンノニ　ソンナカッコデー。
　　　なに。人前で　　　　　おしゃべりすんのに　そんな格好で。

018B：ウンデァ　ウワギバリモ　　　トッケテミッカ。
　　　それでは　上着だけ[で]も　取り替えてみるか。

019A：ハラ　イソイデ　ハヤグ　スライン。
　　　ほら　急いで　　早く　　しなさい。

020B：ウンウン　ワガッタワガッタ。
　　　うんうん　わかったわかった。

3-3. 夕飯のおかずを選ぶ

①同意する

001A：ハ　オトーサーン（B　ウン）カツオー　キョーモー　ウマソーダネー。
　　　あ　お父さん　　（B　うん）カツオ　　今日も　　　うまそうだね。

002B：アー　イギ　イーヨーダナー。
　　　ああ　活き　いいようだな。

003A：ンダガラー。オッキーゴドネ。
　　　それだから。大きいことね。

004B：ウーン　イマノジギドシテワ　オーギノガナー。
　　　うーん　今の時期としては　　大きいのかな。

005A：ンダネーー。
　　　そうだね。

006B：ウーン。
　　　うん。

007A：ンデ　　　　キョーモ　カズオニススカ。
　　　それで[は]　今日も　　カツオにしますか。

008B：ウン。ンデモー　ドッチガッテード　　オーギメノホーア　ナオ　イーヨ。
　　　うん。それでも　どっちかっていうと　大きめの方が　　　なお　いいよ。

009A：ンダネ　　キョー（B　ウン）オッキメダモンネ。
　　　そうだね　今日　（B　うん）大きめだもんね。

010B：ウン。
　　　うん。

011A：ンデー　コイズー　カウガラネ。
　　　それでは　こいつ　買うからね。

012B：ハイハイ。
　　　はいはい。

②しぶる

001A：アレ　オトーサーン。
　　　あれ　お父さん。

002B：ウン。
　　　うん。

003A：キョーモ　ナント　コレ　カツオ　ンマソーダネー。キョーモ　ンマソ。
　　　今日も　なんと　これ　カツオ　うまそうだね。　今日も　うまそう。

004B：バ　バンタビ　カズオガイヤー。
　　　あら　毎度　カツオかよ。

005A：ダッテ　イマ　イチバン　ンメドギダガラ　オトーサーン。
　　　だって　今　一番　うまいときだから　お父さん。

006B：ホンナゲッドモサー（A　ウン）タマニアサー（A　ウン）オラー
　　　そうだけれどもさ　（A　うん）たまにはさ　（A　うん）私は

　　　ヒラメノサシミナンカモ　イーンダナー。
　　　ヒラメの刺身なんかも　いいんだな。

007A：アーー　ンダケント　イマー　カツオノホー　インダデバ
　　　ああ　そうだけれど　今　カツオの方　いいんだってば

　　　ンメガラーー。
　　　うまいから。

008B：ウーーン　タダ　ヒラメノサシミワサー　アレ　ゲンパズノセシウムー
　　　うーん　ただ　ヒラメの刺身はさ　あれ　原発のセシウム

　　　キニナッケントモナー。ンナケッド　コノゴロー　シンブンデモ
　　　気になるけれどもな。　そうだけれど　この頃　新聞でも

　　　アンマリ　サワガネーガラー　タマニア　カワッタノモー　インデネガ。
　　　あまり　騒がないから　たまには　変わったのも　いいんでないか。

009A：アー　オトーサーン　ンデ　アギダノスカ。
　　　ああ　お父さん　それで[は]　飽きたのですか。

010B：ウーーン。ダレアー　ソンナニ　タビタビデアナー。
　　　うーん。　なに　そんなに　たびたびではな。

011A：ダーレー　オラー　マイニチデモ　イーケントネー。オンデ
　　　なに　私は　毎日でも　いいけれどね。　それで[は]

　　　オトーサンダゲ　ヒラメニスッガラ。
　　　お父さんだけ　ヒラメにするから。

012B：バ。{笑}
　　　え。{笑}

3-4. 訪問販売を断る

001B：ゴメンナハリセー。
ごめんください。

002A：ハイ。
はい。

003B：アノー　オダグノゲンカンノーシンブンウゲ　ミッドー、
あの　お宅の玄関の新聞受け　見ると、

ベズノシンブンッテユーカ。ジズワッサ　ワダシ　アノ
別の新聞っていうか。実はさ　私　あの

トーホグニッポーノコードグ　オネガイシデトオモッテ　キタノッサ。
東北日報の講読　お願いしたいと思って　来たのさ。

004A：ハーーー。
はあ。

005B：ドーダベネス。
どうでしょうね。

006A：アー　アダシワ　アノー　オトーサンニ　キーデミネト
ああ　私は　あの　お父さんに　聞いてみないと

ワカンネンダデバ。
わからないんだってば。

007B：アーーー。(A　ウーーン) アノー　オダグノ　オリャ　コゴノー、
ああ。　(A　うん)　あの　お宅の　ほら　ここの、

シナイノシンブンノヨーダゲントモー　トーホグニッポーダド　ホレァ、
市内の新聞のようだけれども　東北日報だと　ほら、

モースコシ　ヒロイネ、(A　ウーーーン) トーホグチホーノニュースガ
もう少し　広いね、(A　うーん)　東北地方のニュースが

イッパイ　ノッテンノッサ。(A　ウーン) ンダガラー
いっぱい　載っているのさ。(A　うーん) それだから

イカカ゜ガナートオモッテ。
いかがかなあと思って。

008A：アーー。アノ　ウジデ　オトーサーーンガー　アノー　キメデッガラー。
ああ。　あの　うちで[は]　お父さんが　あの　決めているから。

(B　アー　ソー) ナントモ　イエナイーンダデバー。
(B　ああ　そう) なんとも　言えないんだってば。

009B：アー　ソー。
ああ　そう。

010A：ハイ。
はい。

011B：ホンデッサー (A　ハイ) オレ　メーシ　オイデンカラッサ
それで[は]さ (A　はい) 私　名刺　置いていくからさ

(A　ハイ) アノー　オトーサンーサ　カタッテデケネベガー。
(A　はい) あの　お父さんに　話しておいてくれないだろうか。

012A：ハー　イチオー　ホンデ　ナンテユーカ　ハ　ハナシテオグガラー。
はあ　一応　それで[は]　なんていうか　×　話しておくから。

013B：ウーン。(A　ハイ) ンデ　デギレバネー (A　ンー) ホレ
うーん。(A　はい) それで　できればね　(A　んー) ほら

ソゴノデンワバンゴーネ (A　ハイ) ソゴサー　ユッテモラウド
そこの電話番号ね　(A　はい) そこに　言ってもらうと

アリガダイナッサ。(A　アー) イマー　オレ　チョードー　オレァ
ありがたいのさ。(A　ああ) 今　ほら　ちょうど　ほら

サービスゲッカンデッサ。(A　ハーイ) イマー
サービス月間でさ。(A　はい)　今

ヤッテモラウド　イッカゲズブンネ (A　ウンウン)
[申し込みを]やってもらうと　一か月分ね　(A　うんうん)

タダンナンノッサ。(A　ハーハーハ)　ソノゴド　フグメデ　ヒトズ。
ただになるのさ。(A　はあはあはあ) そのこと　含めて　ひとつ。

014A：アーー　ソースカ　(B　ハイ) ハイ。ナンダガ　ウチデモ　ホレァ
ああ　そうですか (A　はい) はい。なんだか　うちでも　ほら

シゴトガラ　イロンナシンブン　ミテルガラネ、(B　ウーーーン)
仕事柄　いろんな新聞　見ているからね、(B　うーん)

ウーン　ワガンナイケント　マズ　ハナシデオグガラ。
うん　わからないけれど　まあ　話しておくから。

015B：ハイ。(A　ハイ) ホンデァ　ヨロシグ　オネガイシマス。
はい。(A　はい) それでは　よろしく　お願いします。

016A：ハイ。
はい。

3-5．主人がいるか尋ねる

001B：オハヨーゴザリスー。
おはようございます。

002A：ハイ　オハヨゴザリスー。
はい　おはようございます。

003B：ダンナハン　イダ。
旦那さん　いる？

004A：ア　イダヨー。
あ　いるよ。

005B：チョーナイカイノゴドデッサ (A　ウン) チョット　ソーダンシタイゴド
町内会のことでさ　(A　うん) ちょっと　相談したいこと

アッテ。
あって。

006A：ア　ホントニ。
あ　本当に。

007B：ウン。
うん。

008A：アラ　イマ　ヨンデクッガラ。アラ　オトーサーン。アレ　サッキマデ
あら　今　呼んでくるから。あら　お父さん。　あれ　さっきまで

ソゴニ　イタンダゲントモネ。
そこに　いたんだけれどもね。

009B：アー　ソー。
　　　ああ　そう。

010A：アレ　ドゴサ　イッタベ。　　イネヤ。
　　　あれ　どこに　行っただろう。いないや。

011B：イネヤ。
　　　いないや。

012A：ウン。
　　　うん。

013B：アー　ホンデッサー。
　　　ああ　それではさ。

014A：ハイ。
　　　はい。

015B：アドデ　デンワスッガラ。
　　　あとで　電話するから。

016A：ア　ホスカー。
　　　あ　そうですか。

017B：ウン。
　　　うん。

018A：ウン。
　　　うん。

019B：コノカギモノー　ミテデケロッテ。
　　　この書き物　　　見ておいてくれって。

020A：ハイ。
　　　はい。

021B：ソシテー　デンワデ　マダ（A　ウン）クワシーハナシ　スッガラ。
　　　そして　　電話で　　また（A　うん）詳しい話　　　　するから。

022A：アーラーラー（B　ハイ）ナンット　セッカグー　キテモラッテ
　　　あらら　　　（B　はい）なんと　　せっかく　　来てもらって

　　　モーシワゲナイゴドー。
　　　申し訳ないこと。

023B：イガスイガス。
　　　いいですいいです。

024A：ハイ。
　　　はい。

025B：ハイ。
　　　はい。

026A：ンデ　　　　アズカリマスー。
　　　それで[は]　預かります。

027B：ハイ。タノミストー。
　　　はい。頼みますよ。

028A：ハイ。
　　　はい。

3-6. 夫の友人が訪ねてくる

001B：コンニジワー。
　　　こんにちは。

002A：ハーイ。
　　　はい。

003B：アレ　Xサンノオクサンダネ。
　　　あれ　Xさんの奥さんだね。

004A：ハイ。アラ　ドチラサンーダッタベネ。
　　　はい。あら　どちらさんだっただろうね。

005B：オレ　Xクンドッサ（A　ハイ）コーコーデ　ドーキューセーナンダデバ。
　　　私　　Xくんとさ　（A　はい）高校で　　同級生なんだってば。

　　　Bッテユンダゲントモ。
　　　Bっていうんだけれども。

006A：ハーハーハー。ア　ドーモドーモーー。
　　　はあはあはあ。あ　どうもどうも。

007B：イマ　コゴマデ　キタガラッサ（A　ハイ）ヨッテミダノ。
　　　今　　ここまで　来たからさ　（A　はい）寄ってみたの。

008A：アー　アリガトゴザイマスー。アレ　イマ　オトサン　イタガラ
　　　ああ　ありがとうございます。あれ　今　　お父さん　いたから

　　　ヨンデクッガラ。（B　ウン）アレ　オトーサーン。アレ　サッキマデ
　　　呼んでくるから。（B　うん）あれ　お父さん。　　あれ　さっきまで

　　　イタンダゲット　ナンダベ　　ドゴサ　イッタンダベ。
　　　いたんだけれど　なんだろう　どこに　行ったんだろう。

009B：アー　ソースカー。
　　　ああ　そうですか。

010A：アレァ　イネヤー。
　　　あれ　　いないや。

011B：ホンデッサー（A　ウン）オレ　ケサガダトッタタラッポ
　　　それではさ　（A　うん）私　　今朝方採ったタラの芽

　　　モッテチタノッサ。（A　ウン）クッテスケライッカトオモッデー。
　　　持ってきたのさ。　（A　うん）食べてもらえるかと思って。

012A：アラ　ナンットー　メズラシーゴドーーー。
　　　あら　なんと　　　珍しいこと。

013B：ンデー　　コサ　　オイデンガラー　キタラバ　ヨロシグ　ハナシテケライ。
　　　それでは　ここに　置いていくから　来たらば　よろしく　話してください。

014A：ナニー　サッキマデ　コゴニ　イタンダデバ。　ンダガラー（B　ウン）
　　　なに　　さっきまで　ここに　いたんだってば。それだから（B　うん）

　　　アノー　トーグサワ　イッテネガラー　　ヤスンデデモラッテモー
　　　あの　　遠くには　　行っていないから　休んでいてもらっても

　　　（B　ウーン）ヨゴザリストー。
　　　（B　うーん）いいですよ。

015B：オンダナー。シ　シ（A　ウンウン　セッカグ　イラシタンダガラ　ナ
　　　そうだな。　×　×（A　うんうん　せっかく　いらしたんだから　×

アノー)　ホンデァ　スコシ　マダセテモラガラー。
あの)　それでは　少し　待たせてもらうから。

016A：ンダネー。ソーシテモラウド　アダシモー　インダケントモー。
そうだね。そうしてもらうと　私も　いいんだけれども。

017B：ンデ　ソースッカラ。
それで[は]　そうするから。

018A：ハイ。
はい。

3-7. 天気予報を不審がる

001A：アレ　オトサーン　キョー　デハンデネガッタ。
あれ　お父さん　今日　出かけるんでなかった。

002B：ウンウンウン。(A　ウン)　ジュージスギニ　デ
うんうんうん。(A　うん)　十時すぎに　×

デルゴドンナッテンダ。
出ることになっているんだ。

003A：アーアー。アレ　ナンカッサ　イマ　ソドサ　デダッケー　アヤシーノッサ、
ああああ。あれ　なんかさ　今　外に　出たら　怪しいのさ、

(B　ウン)　テンキネ。(B　ウン)　ハレデンダゲントー。(B　ウン)
(B　うん)　天気ね。(B　うん)　晴れているんだけれど。(B　うん)

ナンジゴロ　カエンダガー。
何時頃　帰るんだか。

004B：アー　ソーガ。アー　キーサーノヨホーデア　ハレダッケナー。
ああ　そうか。ああ　今朝の予報では　晴れだったけれどな。

005A：ンダガラネ。
それだからね。

006B：アー　ソーイエバー　ソラモヨー　キューニ　ワルグナッデキタナー。
ああ　そういえば　空模様　急に　悪くなってきたな。

007A：アイッタネー　カサ　モッタホー　イーゴッテー。
あれだね　傘　持った方　いいようだね。

008B：アー　ソーガー。（A　ウン）アーー　ホンダケッドモナ
　　　ああ　そうか。　（A　うん）ああ　　そうだけれどもな

　　　ジャマクセーカラナー。ナルベグ　テブラデ　イギデノサー。
　　　邪魔くさいからな。　　なるべく　手ぶらで　行きたいのさ。

009A：ウン。ダケント　　　　モッタホ　イガストー。
　　　うん。[そう]だけれど　持った方　いいですよ。

010B：ウン　ワガッタ、ホンデア（A　ウン）タ　アノー　オリタダミ
　　　うん　わかった、それでは（A　うん）×　あの　　折り畳み

　　　モッテインカラ。
　　　持っていくから。

011A：ンダネー。（B　ウン）アド　アー　センタグ　ナゾスッペナー。
　　　そうだね。（B　うん）あと　ああ　洗濯　　　どうしようかな。

012B：アー。
　　　ああ。

3-8．魚の新鮮さを確認する

①確かに少々古い

001A：ゴメンクダサーイ。
　　　ごめんください。

002B：ハイ。イツモ　ドーモー。
　　　はい。いつも　どうも。

003A：ハーイ。キョー　サンマ　カイニ　キタンダゲントモー。
　　　はい。　今日　　サンマ　買いに　来たんだけれども。

004B：ハイハイ。
　　　はいはい。

005A：アー。サンマー　サワッテモ　イーベガ。
　　　ああ。サンマ　　触っても　　いいだろうか。

006B：アー　イーヨー。
　　　ああ　いいよ。

007A：アー。ンデ　　　　チョット　コイズ。コイズ　イズノダベ。
　　　ああ。それで[は]　ちょっと　こいつ。こいつ　いつのだろう。

008B：コイズネー、キノー　イチバ　ヤスミデッサ。
　　　こいつね、　昨日　　市場　　休みでさ。

009A：ウン。
　　　うん。

010B：ンーーー　オドトイノガ。
　　　うーん　　おとといのか。

011A：{サンマを触る音} ソー。
{サンマを触る音} そう。

012B：ウン。
うん。

013A：アー　ナンカ　チョット　イギ　ワルソーダネ。
ああ　なんか　ちょっと　活き　悪そうだね。

014B：アーー　ソノゴドワ　シニチ　タッダガラナー。
ああ　　そのことは　日にち　経ったからな。

015A：ウン　ハーハー。ナンカ（B　ナ）ホラ　ウジデ　オトーサンガー
うん　はあはあ。なんか（B　な）ほら　うちで　お父さんが

（B　ウーン）コ　　モッテー　タ　タツサンマ　イギ　イッテ　　イ
（B　うん）　こう　持って　　×　立つサンマ　活き　いいって　×

オセーラレデ　キタンダゲットー。
教えられて　　来たんだけれど。

016B：ウンウンウンウン。
うんうんうんうん。

017A：ンデー　　アイッダナー　コイズー。キョーノサンマワ　アンノ。
それでは　あれだな　　　こいつ。　今日のサンマは　　あるの。

018B：アンノー。（A　アー　ホンジャ）ナンダゲット　　　　コイズ　サンマリ
あるの。　（A　ああ　それじゃ）［そう］なんだけれど　こいつ　三××

サンワリ　シーデアルヨ。
三割　　　引いてあるよ。

019A：アー　ソスカー。
ああ　そうですか。

020B：ウーン。（A　アー）ヤイデータベルブンニツイデワ　ナニモー
うーん。（A　ああ）焼いて食べる分については　　　なにも

モンダイナイガラ。
問題ないから。

021A：アー　ハーハー　ソイツノゴドネ。
ああ　はあはあ　そいつのことね。

022B：ウーン。サシミニスンデア　ヤッパリナー。
うーん。刺身にするんでは　やっぱりな。

023A：アー　ハイハイ。サシミ　シテガラネ。
ああ　はいはい。刺身　　したいからね。

024B：サシミ　シタイノ。
刺身　　したいの。

025A：ウン　ソーソー。
うん　そうそう。

026B：ホンデッサー。
それではさ。

027A：ウン。
うん。

028B：コゴニネー、コレ　コッチニー　アノー{息を吐く音}ケサ　アガッタヤズ
ここにね、　これ　こっちに　　あの　{息を吐く音}今朝　揚がったやつ

アンノッサ。{サンマを取り出す音}
あるのさ。　{サンマを取り出す音}

029A：アハー　ヤッパリ　イギ　ヨサソーダネ。
ああ　　やっぱり　活き　よさそうだね。

030B：ンー　コッチノコドアー　モンクネーンダ。
うん　こっちのことは　　文句ないんだ。

031A：ウン。
うん。

032B：ドッチー　イーガネ。
どっち　　いいかね。

033A：ウーン　ヤッパ　　コッチ{サンマの入れ物を引き寄せる音}イギ
うーん　やっぱり　こっち{サンマの入れ物を引き寄せる音}活き

ヨサソーダネ。
よさそうだね。

034B：ウーン。
うん。

035A：アー　ンデ　　　　コッチニスッガラ。
ああ　それで[は]　こっちにするから。

036B：アイハイ。
はいはい。

037A：ハイ。
はい。

②それほど古くはない

001A：ゴメンクダサーイ。
ごめんください。

002B：ハイ。イツモ　ドーモネー。
はい。いつも　どうもね。

003A：ハーイ　ドーモ。キョー　サンマー　カイニ　キタンダゲント。
はい　　どうも。今日　　サンマ　　買いに　来たんだけれど。

004B：アーアー　イッペー　アガッテダヨー。
ああああ　いっぱい　揚がっているよ。

005A：アー。{息を吸う音}アレ　コイズ　イズノサンマダベ。
ああ。{息を吸う音}あれ　こいつ　いつのサンマだろう。

006B：アー　ケサー　アガッタヤズダヨー。
ああ　今朝　　揚がったやつだよ。

007A：ナンカ　イギ　ワルソーダネ。
なんか　活き　悪そうだね。

008B：ンーー　ソンナゴドネードオモヨ。
うーん　そんなことないと思うよ。

009A：アー　ホントニー。
ああ　本当に。

010B：ウンウン。タダネー（A　ウン）イマ　オレ　ギョジョー
うんうん。ただね　（A　うん）今　　ほら　漁場

トークナッタガラ。
遠くなったから。

011A：アー　ド　ドノヘンー。
　　　ああ　×　どの辺。

012B：ダイブ　ミナミノホサ　イッタ。
　　　だいぶ　南の方に　　　行った。

013A：アー　ソーナンダ。
　　　ああ　そうなんだ。

014B：ウン。
　　　うん。

015A：ア　ナンダ　ナントナグ（B　ホンダガラー）イギ　ワルソーナンダゲント。
　　　あ　なんだ　なんとなく（B　それだから）　活き　悪そうなんだけれど。

016B：イヤー　ソンナゴドナイドオモーヨ。
　　　いや　　そんなことないと思うよ。

017A：アー　ホントニー。
　　　ああ　本当に。

018B：ウン。
　　　うん。

3-9. 福引の大当たりに出会う

001調：デワ　ツギノカタ　ドーゾー。
　　　では　次の方　　　どうぞ。

002A：ハイ。ハイ　アタルヨーニ。{抽選機を回して玉が出た音}（調　ア）
　　　はい。はい　当たるように。{抽選機を回して玉が出た音}（調　あ）

　　　アラーー。
　　　あら。

003調：ポケットティッシュデスネ。
　　　ポケットティッシュですね。

004A：アラー（B　アーー）ヤッパリ　ハイ。ドーモー（調　ハイ）イツモ
　　　あら　（B　ああ）　やっぱり　はい。どうも　（調　はい）いつも

　　　アタンネンダヨネー。
　　　当たらないんだよね。

005B：オー　コンドワ　オレダ。
　　　おお　今度は　　私だ。

006調：ハイ。ツギノカタ　ドーゾー。
　　　はい。次の方　　　どうぞ。

007B：ハイ。ヨッ。{抽選機を回して玉が出た音}オッ。
　　　はい。よっ。{抽選機を回して玉が出た音}おっ。

008A：オーッ。
　　　おお。

009調：オメデトーゴザイマス。オンセンリョコー
おめでとうございます。温泉旅行

アタリマシター。{鐘を鳴らす音}
当たりました。 {鐘を鳴らす音}

010B：オーーー。{笑いながら手を叩く音}
おお。 {笑いながら手を叩く音}

011A：オーーー。{手を叩く音} アラー イーコードー。
おお。 {手を叩く音} あら いいこと。

012B：ゴメーン。
ごめん。

013A：アラー イーゴド。
あら いいこと。

014B：イヤーヤーヤーヤーイヤー。
いやいやいやいやいや。

015A：アラーー {手を叩く音} イーゴドイーゴド。
あら {手を叩く音} いいことといいこと。

016B：アーー {手を叩く音} イガッタイガッタ。
ああ {手を叩く音} よかったよかった。

017A：イアーー ナントーーー。
いや なんと。

018B：ホンデア キョー、ウン。ナンダガ ユーベネー、ユメミ イガッダノッサ。
それでは 今日、 うん。なんだか 昨夜ね、 夢見 よかったのさ。

019A：アダルヒトニワ アダンダネーー。
当たる人には 当たんだね。

020B：イヤーヤーヤーヤ。ドーモネ。
いやいやいやいや。どうもね。

021A：アダシモ（調 ハイ）イギデーオンセンナンダゲント ショーネナー。
私も （調 はい）行きたい温泉なんだけれど 仕方ないな。

022B：ホンデ トーセンーノアイズ アート チケットッテユーカ ナニガ
それで 当選のあいつ ええと チケットっていうか なにか

アンノスカ。
あるのですか。

023調：アー ハイ アリマス。コチラデスネ。
ああ はい あります。こちらですね。

024B：ア。（調 ハイ）ハイ。ハイ。ドーモドーモ。
あ。（調 はい）はい。はい。どうもどうも。

025調：オメデトーゴザイマス。
おめでとうございます。

026A：アラ イガッタネーーー。
あら よかったね。

027B：デ コイズ アドー、オ マダ キカン アンダネ。
で[は] こいつ あと、 × まだ 期間 あるんだね。

028調：ア ハイ ソーデスネ。（B ア）マダ アリマスネ。
あ はい そうですね。（B あ）まだ ありますね。

029B：ハイ。(調　ハイ) ホンデ　ショーテンカイサ　クレバ　イーノネ。
はい。(調　はい) それで　商店街に　来れば　いいのね。

030調：ア　ハイ　キタトキニ (B　テツズキネ) ハイ。テツズキニ　キテクダサイ。
あ　はい　来たときに (B　手続きね)　はい。手続きに　来てください。

031B：ハイ　ハイハイ。
はい　はいはい。

032A：ナント　イガッタネー。{手を叩く音}
なんと　よかったね。{手を叩く音}

033B：イヤーヤーヤーヤーヤー。
いやいやいやいやいや。

034A：ハー。
はい。

3-10. 福引の大当たりについて話す

001A：アノッサー。
あのさ。

002B：ウン。
うん。

003A：イマ　ホラ　クジ　ヒーデキタノー。
今　ほら　くじ　引いてきたの。

004B：オー。
おお。

005A：シタッケー　ナンート　トナリノサトーサン　オンセンイギ
そうしたら　なんと　隣の佐藤さん　温泉行き

アダッタデバ。
当たったってば。

006B：ウン。オメワ。
うん。お前は？

007A：ネー　アタシワ　イッツモ　ティッシュデ。
ねえ　私は　いつも　ティッシュで。

008B：ハー。
はあ。

009A：ナンート　アノ　イーオンセンダデバーー。
なんと　あの　いい温泉だってば。

010B：ソレ　　　ザンネンダッタゲントモサー、ドゴノオンセン。
　　　それ[は]　残念だったけれどもさ、　　　どこの温泉。

011A：ホーラ　ユーメーナオンセンデガスー。
　　　ほら　　有名な温泉ですよ。

012B：ホー。（A　ナンー）ナンデ　ソンナニー　ソゴサ　イギデーノ。
　　　ほう。（A　なん）　なんで　そんなに　　そこに　行きたいの。

013A：ンダッテ　　ホラ　クジデアダッタオンセンッテ　イガスト。　　{笑}
　　　そうだって　ほら　くじで当たった温泉って　　　いいでしょう。{笑}

014B：アー　ス　タッタ　ソレダゲダベヤ。
　　　ああ　×　たった　それだけだろうよ。

015A：ア　ンデモ　　ホラ　オンセンッツノ　ナガナガ　イッタゴトネーガラー
　　　あ　それでも　ほら　温泉っていうの　なかなか　行ったことないから

　　　（B　イーイー）イギデナードオモッテー。
　　　（B　いいいい）行きたいなと思って。

016B：アー　ソーガ。
　　　ああ　そうか。

017A：アンマリ　ガンバリスギダガネ。ヨグタゲスギダガモシンネネ。
　　　あまり　　頑張りすぎたかね。　欲張りすぎたかもしれないね。

018B：イーイー。ライネンサー　ケッコンゴジュッシューネンダベー。
　　　いいいい。来年さ　　　　結婚五十周年だろう。

　　　ツレデインカラ。
　　　連れていくから。

019A：アラ　ホントスカーー。
　　　あら　本当ですか。

020B：ウーン。マッテロー。
　　　うん。　待っていろ。

021A：ン　アー　ホンデ　　　ショーネガラ（B　ウン）ソーオモースペネ。
　　　ん　ああ　それで[は]　仕方ないから（B　うん）そう思いましょうね。

022B：ソーダ　オーダ。
　　　そうだ　そうだ。

023A：ハイ。
　　　はい。

3-11. 食事の内容が気に入らない〔1〕

① 折れる

001A：オトーサーン。{足音}
お父さん。　{足音}

002B：ハーイ。
はい。

003A：ゴハン　デギダデバ。
ご飯　できたってば。

004B：ハイヨー。{足音}
はいよ。{足音}

005A：オソグナッテ　モーシワケネガッタ。(B　イヤイヤイヤイヤイヤ) オツユ
遅くなって　申し訳なかった。　(B　いやいやいやいやいや) おつゆ

サメッカラ　タベッペシ。
冷めるから　食べようよ。

006B：ナンダベ　キョア。
なんだろう　今日は。

007A：キョーネ（B　ウン）メンチカツ。
今日ね　(B　うん) メンチカツ。

008B：ホー。{息を吸う音}マーダ（A　ハイ）アゲモノカヤ。ウーーン。
ほう。{息を吸う音}また　(A　はい) 揚げ物かよ。　うーん。

タマニアナー　オニシメドカナンカモ　イーンダケッドモナー。
たまにはな　お煮しめとかなんかも　いいんだけれどもな。

009A：ハー〔2〕。オトサンー　アブラモノ　スカナインダ。
はあ。　お父さん　揚げ物　好かないんだ。

010B：ウーン（A　ウン）コン　ヤッパリ　トシ　トッタッケサー（A　ウーン）
うん　(A　うん) ××　やっぱり　年　取ったらさ　(A　うん)

スコシ　アブラッコイノワナー。(A　ンー) ウーン。
少し　油っこいのはな。　(A　んー) うーん。

011A：ンダネ。　ホンデ　コンド（B　ウン）サカナリョーリニスッカラ。
そうだね。それで[は]　今度　(B　うん) 魚料理にするから。

012B：ウン　ナンデモイーケッドモ（A　ウン）サラットシタノアナ。
うん　なんでもいいけれども (A　うん) さらっとしたのがな。

013A：キョーネ　イソガシクテ　ナンダガネ　ツイツイ　カバネヤンデシマッタヤ。
今日ね　忙しくて　なんだかね　ついつい　怠けてしまったよ。

014B：ソーガヤー。マー　アブラッコイノ　ヤンタッツノ　オボエデデケロ。
そうかよ。　まあ　油っこいの[は]　嫌だっていうの　覚えていてくれ。

015A：ンダネ。　デ　コンドネ　ベツニ　ツクッガラ。
そうだね。で[は]　今度ね　別に　作るから。

016B：ハイハイ。
はいはい。

017A：ンデ　キョー　ガマンシテ　タベテケライン。
それで[は]　今日[は]　我慢して　食べてください。

018B：ハイ。
はい。

②折れない

001A：オトーサーン。{足音}
　　　お父さん。　　{足音}

002B：ハーイ。
　　　はい。

003A：オソクナッタケント　ゴハン　デギダガラー。{足音}
　　　遅くなったけれど　　ご飯　　できたから。　{足音}

004B：アイハイ。
　　　はいはい。

005A：ハイ　タベスペ。
　　　はい　食べましょう。

006B：キョー　ナンダネ。
　　　今日　　なんだね。

007A：キョーネ　メンチカツ。
　　　今日ね　　メンチカツ。

008B：アレー{息を吐く音}マダ　アゲモノガヤー。
　　　あれ　{息を吐く音}また　揚げ物かよ。

009A：マダッテー。ワダシモ　イソガシガッタモンダガラー。(B　ンー）コイッテ
　　　またって。　私も　　忙しかったもんだから。　　　(B　んー）これって

　　　ガマンシテモライーッテ　ダメダベガネ。
　　　我慢してもらえるって　　だめだろうかね。

010B：ウーーン　ンナゲッドモナー　　オレオ{息を吸う音}コノコ゜ロサー
　　　うーん　　そうだけれどもな　　私も　{息を吸う音}この頃さ

　　　アブラッコイノ　スカナクナッデシタカラサー。トシダガナ。
　　　油っこいの　　　好かなくなってきたからさ。　年かな。

011A：ナーニモ　マダ　トシデネンダケントー、ンダオンネ。　ソーイエバー
　　　なにも　　まだ　年でないんだけれど、　そうだもんね。そういえば

　　　ワダシモ　キョー　カバネヤンダガラナー。ナントガ
　　　私も　　　今日　　手抜きしたからな。　　なんとか

　　　タベテーケンネカナー。
　　　食べてくれないかな。

012B：ソガー。アノー　オボエデデケロ、アブラッコイノワサー
　　　そうか。あの　　覚えていてくれ、油っこいのはさ

　　　ミッガガヨッカニ　イッカイデ　イーガラー。
　　　三日か四日に　　　一回で　　　いいから。

013A：ンダネーー。(B　ウン）ンダケット　　タマニ　アブラモ　トッタホ
　　　そうだね。　(B　うん）そうだけれど　たまに　油も　　　取った方

　　　インダゲント。
　　　いいんだけれど。

014B：オーレァ　サシミダラ　マイバンデモ　インダゲントモサー（A　ウーーン）
　　　私は　　　刺身なら　　毎晩でも　　　いいんだけれどもさ（A　うーん）

　　　{息を吸う音}ウーーン。イーイー。ホシ　　　タベッペ。
　　　{息を吸う音}うーん。　いいいい。そうしたら　食べよう。

〔1〕3-11．食事の内容が気に入らない
　話者の指摘によると、この会話のように妻の作った料理をけなすことはあまりし

ないとのことであった。

〔2〕ハー
無声音でため息的である。

3-12. 隣人が回覧板を回さない

①同意する

001B：コリャ。
　　　これ。

002A：ハイ。
　　　はい。

003B：イマースガダ　ス　トナリノサトサンガ　カイラバン　モッテキタサ。
　　　今しがた　　　×　隣の佐藤さんが　　　回覧板　　　持ってきたさ。

004A：ハー。
　　　はい。

005B：カイランバン。
　　　回覧板。

006A：アラ。
　　　あら。

007B：ウン。ナーガミー　ミダッケサー、ナーンダッケ　モー　ヒニジ
　　　うん。中身　　　　見たらさ、　　なんだい　　　もう　日にち

　　　スギタンダイチャー。イツモ　コーカヤ。
　　　すぎているんだよね。いつも　こうかよ。

008A：アラーー　オンダガラ。キョア　タマタマ　オトサン　ウケドッダゲントー
　　　あら　　　それだから。今日は　たまたま　お父さん　受け取ったけれど

　　　（B　ウン）イッツモ　ホラ　アダシ　ウケデ　トナリサ　スグ
　　　（B　うん）いつも　　ほら　私　　　受けて　隣に　　　すぐ

マワスノネー。
回すのね。

009B：ウン。
うん。

010A：オンダ　オソインダ。
そうだ　遅いんだ。

011B：アー　コンデ　　ダーレー、ナーンボ　イソガシーッタッテサー。
ああ　これで[は]　なに、　いくら　忙しいったってさ。

012A：ウーン。ナンボ　ユッテモ　ワガンネネー。
うん。　いくら　言っても　だめだね。

013B：ウーーーン。
うーん。

014A：ウーン。{息を吸う音} ンデ　ツギ　ホレ　アダシガ　マワスドー、
うーん。{息を吸う音} それで　次　ほら　私が　回すと、

（B　ウン）ツギノヒト　ナントッテ　アダシサ　イッソ
（B　うん）次の人　なんとって　私さ　いつも

ユワレルノッサッテ。〔1〕
言われるのさ。

015B：ウーン。
うーん。

016A：ンデ　イチオワ　ユーンダゲントー。
それで　一応は　言うんだけれど。

017B：ウーン。コイ（A　ミン　ウーン）コイズ　アイダー、コンドー
うーん。××（A　××　うーん）こいつ　あれだ、　今度

ジチカイノー、チョーナイカイノーカイゴーノトギニー　アイダヨナー、
自治会の、　町内会の会合のときに　　あれだよな、

カダッガナー。
話すかな。

018A：ンダネー。ソノホー　イーガモシャーネネー。
そうだね。その方　いいかもしれないね。

019B：ダーレ　コンデナー。
なに　これで[は]な。

020A：ウーン。ヒトリデノタメニ　コーヤッテ　ミンナ（B　ウーン）メーワク
うーん。一人×のために　こうやって　みんな（B　うーん）迷惑

モラーヨーダガラネー。カ　カタッデケライン　オトーサン。
もらうようだからね。　×　言ってください　お父さん。

021B：ンダナ。　ヨシ。カダル。
そうだな。よし。話す。

②同意しない

001B：コリャ。
これ。

002A：ハイ。
はい。

003B：トナリノサドーサンガ　イマーシガダ　カイランバン　モッテシタノサー。
　　　隣の佐藤さんが　今しがた　回覧板　持ってきたのさ。

004A：ウーン。
　　　うん。

005B：ナーンダッケ　ト　トメオギシタノガナー。
　　　なんだい　×　留め置きしたのかな。

006A：ナンデ。
　　　なんで。

007B：ヨグモ　オショスグナグー　シニジ　スギダドギ　モッテシダナー。
　　　よくも　恥ずかしくなく　日にち　すぎたとき　持ってきたな。

008A：ナニスー。
　　　なんです。

009B：ウーン。バ　コンデァ　ダメダー。ドースレバ　インダヤー。
　　　うん。　あ　これでは　だめだ。　どうすれば　いいんだよ。

010A：ウーン　イッツモーナンダゲントー。
　　　うーん　いつもなんだけれど。

011B：ウン。
　　　うん。

012A：アノヒトモ　ホレ　カセーデッガラネ。
　　　あの人も　ほら　働いているからね。

013B：シーダッテ　ホガノヒトダッテ　カセーデルッチャ。
　　　そうだって　他の人だって　働いているよね。

014A：マズネー。
　　　まあね。

015B：ウーン。セーカグナノガナー。ルーズナンデネガー。
　　　うーん。性格なのかな。　ルーズなんでないか。

016A：ウーン　ツイツイ　ホレ　オソグ　カエッテクッガラー、
　　　うーん　ついつい　ほら　遅く　帰ってくるから、

　　　マワスタイミングー　ズレデシマウンデネーベガネー。
　　　回すタイミング　ずれてしまうんでないだろうかね。

017B：ダーーレァ　ソンダッテー。ジョーシギノネァゴドダナー。
　　　なに　そうだって。　常識のないことだな。

018A：シー　マズネー、ソーユワレレバ　ソーダゲントモー。ヒルマー
　　　うん　まあね、　そう言われれば　そうだけれども。　昼間

　　　イネガラネー。
　　　いないからね。

019B：ウーン。シーダッテ　アノヒトバリデネンダガラサー。
　　　うーん。そうだって　あの人だけでないんだからさ。

020A：ウーーーン。
　　　うーん。

021B：ミンナー　シー。ナーニ　ハヤグ　モッテキテー　ホーレ　ソゴノ
　　　みんな　うん。なに　早く　持ってきて　ほら　そこの

　　　アイツサ　オイデイッタラ　イッチャナー。
　　　あいつ[＝郵便受け]に　置いていったら　いいよな。

022A：ウーン。ホンデー　アノー　コンド　マイノヒトサー
　　　うーん。それでは　あの　　今度　　前の人[に]さ

　　　トバスヨーニ　　　　ユッテミッガラ。
　　　[順番を]とばすように　言ってみるから。

023B：ウーーーン。
　　　うーん。

024A：シテ　　スグ　ウジサ　モッテキテケラインッテユッテミッカラッサ。
　　　そして　すぐ　うちに　持ってきてくださいっていってみるからさ。

025B：イネドギァナ。
　　　いないときはな。

026A：ウン　イネドギネ。
　　　うん　いないときね。

027B：ウンウン。
　　　うんうん。

028A：ウーン。
　　　うん。

〔1〕アダシサ　イッソ　ユワレルノッサッテ。
ここでは、「ユワレル」と受身形であることから、「アダシサ」の「サ」は間投助詞ととり「私さ」と訳した。しかし、この「サ」は「に」にあたる格助詞であり、「ユワレル」の部分は「ユウ」の言い間違いかもしれない。なお、文末の「ッテ」には意味がない。

3-13．見舞いと友人との再会で悩む〔1〕

①夫が譲る

001A：オトーサーン。
　　　お父さん。

002B：ハイ。
　　　はい。

003A：アレー　アンツァン　ニューインシテンノー　オミマイサ
　　　あれ　　兄さん　　　入院しているの　　　　お見舞いに

　　　イガナクテネーヨネ。
　　　行かなくてはいけないよね。

004B：アー　コンドノニチヨービ　イグゴドニシタンデネガッタガ。
　　　ああ　今度の日曜日　　　　行くことにしたんでなかったか。

005A：ンダガラネ。（B　ウン）ウン。トコロガッサー（B　ウン）ワダシノー
　　　それだからね。（B　うん）うん。ところがさ　（B　うん）私の

　　　Xサンガー、トモダジノネ。（B　ウン）ヒサビサ　トーキョーガラ
　　　Xさんが、　友達のね。　（B　うん）久々　　　東京から

　　　カエッテクンノッサー。コ　オンナジ（B　アノ　イズー）オンナジヒ。{笑}
　　　帰ってくるのさ。　　×　同じ　　（B　あの　いつ）　同じ日。　　{笑}

006B：オンナジヒー。
　　　同じ日。

007A：ンダーガラ　ワー　オレ　ドンナー　ドースッペナードオモッテッサーーー。
　　　それだから　ああ　私　　××××　どうしようかなと思ってさ。

008B：アーー　ソガー。アニチモ　オレダジァ　コ　サッパリ　コネッテ
ああ　そうか。兄貴も　私たちは　×　さっぱり　来ないって

オモッテダベナー。
思っているだろうな。

009A：ンダガラネーーー。
それだからね。

010B：ウーーーン。(A　ナゾスッペ、ナゾスッペ)ンナケッドモーー
うーん。　(A　どうしよう、どうしよう)そうだけれども

アイダベー、アノー　オレダジー　イ　ナンニジニ
あれだろう、あの　私たち　×　何日に

イグッテユッテネベ　ダレサモ。
行くっていっていないだろう　誰にも。

011A：ウン(B　オミマイノ)ソイズノゴドネ。マダ　ユッテネゲントッサ。
うん(B　お見舞いの)そいつのことね。まだ　言っていないけれどさ。

012B：ウーン(A　ウーン)ホンデー　イジニジガフツカー　ズラシテサー。
うーん(A　うーん)それでは　一日か二日　ずらしてさ。

013A：ナンダベ　ホンナゴドシテ　イーベガ。
なんだろう　そんなことして　いいだろうか。

014B：ンー　ナン　ナンヨ　ヒニジ　ズ　ドーダヤ　ソノー　ワ
んー　××　×××　日にち　×　どうだよ　その　×

ブズメズドガナヌガ　アワネベナー。　(A　ウン　アノ)
仏滅とかなにか　合わないだろうな。(A　うん　あの)

オミマイワサー。
お見舞いはさ。

015A：オミマイ　ホラ　ダイアンダガラー(B　ウン)ソンドギ　イグベッテ
お見舞い　ほら　大安だから　(B　うん)そのとき　行こうって

マエ　キメダガストー。
前　決めたでしょう。

016B：アー　ソーガ。(A　ウーン){息を吸う音}ンーナゲドー　セッガグ
ああ　そうか。(A　うん)　{息を吸う音}そうだけど　せっかく

クンダラ　トモダジワー　アイー。
来るなら　友達は　会え。

017A：ンデー　オトーサンワー　アンツァンサ　ア　イグー。(B　ウーン)
それでは　お父さんは　兄さん[のところ]に　×　行く？(B　うーん)

イグ。
行く。

018B：イ　ウーン。イッショニ　イグガラー、オメドー。
×　うーん。一緒に　行くから、　お前と。

019A：ン　ア　ナンダベ　ワルイゴドネ。
ん　あ　なんだろう　悪いことね。

020B：イー　アドデ　ユー　ユーガラ。コドワゲ　ユーガラ。
いい　あとで　××　言うから。事情　言うから。

021A：アー　ジ(B　ウン　ス)チョードニネ　カサナッテシマッタガラネー。
ああ　×(B　うん　×)ちょうどにね　重なってしまったからね。

022B：ウンウン　シガタネンダー。
うんうん　仕方ないんだ。

023A：ホンデー　アンツァンノオミバイ　ノバスベガネー。
それでは　兄さんのお見舞い　延ばそうかね。

024B：ウーン。オレ　アドデー　ユ　ユーガラ。
うーん。私　あとで　×　言うから。

025A：モーシワゲネーネ。ンデ　アシター　トモダジ　カエッタラ　スグ
申し訳ないね。　それで[は]　明日　友達　帰ったら　すぐ

イグスカ。
行きますか。

026B：アシタガ。
明日か。

027A：ウン。
うん。

028B：オミマイノジカンガ　アルイッチャ。
お見舞いの時間が　あるだろうよ。

029A：アー　ビョーインサー（B　ビョーインノ）メンカイジガンネ。
ああ　病院に　（B　病院の）　面会時間ね。

030B：メンカイジガン。
面会時間。

031A：ソッカソッカー。
そっかそっか。

032B：イーガラ。キン　キニスネデー　アシタ　ボーニフッデー　ソッチサ　イゲ。
いいから。××　気にしないで　明日　棒に振って　そっちに　行け。

033A：アー。ホンデ　ソーサセデモラウガラー。
ああ。それで[は]　そうさせてもらうから。

034B：ウン。
うん。

②妻が譲る

001A：オトーサン。
お父さん。

002B：ハイ。
はい。

003A：アレ　アンツァンサ　オミマイサ　イグノ（B　ウン　ヨ）ニチヨービダネ。
あれ　兄さんに　お見舞いに　行くの（B　うん　×）日曜日だね。

004B：アー　コンドノナー。
ああ　今度のな。

005A：ウンウン。アノー　ホラ　ワダシノトモダジ　Xサン。（B　ウン）
うんうん。あの　ほら　私の友達　Xさん。（B　うん）

トーキョーガラ　クンノッサー。
東京から　来るのさ。

006B：イズ。
いつ。

007A：アイダイッテユワレテ、ニチヨービナッテー。
会いたいっていわれて、日曜日[に]なって。

008B：バ　ナーンダッケア。オラー　コンドー　ミマイサ　イグッテユッテダゾ。
え　なんだい。　私は　今度　見舞いに　行くっていっていたぞ。

009A：ンダガラネー。
そうだよね。

010B：ナーニ　ソッチノホーアー　アーノ　ユ　アドニ　デギネノガー。
なに　そっちの方は　あの　×　あとに　できないのか。

011A：ナンダベ　ソッチモ　ホラ　アイデアイデッテユーシネー。
なんだろう　そっちも　ほら　会いたい会いたいっていうしね。

012B：ウーーーン。ンダッテ　コッチー　サキダナ。
うーん。　そうだって　こっち　先だな。

013A：ンダヨネーー。
そうだよね。

014B：ウーン。
うーん。

015A：ンデー　アンツァンノホ　ダイジダガラー　コッチ　コドワッカナー。
それでは　兄さんの方　大事だから　こっち　断るかな。

016B：ウーン。ソーシテケネガナー。
うーん。そうしてくれないかな。

017A：ンダネ　Xサン　マダー　アウドギ　アッカモシャネーガラー
そうだね　Xさん　また　会うこと　あるかもしれないから
ソースッカラ　ホンデ。
そうするから　それで[は]。

018B：ウン。タノムー。
うん。頼む。

019A：ウーン。
うん。

〔1〕3-13．見舞いと友人との再会で悩む
気仙沼のみ、「①夫が譲る場合」と「②妻が譲る場合」の２つの会話を収録した。調査では、まずは①のように夫であるＢが妻であるＡの予定を優先させるやり取りがなされた。しかしその後、妻の都合より夫や夫の家の都合が優先される家庭も多いという指摘が話者からあったため、②のように妻であるＡが夫であるＢとの元々の予定を優先させる場合も演じてもらった。なお、調査員が関わったのは場面の説明のみであり、①と②の設定や会話の進行には干渉していない。

3-14. 猫を追い払う〔1〕

①実演 1

001A：アラアラアラ　ナンダベ　　ネゴ。{足音}アラ　アラ（B　ネ）アラ。
　　　あらあらあら　なんだろう　猫。　{足音}あら　あら（B　×）あら。

002B：ナニシタヤー。
　　　どうしたよ。

003A：ネコ　ネコ　ネーゴ　サガナー。
　　　猫　　猫　　猫　　　魚。

004B：アー　サガナ　カレダカ。
　　　ああ　魚　　　食われたか。

005A：クワネドオモーケントー　ドゴノネゴダベー。
　　　食わないと思うけれど　　どこの猫だろう。

006B：アーーー　ソガー。
　　　ああ　　　そうか。

007A：イヤー　アブナグ　モッテガレダヤー。
　　　いや　　危なく　　持っていかれる[ところだった]よ。

008B：アー　フンダ。カラスニ　カレッガモシネガラ　　　コイズー　アミニ
　　　ああ　そうだ。カラスに　食われるかもしれないから　こいつ　　網に

　　　カゲダホ　イーガナ〔2〕。
　　　掛けた方　いいかな。

009A：アー　ナルホド　アーミーネ。
　　　ああ　なるほど　網ね。

010B：ウン。
　　　うん。

②実演 2

001A：アラ{足音}アララ　ナンダベ　　ネゴ。アラ　アラララ　ナンダ、
　　　あら{足音}あらら　なんだろう　猫。　あら　あららら　なんだ、

　　　ナンダベナンダベ。
　　　なんだろうなんだろう。

002B：ア　ナン　ナニシタヤ。{足音}（A　アラー）ナニー　ヤッタ。
　　　あ　なに　どうしたよ。{足音}（A　あら）　なに　　やった。

003A：アラ　ネゴー。
　　　あら　猫。

004B：ネーゴー。
　　　猫。

005A：アー。サガナ　カジッタイベガ。　アラ　カジッテ、ア　イダネ。サガナ
　　　ああ。魚　　　かじっただろうか。あら　かじって、あ　あるね。魚

　　　アッタ。アブナグ　カジライタデバ。
　　　あった。危なく　　かじられる[ところだった]ってば。

006B：アーーー　イガッタ　ホンデア。{息を吸う音}ホンデモナー　カラスーモ
　　　ああ　　　よかった　それでは。{息を吸う音}それでもなあ　カラスも

　　　クッカモシンネガラー　アミ　カッテククッガラー。
　　　来るかもしれないから　網　　買って×くるから。

007A：アミ　カゲダホ　イーベガネ。
　　　網　　掛けた方　いいだろうかね。

008B：ウーーーン。ソノホ　イー。
　　　うーん。　　その方　いい。

009A：イヤーイヤ　アブナグ　モッテガレダヤ。
　　　いやいや　　危なく　　持っていかれる[ところだった]よ。

010B：セッカグ　ンメァサガナガ　カレタンデァナ。
　　　せっかく　うまい魚が　　　食われたんではな。

011A：ンダネー。
　　　そうだね。

012B：ウン。
　　　うん。

〔1〕3-14. 猫を追い払う
調査ではほとんどの場面で複数回の会話を録音し、その中で最も自然と思われる会話を採用している。本場面は特に自然な会話を録音することができ、いずれも甲乙つけがたいものであった。また、両方ともほぼ同じ流れであるが、瞬間的な感情が表出する会話であることも関係し、出てくる表現が微妙に異なる点も興味深い。そこで、この場面については、気仙沼のみ実演１と実演２の２つの会話を収録することとした。なお、調査員が関わったのは場面の説明のみであり、各会話の設定や進行には干渉していない。

〔2〕コイズー　アミニ　カゲダホ　イーガナ
このように発言しているが、「コイズニ　アミー　カゲダホ　イーガナ（こいつに網を　掛けた方　いいかな)」と言いたかったものと推察される。

3-15. よそ見をしていてぶつかる

001B：{足音} オ。
　　　{足音} お。

002A：アレ　アラ。
　　　あれ　あら。

003B：アー（A　アラ）ゴメーン。
　　　ああ（A　あら）ごめん。

004A：アラーー。
　　　あら。

005B：イダグシネガッタ。
　　　痛くなかった？

006A：スコシ　イダガッタケントー。
　　　少し　　痛かったけれど。

007B：ア　ソー。イヤハヤ　オレ　キツケネデッサー。　イマ　サガシモノ
　　　あ　そう。いやはや　私　　気[を]つけないでさ。今　　探し物

　　　シデダガランケ。{笑} ゴメンネー。
　　　していたから　。{笑} ごめんね。

008A：ハー。
　　　はあ。

009B：ホンデー　キオツケデネ。スミマセンデシタ。
　　　それでは　気をつけてね。すみませんでした。

3-16. 出店のことで話す〔1〕

001A：コンニズワ。
こんにちは。

002B：ハイ。
はい。

003A：アラ　Bサン　イダノ。
あら　Bさん　いるの。

004B：ハイハイ　イダヨ。
はいはい　いるよ。

005A：アノー　アレ　コンド　チョーナイカイノーナツマツリノー
あの　あれ　今度　町内会の夏祭りの

（B　アーーーー）ジュンビー　アノ　ワダシ　ナンニモ
（B　ああ）　準備　あの　私　なにも

ワガンネモンダガラー
わからないもんだから

006B：アー　コンド（A　イッス）イッショニ（A　ウン）ヤンダッテネー。
あ　今度　（A　×××）一緒に　（A　うん）やるんだってね。

007A：オシエライサ　キタンダケントモー。
教えてもらいに　来たんだけれども。

008B：ハイハイ。ンーー
はいはい。んー

009A：ニー　ナニ　ヤッタラ　インダガ。
××　なに　やったら　いいんだか。

010B：アー　ソーカ。（A　ハイ）ハジメデダガラネー。
ああ　そうか。（A　はい）初めてだからね。

011A：ウンウン。キンギョスクイナンテ　ヤッタゴトナイノッサー。
うんうん。金魚すくいなんて　やったことないのさ。

012B：ウーン。マー　アンマリ　ムズガシグネンダゲットモッサ、（A　ハイ）ハラ
うーん。まあ　あまり　難しくないんだけれどもさ、　（A　はい）ほら

キンギョーワー（A　ウン）アノー　カドノミセサ　タノンッタガラ
金魚は　（A　うん）あの　角の店に　頼んでいるから

（A　ハイ）ンー　ジガンニ　モッテクットオモーガラ。
（A　はい）んー　時間に　持ってくると思うから。

013A：ハー　ア　ソッチデ　モッテクンノネ。
はあ　あ　そっちで　持ってくるのね。

014B：ア　モッテクンノ。ト（A　アー　ハーハー）ス　ソレガラーーー　アトー
あ　持ってくるの。×（A　ああ　はあはあ）×　それから　あとは

ソンドキニ　ホリャ、キンギョ　スグーモナガダノネ（A　ウン）
そのときに　ほら、　金魚　すくうモナカだのね（A　うん）

ソレガラー　キンギョ　トッタノオー　コー　イレルモノダノー（A　ハイ）
それから　金魚　取ったのを　こう　入れるものだの　（A　はい）

アドー　ンー　スクッタヤズオ　イレデー　モチカエルービニールダノ。
あと　んー　すくったやつを　入れて　持ち帰るビニールだの。

(A　アー　フグロネー) ウン (A　ハイ) ソンナノ　モッテグッガラ。
(A　ああ　袋ね)　　　うん (A　はい) そんなの　持ってくるから。

(A　アー) ウン。
(A　ああ) うん。

015A：ンデ　　　ソイズー　ワダシタリースルヤクーデ　イーノガネ。
それで[は]　そいつ　渡したりする役で　　　いいのかね。

016B：ウン (A　ウン) アノー　ココサ　オレ　コドモダジ　ナラブガラッサ。
うん (A　うん) あの　ここに　ほら　子供たち　並ぶからさ。

(A　ウン) アンダー　コー　コドモダジーー　アノー　イ　トグニ
(A　うん) あなたは　こう　子供たち　　あの　×　特に

チューイシテ　アノーー、アマリ　ジガン　ナカ゜グ　ヤッタリナンカワ
注意して　　あの、　あまり　時間　長く　　やったりなんかは

ナンナイドオモーゲントモー。{息を吸う音}モナガ　ヤブリッガラ。
ならないと思うけれども。　{息を吸う音}モナカ　破れるから。

(A　ウーーーン) ンダガラ　ソレワ　シンパイナイドオモーンダゲットモ。
(A　うーん)　　それだから　それは　心配ないと思うんだけれども。

017A：アー　ホントニ。ハイ。
ああ　本当に。　はい。

018B：ウン　デー　オ　ワダシワー　ソノー　コゴノマワリー　チューシンニ
うん　で　×　私は　　その　ここの周り　　中心に

ミデッガラッサ。(A　ハイ) アンダ　ナルベグナラバ　コドモダジ、
見ているからさ。(A　はい) あなた　なるべくならば　子供たち、

ソッチノホーオ (A　ハーハーハ)　メー　カケデケネガナー。
そっちの方を　(A　はあはあはあ) 目を　かけてくれないかな。

(A　ハイハイ) ソースット　タスカルヤ。
(A　はいはい) そうすると　助かるよ。

019A：アー　ホントニ。(B　ハイ) ハイ。ンデー　ソノ　トージツモ　ヨロシグ
ああ　本当に。　(B　はい) はい。それでは　その　当日も　　よろしく

タノンデ　イーベガネー。
頼んで　　いいだろうかね。

020B：ハイハイ。
はいはい。

021A：ハイ。
はい。

〔1〕3-16. 出店のことで話す
話題にしやすいものとして、金魚すくいの出店を手伝うという設定を話者に決めてもらい、演じていただいた。

3-17. 折り紙を折る〔1〕

001A：Bサン。
Bさん。

002B：ハイ。
はい。

003A：キョー　オリガミダッツガラ　（B　アー）トナリドーシデ
今日　　折り紙だっていうから（B　ああ）隣同士で

（B　アー　ソー）ヨロシクー　オネガイシマス。
（B　ああ　そう）よろしく　　お願いします。

004B：オレァ　カダ　アノー　ゼンゼン　ワガンネガラネ。
私は　　××　あの　　全然　　　わからないからね。

005A：カブトダッツガラ　キョー。
兜だっていうから　今日。

006B：ア　カブト。（A　ハイハイ）ナオサラ　ワガンネ。
あ　兜。　　（A　はいはい）なおさら　わからない。

007A：コレ　コノーイロ　ナニ　イーガ　Bサン　エランデ。
これ　この色　　　なに　いいか　Bさん　選んで。

008B：デァ　オレ　コイズ、イジバンシタノ。{折り紙を取り出す音}
では　私　　こいつ、一番下の。　　　{折り紙を取り出す音}

009A：ア　コノイロネ。（B　ハイ）ンデ　　　　アダシ　コノキミドリオ。
あ　この色ね。（B　はい）それで[は]　私　　　この黄緑を。

（B　ウン）オリ　オリガタ　ワガンダベガナ
（B　うん）××　折り方　　わかるんだろうかな。

010B：ワガンネ　　ワガンネ。
わからない　わからない。

011A：ワガンネノ。　（B　ウン）アラ。
わからないの。（B　うん）あら。

012B：アンダ　ヤッテミセライ。
あなた　やって見せなさい。

013A：ホンデ　ンデ　　　　イッショニネ。（B　ウン）ンデ　　　マズ　コー
それで　それで[は]　一緒にね。　（B　うん）それで[は]　まず　こう

サンカグニ　オンノッサ。（B　サンカグ）ハイ。キチット
三角に　　　折るのさ。（B　三角）　　はい。きちっと

014B：ス　スミッコー　アワセレバ　イーノネ。（A　ウンウン）ハイ。
×　隅っこ　　　合わせれば　いいのね。（A　うんうん）はい。

015A：ハイ。デ{折り紙の向きを変える音}サンカグノチョーテンオ
はい。で{折り紙の向きを変える音}三角の頂点を

ジブンノホーサ　コー　ムゲテ。
自分の方に　　　こう　向けて。

016B：ホー　アー　オ　コーネ。（A　ハイ）ハイ。{息を吸う音}
ほう　ああ　×　こうね。（A　はい）はい。{息を吸う音}

017A：シテ　　サ（B　マ）ソノー　サンカグンドゴサー　オ　オ
そして　×（B　×）その　　三角のところに　　　×　×

　　　オッタサギオ　コ　　アワセルンネ。
　　　折った先を　　こう　合わせるのね。

018B：アワセンノネー。(A　ハイハイ) ア　コンデ　イーガナ。
　　　合わせるのね。　(A　はいはい) あ　これで　いいかな。

019A：ハイ。ア　ソゴマデ　オ (B　ウン) イッタネ、ハイ。ンデ　　コッチモー
　　　はい。あ　そこまで　× (B　うん) いったね、はい。それで　こっちも

　　　コッチサー (B　ウ　アーー　シカクンナルヨーニ) アノー　ピタットー
　　　こっちに　 (B　×　ああ　　四角になるように)　あの　　ぴたっと

　　　ウン　アワセテー　コーユーフニー。{折り紙を折る音}
　　　うん　合わせて　　こういう風に。　{折り紙を折る音}

020B：ウン　シカグナッタ。
　　　うん　四角[に]なった。

021A：ハイ。(B　ハイ) コーナッタンネ。(B　ハイ) シタラ　　　ムギー
　　　はい。(B　はい) こうなったのね。(B　はい) そうしたら　向きを

　　　カイテー。
　　　変えて。

022B：アー　コー　カエレバ、ハイ。
　　　ああ　こう　変えれば、はい。

023A：ン。ア　コーダ。ア　インダ、　カエネァクテインダヤ、ゴメンネ。
　　　ん。あ　こうだ。あ　いいんだ、変えなくていいんだよ、ごめんね。

024B：ア　ア　アー　イーガス。
　　　あ　あ　ああ　いいです。

025A：ウン。ナンダベ　　オレモサ　マチガッタネ。(B　イーガライーガラ) デ
　　　うん。なんだろう　私もさ　　間違ったね。　(B　いいからいいから) で

　　　コゴ　カブトノ　アノー、ツノッコー　オルノネ。
　　　ここ　兜の　　　あの、　角を　　　　折るのね。

026B：ツノ。
　　　角。

027A：ウン。{兜の角を折る音}
　　　うん。{兜の角を折る音}

028B：ナンボガ　ズラスノスカ。
　　　いくらか　ずらすのですか。

029A：チョット　コー　ツノッコ　ダサセンノッサ　コー。
　　　ちょっと　こう　角　　　　出させるのさ　　こう。

030B：アー。(A　ハイ) コノグライデ　イーベガナ。
　　　ああ。(A　はい) このくらいで　いいだろうかな。

031A：ンダネ。　(B　コッチモ) モースコシ　ダシタホー　イーゴッテ、
　　　そうだね。(B　こっちも) もう少し　　出した方　　よさそうだよ、

　　　ナンダベ。
　　　なんだろう。

032B：モスコシ。
　　　もう少し。

033A：ウンウン。{息を吸う音}{角の折る位置をずらす音} アレ
　　　うんうん。{息を吸う音}{角の折る位置をずらす音} あれ

カブトノコーナッテテットゴ　アッガスト。　（B　ウンウンウン）ウン
兜のこうなっているところ　あるでしょう。（B　うんうんうん）うん

ソゴオ　イメージシテ。
そこを　イメージして。

034B：ウン。コノ　コノグライデ　イーベガ。
うん。この　このぐらいで　いいだろうか。

035A：モスコシ　ダシタホ　イーゴッテ。
もう少し　出した方　よさそうだよ。

036B：モットー。
もっと？

037A：ウン。ツノッコダガラ。（B　アー　ンデァ）　ハイハイ。
うん。角だから。　（B　ああ　それでは）はいはい。

038B：オラエノオガタノツノッコド　オンナジダナ。{笑}
うちの妻の角と　同じだな。　{笑}

039A：ソノツノト　チガウンダケントモー　マズネ。（B　ア　ソー）ハイハイ。
その角と　違うんだけれども　まあね。（B　あ　そう）はいはい。

ナニー　オカーサン　ツノ　ダサネベナー。
なに　お母さん　角　出さないだろうな。

040B：ミギドヒダリー　オンナジデ　イーノ。
右と左　同じで　いいの。

041A：ハイ　オンナジニー。{兜の角を折る音}
はい　同じに。　{兜の角を折る音}

042B：ンデ　コーヤッテ　コー　モースコシ　ヤッタホ（A　ハイ）イーガナー。
それで　こうやって　こう　もう少し　やった方（A　はい）いいかな。

043A：ナンダベ　ソノトーリニナッテキタスペ。（B　ホラ）ハイハイハイ。
なんだろう　その通りになってきたでしょう。（B　ほら）はいはいはい。

ソシタラ　コンド　コゴノーコレオ　イッカイ　コー　ツノッコノホーサ
そうしたら　今度　ここのこれを　一回　こう　角の方に

オリアゲ゜デイグノネ。
折り上げていくのね。

044B：シタノホーア　タイラニシ
下の方は　平らに×

045A：ハイ　タイラデ（B　ウン）デ　イッカイ{兜の下部を折る音}コ　ア
はい　平らで　（B　うん）で　一回　{兜の下部を折る音}こう　あ

モーイッカイ　コー　オンノッサ。コー。
もう一回　こう　折るのさ。　こう。

046B：ア　モーイッカイ。（A　ウン）{兜の下部を折る音}ハイ　バー　ナンダ
あ　もう一回。　（A　うん）{兜の下部を折る音}はい　ああ　なんだ

ツノッコー　トレテスワッタ。{笑}
角　取れてしまった。{笑}

047A：トレダ。{息を吸う音}ナンダベ　ドレ。ア　イーガスイガス。　ハイ。
取れた。{息を吸う音}なんだろう　どれ。あ　いいですいいです。はい。

048B：イーガナ。（A　ハイ）デ　モイッカイ　オンノネ。
いいかな。（A　はい）で　もう一回　折るのね。

049A：オッテー（B　ウン）コーナッタスペ。
折って　（B　うん）こうなったでしょう。

050B：ア　ナンダ　オガ（A　ウン　ソシタラ）　オガシーナ。
あ　なんだ　××（A　うん　そうしたら）おかしいな。

051A：エ　コッチ　イチマェ　ノゴシテオグノ。コッチノーホー　イチマイ
え　こっち　一枚　残しておくの。　こっちの方　一枚

ノゴシテオグノッサ。（B　コレ）ウン。（B　ウン）
残しておくのさ。　（B　これ）うん。（B　うん）

ウラノホーノコレイチマイ、イチマイダゲ　コーユーフニ　コー　オルノネ。
裏の方のこれ一枚、　一枚だけ　こういう風に　こう　折るのね。

052B：ナンダガ　オラノ　オラノ　オガシーゴッテ。
なんだか　私×　私の　おかしいようだ。

053A：ドレ。ナンダベ　ドレ。
どれ。なんだろう　どれ。

054B：ホレ　ハンタイガ。〔2〕
ほら　反対か。

055A：ア　コイズ　ニマイ　イッショニ　オッタガラ。コー。{折り紙を折り直す音}
あ　こいつ　二枚　一緒に　折ったから。こう。{折り紙を折り直す音}

コゴントゴーネ　コー　フタッツニ　オッテ　コゴー　イチマェ
ここのところをね　こう　二つに　折って　ここ　一枚

ノゴシトグノ。
残しておくの。

056B：アー　イチマェ（A　イチマェ　ノゴシテー）ア　ナルホド　ソイズー
ああ　一枚　（A　一枚　残して）　あ　なるほど　そいつ

イチマェッテゴトガ。
一枚ってことか。

057A：ソーソーソーソー。シテ　コー　オッ　コゴ　カドッコー　イッツモ
そうそうそうそう。そして　こう　××　ここ　角　いつも

コゴノチョーテンサ　アワセナガラ　コー（B　ウン）コー　オルノネ。
ここの頂点に　合わせながら　こう（B　うん）こう　折るのね。

058B：アー　ナルホド（A　ハイハイ）ワガッタワガッタ。{息を吸う音}〔3〕
ああ　なるほど（A　はいはい）わかったわかった。{息を吸う音}

059A：ハイ　ハイ。シテ　コッチノノゴッタイサンカグオ　コット　ウシロサ
はい　はい。そして　こっちの残った×三角を　今度　後ろに

オリガエシテヤンノッサ。
折り返してやるのさ。

060B：ン　ウシロサネ。
ん　後ろにね。

061A：ウンウン。{折り紙を折り返す音}ソーソーソー。
うんうん。{折り紙を折り返す音}そうそうそう。

062B：コーネ。（A　ハイ）ハイ。
こうね。（A　はい）はい。

063A：スト　コゴサ　ユビッコ　ハイッガスト　コー　ニホン。
すると　ここに　指　入るでしょう　こう　二本。

064B：ウン。ンダゲット　コ　ダンチガインナッテルヨ。
　　うん。そうだけれど　これ　段違いになっているよ。

065A：ウン。コー　コーナンノ。
　　うん。こう　こうなるの。

066B：イ　イーノガナ。
　　×　いいのかな。

067A：ハイハイ。（B　ウン）コンデ　カブトダドオモーンダゲント。
　　はいはい。（B　うん）これで　兜だと思うんだけれど。

068B：アー　ソーガ。
　　ああ　そうか。

069A：カブト。（B　ンア）ア　ソゴ、ウン　ソー　オッテ。
　　兜。　（B　××）あ　そこ、うん　そう　折って。

070B：コー　オッテ。（A　ハイハイ）コーゴワ。
　　こう　折って。（A　はいはい）ここは。

071A：ウン。コッチワ　オンナイデ　スグ　ウシロサ　コー　ウラッカワサ
　　うん。こっちは　折らないで　すぐ　後ろに　こう　裏側に

　　オッタンネ。
　　折ったのね。

072B：ウン（A　ウン）イーノ。
　　うん（A　うん）いいの。

073A：イーノイーノ　ソレデ　イーノ。ソコ（B　ア）チョット　ヤブゲダガラ
　　いいのいいの　それで　いいの。そこ（B　あ）ちょっと　破けたから

　　コゴ
　　ここ

074B：コ　コンデ　カブトンナンノ。
　　×　これで　兜になるの。

075A：カブトンナンネ。
　　兜になるね。

076B：ホー。
　　ほう。

077A：ハイ。カッテカブトノオーシメヨッテ。コレガラモ　オー　シメデイグベシ。
　　はい。勝って兜の緒を締めよって。　これからも　緒を　締めていこうよ。

078B：オーホー。
　　ほうほう。

079A：ハイ。
　　はい。

080B：シテ　コイズー
　　そして　こいつ

081A：ア　デキタガスト　ハイ。
　　あ　できましたよ　はい。

082B：ドーヤッテー　カザルノッサ。｛完成した兜を触る音｝アダマサ　ヤンニワ
　　どうやって　飾るのさ。　｛完成した兜を触る音｝頭に　やるには

　　チャッコイスー。
　　小さいし。

083A：ハイハイ。アドー　ホレ、オッキーノ、カミデー（B　ウン）マゴーダチサ
はいはい。あとは　ほら、大きいの、　紙で　　（B　うん）孫たちに

オッテケレバ　イーノ。ゴガツンナッタラ（B　アーーーーー）ハイ。
折ってやれば　いいの。五月になったら　（B　ああ）　　　はい。

084B：ホンデー　ナニガ　シ　オーギナチラシガナニガデ。
それでは　なにか　×　大きなチラシかなにかで。

085A：ハイハイハイ。（B　ウン）コーコグデモー。（B　ウーーン）オボエダスカ。
はいはいはい。（B　うん）広告でも。　　（B　うーん）　覚えましたか。

086B：{兜をペットボトルの上にかぶせる音}ハイ　ツ。
{兜をペットボトルの上にかぶせる音}はい　×。

087A：ア　デギダネ。ハイ。アー{手を叩く音}ジョーデキデス。
あ　できたね。はい。ああ{手を叩く音}上出来です。

088B：マズネ。
まあね。

〔1〕3-17．折り紙を折る
折りやすい題材として、話者に兜を選んでもらい、演じていただいた。

〔2〕054B：ホレ　ハンタイガ。
Bが自分の折っていた折り紙をAに渡しながら発言している。

〔3〕058B：アー　ナルホド（A　ハイハイ）ワガッタワガッタ。{息を吸う音}
054BでAに渡した折り紙を受け取りながら発言している。

3-18．食事をする（開始と終了）

〈開始〉

001A：オトーサーン。{足音}
お父さん。　{足音}

002B：ハーイ。
はい。

003A：ゴハン　デギダデバ。
ご飯　　できたってば。

004B：ハーイハイハイ。{足音}
はいはいはい。{足音}

005A：ハー。オツユ　サメネウジニ　　タベスペ。
はい。おつゆ　冷めないうちに　食べましょう。

006B：キョーワ　ナンダガナー。
今日は　　なにかな。

007A：キョーワネ（B　ウン）メンチカツ。
今日はね　（B　うん）メンチカツ。

008B：アー　ソーガ。（A　ハイ）ヒサシブリダナ。
ああ　そうか。（A　はい）久しぶりだな。

009A：ハーハー。ンデ　　　イガッタネー。ンデ。
はあはあ。それで[は]　よかったね。　それで[は]。

010B：デア（A　ハイ）イタダクカ。
では（A　はい）いただくか。

011A：ハイ　イタダキマショー。{茶碗や箸を持つ音}
はい　いただきましょう。{茶碗や箸を持つ音}

012B：ハイ。{茶碗や箸を持つ音}
はい。{茶碗や箸を持つ音}

〈終了〉

013B：{茶碗や箸を置く音} アー　ンメガッタヤー。
{茶碗や箸を置く音} ああ　うまかったよ。

014A：アー　イガッタヤー。
ああ　よかったよ。

015B：ウーン。
うーん。

016A：{茶碗や箸を置く音} ンーデ　オイシグタベダネ。(B　ウーン) ハイ。
{茶碗や箸を置く音} それで[は]　おいしく食べたね。(B　うん)　はい。

017B：ソロソロサー (A　ン) ホレァー　ドヨーノウナギーナンカモ　イーナー。
そろそろさ　(A　ん) ほら　土用のうなぎなんかも　いいな。

018A：ンダネ　ライゲツネ。
そうだね　来月ね。

019B：ウン。
うん。

020A：ハイ。ンデ　アタマッコサ　イレテオッガラー。
はい。それで[は]　頭に　入れておくから。

021B：ウンウン。スコシ　タゲーケントモナ。
うんうん。少し　高いけれどもな。

022A：ウーン。ウンデモネー　イチネンニ　イッカイグレー (B　ウーン)
うーん。それでもね　一年に　一回くらい　(B　うーん)

イーガモネ。
いいかもね。

023B：ウン。
うん。

3-19. ハンカチを落とした人を呼び止める

①相手が見ず知らずの人

001B：{足音} ア　モシモシー。
{足音} あ　もしもし。

002A：アレ　ワダシノゴドダイガ。
あれ　私のことだろうか。

003B：アノー　ハンカジー　オロサネガッダイガ〔1〕。
あの　　ハンカチ　　落とさなかっただろうか。

004A：アレ　ワダシダベガ。
あれ　私だろうか。

005B：{ハンカチを拾って手渡す音} ハイ。(A　アララ) ナンダガ　イマ　コゴニ
{ハンカチを拾って手渡す音} はい。(A　あらら) なんだか　今　　ここに

アッダガラ。
あったから。

006A：アラ　ナント。ア　アダシノダデバ。
あら　なんと。あ　私のだってば。

007B：アー　ソースカ。
ああ　そうですか。

008A：アラー　ドチラノカダダガ　アリガトーゴザイマスー。
あら　　どちらの方だか　　ありがとうございます。

009B：イエイエ。ンデァ　　キオツゲデネ。
いえいえ。それでは　気をつけてね。

010A：アー。アリガトーゴザイマスー。
ああ。ありがとうございます。

011B：ハイ。
はい。

②相手が近所の知り合い

001B：{足音} バ　Aサン。
{足音} あ　Aさん。

002A：ハイ。
はい。

003B：ハンカジ　オドサネガッダ。
ハンカチ　落とさなかった？

004A：アレ。アラ。アレー。
あれ。あら。あれ。

005B：{ハンカチを拾いに行く足音} コレ。
{ハンカチを拾いに行く足音} これ。

006A：アララ　アレ　ワダシノダヤ。アラ　ナント　スミマセーン。
あらら　あれ　私のだよ。　　あら　なんと　すみません。

007B：オンダガラー。コリャ　ヒデリデー (A　ウーン)
それだから。　これは　日照りで　(A　うん)

タイヘンダドオモッテッサ。
大変だと思ってさ。

008A：アーー。
　　　ああ。

009B：イガッタイガッタ。
　　　よかったよかった。

010A：アリガトゴザリシタ。　（B　ハイ）ナント　イヤイヤ　Bサン
　　　ありがとうございました。（B　はい）なんと　いやいや　Bさん

　　　（B　イエイエ）アリガトゴザイマスー。アセー　フグノニネー。
　　　（B　いえいえ）ありがとうございます。汗　　拭くのにね。

011B：ウン。
　　　はい。

012A：オロシタノ　ワガンネガッタヤ。
　　　落としたの　わからなかったよ。

013B：アー　イガッタイガッタ。ホンデァ　キオツケデ。
　　　ああ　よかったよかった。それでは　気をつけて。

014A：ハイハイ（B　ハイ）アリガトゴザイマス。
　　　はいはい（B　はい）ありがとうございます。

〔1〕オロサネガッダイガ
　「オロス」は「落とす」の意。

3-20．子供の結婚相手の親と会う

001B：キョーワ　アノー｛息を吐く音｝オヒガラモ　イーンダゲドモ
　　　今日は　　あの　｛息を吐く音｝お日柄も　　いいんだけども

　　　｛息を吸う音｝エン　アッテー｛息を吐く音｝オラエノムスコド
　　　｛息を吸う音｝縁　　あって　｛息を吐く音｝うちの息子と

　　　オダグノムスメサンドー｛息を吸う音｝ナンカー｛息を吐く音｝
　　　お宅の娘さんと　　　　｛息を吸う音｝なんか　｛息を吐く音｝

　　　ンーーーーーー　アガイイドデ　ムスバレルトユヨナゴトナンデ　｛笑｝
　　　んー　　　　　　赤い糸で　　　結ばれるというようなことなんで｛笑｝

　　　ヒトズ　キョーワデスネー、ンーー　ハジメデノオアイナンデスケドモ。
　　　ひとつ　今日はですね、　　んー　　初めてのお会いなんですけども。

　　　ヒガラモ　インデー　キョー　オネガイシマシタ。ドモ　　トーイトゴロ
　　　日柄も　　いいんで　今日　　お願いしました。　どうも　遠いところ

　　　ゴクロサンデゴザイマス。
　　　ご苦労様でございます。

002A：イロイロ　ジュンビシテイタダイテ　アリガトゴザイマスー。
　　　いろいろ　準備していただいて　　　ありがとうございます。

003B：｛息を吸う音｝シー　ナニセ　オレァー　オラエノムスコモー　オー
　　　｛息を吸う音｝んー　なにせ　ほら　　　うちの息子も　　　××

　　　ヒトリッコナモンダガラッサ。｛息を吸う音｝チョットー　キママナトゴロー
　　　一人っ子なもんだからさ。　　｛息を吸う音｝ちょっと　　気ままなところ

キニナンダゲントモー。マー　オダクサンノームスメサンワー　キリョーモ
気になるんだけれども。まあ　お宅様の娘さんは　器量も

イーヨデー　エー　オントニー　ンー　アヌー　キグドー
いいようで　ええ　本当に　んー　なに　聞くと

オラエノムスコノホアー　ゾッコン　ホレデルヨーダガラッサ。{笑}（A　ソ）
うちの息子の方が　ぞっこん　惚れているようだからさ。{笑}（A　そ）

アノー　ヨロシグ　オネガイシタイトオモイマシテ。
あの　よろしく　お願いしたいと思いまして。

004A：ハー　アリガトゴザイマス。　ソンナニ　ユッテモラウドー {息を吸う音}
はあ　ありがとうございます。そんなに　言ってもらうと　{息を吸う音}

ワダシモ　ホントニ　アリガタクテー。{息を吸う音} ナンカ
私も　本当に　ありがたくて。{息を吸う音} なんか

イマサラナガラ　ナンニモ　オシエデネモンダガラー {息を吸う音}
今更ながら　なにも　教えていないもんだから {息を吸う音}

アノー　シンパイゴトバッカリー　アルノデー {息を吸う音}
あの　心配事ばっかり　あるので　{息を吸う音}

Bサンニ、イロイロ　オカーサンニ　オシエデモラウシカナイノデー
Bさんに、いろいろ　お母さんに　教えてもらうしかないので

ヨロシクー　オネガイシタイトオモイマスー。
よろしく　お願いしたいと思います。

005B：イーエ。{息を吸う音} ナニー {息を吐く音} ナラヨリナレロデー（A　ハー）
いえ。{息を吸う音} なに　{息を吐く音} 習うより慣れろで　（A　はあ）

ソノウジヌー（A　ハ）オジズグドゴサ　オジズグベガラー。
そのうちに　（A　×）落ち着くところに　落ち着くだろうから。

006A：アーー　ナンカネ　オカーサンモ　オトーサンモー {息を吸う音}
ああ　なんかね　お母さんも　お父さんも　{息を吸う音}

ゴリッパナカタナノデ（B　ンンン）アンシンシテ　オネガイシ　シ
ご立派な方なので　（B　んんん）安心して　お願い×　×

（B　イヤイヤイヤヤ）　シテカラニー。
（B　いやいやいやいや）してしまって。

007B：アノー {息を吐く音} マ　コレーー　キョーガ
あの　{息を吐く音} ま　これ　今日が

ハジメデデゴザイマスケドモー（A　ハイ）スエナガグー　ヒトズ
初めてでございますけども　（A　はい）末永く　ひとつ

ヨロシク　オネガイシタイドオモイマシテ。
よろしく　お願いしたいと思いまして。

008A：ハイ。カエッテカエッテ　コチラコソ　ホントニ {息を吸う音} ヨロシクー
はい。かえってかえって　こちらこそ　本当に　{息を吸う音} よろしく

オネガイシマスー。
お願いします。

009B：ホンジャー　アノ　ベッセギーニ　リョーリ　タノンデオリシタガラ
それじゃあ　あの　別席に　料理　頼んでおりましたから

（A　アラ　ナント　マー）ソッチノホーデ　ユックリ（A　アー　ンー）
（A　あら　なんと　まあ）そっちの方で　ゆっくり（A　ああ　んー）

オハナシー　シタイドオモイマスー。
お話を　　　したいと思います。

010A：アー　アリガトゴザイマスー。
ああ　ありがとうございます。

011B：ハイ。
はい。

『生活を伝える被災地方言会話集』4

収録地点　　宮城県気仙沼市

収録日時　　2016（平成28）年6月26日・7月3日

収録場所　　気仙沼市松岩公民館

話　者
　A　女　1941（昭和16）年生まれ（収録時75歳）　［Bの知人］
　B　男　1940（昭和15）年生まれ（収録時75歳）　［Aの知人］

話者出身地
　A　気仙沼市波路上（ハジカミ）
　B　気仙沼市松崎前浜（マツザキマエハマ）

収録担当者　　小林隆（東北大学教授）、佐藤亜実、寺嶋大輔、大川孔明、王煕月、張芮（以上、東北大学大学院生）、阿部竜司、大谷賢人、小澤七葉、木内栞、佐藤京佳、布谷みずき、堀内花梨（以上、東北大学学生）　※所属は収録時。

文字化担当者　　佐藤亜実、小林隆

4-1. 遊具が空かない

001A：アラー　ブランコ　ミンナ　ノッテテ　アイテットゴ　ナイネー。
あら　ブランコ　みんな　乗っていて　空いているところ　ないね。

イマ　マッテネー　ダレガニ　キーテミッカラッサ。〔1〕ア　モシモシー。
今　待ってね　誰かに　聞いてみるからさ。　あ　もしもし。

アレ　オトーサーン　ドゴノオトーサンダガ　モッケダケントモー、
あれ　お父さん　どこのお父さんだか　申し訳ないけれども、

ブランコサーノッテルマゴサンノオジーチャンダイガ。
ブランコに乗っているお孫さんのおじいちゃんだろうか。

002B：アー　オラエンダ。
ああ　うちのだ。

003A：アーー。ナーント　オドゴノコダガラ　コエデルネ。
ああ。　なんと　男の子だから　漕いでるね。

004B：ウーン　ン　ン　ヒサシブリニ　キダガラッサ。
うーん　×　×　久しぶりに　来たからさ。

005A：ウーーン　ヤッパリ　オドゴノコワ　カッパズダネー。
うーん　やっぱり　男の子は　活発だね。

006B：ウーン。
うん。

007A：オラエノマゴモ　スコシ　ノリデッテ　イマ　コレ　ユーンダケントモー
うちの孫も　少し　乗りたいって　今　これ　言うんだけれども

（B　アーー　ソスカ）　イ　スコシ　ユズッテモラッテ、ナゾッタベネー。
（B　ああ　そうですか）×　少し　譲ってもらって、どうだろうね。

008B：イマ　マダ　イヌ、モースコシネー（A　ウン）ウーーン
今　まだ　犬、　もう少し[で]ね（A　うん）うーん

イヌノサンポサイクジカンダカラッサ、（A　アー　ソースカ）　イマ
犬の散歩に行く時間だからさ、　（A　ああ　そうですか）今

マコ゜　ヨブガラ。
孫　呼ぶから。

009A：アラララ　モーシワゲナイゴド。
あららら　申し訳ないこと。

010B：ソシタラ、　ソシタラバ　ツギ（A　ウン）ツカワイン。
そうしたら、そうしたら　次　（A　うん）使いなさい。

011A：アー　アリガトゴザイマスー。ナントネ　モッ　イッショケンメ
ああ　ありがとうございます。なんとね　××　一所懸命

アソンデットゴー（A　イヤイヤイヤイヤ）ミズサシテ
遊んでいるところ（A　いやいやいやいや）水差して

モーシワゲナイヤー。
申し訳ないや。

012B：オタガイサマダガラネー。
お互い様だからね。

013A：ンー。ンーデア　ア　マゴサ　イマ　ユッテクッカラー。
うん。それでは　あ　孫に　今　言ってくるから。

014B：ハイハイ。
はいはい。

015A：ハーイ。
はい。

〔1〕アラー　ブランコ　ミンナ　ノッテテ　アイテットゴ　ナイネー。イマ　マッテネー　ダレガニ　キーテミッカラッサ。
ここは、AがBではなくAの孫に話しかける演技をしている部分である。

4-2. 出前が遅い

001A：マ゛ズ　オソイネ、ソバヤサンサ　デンワシテミッカラネ。〔1〕
まあ　遅いね、　蕎麦屋さんに　電話してみるからね。

{受話器を取る音}{電話番号のボタンを押す音}
{受話器を取る音}{電話番号のボタンを押す音}

002調：リーンリーン。〔2〕
リーンリーン。

003B：ハイ（A　ア）ソバヤデゴザリスー。
はい（A　あ）蕎麦屋でございます。

004A：ア　モシモシー。
あ　もしもし。

005B：ハイ。
はい。

006A：アノー　XノAデスー。
あの　XのAです。

007B：アーー　イツモ　ドーモネー。
ああ　いつも　どうもね。

008A：ハーイ。アレ　サキホド　タノンダンダケント　マダダベガー。
はい。　あれ　先ほど　頼んだんだけれど　まだだろうか。

009B：ウーンー。イマネー、コーミンカンガラッサ（A　ウン）デマエ
うーん。　今ね、　公民館からさ　（A　うん）出前

タノマレデ　イッテダガラ　カエッテキタラ　スグニ
頼まれて　行っているから　帰ってきたら　すぐに

アゲッカラ。
あげる[＝届ける]から。

010A：ハー。オラエデモ　オキャクサンガ　ホラ
はあ。うちでも　お客さんが　ほら

ジカンデカエルヒトナモンダガラ　（B　アーー）キーモメデネ。
時間で帰る人なもんだから　（B　ああ）　気がもめてね。

（B　アーー〔3〕）ハイ　ナルベグ　ホンデ　ハヤク　タノムガラー。
（B　ああ）　はい　なるべく　それで[は]　早く　頼むから。

011B：ハイハーイ。イツモ　ドーモネー。
はいはい。　いつも　どうもね。

012A：ハイ　オネガイシマスー。{受話器を置く音}
はい　お願いします。　{受話器を置く音}

〔1〕マンズ　オソイネ、ソバヤサンサ　デンワシテミッカラネ。
ここは、AがBではなくAの家に来ている客に話しかける演技をしている部分である。

〔2〕002調：リーンリーン。
調査者が電話の呼び鈴の音をまねて発話した。

〔3〕アーー
この「アーー」は軟口蓋の無声摩擦音のようである。

4-3．写真を撮る〔1〕

001B：{Aと後ろの人が話す声}イギマスヨー。{Aと後ろの人が話す声}ショ
{Aと後ろの人が話す声}いきますよ。　{Aと後ろの人が話す声}××

Aサーン。
Aさん。

002A：アイ。
はい。

003B：コッチ　ムイデー。
こっち　向いて。

004A：ハイハイ。アラ　トットゴ。
はいはい。あら　撮るところ？

005B：トーリー（A　ハー）ミンナ　マッテヤンダガラー。
××××（A　はあ）みんな　待っているんだから。

006A：アーラララララ　モーシワゲネーゴダ。ハイ。
あららららら　申し訳ないこと。　はい。

007B：ハイ　ミナサーン　イーカオネー。（A　ハイ）ハーイ（A　アーイ）ハイ
はい　みなさん　いい顔ね。　（A　はい）はい　（A　はい）　はい

ウマク　イキマシタ。
うまく　いきました。

008A：ハイ。
はい。

〔1〕4-3. 写真を撮る
Aと一緒に並んでいる人は調査員が演じており、会話の冒頭でAは後ろにいる調査員と会話をしている。

4-4. 預かった荷物を届ける

001A：ア　Bサーン。
あ　Bさん。

002B：ハイ。
はい。

003A：アー　イダネー。
ああ　いるね。

004B：ハエ。
はい。

005A：ア　サッキネー（B　ウン）シンセギノヒト　ナンカ　ニモツ
あ　さっきね　（B　うん）親戚の人　なんか　荷物[を]

モッテキタノッサー。
持ってきたのさ。

006B：ホー。
ほう。

007A：ンデー　モッケダガラ　アズガッテオイダノッサー。
それで　かわいそうだから　預かっておいたのさ。

008B：アーー　オラェサ。
ああ　うちに。

009A：ハイハイ。ンデー　イマ　モッテクッガラ、イェガラ。
はいはい。それでは　今　持ってくるから、家から。

4-5. 知らない人について尋ねる

001A：アレ　Bサン。
　　　あれ　Bさん。

002B：ハエ。
　　　はい。

003A：サッキ　ホラ　ハナシカケダヒトー（B　ウン）ドッ
　　　さっき　ほら　話しかけた人　　　（B　うん）××

　　　ドコノヒトダッタベー。
　　　どこの人だっただろう。

004B：アー　アノヒトネ。
　　　ああ　あの人ね。

005A：ウン。
　　　うん。

006B：チューカ゜ッコーノトギノドーキューセーッサ。
　　　中学校のときの同級生さ。

007A：フーーーン。
　　　ふうん。

008B：ウーン　アノ　ブカズー　イッショニ　ヤッタッタガラ。
　　　うん　あの　部活を　一緒に　やったから。

009A：アー　ソーーーー。
　　　ああ　そう。

010B：アー　ソースカ。　（A　ウン）オンデァ　タノムガラ。
　　　ああ　そうですか。（A　うん）それでは　頼むから。

011A：ハイハイ。ンデ　　　チョット　マッテケライン。
　　　はいはい。それで[は]　ちょっと　待ってください。

010B：ウン。
うん。

011A：ドッカデ　ミダゴドアルヨーナキスンダゲントー。
どこかで　見たことあるような気[が]するんだけれど。

012B：アー　ソー。
ああ　そう。

013A：ウーーン　ア　ソーネーー。
うーん　あ　そう[なんだ]ね。

014B：ヒサシブリニ　アッタガラネ。
久しぶりに　会ったからね。

015A：ウンフーン。
うんうん。

016B：ウーン。アレ　アド　アンダ　コレガラ　ドスンノ。
うん。　あれ　あと　あなた　これから　どうするの。

017A：ウン　アトー　イサ　カエリスペ。
うん　あとは　家に　帰りましょう。

018B：アー　ソー。
ああ　そう。

019A：ウーン。
うん。

020B：ウン　オレモー　アドー　マッスグ　カエルダケダ。
うん　私も　あとは　まっすぐ　帰るだけだ。

021A：ハー。
はい。

4-6. 間違い電話をかける

①相手が見ず知らずの人

001調：リーンリーンリーン。〔1〕
リーンリーンリーン。

002A：ア　デンワダー。{受話器を取る音} ハイ　Aデース。
あ　電話だ。　{受話器を取る音} はい　Aです。

003B：アレ。Aサン。サ　オレ　サトーサンサ　カケデシマッ
あれ。Aさん。×　私　佐藤さんに　かけて×××

カゲダツモリダッタゲットモー。
かけたつもりだったけれども。

004A：アレ　ドチラサンダベ。
あれ　どちらさんだろう。

005B：アレ。アンダエノ
あれ。あなたのうちの[電話番号は]

ニジューサンノサンゴーイチキュー〔2〕デネァ。
２３－３５１９で[は]ない？

006A：アー　ウチ　チガイマスー。
ああ　うち[は]　違います。

007B：アーーーー〔3〕。スミマセーン。(A　ハーイ) マジガエマシター。
ああ。　すみません。(A　はい)　間違えました。

008A：ハーイ。{受話器を置く音}
はい。{受話器を置く音}

②相手が近所の知り合い

001調：リーンリーンリーン。〔4〕
リーンリーンリーン。

002A：アレ　ダンダベ。{受話器を取る音} ハイ。
あれ　誰だろう。{受話器を取る音} はい。

003B：サトーサーン。
佐藤さん。

004A：ハイ、Aデスー。
はい、Aです。

005B：アヤ。　サトーサン、デネノー。
ありゃ。佐藤さん、　で[は]ないの。

006A：アラ　ナンダベ。　Bサン
あら　なんだろう。Bさん

007B：バ　ナンダッケァ。アンダエサ　ツナガッタンダ。
あ　なんだい。　あなたのうちに　つながったんだ。

008A：ア　オンダネー。
あ　そうだね。

009B：バーー。ゴメン　オレ　ネボケデ (A　ウス) シマッテッサ。
ああ。　ごめん　私　寝ぼけて (A　××) しまってさ。

010A：ハイハイ。
はいはい。

011B：ウン。ホンジャネー (A　ナニ) マダネー。
うん。それじゃあね (A　なに) またね。

012A：ハイハイ　ダイジョブダガラ。ホンジャネー。{受話器を置く音}
はいはい　大丈夫だから。　それじゃあね。{受話器を置く音}

〔1〕001調：リーンリーンリーン。
調査者が電話の呼び鈴の音をまねて発話した。

〔2〕ニジューサンノサンゴーイチキュー
話者がとっさに出した架空の電話番号である。

〔3〕アーーーー
この「アーーーー」は軟口蓋から喉にかけてのふるえがかった摩擦音のようである。

〔4〕001調：リーンリーンリーン。
調査者が電話の呼び鈴の音をまねて発話した。

4-7. お釣りが合わない

001A：アレー　イマ　オズリ　モラッタンダケントー。
あれ　今　お釣り　もらったんだけれど。

002B：ハイ。
はい。

003A：アレ　チョット　ゴジューエン　タリナイヤー。
あれ　ちょっと　五十円　足りないや。

004B：ゴジューエーン。
五十円？

005A：ウーン。
うん。

006B：アレ　サッキー、ナンボ。ヒャグナンボダガー　オズリッコダッタオネー。
あれ　さっき、いくら。百いくらだか　お釣りだったよね。

007A：ウーン。
うん。

008B：モーイッカイー　カゾ　ミテミテケライ。
もう一回　××　見てみてください。

009A：イエイエ　コレ　ミタンダケントー（B　ウーン）ヤッパリ　ゴジュエン
いえいえ　これ　見たんだけれど　（B　うん）　やっぱり　五十円

タンネーンダゲント。
足りないんだけれど。

010B：アー　ソスカー。　ホンデー　オレー　ヒャクエンー　カエシタツモリ
　　　ああ　そうですか。それでは　私　　百円　　　　　返したつもり[が]

　　　ゴジューエンッコ　ハイッタンダイガナー。オレモ　コノゴロ
　　　五十円　　　　　　入ったんだろうかな。　私も　　この頃

　　　メーワルグナッタガラッサ。ンー　　オンデー　アゲッカラ。
　　　目が悪くなったからさ。　　うーん　それでは　あげるから。

011A：ウン　ワタシモ　ホラ　マダ　サイフサモ　イレデネシー　（B　ウン）
　　　うん　私も　　　ほら　まだ　財布にも　　入れていないし（B　うん）

　　　コノマンマ　イマー　ミデミタッケ（B　ウン）ゴジュエン
　　　このまま　　今　　　見てみたら　（B　うん）五十円

　　　タンネナードオモッタノッサ。
　　　足りないなと思ったのさ。

012B：ハーハー。
　　　はあはあ。

013A：ナゾッタベ。
　　　どうだろう。

014B：イガス。　ゴジュエン　アゲッカラ。
　　　いいです。五十円　　　あげるから。

015A：アラー　モッケナゴドネ。
　　　あら　　申し訳ないことね。

016B：イエイエー。
　　　いえいえ。

4-8. 孫が粗相をした

001A：アレアレ　Bサーン。
　　　あれあれ　Bさん。

002B：ハイ。
　　　はい。

003A：ナントー　キノーネ（B　ウン）オラエノマーゴー（B　アーー　オ）ナン
　　　なんと　　昨日ね　（B　うん）うちの孫　　　　（B　ああ　　×）××

　　　ナンーーダベ。
　　　なんだろう。

004B：ワーザワザ　トーチャント　イッショニ　キタッタオン。
　　　わざわざ　　父ちゃんと　　一緒に　　　来たもの。

005A：シーー（B　ウン）ナニ　オモイッキリ　アソビスギタンダガナンダガネー。
　　　うーん（B　うん）なに　思いっきり　　遊びすぎたんだかなんだかね。

　　　（B　ウーーーン）モッケナゴドー。
　　　（B　うーん）　　申し訳ないこと。

006B：イヤイヤイヤヤヤ。ナーニ　ヤクサラ　ヤ　ワッタワケデネーガラッサー。
　　　いやいやいやいや。なに　　わざと　　×　割ったわけでないからさ。

　　　（A　ウーーーン）アンマリ　セーナムヨーナゴト　カタンネデケライン。
　　　（A　うーん）　　あまり　　責めるようなこと　　言わないでください。

007A：ハイハイ。{息を吸う音}
　　　はいはい。{息を吸う音}

008B：ハイ。
　　はい。

009A：ナンーダベ　オラエノオカーサンサ　ユッタノネー、(B　ハイ) チャント
　　なんだろう　うちのお母さんに　　言ったのね、(B　はい) ちゃんと

　　アソブドギワー (B　ウン) アノー　モノ　　コワサネヨニ
　　遊ぶときは　　(B　うん) あの　　物[を]　壊さないように

　　アソバインッテ　イッツモ　ユーンダケント　ワガンネモンダネー。{笑}
　　遊びなさいって　いつも　　言うんだけれど　だめなもんだね。　{笑}

010B：ナニー　ワ　ドゴデモ　オナジダガラ。
　　なに　　×　どこでも　同じだから。

011A：モーシワゲナガッタヤ　ホントニネスー。
　　申し訳なかったよ　　　本当にね。

012B：イーイー　アンマリ　キニシネーデネー。
　　いいいい　あまり　　気にしないでね。

013A：ハイハイ　アリ　ソーユッテモラウト　アリガタイカラー。
　　はいはい　××　そう言ってもらうと　ありがたいから。

4-9．景品がみすぼらしい

001A：ハーア　オトーサン　タダイマー。
　　はあ　　お父さん　　ただいま。

002B：ハイ。
　　はい。

003A：ハー　キョーネ　ハツウリデ　ロクセエングレ　カッタンダゲント
　　はあ　今日ね　　初売りで　　六千円ぐらい　　買ったんだけれど

　　(B　ホー) アル　アルミホイル　コレ　コイズ　イッポンダケッサ。
　　(B　ほう) ××　アルミホイル　これ　こいつ　一本だけさ。

004B：アー　アリャー。
　　ああ　ありゃ。

005A：ネー。ムガシ　イッパイ　ム　イ　サラダノ　モラッタッタネー。
　　ねえ。昔　　　いっぱい　×　×　皿だの　　もらったね。

006B：ンー　　コンナモンダイガナー　イマー。
　　うーん　こんなもんだろうかな　今は。

007A：ンー　　スーパーダガラネー。
　　うーん　スーパーだからね。

008B：フーーーーン。
　　ふうん。

009A：ウーーン。アノトージガ　ナツカシーガナードオモーッテー　イマッサー。
　　うーん。　あの当時が　　懐かしいかなと思って　　　　　　今さ。

010B：ホンデモサー、（A　ウン）アノー　ショーキュー　ツカウモンダガラ
　　　それでもさ、　（A　うん）あの　　しょっちゅう　使うもんだから

　　　ムダデーネクテ　イーッチャー。
　　　無駄でなくて　　いいよね。

011A：ンー　　マズネー、ソノ　ケーヒンガ　オソマツダナートオモッテッサ。
　　　うーん　まあね、　その　景品が　　　お粗末だなと思ってさ。

012B：ン　ナーヌガ、ケーヒンナンツノワ。{なにかを触る音}
　　　ん　なにが、　景品なんていうのは。{なにかを触る音}

013A：ソンナモンダイガネー。
　　　そんなもんだろうかね。

014B：インデネノー。　ツカワネデ　タメトグヨリワ。
　　　いいんでないの。使わないで　貯めておくよりは。

015A：ウーーーン。ンデ　　　　サ　ソー　オモベガネー。
　　　うーん。　　それで[は]　×　そう　思おうかね。

4-10．沸騰した薬缶に触れる

001A：{薬缶に触る音}アッチー。アラー。
　　　{薬缶に触る音}あちち。　あら。

002B：ナニシタ。
　　　どうした。

003A：アチアチアチ。アー　ヤカン。
　　　あちあちあち。ああ　薬缶。

004B：ヤガンサ　サワ　サワッタノ。
　　　薬缶に　　××　触ったの。

005A：ニダッテデ。　ンーー。アララララ。
　　　煮立っていて。うーん。あららららら。

006B：コ　ミズミズミズ〔1〕。スイドーダ。
　　　×　水水水。　　　　　水道だ。

007A：アー　オッチョコチョイダネー　アダシネー、ナンーダベ　ニダッテンノニ。
　　　ああ　おっちょこちょいだね　　私ね、　　　なんだろう　煮立っているのに。

008B：ウーーーン。（A　イヤーー）キーツケネガッタモンダナー。
　　　うーん。　　（A　いや）　　気をつけなかったもんだな。

009A：アーー　ビリビリ　イタイ。
　　　ああ　　ひりひり　痛い。

010B：アー　シバラグ　ヤラインヨー。（A　アーー　イデゴドイデゴド）
　　　ああ　しばらく　やりなさいよ。（A　ああ　　痛いこと痛いこと）

シバラグー　カガルヨー。（A　ンーーーー。イヤーー）ドレ
しばらく　かかるよ。（A　うーん。　いや）　どれ

コーヤッテミロー。〔2〕ホー　アカグナッテダ。
こうやってみろ。　ほら　赤くなっている。

011A：アーー。
ああ。

〔1〕ミズミズミズ
ここでBが水道を指し示す演技をし、それに合わせてAが火傷した部分を水道の水に当てる演技をした。

〔2〕ドレ　コーヤッテミロー。
Bが自分の手の平を上に向ける動作をしながら発言した。その後、Aも自分の手の平を上に向けた。

4-11. 渋い柿を食べる

001A：オトーサン（B　ン）アノー　カギ　モラッタガラ　タベネスカ。
お父さん　（B　×）あの　柿　もらったから　食べないですか。

002B：ウン。ヒサシブリダナー。
うん。久しぶりだな。

003A：ハー。ンデ　コイズ　オトーサンノネ　ハイ。
はい。それで[は]　こいつ　お父さんのね　はい。

004B：ドーレ。
どれ。

005A：ナゾッタベ　アジッコ。
どうだろう　味。

006B：バ　ナンダッケア。シブガーキダイッチャー。
あら　なんだい。　渋柿だろうよ。

007A：アラ　ナンダベ　オ　ワダシノ　ソンナ　シブグネーヤ。
あら　なんだろう　×　私の　そんな　渋くないや。

008B：ホー。ホンデ　リョーホー　アンノガー。
ほう。それで[は]　両方　あるのか。

009A：ア　タブン　コイズッサー　アレ、アルコールサ　ツケットギノー、
あ　たぶん　こいつさ　あれ、アルコールに　つけるときの、

ヘタサ　コー　アレ　ショーチュー　ツケンノー（B　ウン）
へたに　こう　あれ　焼酎　つけるの　（B　うん）

タンネガッタンデネ。
足りなかったんでない？

010B：ウーーーン。ホンデー　アイダナー、カワ　ムイデー　ホシナオスカ。
うーん。　それでは　あれだな、　皮　むいて　干し直すか。

ホシタノモ　インダゾ。
干したのも　いいんだぞ。

011A：シブイノマンマ。
渋いまま？

012B：ウン。
うん。

013A：アー　ソー。
ああ　そう。

014B：アマミ　デンダヨ。
甘み　出るんだよ。

015A：アーーーー。（B　ウン）ンデ　ソ　ソースッペカネ　セッカク
ああ。　（B　うん）それで[は]　×　そうしようかね　せっかく

モラッテ（B　ウン）ナゲルワゲニモ（B　カ）イガネガラネー。
もらって（B　うん）捨てるわけにも（B　×）いかないからね。

016B：カワ　ムイデサー（A　ウン）ホシテオケバ　イーノ。
皮　むいてさ　（A　うん）干しておけば　いいの。

017A：ソッカソッカー。
そっかそっか。

018B：ウン。
うん。

019A：ンデ　ソーヤッテミッカラ。
それで[は]　そうやってみるから。

4-12. 頼まれたものを買って帰る

001B：オーイ。カエッタゾ。
おうい。帰ったぞ。

002A：アー　ドーモ　オカエンナサーイ。
ああ　どうも　おかえりなさい。

003B：アノ　タノマレダギューニュー　カッテシタガラ。
あの　頼まれた牛乳　買ってきたから。

004A：アー　ス　ハイハイ　ドーモドーモ。ナンボン（B　カ）カッテキタ。
ああ　×　はいはい　どうもどうも。何本　（B　×）買ってきた。

005B：イッポンーダゲントモー。
一本だけれども。

006A：アラ　ナンダベ、　チーセーノ　カッテキタンダッチャー。
あら　なんだろう、小さいの　買ってきたんだね。

007B：ナーニ　ソンナコド　キカネガッタンダナー。
なに　そんなこと　聞かなかったんだな。

008A：アー　ホンダネー。オッキサ　ユワネガッタモンネー。
ああ　そうだね。　大きさ　言わなかったもんね。

009B：コノギューニューデ　イーノガナー。
この牛乳で　いいのかな。

010A：ン　ギューニューワ　ギューニューダガラ　インダケントー、ホラ　スグ　ナグナッガラー　オッキーホーガ　イガッタガナードオモッテ。
ん　牛乳は　牛乳だから　いいんだけれど、ほら　すぐ　なくなるから　大きい方が　よかったかなと思って。

011B：バ　ソーダラバ　ソーダッテカタレバイガッダノニ。
あ　そうならば　そうだっていえばよかったのに。

012A：ンダネ。
そうだね。

4-13．自動車同士が接触する

001A：アル　ナンーダベ。（B　ウン）タマゲダヤ。
あ×　なんだろう。（B　うん）たまげたよ。

002B：ナニシタ。
どうした。

003A：ダレ　トツゼン　ヒダリサ　マガッテ。
なに　突然　左に　曲がって。

004B：ナーンダベ　オレァ　ジューメートルイジョーメーガラー　ホーケ
なんだろう　私は　十メートル以上前から　×××

005A：ソンナニ　キョリ　ナイデバ。（B　ナニ　カダ）ウインカーモ
そんなに　距離　ないってば。（B　なに　××）ウインカーも

アガッテナイシー。
上がっていないし。

006B：ウインカー　アゲタンダガラー。
ウインカー　上げたんだから。

007A：ア　マガットギ　アゲタンダガラ。
あ　曲がるとき　上げたんだから。

008B：ウーソーダデバー。（A　ウーン）アンダ　ナニ　ユメ　カダッデンノー。
嘘だってば。（A　うーん）あなた　なに　寝言　言っているの。

009A：ワダシ　ウシロガラ　イッタンダガラー、ウインカー
私　後ろから　行ったんだから、［あなたが］ウインカー

アゲナイデ　グット　マーッタガラ　コンナゴトンナッタンデス。
上げないで　ぐっと　曲がったから　こんなことになったんです。

010B：ナーニー（A　ウン）カダッテー。
なに　（A　うん）言って。

011A：アラ　ホントニ。
あら　本当に。

012B：オレ　ズーットネ、ホンダラー　ウシロガラキタクルマガ
私　ずっとね、　それなら　後ろから来た車か

マエガラキタクルマモ　ワガルハズダヨー　キゲバー。
前から来た車も　［私の方が正しいと］わかるはずだよ　聞けば。

013A：ミギガラ　キテー　ヒダリサ　グーット　マガッタンダスペ。
右から　来て　左に　ぐっと　曲がったんでしょう。

014B：ウーン　マガッタノ、ンダゲッドモ　（A　ウン）ソノ　マガルマエニー
うん　曲がったの、そうだけれども（A　うん）その　曲がる前に

ワダシワ　ウインカーオ　チャント　ジューメートルグライモ
私は　ウインカーを　ちゃんと　十メートルくらいも

アゲデルツモリ
上げているつもり

015A：アゲンノガ　オソガッタデスヨ。
上げるのが　遅かったですよ。

016B：アンダガ（A　ウン）キズクノ　オソガッタンダイッチャ。
あなたが（A　うん）気づくの　遅かったんだろうよ。

017A：イエイヤ　アレーットオモッタカラ　モー。ア　コノクルマ
いやいや　あれっと思ったから　もう。あ　この車

ナニスンダベドオモッテ。
なにするんだろうと思って。

018B：ナーニー（A　ウンウン）カダッテ　アンダー。
なに　（A　うんうん）言って　あなた。

019A：ナンボカ　シャカンキョリ　アッタカラ　イーケントー。
いくらか　車間距離　あったから　いいけれど。

020B：ダーメダダメダ。オバチャント　ハナシテタンデ　ワガラネ。ダンポサン
だめだだめだ。　おばちゃんと　話していたんで[は]だめだ。　警察

ヨブガラ。
呼ぶから。

021A：ヨンデ、ウン　ヨンデケライン　イーガラ　ホンジャ。（B　ウン）ダイジョ
呼んで、うん　呼んでください　いいから　それじゃ。（B　うん）××××

ウシロノクルマモ　ミテルガラ。
後ろの車も　見ているから。

022B：ジカン　カガルヨー。（A　ハイ）ウシロノクルマモ　モー
時間　かかるよ。　（A　はい）後ろの車も　もう

イッテシマッタモノ。
行ってしまったもの。

023A：イーガライーガラ。カガッテモ　イーガラ。
いいからいいから。かかっても　いいから。

024B：ウーン。
うん。

4-14. 伝言を伝える

001A：アレ　オトーサン。
　　　あれ　お父さん。

002B：ウン。
　　　うん。

003A：アンダ　デハッテタアイダニ　デンワ　キテー、（B　ウン）
　　　あなた　出かけている間に　電話　来て、（B　うん）

　　　ヤークインノCサンカラネ。
　　　役員のCさんからね。

004B：ウン。
　　　うん。

005A：ンデ　イマ　オトーサン　イネッテユッタンダケントモー、（B　ウン）
　　　それで　今　お父さん　いないっていったんだけれども、（B　うん）

　　　コンドノドヨービ　ジュージニ　アレー　ナンカ　ウチアワセ
　　　今度の土曜日　十時に　あれ　なんか　打ち合わせ

　　　アルッテユッテダー。
　　　あるっていっていた。

006B：ウンウン　ワガッデル。
　　　うんうん　わかっている。

007A：ダケー　Cサン　ツゴー　ワルクテ　ニチヨービニシテモラエネベガーッテ、
　　　だけど　Cさん　都合　悪くて　日曜日にしてもらえないだろうかって、

　　　デンワ　キタノッサー。
　　　電話　来たのさ。

008B：アー　ソー。（A　ウン　デ　ア）ナーニ　オメアー　アーノ　ヨーテーショ
　　　ああ　そう。（A　うん　×　×）なに　お前は　あの　予定表

　　　ミデー　オーレサー　オリャー、ヨージ　ハイッテルッチャ　ニチヨービー。
　　　見て　私に　ほら、用事　入っているよね　日曜日。

009A：アー　ホンダネー。
　　　ああ　そうだね。

010B：カダッテオケバ　イガッター。
　　　言っておけば　よかった[のに]。

011A：ンーデモ　ホレ、ワダシガ　ユーヨリ　オトーサン　ユッタホー
　　　それでも　ほら、私が　言うより　お父さん　言った方

　　　イーガナードオモッテー。
　　　いいかなと思って。

012B：アー　ソーガー。
　　　ああ　そうか。

013A：ウーン。オトーサンドー　レンラグ　トリアッテミテケンネ。〔1〕
　　　うん。お父さんと　連絡　取り合ってみてくれない。

014B：ウン　ワガッタ。イマ　デンワスッカラ。
　　　うん　わかった。今　電話するから。

015A：ウン。
　　　うん。

4-15. 働いている人の傍を通る

001A：アラ　ナントー。セーデッゴドー。
　　　あら　なんと。　精が出ること。

002B：ウェー。クサ　オガッテダガラネー。
　　　ええ。　草　　伸びているからね。

003A：ンダオンネー。
　　　そうだもんね。

004B：ウーン。アメツズギダガラッサー（A　ウーーン）クサモ　ノビノビド。
　　　うん。　雨続きだからさ　　　　（A　うん）　　草も　　のびのびと。

005A：アー　ホントニ　ホレ　リッパンナッダガストー。キレーンナッテー。
　　　ああ　本当に　　ほれ　立派になりましたよ。　　きれいになって。

006B：マズネー（A　ウーーン）トシヨリスゴトニ　ヤッテンノッサ。
　　　まあね　（A　うん）　　年寄り仕事に　　　やっているのさ。

007A：ンダガラネー　ノ　ノビデノビデ　ホ　オ　オイカケッコダモンネ。
　　　それだからね　×　伸びて伸びて　×　×　追いかけっこだもんね。

008B：ドゴサ　イグ゜ノ。
　　　どこに　行くの。

009A：イマー　ヨータシ。
　　　今　　　用足し。

010B：アー　ソースカ。
　　　ああ　そうですか。

〔1〕013A：ウーン。オトーサンドー　レンラグ　トリアッテミテケンネ。
「お父さんが直接Cさんと連絡を取ってみてくれないか」と言いたかったものと推察される。

011A：ウーン。ネンプニ〔1〕ヤラーイン。
　　　うん。　ゆっくり　　やりなさい。

012B：ハイ。
　　　はい。

〔1〕ネンプニ
　「年賦に」。すこしずつ、ゆっくりの意。

4-16. 市役所の窓口へ行く

001A：アノッサー。
　　　あのさ。

002B：ハイ。
　　　はい。

003A：ジューミンヒョー　ホ　アノー　ホシクテ　キタンダゲント　ヤリカダ
　　　住民票　　　　　　×　あの　　欲しくて　来たんだけれど　やり方

　　　ワガンネンーダケント（B　アー　ソ）　オシエデモラッテー。
　　　わからないんだけれど（B　ああ　そう）教えてもらって[いいだろうか]。

004B：アー　ホンデァネ（A　ウン）ソノニバンノマドグジサ　イッテ
　　　ああ　それではね（A　うん）その二番の窓口に　　　　行って

　　　ジューミンショーセーキュースルカミッコ　アッカラ。（A　ウン）
　　　住民票[を]請求する紙　　　　　　　　　あるから。（A　うん）

　　　ソイズサー　アノ　カガッデダー　アノ　セタイヌシノナマエトガ
　　　そいつに　　あの　書いてある　　あの　世帯主の名前とか

　　　ジューショトガ（A　ウン）ソンナノ　カイデ。
　　　住所とか　　　（A　うん）そんなの　書いて。

005A：ハー　カクヨーナンダネ。　　　　（B　ウン）ウン。
　　　はあ　書かなくてはいけないんだね。（B　うん）うん。

006B：ソシテ　コゴノマドグジサ　ダシテケライ。
　　　そして　ここの窓口に　　　出してください。

007A：ア　ソスカ。　　（B　ウン）ハーー。ジブンノナマエ　カゲバ
あ　そうですか。（B　うん）はあ。　自分の名前　　書けば

イーモンネ。
いいもんね。

008B：シーーー　アノー　セタイヌシノナマエトー（A　ア　セタイヌシ　ウン）
うーん　　あの　　世帯主の名前と　　　（A　あ　世帯主　　うん）

コゴニキタヒトノナマエモ　カグラン　アッカラ。
ここに来た人の名前も　　書く欄　　あるから。

009A：アー　ソー。（B　ハイ）ハイハイ。（B　ハイ）ンデ　　　マダ
ああ　そう。（B　はい）はいはい。（B　はい）それで[は]　また

ワガンネグナッタラ　オシエデモラッテ　イーベガ。
わからなくなったら　教えてもらって　　いいだろうか。

010B：ハイハイ。
はいはい。

4-17. 市役所の窓口から帰る

001A：オカゲサマデ　コレ　ナント　ヨー　タセダヤー。
おかげ様で　　これ　なんと　用　　足せたよ。

002B：アー　ソースカ。
ああ　そうですか。

003A：ハイ。
はい。

004B：ソレァ　イガッタ。
それは　よかった。

005A：ハー　アリガトーゴザイマシター。
はあ　ありがとうございました。

006B：ウーン。ナガミ　ミデ　チューイシデー、（A　ウーン）マダ　クンノ
うん。　中身　　見て　注意して、　　（A　うーん）また　来るの

タイヘンダベガラ。
大変だろうから。

007A：ンダガラネー　ナ　コ　　カギカダ　ワガンナガッタカラネ　ホントニー。
それだからね　×　これ　書き方　　わからなかったからね　本当に。

008B：ン　ウーン。
×　うん。

009A：オカゲサマデシター（B　イエイエ）ハーイ。
おかげ様でした　　（B　いえいえ）はい。

4-18.　入院中の知り合いを見舞う

001A：アラ　ナンット　Bサーン。
あら　なんと　Bさん。

002B：アラー　Aサン　ドゴサ　キタノー。
あら　Aさん　どこに　来たの。

003A：ダレー　ミサ　キタデバ　タマゲデー。
なに　見に　きたってば　たまげて。

004B：オレドゴー。
私のところ。

005A：ハイ。
はい。

006B：オーハ。
おお。

007A：ナーント　アブネガッタネー。
なんと　危なかったね。

008B：モーシワゲネーネー。
申し訳ないね。

009A：ウーン　ナゾナノ。
うん　どうなの。

010B：ウーーーン。チャタズガラ　オリデッサー〔1〕。
うーん。　脚立から　落ちてさ。

010B：ンデア　キオツケデ。
それでは　気をつけて。

011A：ハイ。
はい。

011A：アーラララー。
　　　あららら。

012B：シリー　ブッテー（A　バーー　トンデモネー）ンダガラ　マダ
　　　尻を　　打って　（A　あら　　とんでもない）それだから　まだ

　　　ウゴゲネーデバー。
　　　動けないってば。

013A：トンデモネーネーー（B　ウーン）ナンートシタベーー。
　　　とんでもないね　　（B　うーん）どうしたんだろう。

014B：ヤッパリ　トシ　トルモンデネーデバ。
　　　やっぱり　年　　取るもんでないってば。

015A：エヤーー　イッツモ　イッショケンメ　カセーンタノニネー。
　　　いや　　　いつも　　一所懸命　　　　働いているのにね。

016B：ウーン。ワザワザ　キテモラッテネ（A　ウーーン）
　　　うーん。わざわざ　来てもらってね（A　うーん）

　　　アリガトーゴザリス。
　　　ありがとうございます。

017A：ナニ　ユックリ　ンデ　　　ナオス　ナオシテー。
　　　なに　ゆっくり　それで[は]　治×　　治して。

018B：ハイハイ。
　　　はいはい。

019A：キーモマネデ。
　　　気をもまないで。

020B：ハイ。
　　　はい。

021A：ハーイ。
　　　はい。

〔1〕オリデッサー
　「オリル」は「落ちる」の意。

4-19. スーパーで声をかける

001A：アラ　ナント　キョー　ヒトリデ。
　　　あら　なんと　今日　　一人で。

002B：ウン　カイモノダ。
　　　うん　買い物だ。

003A：アーー　ナントー　ゴネンサマナー。
　　　ああ　　なんと　　親切なことで。

004B：ウーン。イマーネ（A　ウン）イェサー　デンワシタッケァ　アノー
　　　うん。　今ね　　（A　うん）家に　　　電話したら　　　　あの

　　　トーフダナンカー　キレダガラー（A　アー）カッテコッツガラ。
　　　豆腐やなんか　　　切れたから　（A　ああ）買ってこいっていうから。

005A：アー　ナンット　オクサンオモイダゴド。
　　　ああ　なんと　　奥さん思いだこと。

006B：オレノスギナバナナモ　アッカラッサ。
　　　私の好きなバナナも　　あるからさ。

007A：アー　ホンデー　ホンデー（B　ウン）イッペー　カッテオンナイ。
　　　ああ　それでは　それでは（B　うん）いっぱい　買っておいでなさい。

008B：ハイハイ。
　　　はいはい。

009A：ハイ　ホンデネー。
　　　はい　それで[は]ね。

4-20. 荷物運びを頼む〔1〕〔2〕

①受け入れる

001B：アラ。Aチャン　ナーニ　ヤッテダ。
　　　あら。Aちゃん　なに　　やっている。

002A：ハー　イマネー｛笑｝（B　ウン）コレ　サンマ　モラッタノー。〔3〕
　　　はあ　今ね　　｛笑｝（B　うん）これ　サンマ　もらったの。

003B：ホー。
　　　ほう。

004A：オモダクテ　ナゾスッカナードオモッテー。
　　　重たくて　　どうするかなと思って。

005B：イェマデ。
　　　家まで？

006A：ウン。
　　　うん。

007B：アー　イーヨ　オレ　シマダガラ　イマ。
　　　ああ　いいよ　私　　暇だから　　今。

008A：ウ　ンダッテ　　ワルイモンネ。
　　　×　そうだって　悪いもんね。

009B：モッテスケッカ。
　　　持ってやるか。

010A：ハンブン　ヤッカラー。
　　　半分　　　やるから。

011B：マーダ　イーガラ。
　　　また　　いいから。

012A：ウンチンニー。
　　　運賃に。

013B：イーカラ。{笑}
　　　いいから。{笑}

014A：オモデガストー。
　　　重たいですよ。

015B：ドレー。{発泡スチロールの箱を持つ音} アー　ダイジョブダー。
　　　どれ。　{発泡スチロールの箱を持つ音} ああ　大丈夫だ。

016A：ホラ。{発泡スチロールの箱が擦れる音} ヤーワー　アリガトゴザリスー。
　　　ほら。{発泡スチロールの箱が擦れる音} いやいや　ありがとうございます。

017B：アンベ　イー。
　　　具合　　いい。

018A：ホント。
　　　本当。

019B：ウン。
　　　うん。

020A：フンデー　モッテスケラレデー。
　　　それでは　持ってもらって。

021B：ン　ウン。{足音}{発泡スチロールの箱を持ち運ぶ音}
　　　ん　うん。{足音}{発泡スチロールの箱を持ち運ぶ音}

〔1〕4-20. 荷物運びを頼む
会話集1「1-1. 荷物運びを頼む－①受け入れる」の再録。

〔2〕4-20. 荷物運びを頼む
屋外で収録した場面であるため、会話の途中に車や風の音、鳥の声が入っている。フェンス前のコンクリート塀に腰かけているAにBが近づいていくところから演じてもらった。この場面ではBの近くに配置した録音機の音声を採用したため、冒頭のAの声がBの声よりもやや小さく収録されている。

〔3〕コレ　サンマ　モラッタノー。
「コレ　サンマ　モラッタノー（これ　サンマ　もらったの）」と発言しながら、右手の指先で下に置いた発泡スチロールの箱を指している。015BでBが発泡スチロールの箱を持ち上げる直前まで、Aは箱に触れたまま、時折指先を動かしながら会話している。

4-21. 傘忘れを知らせる〔1〕〔2〕

001A：{足音} アレ　ナンダベ　　Bサン。
　　　{足音} あれ　なんだろう　Bさん。

002B：ア。
　　　ん？

003A：ケサ　カサ　モッテキタヨネ。
　　　今朝　傘　　持ってきたよね。

004B：アーー　オンダオンダオンダ。
　　　ああ　　そうだそうだそうだ。

005A：コラ　コレ　ホンダッチャ。
　　　××　これ　そうだよね。

006B：アリャリャリャリャ　ハレダガラ　スッカリ　ワスレダヤ。{笑}
　　　あららららら　　　　晴れたから　すっかり　忘れたよ。　{笑}

007A：ンダカラー。
　　　それだから。

008B：ヤッパリ　トシ　トルモンデネーナ。
　　　やっぱり　年　　取るものでないな。

009A：{笑} ダイジョブダ。
　　　{笑} 大丈夫だ。

010B：アンダワ　モッテシタノ。
　　　あなたは　持ってきたの。

011A：{傘を手に取る音} コレ　アダシ　モッテキタノ。
　　　{傘を手に取る音} これ　私　　　持ってきたの。

012B：アー　ソー。イヤー　タスカッター。
　　　ああ　そう。いや　　助かった。

013A：ハイ。
　　　はい。

〔1〕4-21. 傘忘れを知らせる
会話集1「1-13. 傘忘れを知らせる」の再録。

〔2〕4-21. 傘忘れを知らせる
公民館の入口で収録した場面である。入口で靴を履いた後、外に出るところから演じてもらった。B、Aの順に外に向かって歩き始めるが、Aが傘立てのところで立ち止まってBを呼び止めるため、会話のほとんどは傘立て付近で行われている。この場面ではAの近くに配置した録音機の音声を採用したため、冒頭のBの声がAの声よりもやや小さく収録されている。

4-22. 傘の持ち主を尋ねる〔1〕〔2〕

①相手の傘だった

001B：ジャ　ドーモネ。オセワサマデシタ。
　　　じゃ　どうもね。お世話様でした。

002A：ハイハイ　ドーモ（B　ハイ）オカゲサマデー。ハ　ヨイショ。アレ。
　　　はいはい　どうも（B　はい）おかげ様で。　×　よいしょ。あれ？

　　　（B　ン）　ナンダベ　Bサーン。
　　　（B　ん？）なんだろう　Bさん。

003B：ウン。
　　　うん。

004A：ワスレモノデナイベガ　コレ。
　　　忘れものでないだろうか　これ。

005B：アーーーー　マダ　ワッセダ。
　　　ああ　また　忘れた。

006A：Bサンノスカ。
　　　Bさんのですか。

007B：ンダンダ。　{笑}
　　　そうだそうだ。{笑}

008A：ハー　アメ　フッテネガラ　イーケンドー。
　　　はあ　雨　降っていないから　いいけれど。

009B：ンーーー　チョイチョイ　ヤンダ。
　　　うーん　ちょいちょい　やるんだ。

010A：ヤッパリ　ヤッパリネ。
　　　やっぱり　やっぱりね。

011B：イヤイヤイヤ　ドーモ。アンタデネクテ　ワガンネ。
　　　いやいやいや　どうも。あなたでなくて[は]　だめだね。

012A：ハイハイ　ンデー。　{笑}{足音}
　　　はいはい　それでは。{笑}{足音}

〔1〕4-22. 傘の持ち主を尋ねる
会話集1「1-21. 傘の持ち主を尋ねる－①相手の傘だった」の再録。

〔2〕4-22. 傘の持ち主を尋ねる
公民館の和室で収録した場面である。AとBが並んで座っているところから演じてもらった。Bが先に立ち上がって和室の入り口に向かうところで、Aが忘れものに気づき、Bに声をかけるという流れである。この場面ではAの近くに配置した録音機の音声を採用したため、BがAから離れながら発言している011Bは後半になるにつれて声が小さく聞こえている。

4-24. 猫を追い払う〔1〕

001A：アラ〔2〕。ナンーダベ　サガナ　トリサ　キテ。アラーー〔3〕
　　　あら。　　なんだろう　魚　　　取りに　来て。あら

　　　ナンーーダベーーー、ドゴノネゴダベ。アララララララ　シッシッシッ〔4〕。
　　　なんだろう、　　　　どこの猫だろう。あらららららら　しっしっしっ。

002B：ナニシタヤ。
　　　どうしたよ。

003A：ネーゴ　ホラ　イマ　サガナ　クワエデ　アレ（B　ウン）コッチ
　　　猫　　　ほら　今　　魚　　　くわえて　あれ（B　うん）こっち

　　　ミーミー　イッタデバー。
　　　見ながら　行ったってば。

004B：アー　ソー。
　　　ああ　そう。

005A：ドゴノネゴダベ。
　　　どこの猫だろう。

006B：ナーニ　サガナ　イッピキバリー。クワセロー。
　　　なに　　魚　　　一匹ばかり。　　食わせろ。

007A：ンダネー。（B　ウーン）ンダケントモー　アーラ　セッカグ
　　　そうだね。（B　うん）　そうだけれども　あら　　せっかく

　　　モラッターサガナダドオモッテッサー。
　　　もらった魚だと思ってさ。

008B：ンー。ナーニ　イーイー。
　　　うん。なに　　いいいい。

009A：ホンダベガ。
　　　そうだろうか。

010B：ネゴモ　ハラ　ヘッタンダベド。
　　　猫も　　腹　　減ったんだろうよ。

〔1〕4-24. 猫を追い払う
　会話集３「3-14. 猫を追い払う」の再録。

〔2〕アラ
　この「アラ」には軟口蓋から喉にかけてのふるえがかった摩擦音が加わっているようである。

〔3〕アラーー
　この「アラーー」には軟口蓋から喉にかけてのふるえがかった摩擦音が加わっているようである。

〔4〕シッシッシッ
　左手で猫を追い払う動作をしている。

4-25. 朝、道端で出会う〔1〕〔2〕

②女性→男性

001A：{足音} アラ。
{足音} あら。

002B：アラ。
あら。

003A：ナント　オメハン　ドコサ　イグドゴダベ。
なんと　お前さん　どこに　行くところだろう。

004B：イーマネ（A　ウン）センキョノ（A　ア）トーショーサ
今ね　（A　うん）選挙の　（A　あ）投票に

イグベドオモッテダノ。
行こうと思っているの。

005A：コゴ。〔3〕
ここ？

006B：ウン。
うん。

007A：ア。ナント　ハイェゴド。
あ。なんと　早いこと。

008B：ンダッテー　アノー　ハヤグ　キメナエド　オジズガネガラ。
そうだって　あの　早く　決めないと　落ち着かないから。

009A：アーアー　ヤッパリネー {笑} ホンダネー。ナンゾ
あああ　やっぱりね　{笑} そうだね。　×××

010B：アンダ　オワッタノスカ。〔4〕
あなた　終わったのですか。

011A：マダマダ。〔5〕（B　アー　ソー）ユーガダニ　インカナートオモッテ、
まだまだ。　（B　ああ　そう）夕方に　行こうかなと思って、

（B　アー　ソー）アズイガラネ。
（B　ああ　そう）暑いからね。

012B：アー　ソー。（A　ウン）ホンジャー。
ああ　そう。（A　うん）それじゃあ。

013A：ハイハイ。
はいはい。

014B：ハイ。{足音}
はい。{足音}

〔1〕4-25. 朝、道端で出会う
会話集1「1-47. 朝、道端で出会う－②女性→男性」の再録。

〔2〕4-25. 朝、道端で出会う
屋外で収録した場面であるため、会話の途中に車や風の音、鳥の声が入っている。AとBが互いに道の反対方面から歩いてくるところから演じてもらった。この場面ではAの近くに配置した録音機の音声を採用したため、冒頭のBの声がAの声よりもやや小さく収録されている。

〔3〕005A：コゴ。
自分の左側にある建物を右手で指しながら発言している。

〔4〕010B：アンダ　オワッタノスカ。
左手でAのことを指しながら発言している。

〔5〕マダマダ。
「マダマダ（まだまだ）」と発言しながら、右手を自分の体の前で横に数回振っている。

4-26. 夕方、道端で出会う〔1〕〔2〕

①男性→女性

001B：{足音} アリャ　Aチャン。
{足音} あら　　Aちゃん。

002A：アラ。
あら。

003B：ドコサ　イグノ。
どこに　行くの。

004A：ウン　イマ　カイモノシナガラ、(B　ウン) サンポシナガラ。
うん　今　　買い物しながら、　(B　うん) 散歩しながら。

005B：アー　ソー。(A　ウン) ホンデァ　ソゴノスーパー (A　ウン) イマ
ああ　そう。(A　うん) それでは　そこのスーパー (A　うん) 今

イグド　ヤスイガラ。〔3〕
行くと　安いから。

006A：アー　ホント。(B　ウン) ワリビギ　ナッテダ。
ああ　本当。　(B　うん) 割引[に]　なっている？

007B：ウンウン。
うんうん。

008A：ウン。ドゴサ　イッテチタノ。
うん。どこに　行ってきたの。

009B：イマ　トモダジンドゴサ　イッテダ。〔4〕
今　　友達のところに　　行っていた。

010A：アー　ホントニー。(B　ウン) ハーン。ンデ　　(B　ン)
　　　ああ　本当に。　　(B　うん) うん。　それで[は] (B　×)

　　　キツケテ　　　オンナイ。
　　　気[を]つけて　おいでなさい。

011B：ホンジャ　イッパイ　カッテダイン。
　　　それじゃ　いっぱい　買っていらっしゃい。

012A：ハイハイ。ドーモ　フンジャー。{足音}
　　　はいはい。どうも　それじゃあ。{足音}

〔1〕4-26. 夕方、道端で出会う
会話集1「1-50. 夕方、道端で出会う－①男性→女性」の再録。

〔2〕4-26. 夕方、道端で出会う
屋外で収録した場面であるため、会話の途中に車や風の音、鳥の声が入っている。AとBが互いに道の反対方面から歩いてくるところから演じてもらった。この場面ではAの近くに配置した録音機の音声を採用したため、冒頭のBの声がAの声よりも小さく収録されている。

〔3〕ホンデァ　ソゴノスーパー　イマ　イグド　ヤスイガラ。
Bが自分の左手で、向かって左側方向を指しながら「ホンデァ　ソゴノスーパー（それでは　そこのスーパー)」と発言している。その後、「イマ　イグド　ヤスイガラ（今　行くと　安いから)」と発言しながら、左手でAを指し、その後再び左側に左手を向けている。

〔4〕009B：イマ　トモダジンドゴサ　イッテダ。
「イマ　トモダジンドゴサ　イッテダ（今　友達のところに　行っていた)」と発言しながら、向かって左側方向を指している。

4-33. ハンカチを落とした人を呼び止める〔1〕

①相手が見ず知らずの人

001B：アレ　マエノカダ。ハンカチ　オドシマセンカー。
　　　あれ　前の方。　　ハンカチ　落としませんか。

002A：アレ　ワダシダイガー。
　　　あれ　私だろうか。

003B：ウーン（A　ア）ダレモ　　イナイー（A　アレー）ケントモー。
　　　うーん（A　あ）[他に]誰も　いない　（A　あれ）　けれども。

004A：アレ　ホンダネ。アダシダガモシンネネー。
　　　あれ　そうだね。私かもしれないね。

005B：ウーン。
　　　うん。

006A：アラ　ドーモドーモ　スミマセーン。
　　　あら　どうもどうも　すみません。

007B：イーエー。オヤグニ　タデデ。
　　　いいえ。　お役に　　立てて。

008A：アリガトーゴザイマスー。
　　　ありがとうございます。

〔1〕4-33. ハンカチを落とした人を呼び止める
会話集3「3-19. ハンカチを落とした人を呼び止める－①相手が見ず知らずの人」の再録。

名取市

『生活を伝える被災地方言会話集』1

収録地点　　　宮城県名取市

収録日時　　　2013（平成25）年6月23日・29日、7月7日

収録場所　　　話者Ａ宅、名取市館腰公民館

話　者

　Ａ　女　1947（昭和22）年生まれ（収録時66歳）　［Ｂの同級生］

　Ｂ　男　1947（昭和22）年生まれ（収録時66歳）　［Ａの同級生］

話者出身地

　Ａ　名取市増田（マスダ）

　Ｂ　名取市増田（マスダ）

収録担当者　　内間早俊、坂喜美佳、郭暁棠、佐川郁子、佐々木遥子、陳怡（以上、東北大学大学院生）、金森なつ実、金田朗大、諸田佳祐、八島康平、（以上、東北大学学生）、張春陽、劉川菡（以上、東北大学研究生）　※所属は収録時。

文字化担当者　内間早俊、坂喜美佳

1-1. 荷物運びを頼む

①受け入れる

001B：ナーンダ。ソゴサ　クタビレタカッコ　シテインノ、Aサンデネーノガ。
なんだ。　そこに　くたびれた格好　しているの、Aさんじゃないのか。

ナンスッタノ。
なにしていたの。

002A：{笑}アノサー　Xチャンドゴニ　イッテ、ヨー　アッテ　イッタラ
{笑}あのさ　Xちゃん[の]ところに　行って、用　あって　行ったら

クイタデランネ〔1〕ッツッテ　コダニ　ヤサイ　モラッテ　サグク
食いきれないっていって　こんなに　野菜　もらって　遠慮なく

ミナ　モラッテキタンダゲンドモ　オモテグテサー、ヒトヤスミ
みんな　もらってきたんだけれども　重たくてさ、　ひと休み

シテタンダッチャ。Bサン　アンダ　ウジマデ　カエンダッタラ　オラエサ
していたんだよ。　Bさん　あなた　家まで　帰るんだったら　うちに

スコシ　モッテッテケネー。
少し　持っていってくれない？

003B：ンダナ。　ドーセ　ウジサ　カエンダガラ、ヨシ　ンデ　スコス
そうだな。どうせ　家に　帰るんだから、よし　それで[は]　少し

モッテケッカラ。ドレ　ハヤグ　イーベー。ソゴサ　イズマデモ
持ってやるから。どれ　早く　行こう。　そこに　いつまでも

ホンナカッコ　シテインナ。ワラワレッカラ。
そんな格好　しているな。笑われるから。

004A：アト　スコシ　ヤッカラネ。
あと[で]　少し　あげるからね。

005B：ンダナ。　スコス　ダズンヌ　モラッテ　イグ゜ベ。
そうだな。少し　駄賃に　もらって　いこう。

②断る

001B：ナーンダー。ソコデ　クタビレタカッコ　シテ　ヤスンデンノ、
なんだ。　そこで　くたびれた格好　して　休んでいるの、

Aサンデネーノカー。ナヌスッタノ。
Aさんじゃないのか。なにしているの。

002A：アノサー　Xチャンサ　ヨー　アッテ　イッタラサーー、
あのさ　Xちゃんに　用　あって　行ったらさ、

クイタデランネガラッテ　コダニ　ヤサイ　モラッテキテ、ワダシモ
食いきれないからって　こんなに　野菜　もらってきて、私も

サググ　ミナ　モラッタンダゲンット　オモデクテオモデクテ。
遠慮なく　みんな　もらったんだけれど　重たくて重たくて。

チョット　ヤスンデタンダッチャ。Bサン、アンダ　ウジサ
ちょっと　休んでいたんだよ。　Bさん、あなた　家に

ケールンダッタラ、オラエマデ　スコシ　タンガエデシテケネ。
帰るんだったら、　うちまで　少し　持ってくれない？

003B：ア、ホーガー。イヤー　イマ、イソイデ　イガナクテネートコ
あ、そうか。　いや　今、　急いで　行かなくてはいけないところ

アンダ。　チョート　ダーメダナ、テツダワンネーナ。ンー　　モースコス、
あるんだ。ちょっと　だめだな、 手伝えないな。　　うーん　もう少し、

ンデ　　　　モースコス　ヤスンデ　ゲンチ　デテカラ　ハコベ。
それで[は]　もう少し　　休んで　　元気　　出てから　運べ。

（A　ンーダネーー）ナーンダッタラバヤ、ヌカイニ　ワケデ　ハコンダラ
（A　そうだね）　　なんだったらばさ、　二回に　　分けて　運んだら

イーンデネノカ。
いいんじゃないのか。

004A：シャネーワネー。ユックリ　インカラワ。
仕方ないわね。　ゆっくり　行くからさ。

005B：ンデ　　　　キーツケデ。コス　イダグシネーヨーヌ。
それで[は]　気をつけて。腰　　痛くしないように。

〔1〕クイタデランネ
「～タデランネ」で「～しきれない」の意。

1-2. お金を借りる

①受け入れる

001B：イヤーイヤヤ　サイフンナガサ　カネ　イレテキタトオモッタッケ
いやいや　　　財布の中に　　　金　　入れてきたと思ったら

ハイッデネガッタヤー。
入っていなかったよ。

002A：アヤ　ナンダベ。
あら　なんだろう。

003B：アー　イヤ　ワルイゲッド　カシテケネガヤ。
ああ　いや　悪いけれど　　貸してくれないかな。

004A：ンー　タブン　マニアウトオモーカラ　イーヨ。
うん　多分　　間に合うと思うから　　いいよ。

005B：ン　　カシテケロワ。アド　カエッタラ　スグ　モッテイッカラ。
うん　貸してくれよ。あと　帰ったら　　すぐ　持っていくから。

006A：ン。 イガス。
うん。いいです[よ]。

②断る

001B：イヤーイヤ　クッドギヤ、サイフンナガサ　カネ
いやいや　　来るときさ、財布の中に　　　金

ハイッテタトオモッタッケヤ　ハエッテネガッタ。チョット
入っていたと思ったらさ　　　入っていなかった。ちょっと

カシテケネガヤ。
貸してくれないかな。

002A：アヤヤ　チョット　マッテ　マ　マッテサイン　　マズ。アラーー
あらら　ちょっと　待って　×　待ってください　まあ。あら

ワダシモ　アンマリ　ヨケー　　　　　ナインダヨー。オカネ　カサンネヤ。
私も　　あまり　　余計[に持って]　ないんだよ。　お金　　貸せないよ。

003B：ホーカ。ンデ　　　　ドースッペナヤ。ンデ　　　　シー　アラタメッガ。
そうか。それで[は]　どうしようなあ。それで[は]　日　　あらためるか。

004A：モッカイ　デナオシスッカワ。シャネーネー〔1〕。
もう一回　出直しするかね。　仕方ないね。

005B：ウン　ソースッペネー。
うん　そうしようね。

〔1〕シャネーネー
末尾音声「ネー」の箇所が録音の上では「ナヨ」のようにも聞き取れるが、それでは意味が通じない。話者に録音音声を確認してもらったところ、このように言っているとのことであった。

1-3. 役員を依頼する

001B：コンヌズワー。
こんにちは。

002A：コンニチワ。
こんにちは。

003B：ナンスッタノ。
なにしていたの。

004A：イヤー　ウジンナカ　カタズケッタッチャワ。
いや　　家の中　　　片付けていたんだよ。

005B：アー　ホーカ。ンデサー　チョット　ワルイゲンドモサー（A　ンー）
ああ　そうか。それでさ　ちょっと　悪いけれどもさ　　（A　うん）

オネガイシニ　キタンダ。（A　ナニ　マダ）ンー　チョーナイカイノサー
お願いしに　　来たんだ。（A　なに　また）うん　町内会のさ

（A　ンー）ヤグイン、Xツァンサ　オネガイシッタッチャ。
（A　うん）役員、　　Xさんに　　お願いしていただろう。

（A　ウン　ヤッテダネー）ナンダガ　グアイ　ワリーガラ
（A　うん　やっていたね）なんだか　具合　　悪いから

ヤメッガラッテンダッチャ。
やめるからっていうんだよ。

006A：アー　ナンダガネー（B　ンー）チョーシ　ワルイッテノ　　キータヨ。
ああ　なんだかね　（B　うん）調子　　　悪いっていうの　聞いたよ。

007B：ンデネー　イロイロ　ミンナデ　ソーダンシテ、ダレガ　タノムガト
　　　それでね　いろいろ　みんなで　相談して、　誰か　頼むかと

　　　オモッタンダゲッドモ　アンダサ　タノンダホーガ
　　　思ったんだけれども　あなたに　頼んだ方が

　　　イーッテゴトヌナッタカラ（A　アリャリャリャリャ）ンー　ダガラ
　　　いいってことになったから（A　あららららら）　うん　だから

　　　ヒギウゲデモライニ　キタンダッチャ。
　　　引き受けてもらいに　来たんだよ。

008A：アヤヤヤヤ　ワーダーシ　チョット　ムリダヨーー。
　　　あららららら　私　ちょっと　無理だよ。

009B：ダーイジョブダガラ。アノ　ンー
　　　大丈夫だから。　あの　うん

010A：ホガノヒト　インデナイノー。
　　　他の人　いるんじゃないの。

011B：ン　アンダワ　イロンナゴト　ヤッテ　ミンナ　ゼンブ　チャント
　　　うん　あなたは　いろんなこと　やって　みんな　全部　ちゃんと

　　　ヤッデ、ヤッデケデッカラ　（A　アイヤイヤー）アノ　コイズモ
　　　やって、やってくれているから（A　あいやいや）　あの　こいつも

　　　ダイジョブ、デギッガラ。アド　ミンナ　テズダウガラッテイッテッガラサ。
　　　大丈夫、　できるから。あと　みんな　手伝うからっていっているからさ。

012A：アー　ソーー。（B　ンー）マー　シャネーネ。クチョーサンニ
　　　ああ　そう。（B　うん）まあ　仕方ないね。区長さんに

　　　イワッタンデワネー。ワガリマシタ、（B　アイ）アイ。
　　　言われたのではね。　わかりました、（B　はい）はい。

013B：アイ、イガッタイガッタ。ンデ　ミンナネ、ヨロコブベーカラサ
　　　はい、よかったよかった。それで[は]　みんなね、喜ぶだろうからさ

　　　イッテ　スグ　ホーコクスッカラ。ンデ　アリガド。　アド
　　　行って　すぐ　報告するから。　それで[は]　ありがとう。あと

　　　ヨロシグネ。
　　　よろしくね。

014A：ハイ。ハーイ。オセワニナリマース。
　　　はい。はい。　お世話になります。

1-4. 旅行へ誘う

①受け入れる

001A：コンニチワ。イタスカ。
　　　こんにちは。いましたか。

002B：アーイ。コンニズワ。オー　イヤイヤイヤ　スバラグダネア。
　　　はい。　こんにちは。おお　いやいやいや　久しぶりだねえ。

003A：ンダネー。（B　ウン）アーノッサ（B　ウン）コゴラノヒトタジデ
　　　そうだね。（B　うん）あのさ　（B　うん）ここらの人たちで

　　　オンセンニ　イグゴトニナッタンダゲンドモ　Bサンドゴ　サソッタラ
　　　温泉に　行くことになったんだけれども　Bさんを　誘ったら

　　　イーンデネッテユーガラ　キテミタンダゲッド　イガナイ。
　　　いいんじゃないっていうから　来てみたんだけれど　行かない？

004B：イズナノ。
　　　いつなの。

005A：コンドノドヨービ。
　　　今度の土曜日。

006B：ドレ　ニッテー　ミッカラ。オー　ダイジョブダダイジョブダ。
　　　どれ　日程　見るから。おお　大丈夫だ大丈夫だ。

　　　ンデー（A　アー　ンデ）　ナニ　オレ　イッテイーノガ。
　　　それで（A　ああ　それで[は]）なに　私　行っていいのか。

007A：ウン、ミンナー　キテケサインッテユッテタヨ。
　　　うん、みんな　来てくださいっていっていたよ。

008B：アー　ホンデー　イグ゜。ミンナドネ　アノー　オハナシ　スンノモ
　　　ああ　それでは　行く。　みんなとね　あの　お話　するのも

　　　タノシミダガンナ。
　　　楽しみだからな。

009A：ソーダネ。イッパグデ。ンジャ　サンカネ。
　　　そうだね。一泊で。　それでは　参加ね。

010B：ハイ。ンデ　ヨロシグ。
　　　はい。それで[は]　よろしく。

011A：ハイ、ユットキマス。
　　　はい、言っておきます。

012B：ハイ。
　　　はい。

②断る

001A：コンニチワー。
　　　こんにちは。

002B：アーイ。コンニズワ。オー　スバラグダネア。
　　　はい。　こんにちは。おお　久しぶりだねえ。

003A：アー　Bサン。アノネー（B　ン）　チーキノヒトダチトサ　オンセンニ
　　　ああ　Bさん。あのね　（B　うん）地域の人たちとさ　温泉に

　　　イグ゜ンダケッド　コンド　イガナイスカ。
　　　行くんだけれど　今度　行かないですか。

004B：ドーレ　イズナンダガ。
　　　どれ　　いつなんだか。

005A：コンドノドヨ　ドニチ。
　　　今度の××　　土日。

006B：アー　イッパグフツカ。ドレ　マズ、オレ　ニッテー　ドイナグ
　　　ああ　一泊二日。　　　どれ　まあ、私　　日程　　　どのように

　　　ナッテッペナー。チョット　マッテネー。
　　　なっているかな。ちょっと　待ってね。

007A：ナニガ　ハイッテルスカ。
　　　なにか　入っていますか。

008B：ドレ。アーー　ダメダ　コレワ。コーツ（A　ナンデ）コトワルワケニワ
　　　どれ。ああ　　だめだ　これは。こいつ（A　なんで）断るわけには

　　　イガネーナー。
　　　いかないな。

009A：サキ　　　　　ハイッテタスカワ。
　　　先[に予定が]　入っていましたか。

010B：ウン。サジ　ハイッテダワ。
　　　うん。先　　入っているわ。

011A：ソーデ　　　シャネーワネ。
　　　それで[は]　仕方ないわね。

012B：ウン。デ　　　　コノツキ゜オモシェヨーナリョコーネヤ、
　　　うん。[それ]で　この次　　面白いような旅行[があれば]ねえ、

　　　（A　ソーダネ）ウン　ンデ　　　　マタ　サソッテケロ。
　　　（A　そうだね）うん　それで[は]　また　誘ってくれ。

013A：マデ　ウン　マダ　ナニカ　アンベカラ　　　ソントキ　コエ
　　　××　うん　また　なにか　あるだろうから　そのとき　声

　　　カケッカラネ。
　　　かけるからね。

014B：アイ。
　　　はい。

1-5. コンサートへ誘う

001A：コンニチワー。Bサン　イダスカ。
　　　こんにちは。　Bさん　いますか。

002B：アー　イダヨー。アガッセイ。
　　　ああ　いるよ。　上がりなさい。

003A：アノネー　ヒカワキヨシノケン　ニマイ　モラッタガラ　ミサ　イガネ。
　　　あのね　　氷川きよしの券　　　二枚　　もらったから　見に　行かない？

　　　イッショニ　イバセ。
　　　一緒に　　　行こう。

004B：アー　ホーナノカー。イズ、イズナネ　ホイズ。
　　　ああ　そうなのか。　いつ、いつなの　そいつ。

005A：コンドノニチヨービナンダゲントモ　マエカラ　ワダシ
　　　今度の日曜日なんだけれども　　　　前から　　私

　　　イギダガッタンダゲントサー。ニンキ　アッカラ　ナカナカ　ケンナド
　　　行きたかったんだけれどさ。　人気　　あるから　なかなか　券なんて

　　　カワンネーンダヨー。
　　　買えないんだよ。

006B：ンー。　シカワチヨスガー。ニンチ　アッカンナー。ンダゲットサ、
　　　うーん。氷川きよしか。　　人気　　あるからな。　そうだけれどさ、

　　　コンドノニズヨービダベー。マゴッコダズ　アズマルコトニナッテンダナー。
　　　今度の日曜日だろう。　　　孫たち　　　　集まることになっているんだな。

　　　オーレ　イネワゲニ　　イガネッチャー、ズンチャンサー。（A　ンー）
　　　私　　　いないわけに　いかないよ、　　じいちゃんさ。　（A　うーん）

　　　ンーデ　　　ワリゲントモ　コノツギニシテケロワ。マダ　アッタラ
　　　それで[は]　悪いけれども　この次にしてくれよ。　また　あったら

　　　サソッテケロナー。
　　　誘ってくれな。

007A：ンデ　　　　シャネーネー。ベズナヒト　サソーガラワ。イガスー。
　　　それで[は]　仕方ないね。　別の人　　　誘うからね。　いいです。

008B：ン。　ソーシテケサイワ。
　　　うん。そうしてくださいよ。

1-6．駐車の許可を求める

001Ｂ：コンニジワー。Ａサン　イダスカー。
　　　こんにちは。　Ａさん　いますか。

002Ａ：イマシタヨー。
　　　いましたよ。

003Ｂ：アノッサー　コンド、コンドノヌチヨービ　オライデ　チョット
　　　あのさ　　　今度、　今度の日曜日　　　　うちで　　ちょっと

　　　シンセキガ　アズマルコトニナッテンダッチャ。（Ａ　ア　ソー）ンー。
　　　親戚が　　　集まることになっているんだよ。　（Ａ　あ　そう）うん。

　　　ソーンデネー　オーラエサ　クルマ　ヌデスカ　トメランネーガラサー、
　　　それでね　　　うちに　　　車　　　二台しか　停められないからさ、

　　　モット　クルマ　クルンデサ、アノー　ワルイゲンットモ　ウズノ
　　　もっと　車　　　来るのでさ、あの　　悪いけれども　　　うちの[車]

　　　アンダエノマエノドーロサ　トメラシテケサイン。
　　　あなたの家の前の道路に　　停めさせてください。

004Ａ：イーヨ。タダ　オラエデー　デハイリスットギニ　コエ　カゲッカラ
　　　いいよ。ただ　うちで　　　出入りするときに　　声　　かけるから

　　　ソンデ　イガッタラ　イガスヨ。
　　　それで　よかったら　いいですよ。

005Ｂ：ン　　ソンドジ　コエ　カケデケロナヤ。（Ａ　ハーイ）アノ
　　　うん　そのとき　声　　かけてくれなあ。（Ａ　はい）　あの

　　　ジャマニナンネーヨーニスッカラ。（Ａ　ハイハイ）ハイ　ンデ
　　　邪魔にならないようにするから。　（Ａ　はいはい）はい　それで[は]

　　　タノムヨー。
　　　頼むよ。

1-7. 訪問の許可を求める

001B：モスモース。
　　もしもし。

002A：ハイハーイ。
　　はいはい。

003B：アー　Bダゲットモ（A　アーヤ　シバラグデス）Aサン　イダスカ。
　　ああ　Bだけれども（A　あら　久しぶりです）Aさん　いますか。

004A：ハイ　ワタシデス。
　　はい　私です。

005B：アー　ソーカソーカ。オーリャ　ワゲゴダヤ〔1〕（A　ナーニ）
　　ああ　そうかそうか。あら　若い[声だ]な　（A　なに）

　　ムスメーダトオモッタヤ。
　　娘だと思ったよ。

006A：アラ　ドーモ。
　　あら　どうも。

007B：ハイハイ。ン　トコロデサ（A　ナニ）チョーナイカイノコトデネー
　　はいはい。うん　ところでさ（A　なに）町内会のことでね

　　チョット　ソーダンシタイコト　アンダ。（A　アララ）ウーン。ホレデ
　　ちょっと　相談したいこと　あるんだ。（A　あらら）うん。　それで

　　デンワデワ　チョット　ナガバナスニナッカラ（A　ハイ）アンダエサ
　　電話では　ちょっと　長話になるから　（A　はい）あなたの家に

　　イッテー　ショルイ　ミナガラ　ソーダンシテトオモンダゲッドモサ
　　行って　書類　見ながら　相談したいと思うんだけれどもさ

　　イマカラ　イッテイーカナ。
　　今から　行っていいかな。

008A：ウン　イーガスー。イマ、イマ　クンダネ。
　　うん　いいですよ。今、　今　来るんだね？

009B：ウン。デキレバ　イマ　インカラサ。
　　うん。できれば　今　行くからさ。

010A：ハイ。ンジャ　マッテッカラ。
　　はい。それでは　待っているから。

011B：ウン、ハイ。ンデー　（A　ハイハイ）ソーダンサ　ノッテケサイネ。
　　うん。はい。それでは（A　はいはい）相談に　のってくださいね。

012A：ハーイ。
　　はい。

013B：ハーイ。
　　はい。

〔1〕ワゲゴダヤ
直訳すると「若いことよ」であるが、これは電話でのやりとりという前提のもと、「相手の声が若い」ということを言っていると解されるので、本文のように訳を補っている。

1-8. 人物を特定する

①同意する

001A：アラー　アソコサ　インノ　Bサン、Cツァンデネーノ。(B　ウン)
　　　あら　　あそこに　いるの　Bさん、Cさんじゃないの？(B　うん)

　　　Cツァンダヨネ　アレ。
　　　Cさんだよね　　あれ。

002B：ドレ、ドゴサ　イダノ。
　　　どれ、どこに　いるの。

003A：アノウッショスカ゜タ。
　　　あの後ろ姿。

004B：アー　アノウッショスカ゜タ。(A　ウン)ンダナー　アレナー　チョットナ
　　　ああ　あの後ろ姿。　　　　(A　うん)そうだな　あれな　　ちょっとな

　　　ヤセテチタヨーダゲッドモ　ヤッパリ　Cツァンニ　マツガェネーナ。
　　　痩せてきたようだけれども　やっぱり　Cさんに　　間違いないな。

005A：ンダヨネ。
　　　そうだよね。

006B：ウーン。マツガェネ。
　　　うん。　間違いない。

007A：ウーン。アー　ンデ　　　エガッタ。
　　　うん。　ああ　それで[は]　よかった。

008B：ウン。
　　　うん。

②同意しない

001A：Bサン、サッキナカラサー(B　ウン)アソゴサ　タッテンノ
　　　Bさん、さっきからさ　　(B　うん)あそこに　立っているの

　　　Cツァンデネーノ。　アノヒト　Cツァンダヨネー。ズイブン
　　　Cさんじゃないの？　あの人　　Cさんだよね。　　ずいぶん

　　　ヤシェダヨネー。
　　　痩せたよね。

002B：ウーン。Cツァンカナー。デモ　ズイブン　ヤシェダナー。イヤ、マッテヨ。
　　　うーん。Cさんかな。　　でも　ずいぶん　痩せたな。　　いや、待てよ。

　　　ドーモ　Dツァンデネーガヤ。(A　ダイガ)　　　アノ　ウン　アノスガタ
　　　どうも　Dさんじゃないかな。(A　そうだろうか)あの　うん　あの姿

　　　ミダラバ　　ヤッパ　　Dツァンダナー。
　　　見たならば　やっぱり　Dさんだな。

003A：ハー　ンダガモワカンナェネー。(B　ウン)アノカッコー、ンダネ。
　　　はあ　そうかもしれないね。　　(B　うん)あの格好、　　そうだね。

004B：ドレ　ンデ　　　ヨバッテミロ。
　　　どれ　それで[は]　呼んでみろ。

1-9. 町内会費の値上げをもちかける

①同意する

001B：ハイ、コンニズワー。イダスカー。
　　　はい、こんにちは。　いますか。

002A：ハイ　イマスー。
　　　はい　います。

003B：アーノサ　アノー　スク゜デ　　ワリンダゲントモ（A　ウン）
　　　あのさ　　あの　　[来て]すぐで　悪いんだけれども（A　うん）

　　　チョーナイカイーノカイヒサ　ライネンドカラ　スコス
　　　町内会の会費さ　　　　　　　来年度から　　　少し

　　　ネアゲーシタインダッチャヤ。
　　　値上げしたいんだよね。

004A：ンダネー。
　　　そうだね。

005B：ウーン。チョットネー　ギョージモ　オーグ　ナッテルンデ
　　　うーん。ちょっとね　　行事も　　　多く　　なっているので

　　　タンネーヨーナンダナー。カイケー　コマッテンダッチャナヤ。
　　　足りないようなんだな。　会計[係も]　困っているんだよなあ。

006A：＝＝＝＝　ンダベネー。
　　　＝＝＝＝　そうだろうね。

007B：ン。　ウン。ソンデネ　アノー　コンドノソーカイニ　コイズー　ゼヒ
　　　うん。うん。それでね　あの　　今度の総会に　　　　こいつ　　ぜひ

　　　ダステートオモーンダッチャ。（A　ウン）ウン。エー　ダガラ
　　　出したいと思うんだよ。　　　（A　うん）うん。ええ　だから

　　　フクカイチョーモ　ドーイシテケロナヤ。
　　　副会長も　　　　　同意してくれなあ。

008A：ンダネー。キョネンモ　カツカツダス　ダッタシネ、ソロソロ　カイヒモ
　　　そうだね。去年も　　　かつかつ××　だったしね、そろそろ　会費も

　　　ネアゲシテイートオモッテタヨ。（B　ウン　ダガラ）　ダシテミテ
　　　値上げしていいと思っていたよ。（B　うん　そうだね）出してみて

　　　イーンデネーノ。
　　　いいんじゃないの。

009B：ウン　ンダナ。　ミンナガラ　リカイ　モラエルハンイデ　ネアゲスッペヤ。
　　　うん　そうだな。みんなから　理解　　もらえる範囲で　　値上げしようよ。

010A：イートオモイマス。
　　　いいと思います。

011B：ハイ　アリガトネ。
　　　はい　ありがとうね。

012A：ハーイ　ゴクローサン。
　　　はい　　ご苦労様。

②同意しない

001B：トゴロデサ（A　ハイヨ）ライネン　オラエノチョーナイカイ　デギデカラ
　　　ところでさ（A　はい）　来年　　　うちの町内会　　　　　　できてから

サンジューネンニナルヨーダガラサ（A　ズイブンナルワネー）　ウーン
三十年になるようだからさ　　　　（A　ずいぶん[に]なるわね）うーん

ナンカ　オイワイカイデモ　スナクテネートオモンダッチャナヤ。
なにか　お祝い会でも　　　しなくてはいけないと思うんだよなあ。

（A　ウン）ウン　ホイズ　カイケーサ　イロイロ　ソーダンシタッケ
（A　うん）うん　そいつ　会計[係]に　いろいろ　相談したら

ウーン　ネアゲスネート　デキネーッテユーフーニ
うーん　値上げしないと　できないっていうふうに

イワッタンダッチャナー。（A　ウーン）ドーダベヤ。　ホノー　トグベツ
言われたんだよな。　　　（A　うーん）どうだろうね。その　　特別

ナニカ　オイワイスルートユーコトデ　カイヒネアゲ　ミンナニ
なにか　お祝いするということで　　　会費値上げ　　みんなに

リョーカイシテモラエッカナー。
了解してもらえるかな。

002A：ンダネーー。ソノー　オイワイワ　イーカモシャネゲントモ　カイヒ
　　　そうだね。　その　　お祝いは　　いいかもしれないけれども　会費

ネアゲッテノニ　　　タイシテ　ミンナ　タイヘンダカラネー。
値上げっていうのに　対して　　みんな　大変だからね。

（B　ウーン）ナニガ　ケイガグ　ミナオシタホ　インデナイスカー。
（B　うーん）なにか　計画　　　見直した方　　いいんじゃないですか。

003B：ンダナ。　ンデー　　アイッタナ、ネアゲッテユーコトデネクテ
　　　そうだな。それでは　あれだな、　値上げっていうことではなくて

ジギョー　ゼンブ　ミナオスステ
事業　　　全部　　見直しして

004A：ウン　ナイヨー、ナイヨー（B　ウン）ミナオシシテ（B　ウン）
　　　うん　内容、　　内容　　（B　うん）見直しして　（B　うん）

ヤッテミールー　ホーホー　カンガエタホー　インジャナイスカ。
やってみる　　　方法　　　考えた方　　　　いいんじゃないですか。

005B：ンダナ。　ンデ　　　　アノー　ソノ　オイワイカイ
　　　そうだな。それで[は]　あの　　その　お祝い会

ヤルコトニツイテ　　　オッケーダナ。
やることについて[は]　オーケーだな。

006A：ウン。インジャナイスカ。　　イーコトダカラネ。
　　　うん。いいんじゃないですか。いいことだからね。

007B：ハイ　ンデ　　　　ソースッカラ。
　　　はい　それで[は]　そうするから。

1-10. 不法投棄をやめさせる

001A：ダレッシャ。ナンダベ　アンダ　ナニシテンノ。　コゴ
誰さ。　　　なんだよ　あなた　なにしているの。ここ

オライノヤマナンダヨー。ソンナ　トラックデ　キテー　ゴミ　ナゲデ
うちの山なんだよ。　　　そんな　トラックで　来て　　ゴミ　捨てて

ダメダイッチャ。
だめだろうよ。

002B：アー　ホーナノスカ。　ココ　アンダエノ　　ヤマナノスカヤ。
ああ　そうなのですか。ここ　あなたの家の　山なのですか。

003A：ホダヨ　　ココサ　カイデアルスペ。
そうだよ　ここに　書いてあるでしょう。

004B：ンーー　ナーンダイ　コゴ　ゴミステバダベッチャ。ホーリャ　ミーンナ
ふうん　なんだい　　ここ　ゴミ捨て場だろうよ。　ほら　　　みんな

コゴサ　ゴミ　ナゲデルヨ。　ホダカラ　　オレモ　ナゲダッテ
ここに　ゴミ　捨てているよ。それだから　私も　　捨てたって

イーンデネーノ。
いいんじゃないの。

005A：ナニ　ユッデンノ。　フホートーキキンシッテ　チャント　カイデアンノニ。
なに　言っているの。不法投棄禁止って　　　　ちゃんと　書いてあるのに。

トラックサ　ツケテ　サッサト　モッテッテケサイン。
トラックに　つけて　さっさと　持っていってください。

006B：ン　　マダ　ナゲネンダゲンドモサ、　ア　ンデ　　　　モッテンカラ。
うん　まだ　捨てないんだけれどもさ、あ　それで[は]　持っていくから。

ン　　ンデナ　　　　ワリガッタネー。
うん　それで[は]な　悪かったね。

1-11. 車の危険を知らせる

001A：Bサン、アブネッストー。オッキナトラック　ウッショカラ　イギナリ
　　　Bさん、危ないですよ。　大きなトラック　　後ろから　　　とても

　　　スピード　ダシテキタガラ　シャライン。
　　　スピード　出してきたから　下がりなさい。

002B：ア　ホーガ。アーブネガッタナヤー。イーマドギ　　　　　　　ホントヌ
　　　あ　そうか。危なかったなあ。　　今どき[のドライバーは]　本当に

　　　コンーナセマッコイドゴ　アーンナオーチナトラック　スピード　ダステ
　　　こんな狭いところ　　　　あんな大きなトラック　　　スピード　出して

　　　クンダオンネァ。　ハッパリ　ワガンネガッタ。オシェデケラッテ〔1〕
　　　来るんだもんなあ。さっぱり　わからなかった。教えてもらって

　　　アリガトナー。
　　　ありがとうな。

003A：ホーントニ　アブナガッタゴダ。キーツケサインヨー。
　　　本当に　　　危なかったこと。　気をつけなさいよ。

〔1〕オシェデケラッテ
直訳すると「教えてくれられて」となる。名取の方言では共通語の「～テモラウ」にあたる表現として、このように受身の形を用いた表現を使うことがしばしばある。話者によると、このようなやりもらい表現は日常的に行われ、より謝意を示すような表現であるとのことである。

1-12. 工事中であることを知らせる

001B：ハーイ　コンヌズワー。
　　　はい　　こんにちは。

002A：コンニチワ。
　　　こんにちは。

003B：アー　ナヌ、ソーズ　スッタノカヤ。
　　　ああ　なに、掃除　　していたのかよ。

004A：ウーン（B　オ）サッパドナッタヨネ。
　　　うん　（B　×）さっぱりとしたよね。

005B：オー　サッパドナッタネ。（A　ウン）ウーン。
　　　おお　さっぱりとしたね。（A　うん）うん。

006A：トゴロデ　ドコサ　イク゜ノ。
　　　ところで　どこに　行くの。

007B：オー　チョット　ソコマデサ、ヨー　タシテクンダゲットモサ。
　　　ああ　ちょっと　そこまでさ、用　　足してくるんだけれどもさ。

008A：アー（B　ウン）アノネー（B　ウン）ソッチノホー　ジシンノコージ
　　　ああ（B　うん）あのね　（B　うん）そっちの方　　地震の工事

　　　シテンダゲットモネ、　ナガナガ　ススマネクテ　マダ　オッキナアナ
　　　しているんだけれどもね、なかなか　進まなくて　　まだ　大きな穴

　　　ア　キーツケサインヨ。
　　　×　気をつけなさいよ。

009B：ア　マダ　オワンネーノガ　コノヘン。
あ　まだ　終わらないのか　この辺。

010A：ウーン。ヨグ　ツマケテ　　　　　　コロンデンダ。
うん。　よく　[歩いている人が]つまづいて　転んでいるんだ。

011B：アイヤイヤイヤイヤ。オラエアタリワ　チャント　ナオッタンダゲットモ。
あいやいやいやいや。うちあたりは　　ちゃんと　直ったんだけれども。

ドレ　ンデ　　　　ワカッタ（A　ウン）ウン　アノ　チーツケテ
どれ　それで[は]　わかった（A　うん）うん　あの　気をつけて

イク゜ヨーニスッカラ。（A　イッテラッシャ）ドモ　　アリガトネ。
行くようにするから。　（A　××××××××）どうも　ありがとうね。

012A：ハーイ　イッテガイン。
はい　　行ってらっしゃい。

013B：ハイ。
はい。

1-13. 傘忘れを知らせる

001A：イヤー　キョーノ　コーミンカンノ　タイソーノコーシューカイ
いや　　今日の　　公民館の　　　　体操の講習会

イガッタネー。
よかったね。

002B：イガッタナヤー。ドレ　ンデ　　　　カエッカー。イッショニ
よかったなあ。　どれ　それで[は]　帰るか。　　一緒に

カエッペワ。ン。
帰ろうよ。　うん。

003A：アリャ　Bサン　アンダ　カサ　ワッセデネ。　　アサ　モッテダヨネ。
あら　　Bさん　あなた　傘　　忘れていない？　朝　　持っていたよね。

004B：ア　ホダッチャナヤー。サイキン　ボケテチタナヤ。ドレ　アノ　チョット
あ　そうだよなあ。　　最近　　　ぼけてきたなあ。どれ　あの　ちょっと

モドッカラ　マッテデケロナ。
戻るから　　待っていてくれな。

005A：アレバ　イーネ。
あれば　いいね。

1-14. 荷物を持ってやる

①受け入れる

001B：アーリャ　ダレダトオモッタッケ、Aサンガヤ。ナンスッタノ、　ソゴデ。
あら　誰だと思ったら、　Aさんかよ。なにしていたの、そこで。

002A：ンダノー。ユービンキョグサ　イッデ　コノニモズズ〔1〕ダスカドオモッテ
そうなの。郵便局に　行って　この荷物×　出すかと思って

モッテキタンダゲンド　オモデクテッサー　コエクテ　シシャマシテタノ。
持ってきたんだけれど　重たくてさ　疲れて　持てあましていたの。

003B：ナーンダ。ホダッタノガー。オ　ドーレ　ンデ　イッショニ
なんだ。　そうだったのか。お　どれ　それで[は]　一緒に

モッテケッカラ。　スク゜　ソゴダガラ　ドレ　イーベ　ハエグ。
持ってあげるから。すぐ　そこだから　どれ　行こう　早く。

004A：タイシタ　キョリデモネーガラ　イーガドオモッタゲド　マサカ
たいした　距離でもないから　いいかと思ったけど　まさか

005B：イーガラ、ムリスネデ。（A　ダネー）　ウン　ハンブン
いいから、無理しないで。（A　[そう]だね）うん　半分

マカシェロト。
任せろと。

006A：タンカ゜エテクッド　オモテモンダ。アンマリ（B　マー）イガッタ。
抱えてくると　重たいものだ。大変　（B　まあ）よかった。

タスカルヤー。
助かるなあ。

②断る

001B：アイーヤ。ソゴサ　インノ　ダレドオモッタッケ、Aサンダッチャ。
あれま。　そこに　いるの　誰と思ったら、　Aさんだよ。

ナンスッタノ　ソゴデ。
なにしていたの　そこで。

002A：ンダデバ。　ユービンキョグサ　イッデ　コノニモズ　ダスカト
そうだってば。郵便局に　行って　この荷物　出すかと

オモッタゲンドモ　オモデクテッサー、コエクテ　シシャマシシテタノ。
思ったけれども　重たくてさ、　疲れて　持てあましていたの。

003B：ナーンダ。ホダッタノガー。ドーレ　ンデ　モッテイッテケッカラ。
なんだ。　そうだったのか。どれ　それで[は]　持っていってやるから。

ホーンナノ　ガンバルナー。
そんなの　頑張るな。

004A：アリガトー。デモ　モスコシ　ヤスメバ　ナントガ　モッテイケッカラ
ありがとう。でも　もう少し　休めば　なんとか　持っていけるから

イースト。　ユービンキョクモ　アソコデ　モハヤ〔2〕ダガラ。ドーモネー。
いいですよ。郵便局も　あそこで　もうすぐだから。　どうもね。

005B：ホーガー。ンデ　チケ　チケーガラ　モースコシ　ヤスンデ
そうか。　それで[は]　××　近いから　もう少し　休んで

ホレガライゲョー。
それから　行けよ。

006A：ユックリ　インカラ。
ゆっくり　行くから。

1-15. 野菜をおすそ分けする

001A：Bサン　イダノ。
　　　Bさん　いるの？

002B：イダヨー。アガッセイ。
　　　いるよ。　上がりなさい。

003A：ア　イガッター。アンダ　オライデツグッタナス、テンキイーガシテ
　　　あ　よかった。　あなた　うちで作った茄子、　　天気が思いのほかよくて

　　　ンート　ナッタガラ　クッテケネ。
　　　うんと　なったから　食べてくれない？

004B：ア　ホーガヤ。ドレ。アー　イヤイヤ　ズイブ　　リッパナナスダナヤ。
　　　あ　そうか。　どれ。ああ　いやいや　ずいぶん　立派な茄子だなあ。

　　　ナーヌ　コレ　Aサン　ツグッタノ。（A　ンダデバ）　　ンー　ホーンデ
　　　なに　　これ　Aさん　作ったの？　（A　そうだってば）うん　それで[は]

　　　オラエデモ　モラウカ　ンデ。　　　オラエノワ　ツグリガタ　ワルグデ
　　　うちでも　　もらうか　それで[は]。うちのは　　作り方　　　悪くて

　　　ダメダッタンダ、コドス。
　　　だめだったんだ、今年。

005A：ナンダガ　オラエデワ　アダッタンダネ。
　　　なんだか　うちでは　　当たったんだね。

006B：ヨーシ　ンデ　　　　チョード　イガッタ。モラウガラネ。
　　　よし　　それで[は]　ちょうど　よかった。もらうからね。

007B：ソーッセ。
　　　そうしなさい。

〔1〕ニモズズ
末尾の「ズ」について、複数形を示す「ダズ（たち）」かとも考えたが、話者によるとこれは言い間違えであるとのことだったので、言いよどみとして処理した。

〔2〕モハヤ
モハヤは「近い」「もうすぐ」などの意味を持っているが、本質的には次の例のように時間的な早さを含んで言うときに用いる表現である。
○　うちから隣の家まではモハヤだ。（近くて時間的にもすぐ行ける距離である）
×　（離れた場所から見て）あの家とあの家はモハヤだ。（単純な近さ）

1-16. ゴミ当番を交替してやる

001A：Bサン　コンニチワ。
　　　Bさん　こんにちは。

002B：ハーイ　コンニズワ。
　　　はい　　こんにちは。

003A：オラエデサー　ムスメノフーフニ　アカンボ　ンマレテサ、コンドネ
　　　うちでさ　　　娘の夫婦に　　　　赤ん坊　　生まれてさ、今度ね

　　　トーキョーニ　イッテクンダッチャ。
　　　東京に　　　　行ってくるんだよ。

004B：アー　ヨガッタナヤ。オメデト。　ウン。
　　　ああ　よかったなあ。おめでとう。うん。

005A：ウーン。ヤット　ンマレダノ。
　　　うん。　やっと　生まれたの。

006B：ウーン。マー　ナンケ゜カッタナ〔1〕。
　　　うーん。まあ　長かったな。

007A：ウーン　ホントダネ。ジツワサー　コンドノゴミトーバン　ワタシニ
　　　うん　　本当だね。　実はさ　　　今度のゴミ当番　　　　私に

　　　アタッテンダッチャー。ナンジョシタラエーガッテ　マヨッテダノ。
　　　当たっているんだよ。　どうしたらいいかって　　　迷っているの。

008B：アー　ホダッタッチャネァ。トーバンダッタネァ。
　　　ああ　そうだったよなあ。　当番だったなあ。

009A：ウーン。
　　　うん。

010B：ナーニ　ホンデ　　　イーカラ。ライシューート　コータイスッペ。
　　　なに　　それで[は]　いいから。来週と　　　　　交替しよう。

011A：ヤッテモラエルー。
　　　やってもらえる？

012B：ウン。マ　　ユックリ　マゴノカオ　ミテコシェ。
　　　うん。まあ　ゆっくり　孫の顔　　　見てきなさい。

013A：ンデ　　　　イガッター。（B　ウン）オネガイスルネー。
　　　それで[は]　よかった。　（B　うん）お願いするね。

014B：ハイ。イッテコセ。
　　　はい。行ってきなさい。

〔1〕ナンケ゜カッタナ
　ここで言う「長かった」は娘夫婦が結婚してから子供が生まれるまでの期間を指している。話し手がその期間をたいへん長く感じていたことを強調するために、「ナンケ゜カッタ」と鼻音を強調する形式となっている。

1-17. 食事を勧める

①受け入れる

001B：アララー　＿＿＿　オヒルドキニナッテキタナ　コリャ。ンデ
　　　あらら　＿＿＿　お昼時になってきたな　これは。それで[は]

　　　アド　マダ　クッカラ、ンデ　カエッカラワネー。
　　　あと　また　来るから、それで[は]　帰るからね。

002A：アヤヤ　セッカクダガラ　タイシタモノモ　ナイゲンドモ　オヒル
　　　あらら　せっかくだから　たいした物も　ないけれども　お昼

　　　クッテイガイン。　イマスグ　ヨーイ　スッカラ。
　　　食べていきなさい。今すぐ　用意　するから。

003B：ホーカー。ンダナー　オレ　ウッツァ　カエッデモナー　オライ
　　　そうか。　そうだな　私　家に　帰ってもな　うち

　　　オドゴヤモメダガラ　ナヌモネーガラ。ンデ　サグク
　　　男やもめだから　なにもないから。それで[は]　遠慮なく

　　　ゴッツォンナッテンカワ。
　　　ごちそうになっていくかな。

004A：ン　ソッサインソッサイン。
　　　うん　そうしなさいそうしなさい。

②断る

001B：アラララ　コンナジカンニナッタナ　チョワ。ンー　ンデ　アド
　　　あららら　こんな時間になったな　今日は。うん　それで[は]　あと

　　　マダ　コノツギ　クッカラナー。
　　　また　この次　来るからな。

002A：イヤイヤ。スグ　アノ　ゴハン　デッカラ、タイシタモノモ　ネーゲンド、
　　　いやいや。すぐ　あの　ご飯　出るから、たいした物も　ないけれど、

　　　オラエデ　オヒル　クッテッタラ　イーッチャ。
　　　うちで　お昼　食べていったら　いいよ。

003B：ンー。　ソンナコトモ　シデランネーベヤ。　オラエデモ　カーチャン
　　　うーん。そんなことも　していられないだろうよ。うちでも　母ちゃん

　　　ゴハン　ツクッテ　マッテッペーガラサ。　ンデ　カエッカラ。
　　　ご飯　作って　待っているだろうからさ。それで[は]　帰るから。

004A：ンダネ。　（B　ン）　アンダエノホー　ゴッツォー　イーベオンネ。
　　　そうだね。（B　うん）あなたの家の方　ごちそう　いいもんね。

005B：マ　ホンナワゲネーゲンドナー。ホンドワ　ゴッツォンナッデ
　　　まあ　そんなわけないけれどな。　本当は　ごちそうになって

　　　イギデーンダゲッドモサ。
　　　行きたいんだけれどもさ。

1-18. 頭痛薬を勧める

001B：オハヨー。ナヌスッタヤ。
　　　おはよう。なにしていたの。

002A：オハヨガスー。
　　　おはようございます。

003B：ナーンダ　ゲンキネーコエ　ダシテ。
　　　なんだ　　元気ない声　　　出して。

004A：ナーンダガ　アンベ　ワルクテサー。ユンベガラ　アタマ　イダクナッテ
　　　なんだか　　具合　　悪くてさ。　　昨夜から　　頭　　　痛くなって

　　　マダ　イデノ。ネズワ　ネーンダゲンッドモネー。
　　　まだ　痛いの。熱は　　ないんだけれどもね。

005B：ンーガー。オダガイ　トシダガラナー　カジニ　チーツケロヨ。
　　　そうか？　お互い　　年だからな　　　風邪に　気をつけろよ。

　　　（A　ホントダネー）ンー。ユンベノアメデ　ヌレデシマッダベ。
　　　（A　本当だね）　　うん。昨晩の雨で　　　濡れてしまっただろう。

006A：ナンダカ　サムガッダオンネ。
　　　なんだか　寒かったものね。

007B：アー　ホダホダ。　　オラエサ　アダマイデノサキグクスリ、
　　　ああ　そうだそうだ。うちに　　頭痛いのに効く薬、

　　　イークスリ　アッタッケナー。ソイズ　モッデクッカラ　ノンデミッカ。
　　　いい薬　　　あったっけな。　そいつ　持ってくるから　飲んでみるか？

008A：ンダネー　モー　イーサ　コノサイ　ナンデモ　イーガラ　ノンデミッカラ。
　　　そうだね　もう　いいさ　この際　　なんでも　いいから　飲んでみるから。

　　　アリガドネ。
　　　ありがとうね。

009B：ン。　ン。　ンデ　　　　チョット　マッテロ、　イマスグ
　　　うん。うん。それで[は]　ちょっと　待っていろ、今すぐ

　　　モッデクッカラ。ソレマデ　オドナスク　ネデサイン。
　　　持ってくるから。それまで　おとなしく　寝ていなさい。

010A：ハイハイ。
　　　はいはい。

1-19. 入山を翻意させる

001B：オハヨー。
　　　おはよう。

002A：オハヨー。
　　　おはよう。

003B：オー　ナンダ　ソノカッコ。ナニ　ヤマサデモ　イク゜ノカ。
　　　おお　なんだ　その格好。　なに　山にでも　行くのか。

004A：ンダー。　コノゴロ　アメ　フッテ　サンサイーモ　ズイブン
　　　そうだよ。この頃　雨　降って　山菜も　ずいぶん

　　　デッタビョン。　イッテクッチャ。
　　　出ているでしょう。行ってくるよ。

005B：アー　ソーナノガー。ナンダガ　ラズオデ　キョー
　　　ああ　そうなのか。　なんだか　ラジオで[聞いたけれど]　今日

　　　アメップリニナリソーダドー。
　　　雨降りになりそうだぞ。

006A：ホーカヤー。アメニナッペカヤ。
　　　そうかね。　雨になるだろうかね。

007B：ンー。　ナンカ　ホンナ　アノー　ヨホーダッケナー。アー　ラ　ベツナヒ
　　　うーん。なんか　そんな　あの　予報だっけな。　ああ　×　別な日

　　　イッタホガ　インデネノガ。
　　　行った方が　いいんじゃないのか。

008A：ダイガー。
　　　そうだろうか。

1-20. 病院の受診を促す

001B：オハヨー。キノー　イッデキタノガヤ、サンサイトリサ。
おはよう。昨日　行ってきたのかよ、山菜採りに。

002A：イッデキタノー。イヤイヤ　ヒドガッタ。マーダ　アメ
行ってきたの。　いやいや　ひどかった。まだ　雨

フンネベドオモッテ　トッサ　カガッタラ　フッテキテッサー。
降らないだろうと思って　採りに　かかったら　降ってきてさ。

ヨガコクテ　ヤメネガッダカラ　コノトーリ　カゼ　ヒーデスマッタノッサ。
欲を出して　やめなかったから　この通り　風邪　引いてしまったのさ。

003B：シーダベ　アノグレ　アメ　フルッドーッテ　オレ　ユッダノニナー、
そうだろう　あれほど　雨　降るぞって　私　言ったのにな、

ヤーッパリ　イッデキタノガ。ナンダ　セギモ　デデ　ネズモ
やっぱり　行ってきたのか。なんだ　咳も　出て　熱も

アンデネーノガー。
あるんじゃないのか。

004A：ナンダガネァ　ハ　モヤッド〔1〕シテンデガス
なんだかねえ　×　ぼーっと　しているんです。

005B：ン　コノママデ　マスマス　ワルグナルナ。ハヤグ　ビョーインサ
うん　このままで[は]　ますます　悪くなるな。　早く　病院に

イッテコイ。ダメダ　ホンデワ。ワガグネーンダガラナ。
行ってこい。だめだ　それでは。若くないんだからな。

006A：ンダネ。（B　ンー）ハヤグ　イッテ、イシャサ　イッテ　クスリ
そうだね。（B　うん）早く　行って、医者に　行って　薬

モラッテクルガラネ。（B　ン　ソッセ）　ソノホー　イー
もらってくるからね。（B　うん　そうしなさい）その方が　いい

007B：ソッセ。　カゼワ　マンビョーノモトダガラナ。
そうしなさい。風邪は　万病の元だからな。

008A：ホントダネ。マイッタマイッタ。
本当だね。　参った参った。

〔1〕モヤッド
この語の訳として適当な共通語が見つからないため、仮に「ぼーっと」をあてた。ただぼんやりしている時ではなく、具体的に体が熱っぽかったり、体調に違和感を覚える時に用いる副詞である。

1-21. 傘の持ち主を尋ねる

①相手の傘だった

001A：アリャ　コノカサ　ナンデ　コンナドコニ　アンダイネ。　コノカサ
あれ　この傘　なんで　こんなところに　あるんだろうね。　この傘

Bサン　モッテキタカサニ　ニデッコダー。チョット　Bサン。
Bさん　持ってきた傘に　似ていること。ちょっと　Bさん。

（B　オーイ）コレ　アンダノデナイノー　コノカサ　ワスレデネ。
（B　はい）　これ　あなたのじゃないの　この傘　忘れていない？

002B：カサ。カサ。
傘？　傘？

003A：ホイ　コノカサ。
ほれ　この傘。

004B：アーー　ホダッタナヤ。　オレ　ケサ　モッテキタッチャナ。
ああ　そうだったなあ。私　今朝　持ってきたよな。

ボケルヨーニナッタンダ　サイキンナー。
ぼけるようになったんだ　最近な。

005A：ナンダカ　オーイネ。
なんだか　[忘れ物が]多いね。

006B：ンー　ンダ。　ヤッパ　コイズ　オレノダッタ。アリガドナー。
うん　そうだ。やっぱり　こいつ　私のだった。　ありがとうね。

007A：ア　アー　ンデ　ヨガッタヨガッタ。
あ　ああ　それで[は]　よかったよかった。

②相手の傘ではなかった

001A：アー　ナンダ　コノカサ。コレ　Bサン　モッテキタカサニ　ニデッゴダー。
ああ　なんだ　この傘。　これ　Bさん　持ってきた傘に　似ていること。

Bサン　アンダノカサデナイノ　コレ。
Bさん　あなたの傘じゃないの　これ。

002B：カサ。オレ　カサ　ケサ　モッテコネドー。マーダ　アメモ
傘？　私　傘　今朝　持ってこないぞ。まだ　雨も

フッテネガッタカラ　モッテコネーハズダナー。（A　ア　ホーナノ）ナ
降っていなかったから　持ってこないはずだな。（A　あ　そうなの）×

マーダ　オレ　ソコマデ　ボケテイネード。
まだ　私　そこまで　ぼけていないぞ。

003A：ソースカ。（B　ンー）ンデ　ダレノダイネー。シャネッチャワ
そうですか。（B　うん）それで[は]　誰のだろうね。　仕方ないよね

ンデ　コゴニ　オイデオッカラワ。
それで[は]　ここに　置いておくからね。

004B：ンダワナ。　ダレガノダカラ　ソコサ　オイドケ。
そうだよな。誰かのだから　そこに　置いておけ。

1-22．店の場所を尋ねる

001A：Bサン　カイモノシテキタノ。コーコグサ　アガッテダ　　アノ
　　　Bさん　買い物してきたの？　広告に　　　あがっていた　あの

　　　アダラシーミセサ　イッデキタノスカ。
　　　新しい店に　　　　行ってきたんですか。

002B：ンー　オーレモサ　アノー　スコシデモ　ヤスイドゴノミセ　コーコク
　　　うん　私もさ　　　あの　　少しでも　　安いところの店　　広告

　　　ミデ、ミデ　イグンダ　ンー。
　　　見て、見て　行くんだ　うん。

003A：ワダシモ　ソノウチ　イッデミッカナトオモッテダンダゲッド　ドイナミセ。
　　　私も　　　そのうち　行ってみるかなと思っていたんだけれど　どんな店。

004B：ンー　アンマリ　オッチグネゲンドモサ　アノー　シナモノモ
　　　うん　あまり　　大きくないけれどもさ　あの　　品物も

　　　イーシナモノアッテサ。（A　フーン）ンー　イガッタ。（A　アー　ソー）
　　　いい品物あってさ。　　（A　ふうん）うん　よかった。（A　ああ　そう）

　　　ンー　アド　テーインモネ　カンジ　イガッタス。（A　アララ）ンー
　　　うん　あと　店員もね　　　感じ　　よかったし。（A　あらら）うん

　　　イッテコセ。
　　　行ってきなさい。

005A：ンダネ　（B　ンー）ドコラサアダリ〔1〕アノー　アンノ　ソノミセ。
　　　そうだね（B　うん）どこら×あたり　　　あの　　あるの　その店。

006B：アー　バショガ。（A　ンー）ンー　ホレ　ソコノタバコヤンドゴ　　ミギサ
　　　ああ　場所か。　（A　うん）うん　ほら　そこのタバコ屋のところ　右に

　　　マガッテ（A　ンー）ンー　モスコス　イグト　ギンコー　アッチャ。
　　　曲がって（A　うん）うん　もう少し　行くと　銀行　　　あるでしょう。

　　　ン　（A　ハイハイ　アーアー）アソコ　ヒダリサ　マガッタラ　スグダ。
　　　うん（A　はいはい　ああああ）あそこ　左に　　　曲がったら　すぐだ。

007A：アーー　アソコ（B　ンーンー）コージシテダオンネ　ソーイエバネ。
　　　ああ　　あそこ（B　うんうん）工事していたもんね　そういえばね。

　　　（B　ンーンー）アー　ンデ　　　チカクテ　イーッチャ。
　　　（B　うんうん）ああ　それで[は]　近くて　　いいね。

　　　イガッタイガッタ。（B　ン　　ンダ　　アド　イ）イッテミッカラ。
　　　よかったよかった。（B　うん　そうだ　あと　×）行ってみるから。

008B：ン　　イッテミセ。
　　　うん　行ってみなさい。

009A：ハーイ。
　　　はい。

〔1〕ドゴラサアタリ
直訳すると「どこらにあたり」となるが、話者に確認したところ、このような単語の連続、「ドゴラ（どこら）」＋「サ（場所を示す格助詞）」＋「アタリ（場所を漠然と示す接辞）」は非文法的とのことであった。そこで「ドゴラサ（どこらに）」と「ドゴラアタリ（どこらへん）」が誤って融合した語形と判断し、「サ」の訳をあえて当てないことにした。

1-23. 開始時間を確認する

001B：アー　コンニズワ、コノマエワ　ドーモネ。
　　　ああ　こんにちは、この前は　どうもね。

002A：ハーイ　コンニチワ、オセワサマデス。
　　　はい　こんにちは、お世話様です。

003B：ン　トコロデサ　コンド　コーミンカンーデ　コーミンカンマツリ
　　　うん　ところでさ　今度　公民館で　公民館祭り

　　　アッチャネー。
　　　あるよね。

004A：ンー　アルヨ。
　　　うん　あるよ。

005B：ンー　オレ　サンズガラダッタヨーナキガスンダゲッドモ（A　エー）
　　　うん　私　三時からだったような気がするんだけれども（A　ええ）

　　　ホンデ　イーンダッタッケガヤ。
　　　それで　いいんだったっけかな。

006A：ナーニ　ユッテンノ　ニジダイッチャ。アンナイノカミサ　チャント
　　　なに　言っているの　二時だろうよ。案内の紙に　ちゃんと

　　　ニジッッテ　カイデアッタヨー。
　　　二時って　書いてあったよ。

007B：アー　ホンダッケガー。（A　ンー）アー　イヤ　ホンデ　サンズニ
　　　ああ　そうだっけか。（A　うん）ああ　いや　それで　三時に

　　　イッタンデワ　オワットゴダッタッチャワナー。
　　　行ったのでは　終わるところだったよな。

008A：ソーダッチャワ。（B　ンー）イチジハンコロ　アンダエサ
　　　そうだよ。（B　うん）一時半頃　あなたの家に

　　　ヨッデヤッカラ（B　ン）マッテサイン。
　　　寄ってあげるから（B　うん）待っていなさい。

009B：ハイ　ンデ　キデケロヤ。
　　　はい　それで[は]　来てくれよ。

1-24. お茶をこぼす

001B：{茶碗が転がる音} アヤヤヤヤ。コボシテシマッタヤー。
{茶碗が転がる音} あららららら。こぼしてしまったよ。

002A：アララー　アブネ
あらら　危ない

003B：ゾ　ゾーキン　カシテ、ゾーキン。
×　雑巾　貸して、雑巾。

004A：ハイハイ　アブネーゴダ。ヤケド　シネガッタ。
はいはい　危ないこと。　火傷　しなかった？

005B：ン　アー　ダイジョブ　ダイジョブ。ダイジョブダゲントモ
うん　ああ　大丈夫　大丈夫。　大丈夫だけれども

ザブトンマデ　ヨコ゜シテシマッタトワ。
座布団まで　汚してしまったぞ。

006A：イヤー　イッチャワ。シャーネッチャワ。
いや　いいよ。　仕方ないよ。

007B：ンー　ワリガッタ。
うん　悪かった。

1-25. 約束の時間に遅刻する

①許す

001A：ナーンダイー。Bサン　コネーゴダー。ジガンダッチューノニー。バスモ
なんだい。　Bさん　来ないこと。　時間だっていうのに。　バスも

イッテシマッタッチャワー。ア　キタキタ　キター。
行ってしまったよ。　あ　来た来た　来た。

002B：アー　ゴメンネー。オソグナッテネー。アヤヤヤ　バス
ああ　ごめんね。　遅くなってね。　あららら　バス

イッテシマッタガワヤ。
行ってしまったかな。

003A：イッタヨワ。
行ったよ。

004B：ンー　マコ゜ノヨーチエンガサー、イズモ　ハヤグ　カエッテクッカラ
うーん　孫の幼稚園がさ、　いつも　早く　帰ってくるから

マーニアウトオモッテ　ヤクソクシタンダゲントモ　キョーニ　カギッテ
間に合うと思って　約束したんだけれども　今日に　限って

ナーンダカ　オソクテサー。マッデダッケ　オソグナッテシマッタワ。
なんだか　遅くてさ。　待っていたら　遅くなってしまったよ。

ゴメンゴメン。
ごめんごめん。

005A：アー　ホダッタノ。　オーラ　ナニ　アッタンダカッテ、
ああ　そうだったの。私　なに　あったんだかって、

イツモノＢサンデナイガラ　スンペースデダッチャ。イツモ　チャント
いつものＢさんじゃないから　心配していたよ。　いつも　ちゃんと

ジガンニ　クルガラサ。
時間に　来るからさ。

006Ｂ：ンデ　ワルガッタナ。ンデ　マタ　アラタメデ　イク゜ヨーニ
それで[は]　悪かったな。　それで[は]　また　あらためて　行くように

スッペヤ。
しようよ。

007Ａ：ンダネ。　シャネーネ。マコ゜モ　ダイジダオンネ。
そうだね。仕方ないね。孫も　大事だもんね。

②非難する

001Ｂ：イヤイヤ　ゴメンゴメン　オグレデスマッタッチャナヤ。
いやいや　ごめんごめん　遅れてしまったなあ。

002Ａ：ナーンダイ　バス　イッテシマッタヨワー。
なんだい　バス　行ってしまったよ。

003Ｂ：アヤヤ　イッテシマッタノガワー。
あらら　行ってしまったのかよ。

004Ａ：メンカイジカンダッテ　モー（Ｂ　ンー）　ダメガモッシャネヨ。
面会時間だって　もう（Ｂ　うーん）だめかもしれないよ。

005Ｂ：イヤーイヤ　チョットサ　ズガン　アッタガラ　パチンコシッタッケサ、
いやいや　ちょっとさ　時間　あったから　パチンコしていたらさ、

バーンバンデテサ。　（Ａ　アーーンダイ）ンー　ズカンワ
バンバン[玉が]出てさ。（Ａ　なんだい）　うーん　時間は

チニナッタンダケッドモ。チョーット　オグレデスマッタ、ゴメンゴメン。
気になったんだけれども。ちょっと　遅れてしまった、　ごめんごめん。

006Ａ：イーツモダガラ、　ホンナコトバリシテ。
いつも[なん]だから、そんなことばかりして。

007Ｂ：ワリカッタズバナー。　ハイ　コンドカラ　ソユゴト
悪かったっていっているのにな。はい　今度から　そういうこと

スネーガラワ。
しないからさ。

008Ａ：コンド　イッショニ　イガネガラワ。
今度　一緒に　行かないからね。

009Ｂ：ン　イヤ　イッショニ　イク゜ベヤ。サソッテケロヤ。
うん　いや　一緒に　行こうよ。　誘ってくれよ。

1-26.　孫の大学合格を褒める

001B：オー　シバラグー。
　　　おお　久しぶり。

002A：シバラクデスネー。
　　　久しぶりですね。

003B：オー　ゲンキダッタガヤ。（A　ハイ）ンー。オー　ナンカ　コノマエ
　　　おお　元気だったかな。　（A　はい）うん。おお　なんか　この前

　　　Xクン、（A　ハイハイ）ダイガク　ゴーカク　ク　シタンダッテ。
　　　Xくん、（A　はいはい）大学　　合格　　×　したんだって？

004A：ンダノー。ナントカ　ウカッタンダベゲンド、（B　アイ）マンズ
　　　そうなの。なんとか　受かったんだろうけれど、（B　××）まあ

　　　ウジノミンナシテ、アンシンシタドコッサ。
　　　うちのみんなして、安心したところなの。

005B：アー　アンスンダナー。ンデ　　　（A　マズ）イガッタネ　ホントニ。
　　　ああ　安心だな。　　それで[は]（A　まあ）よかったね　本当に。

006A：ハイ。ハヤイモンダネ。
　　　はい。早いものだね。

007B：ンー　Xクン、Xクン　チャッコイトジッカラナー　ンートニ
　　　うん　Xくん、Xくん　小さいときからな　　　　本当に

　　　ユーシューダッタガラ、ホントニ　イガッタ。
　　　優秀だったから、　　本当に　よかった。

008A：イヤイヤ。（B　ンー）タイシタコトネガス。
　　　いやいや。（B　うん）たいしたことないです。

1-27. のど自慢への出演を励ます〔1〕

001B：コンチワー。
　　こんにちは。

002A：コンニチワ。
　　こんにちは。

003B：ン。　ナニシッタノ。
　　うん。なにしていたの。

004A：ハイハイ。ナニ、ユックリシデダヨ。
　　はいはい。なに、ゆっくりしていたよ。

005B：アー　ホント。ドレ、ネモ　オレ、オレモ（A　ンー）イップグ
　　ああ　本当。　どれ、××　私、　私も　（A　うん）一服

　　オチャデモ　ノマセデモラウガナー。
　　お茶でも　　飲ませてもらうかな。

006A：ソーダネ。（B　ン）　オチャニスットコダッタガラー。（B　ンー）
　　そうだね。（B　うん）お茶にするところだったから。　（B　うん）

　　イバイン〔2〕。
　　××××。

007B：トコロデサ、（A　ハイ）コノメーノ　シンデデアッタ
　　ところでさ、（A　はい）この前の　　仙台であった

　　エヌエチケーノノドジマン。（A　ンー）オレ　デタンダッチャ。
　　NHKののど自慢。　　　（A　うん）私　　出たんだよ。

008A：アー　デッタネー。（B　ンー）ユーショーシタンダッチャ。
　　ああ　出ていたね。（B　うん）優勝したんだね。

009B：ンー　バ　ミッタカー。（A　ミッタミッタ　　ン）　アー
　　うん　×　見ていたか。（A　見ていた見ていた　うん）ああ

　　イヤーイヤイヤ　オモイカ゜ケネグ　ユーショーステスマッタンダ。ン。
　　いやいやいや　　思いがけなく　　　優勝してしまったんだ。　　うん。

　　{笑}ソーシタッケ　コンド　トーキョーニ　イカ゜ナグテネンダッチャ。
　　{笑}そうしたら　　今度　　東京に　　　　行かなくてはいけないんだよ。

　　（A　アララララララー）ン。　ゼンコクタイカイ。
　　（A　あらららららら）　うん。全国大会。

010A：アラララ（B　ンー）タマゲタモンダネー。
　　あららら（B　うん）たまげたもんだね。

　　モーシコミダケデモ　　　　　　オドゲデネーッチューノニ
　　申し込み[した人の数]だけでも　[多くて]大変だっていうのに

　　トーキョーサイグンデワ、イヤイヤ　タイシタ　リッパデガス。
　　東京に行くのでは、　　　いやいや　たいそう　立派です。

011B：イヤイヤ　ナンダカ　ソーナッテシマッタガラサ（A　ンーー）マ、　アー
　　いやいや　なんだか　そうなってしまったからさ（A　うん）　まあ、ああ

　　セッカクダカラ　モスコス　イッカゲツグレ　アッカラ（A　ンー）スコス
　　せっかくだから　もう少し　一か月くらい　　あるから（A　うん）少し

　　レンシューシテ、（A　ンダネ）　アッダナ、アー　チャント
　　練習して、　　　（A　そうだね）あれだな、ああ　ちゃんと

ウダエルヨーニシテイカ゜ナクテ　ダメダナートオモッテンダ。
歌えるようにしていかなくて[は]　だめだなと思っているんだ。

012A：イヤイヤ　Bサン　チャッコイトギカラ　ウタ　ジョンダッタモノ。
いやいや　Bさん　小さいときから　歌　上手だったもの。

オチツイテ　ウタウト　イーヨー。ドコマデ　イグカモ　ッシャネ、イッガ
落ち着いて　歌うと　いいよ。どこまで　いくかも　知らない、行くか

ワカンネゲッド　ガンバライン。オーエンスッカラ。
わからないけれど　頑張りなさい。応援するから。

013B：アイ。ンデ　ガンバッテクッカラ。
はい。それで[は]　頑張ってくるから。

〔1〕1-27.のど自慢への出演を励ます
この場面はもともと地域で開催される本戦出場への励ましを言う場面として設定していたが、ここでは東京の全国大会への出場を励ます場面として会話が展開されている。

〔2〕イバイン
訳すと「(一緒に) 行きましょう」となるが、文脈上意味が通らない。話者に確認しても、やはりこの文脈に適さないとのことだったので、言い間違えとして処理した。

1-28. 道端で息子の結婚を祝う

001A：アラ　コンニチワー。
あら　こんにちは。

002B：オーイ　シバラグ。
はい　久しぶり。

003A：イガッタネー　Bサン。アンダエノXクン、　ケッコン
よかったね　Bさん。あなたの家のXくん、結婚

キマッタンダッテネー。イガッタゴダ。
決まったんだってね。　よかったこと。

004B：ンー　ヤーットサー。ンー。ドーナッカトオモッテ
うん　やっとさ。　うん。どうなるかと思って

サンジュースギデモ。　デモ　ヤットネ（A　ンー）チマリシタ。
三十すぎても[結婚しないで]。でも　やっとね（A　うん）決まりました。

（A　ホントホント）ット　コレデ　ヒトアンシンダネ、オレモ。
（A　本当本当）　本当[に]　これで　ひと安心だね、　私も。

005A：イズ　シキ　アゲ゜ンノ。
いつ　式　挙げるの。

006B：ンー　ライゲズノハツカーニ　ンー　（A　アー　ンデ）
うん　来月の二十日に　うーん（A　ああ　それで[は]）

スルコトニナッテダノ。
することになっているの。

1-29. のど自慢での優勝を祝う

001A：Bサン、テレビ　ミッタヨー。ユーショー　オメデトー。
　　　Bさん、テレビ　見ていたよ。優勝　　　　おめでとう。

002B：アー　ミッタガヤー。
　　　ああ　見ていたかい。

003A：マーサカ、ユーショーダオンネ。(B　ンー)　ヤッパリ　イジバン
　　　まさか、　優勝だもんね。　　　(B　うーん)やっぱり　一番

　　　ウタイカタ　ジョンダッタヨー。タイシタモンダ。ニッポンイチダカラネー。
　　　歌い方　　　上手だったよ。　　たいしたものだ。日本一だからね。

004B：イヤイヤ　アリガドネ。　アソコマデ　イグドオモワネガッタヤ。
　　　いやいや　ありがとうね。あそこまで　いくと思わなかったよ。

　　　(A　ンーー)ンー。コノメー　ホレ　オジャノンミシテ〔1〕イロイロ
　　　(A　うん)　うん。この前　　ほら　お茶飲みして　　　　いろいろ

　　　ハナシ　シタッチャ。　(A　ンー)ンー。ソントギニ　ホレ　オジズイデ
　　　話　　　したでしょう。(A　うん)うん。そのときに　ほら　落ち着いて

　　　ヤッセヨーッテイワッタノ、　オモイダシテサ。
　　　やりなさいよっていわれたの、思い出してさ。

005A：ア　ンデ　　　　ヨガッタ。
　　　あ　それで[は]　よかった。

006B：ンー。ナンドカ　アー　ユーショーデギダナ。(A　イヤイヤ)
　　　うん。なんとか　ああ　優勝できたな。　　　(A　いやいや)

007A：イソガシーンダネ。(B　ンー)オヨメサンニナルヒト　ドッカラ　キタノ。
　　　忙しいんだね。　　(B　うん)お嫁さんになる人　　　どこから　来たの。

008B：アー　チカインダヨ。ホレ、トナリノシンデムラ〔1〕。
　　　ああ　近いんだよ。　ほら、隣の仙台村。

009A：アー　ンジャ　　イガッタデス。(B　ンーンーンーンー)オメデトーサン。
　　　ああ　それでは　よかったです。(B　うんうんうんうん)おめでとうさん。

010B：ハーイ　ドーモ　アリガトーネ。
　　　はい　　どうも　ありがとうね。

〔1〕シンデムラ
「仙台」に「村」を付けた俗語。名取からみて仙台は大都会であり憧れの対象となる地域であった。その仙台からお嫁さんをもらうというのは、名取の人々にとっては誇らしくもあり、照れくさいことでもあったようである。そのため、わざと仙台を低く言うような表現が生まれてきたものと解される。この「仙台村」という言い方は特殊なケースではなく日常的に用いる表現のようである。

1-30．道端で兄弟を弔う

001A：イヤーイヤ　Bサン　タイヘンダッタネー。
　　　いやいや　　Bさん　大変だったね。

002B：ンーー。マー　シャネーンダナー。ドーモ　アリガドネ。
　　　うーん。まあ　仕方ないんだな。　どうも　ありがとうね。

003A：ンー。Xツァン　シンダナンテ、ナクナッタッテユーノ　キーデッサ
　　　うん。Xさん　　死んだなんて、亡くなったっていうの　聞いてさ

　　　（B　ン）ビッグリシタッチャー。
　　　（B　うん）びっくりしたよ。

004B：ンー。ンーダ　オヤガダワナー　オレド　チガッテ　タ　サゲワ　ノムス、
　　　うん。そうだ　兄はな　　　　　私と　　違って　×　酒は　　飲むし、

　　　タバコワ　スース、ナンデモ　スジナイゴト　シッタガラ、　マー
　　　タバコは　吸うし、なんでも　よくないこと　していたから、まあ

　　　（A　ンーー）イーベ。　　アノー（A　ンーー）シャネンダナ。
　　　（A　うーん）いいだろう。あの　（A　うーん）仕方ないんだな。

　　　（A　シャネーネ）ミンナデ　アギラメデンノサ。
　　　（A　仕方ないね）みんなで　諦めているのさ。

005A：ンーー。ハヤガッダネ。マズマズ。
　　　うーん。早かったね。　まあまあ。

006B：ン。　アイ　ドーモ。
　　　うん。はい　どうも。

　　　アリガドネ。
　　　ありがとうね。

007A：ハーイ　オメデトーネー。（B　ハーイ）ヨガッタヨガッタ。ニッポンイチ。
　　　はい　　おめでとうね。　（B　はい）　よかったよかった。日本一。

　　　{笑}
　　　{笑}

008B：ハーイ　ドーモ。{笑}
　　　はい　　どうも。{笑}

〔1〕オジャノンミ
　「お茶飲み」は本来「オジャノミ」と発音される。「オジャノンミ」の「ン」は言い淀んだ発音と解釈される。

007Ａ：オクヤミモーシアゲマス。
　　　お悔やみ申し上げます。

008Ｂ：アーイ　アリガドネ。
　　　はい　　ありがとうね。

1-31．のど自慢での不合格をなぐさめる

001Ｂ：イヤーイヤ　コノマエヤ　ハァ　シンデデアッタノドジマン。（Ａ　ンー）
　　　いやいや　　この前さ　　はあ　仙台であったのど自慢。　　（Ａ　うん）

　　　ザンネンナガラ　カネ　シトツデシタ。
　　　残念ながら　　　鐘　　一つでした。

002Ａ：イヤイヤ　タイシタモンデガスタ。アソコマデ　イグノニモ
　　　いやいや　たいしたものでした。　あそこまで　行くのにも

　　　タイヘンナンダモーン。デモ　トッテモ　オモシェガッタッチャー。
　　　大変なんだもん。　　　でも　とても　　面白かったよ。

　　　アンダモヤクシャダネー。ヤルナヤ。
　　　あなたも役者だね。　　　やるねえ。

003Ｂ：ホーカ　ミッタカー。（Ａ　ミッタミッタ）　　シーー　アノネー
　　　そうか　見ていたか。（Ａ　見ていた見ていた）うーん　あのね

　　　ノドズマンワネー　アーユーオドゲガ　　　ヒトリグレー　イット
　　　のど自慢はね　　　ああいうおどける人が　一人ぐらい　　いると

　　　（Ａ　ホーントダネー）オモシェグナンダ。ン。
　　　（Ａ　本当だね）　　　面白くなるんだ。　うん。

004Ａ：バングミトシテワ　オモッシェガッタヨ。
　　　番組としては　　　面白かったよ。

005Ｂ：ソースカ。　ンデ　　　　イガッタンダナ　コリャ。カネ　シトツデモ
　　　そうですか。それで[は]　よかったんだな　これは。鐘　　一つでも

1-32. 寂しくなった相手をなぐさめる

001A：シバラグダネ、Bサン。
　　　久しぶりだね、Bさん。

002B：アーイ　シバラグダネ。
　　　はい　　久しぶりだね。

003A：Xチャン　ケッコンシテ　トーグサ　イッテシマッタッテユーンデ、
　　　Xちゃん　結婚して　　　遠くに　　行ってしまったっていうので、

　　　ユーンダゲッド　サビシグナッタンデネーノー。
　　　いうんだけれど　寂しくなったんじゃないの。

004B：シーダネァーー。ケッコンスルドギマデワ　ハヤグ
　　　そうだねえ。　　結婚するときまでは　　　早く

　　　デデケ゜ーデデケ゜ーッテユッテヤンダゲンド（A　ダイネー）　イザ
　　　出てけ出てけっていっていたんだけれど　　　（A　そうだよね）いざ

　　　イナグナッタッケ　ヤッパリサービシーモンダ。
　　　いなくなったら　　やっぱり寂しいもんだ。

005A：ダイネー。（B　ンー）マーサカ　ヨメニ　イガンネモ
　　　そうだよね。（B　うん）まさか　　嫁に　　行かれないのも

　　　シンパイダゲッドモ　イガレレバ　イガッタヨーニ　サミシーヨネ。
　　　心配だけれども　　　行かれれば　行かれたように　寂しいよね。

006B：ンダネァ。　ンデ　　　　アイッタナ、ドーキューセー
　　　そうだなあ。それで[は]　あれだな、　同級生[ということで]

　　　イガッタンダ。
　　　よかったんだ。

006A：ンー。
　　　うん。

1-33. 足をくじいた相手を気遣う

001B：アダダダダダ。(A　アラ)アー(A　ア)アーシ　クズイテシマッタワ
あたたたたた。(A　あら)ああ(A　×)足　くじいてしまったわ

コリャー。シーーーー。
これは。うーん。

002A：アリャー　アラララララ　アブナイゴダ。
あれ　あららららら　危ないこと。

003B：イーヤ　カイダン　モーイズダン　アットオモッテサー。オー(A　アーー)
いや　階段　もう一段　あると思ってさ。××(A　ああ)

オーシテ　ツマケテシマッタ。
そうして　つまずいてしまった。

004A：ナンダッテ　ホダ　アワテンダカ、ナンデ。アシ　ヒネッタッスカワ。
なんだって　そんな[に]　慌てるんだか、なんで。足　ひねったのですか。

ユックリ　オジサイン。
ゆっくり　降りなさい。

005B：ンダナ。(A　シー)シー　チョ　チョット　アシ　ツガンネガラ　カタ
そうだな。(A　うん)うーん　××　ちょっと　足　つけないから　肩

カシテケロヤ。
貸してくれよ。

006A：ンダネ。　ダイジョーブスカー。ンデ　ユックリ。(B　シー)
そうだね。大丈夫ですか。　それで[は]　ゆっくり。(B　うん)

チョコチョコオジャノミニ　キテケサイヤ。
ちょくちょくお茶飲みに　来てくださいよ。

007A：ンダネ。　ハーイ。
そうだね。はい。

1-34. 孫が最下位になったことを気遣う

001B：イヤーイヤ　ミンナデ　ホンキニナッテ　オーエンシタゲンドモ、Xクン、
いやいや　みんなで　本気になって　応援したけれども、　Xくん、

ドロッペニナッテシマッタナヤ。
最下位になってしまったなあ。

002A：ンダネー。マーダ　アソコデ　コロブンダオン、マーダ。ドッペニ
そうだね。また　あそこで　転ぶんだもの、　また。　最下位に

ナンノモシャネッチャワ。ワダシニ　ニテ　ハシクラ　オソイカラ
なるのも仕方ないよ。　私に　似て　かけっこ　遅いから

シャネンダネ。
仕方ないんだね。

003B：マ　ホイズワ　ショーガネベゲンットナー。ンデモナー、アーレ
まあ　そいつは　仕方ないだろうけれどな。　それでもな、あれ

スタートデ　コロバネガッタラ　ケッコー　イードゴ
スタートで　転ばなかったら　結構　いいところ

イッタンダゲンドナー。（A　ン　ンダネー　ザン）マー
行ったんだけれどな。　（A　うん　そうだね　××）まあ

イッショーケンメー　ハシッタンダカラヤー　ホメデヤレヨー。
一生懸命　走ったんだからさ　褒めてやれよ。

004A：ンダネー。アダマ　ナデテヤッカラ。
そうだね。頭　撫でてやるから。

アブネーゴダネー。
危ないことね。

007B：アレ　アソコサ　コスカケ　アッカラサ、アソコマデ　ツレデッテケロ。
あれ　あそこに　腰掛け　あるからさ、あそこまで　連れていってくれ。

008A：イーヨ。
いいよ。

1-35. ゴミ出しの違反を非難する

①従う

001A：オハヨガスー。
　　　おはようございます。

002B：オーイ　オハヨーガスー。
　　　はい　　おはようございます。

003A：アーレ　Bサン　キョー　ゴミノヒデネッチャ。アシタダヨー。
　　　あれ　　Bさん　今日　　ゴミの日じゃないよ。明日だよ。

004B：ンダッケガヤ。
　　　そうだったかな。

005A：ダーメダヨー　シテービデネートギ　ダストー。カラスダノ　イヌダノ
　　　だめだよ　　　指定日じゃないとき　出すと。　カラスだの　犬だの[が]

　　　クイチラカシテ　キタネクナルカラー。
　　　食い散らかして　汚くなるから。

006B：アー　ンダナー。ンヤ　ヤッ　ソコサ　ヤッパリ　カラス　キテ　マッ
　　　ああ　そうだな。いや　××　そこに　やっぱり　カラス　来て　××

　　　ミデマッテダワ。　ンデ　　　　ワガッタ。ンデ
　　　見て待っているわ。それで[は]　わかった。それで[は]

　　　アシタダッケオンナ。(A　ンー) アノー　シテービネ。(A　ソーダヨー)
　　　明日だったもんな。　(A　うん) あの　　指定日ね。　(A　そうだよ)

　　　ンデ　　　　アスタ　ダスカラ。(A　ハーイ) ハーイ　ドーモ
　　　それで[は]　明日　　出すから。(A　はい)　はい　　どうも

005B：ンー。{笑}
　　　うん。{笑}

アリガドネー。
ありがとうね。

②従わない

001A：オハヨガスー。　　アヤ　Bサン。
おはようございます。あら　Bさん。

002B：オー　オハヨーゴザイス。
おお　おはようございます。

003A：キョー　ゴミノヒデナイヨー、アシタダッチャー。ダメダッチャ
今日　ゴミの日じゃないよ、明日だよ。　　だめだよ

シテービデネートギニ　ダシテー。カラスダノ　イヌダノ　チラカシテ
指定日じゃないときに　出して。　カラスだの　犬だの[が]　散らかして

オドゲデネ　キタナクナンダヨー。ダメダヨ。
とんでもなく　汚くなるんだよ。　だめだよ。

004B：ンー　ンダナー。ホントワ　アシタナンダッチャナヤ。(A　ンダデバ)　ホ
うん　そうだな。本当は　明日なんだよなあ。　(A　そうだってば) ×

ホイズ　ワガッテンダケドサー、　アシタ　イネーンダ。イマッガラ
そいつ　わかっているんだけどさ、明日　いないんだ。今から

オレ　アノ　デガケナクテネンダッチャ。　リョコーサ　イク゜ンダー。
私　あの　出かけなくてはいけないんだよ。旅行に　行くんだ。

ンダガラ　チョー、チョーダゲ　オイデインガラサ。
だから　今日、　今日だけ　置いていくからさ。

005A：ダメダヨ。
だめだよ。

006B：ンー　デモナー　イマ　ナーズニナッテナ、ウジサ　オグド
うーん　でもな　今　夏になってな、　家に　置くと

クセクナッガラサ、ダシデグドー。
臭くなるからさ、　出していくぞ。

007A：ッシャネ。
知らない。

008B：ンデマズネー。
それじゃあね。

009A：ッシャネーヨ。
知らないよ。

1-36. 退任した区長をねぎらう

001A：イヤイヤ　Bサン　サンネンカン　イッキ　タイヘンデシタネー。
いやいや　Bさん　三年間　一期　大変でしたね。

ゴクローサマデシター。
ご苦労様でした。

002B：イヤーイヤ　ヤット　ニンチ　オワッタナヤー。ミンナノキョーリョク
いやいや　やっと　任期　終わったなあ。　みんなの協力

モラッテ　ブジ　ツトメルコト　デジダナ。アリガドネー。
もらって　無事　務めること　できたな。ありがとうね。

003A：ホーントニ　タイヘンデシタ。デギルンナラッサ、モーイッキ
本当に　大変でした。　できるんならさ、　もう一期

シデモラエッド　アリガデーンダゲッドモネ。
してもらえると　ありがたいんだけれどもね。

004B：イヤーイヤ　イーベ。　アド　ワゲヒトダチニ
いやいや　いいだろう。あと　若い人たちに

マカセナクテネーワナー。　コノサンネンカン　イロイロ　アッタガラナー。
任せなくてはいけないよな。この三年間　いろいろ　あったからな。

ズスン　アッタリ　ツナミ　アッタリ。(A　シートダネー)アー　ダカラ
地震　あったり　津波　あったり。(A　本当だね)　ああ　だから

マ　コンドワ　ワゲヒタジニ　ヤッテモラウベワ。
まあ　今度は　若い人たちに　やってもらおうよ。

005A：ホントダネ。オツカレサマデシタ。
本当だね。　お疲れ様でした。

006B：アーイ　アリガドサン。
はい　ありがとうさん。

1-37. 車を出せずに困る

001B：サ　カイモノサ　デガゲッド。
　　　さあ　買い物に　出かけるぞ。

002A：ハイ　イマ　イーヨ。ジュンビデキタヨ。
　　　はい　今　いいよ。準備できたよ。

003B：ナーンダー。（A　ン）　クルマ　デランネーナヤ。
　　　なんだ。（A　うん？）車　出られないなあ。

　　　メーノイエサキタオキャクサンノガナ、コレ。
　　　前の家に来たお客さんのかな、　これ。

004A：アラ　ナーンダイ。イッツモナンダ　コッチノウチデ。　ショッチュー
　　　あら　なんだい。　いつもなんだ　こっちの家[の前]で。しょっちゅう

　　　トメデンダヨ、　コノクルマ。
　　　停めているんだよ、この車。

005B：ンーー。ドーロサ　トメンナッテイワネゲンドモ　ヒトノメーワク
　　　うーん。道路に　停めるなって言わないけれども　人の迷惑

　　　カンガエナクテ　ダメダナ。チョット　イッテ　ヨケテモラッテコイ。
　　　考えなくて[は]　だめだな。ちょっと　行って　よけてもらってこい。

006A：ンデ　ユッテクッカラネ。
　　　それで[は]　言ってくるからね。

007B：ン。
　　　うん。

1-38. 孫が一等になり喜ぶ

001B：X　ガンバレヨー。
　　　X　頑張れよ。

002調：ヨーイ　ドン。
　　　用意　ドン。

003B：ホレ　ガンバレー。
　　　ほら　頑張れ。

004A：ホレ　アラ　オラ
　　　ほれ　あら　ほら

005B：ンーー　ナーー
　　　うーん　ああ

006A：ナーンダイ。アラーー　ナンダナンダナンダ　オソイゴド。
　　　なんだい。　あら　なんだなんだなんだ　遅いこと。

007B：ナーンダ　アイツワヨー。ダメダナー、コレナー、バンツァン。オイ
　　　なんだ　あいつはよ。　だめだな、　これな、　ばあちゃん。おい

　　　ヨシヨシ　オーオーオー　ヨシヨシ　オー　ガンバッテキタガンバッテキタ。
　　　よしよし　おおおおおお　よしよし　おお　頑張ってきた頑張ってきた。

008A：アラ　ガンバレガンバレガンバレ　ア　オーー　ヌイダヌイダ。
　　　あら　頑張れ頑張れ頑張れ　あ　おお　抜いた抜いた。

009B：オーー　ヌイダヌイダ。オーー　ヨシヨシ。オ。
　　　おお　抜いた抜いた。おお　よしよし。お。

010A：オーー　ヤッパリ　Xダ。イットーショーダ。ホレ　ジーチャン
　　　おお　やっぱり　Xだ。一等賞だ。　ほら　じいちゃん。

　　　イットーヤヨーー　ホラ。アー　ヨカッタ。
　　　一等だよ　ほら。ああ　よかった。

011B：アー　バーチャン　イットーダイットーダ。アー　ヨカッタナー。
　　　ああ　ばあちゃん　一等だ一等だ。　あー　よかったな。

　　　ヨシヨシヨシ。
　　　よしよしよし。

012A：アー　ヨガッタヨガッタ。{拍手}
　　　ああ　よかったよかった。{拍手}

1-39. 孫が一等を逃しがっかりする

001B：ホレ（A　アレ）スタート　スタートスルゾ、カーチャン、バーチャン。
　　　ほら（A　あれ）スタート　スタートするぞ、母ちゃん、　ばあちゃん。

　　　オ　オ　アイツダ。シャシンシャシン。ン、　ン。
　　　お　お　あいつだ。写真写真。　うん、うん。

002A：ア　オ　ア　ホントダ。オラエノXダ。ホラ　ホラ
　　　あ　お　あ　本当だ。　うちのXだ。　ほら　ほら

　　　ナンダベナンダベナンダベ。
　　　なんだよなんだよなんだよ。

003B：ナンダナンダナンダナ　スタミナ　ネグナッタナー。アララララー。
　　　なんだなんだなんだ×　スタミナ　なくなったな。　あららららら。

004A：ナーーンダベ。ホレッホレッ　ガンバレーーー。{笑}
　　　なんだよ。　ほらほら　頑張れ。　{笑}

005B：アイヤイヤー。ナンダ　イマ　サンニンニ　ヌカッタノガ。
　　　あいやいや。　なんだ　今　三人に　抜かれたのか。

006A：ナーンダイ　ッシャネーナー　モー。
　　　なんだよ　仕方ないな　もう。

007B：ンーー　ンデモヤ　イマ　ジューニンデ　ハシッタンダベ　アレ。
　　　うーん　それでもよ　今　十人で　走ったんだろう　あれ。

008A：ドッペデネーダケ　イート　シナキャナイ。
　　　最下位じゃないだけ　よしと　しなきゃいけない。

1-40. タバコをやめない夫を叱責する

001A：トーチャン　アンダ　マダ　アノ　タバコ　スッテンデネーノ。
父ちゃん　あなた　まだ　あの　タバコ　吸っているんじゃないの。

002B：ンー。
うん？

003A：ケンコーノタメダナンテ　イッチョマエナコト　ユッテ。セッカク
健康のためだなんて　一人前なこと　言って。せっかく

ヤメダノニ。
やめたのに。

004B：ンー　ヤ　マーー。
うーん　いや　まあ。

005A：マゴモ　ウマレダンダカラ　ヤメサインヨ。ワゲシタチガラ
孫も　生まれたんだから　やめなさいよ。若い人たちから

ゴシャガレッガラネ。
怒られるからね。

006B：ンダナ。　セッカク　ヤメダンダカラ。ヨーシ　ンデ　イーマ
そうだな。せっかく　やめたんだから。よし　それで[は]　今

ココサ　ヒトハコ、コイズ　ネグナッタラ　ヤメッペ。
ここに[ある]　一箱、　こいつ　なくなったら　やめよう。

007A：マダ　ホダゴド　ユッテ。
また　そんなこと　言って。

009B：ンー。ヨンバンメダ。アー　タイシタモンダ。
うん。四番目だ。　ああ　たいしたものだ。

010A：アー　イヤイヤ。{拍手}
ああ　いやいや。{拍手}

011B：ンデ　ケーッテキタラ　ホメデヤッカンネ。
それで[は]　帰ってきたら　褒めてやるからね。

012A：ン。　イガスイガス。
うん。いいですいいです。

1-41. タバコのことを隠している夫を疑う

001A：トーチャン　アンダ　マダ　スイハジメダスペ。　コノフグノ　サ
　　　父ちゃん　　あなた　また　吸い始めたでしょう。この服の　　×

　　　フグノニオイ　クセゴダクセゴダ。
　　　服のにおい　　臭いこと臭いこと。

002B：スーワネベッチャー。ニオイスンノガ。（A　ンー）アー　ホーイズ
　　　吸わないよ。　　　　においするのか。（A　うん）ああ　そいつ

　　　アイタッチャ、ユンベ　ノミカイデ　ケムリ　ワンワント　スットコサ
　　　あれだよ、　　昨夜　　飲み会で　　煙[が]　わんわんと　するところに

　　　イダガラナー。ンダガラ　（A　ウーソツイテー）フグサ
　　　いたからな。　それだから（A　嘘ついて）　　　服に

　　　ツイタンダベ、　ニオイ。
　　　ついたんだろう、におい。

003A：ウーソデナイノー。タマニ（B　ウソ）ニオイシテルヨー。
　　　嘘じゃないの。　　たまに（B　嘘）　においしているよ。

004B：ウソデネーエー。
　　　嘘じゃないよ。

005A：マダ　スイハジメタンダスペ。ヤンダゴダ。
　　　また　吸い始めたんでしょう。嫌なこと。

1-42. 畑の処理を迷う

001B：イヤーイヤ　ダンダン　トス　トッテキテ　ハダゲシゴドモ　ナンダカ
　　　いやいや　　だんだん　年　　取ってきて　畑仕事も　　　　なんだか

　　　ムズカシクナッテキタオンネヤ　ダンダント。
　　　難しくなってきたものねえ　　　だんだんと。

002A：ンダネー。イッショニ　　　　　シテモ　ラクデナイオンネ。
　　　そうだね。[畑仕事を]一緒に　しても　楽じゃないものね。

003B：ンー。ナーンダカ　コーウンチモヤ　オモダグデ　ウゴカサンネグ
　　　うん。なんだか　　耕運機もな　　　重たくて　　動かせなく

　　　ナッテチダドワ。
　　　なってきたぞ。

004A：クークレナラ　　　　　　　　ナンボガ　ツグッドイテモ
　　　[自分たちが]食うくらいなら　いくらか　作っておいても

　　　イーンダゲンドモネー。テニオエネグナッテキタワネ。
　　　いいんだけれどもね。　手に負えなくなってきたわね。

005B：ンダナー。デジレバ　ツグリデンダゲッドナー。ムスコダジモ
　　　そうだな。できれば　作りたいんだけれどもな。息子たちも

　　　ヤルチネーガラ　マ　　コトスダケ　ツグッテミッカ。
　　　やる気ないから　まあ　今年だけ　　作ってみるか。

006A：ンダネー。ナンボカ　ガンバッテ。サグリキッタリ〔1〕クサトリモ
　　　そうだね。いくらか　頑張って。　耕したり　　　　　草取りも

ハガイガネゲンドモ。
はかどらないけれども。

007B：ン。 アマリ ムリスネデ ヤッペヤ。（A ンダネー）ンー。
うん。あまり 無理しないで やろうよ。（A そうだね）うん。

ヨグヨグニナッタラ ンデ トナリヌ
よくよくになったら それで[は] 隣に

（A ＿＿ ソーダネ ンー）エ ツグ ツグ ツグッテモラウヨーニ
（A ＿＿ そうだね うん）× ×× ×× 作ってもらうように

スッペワ。
しようよ。

008A：タノンダライーワネー。
頼んだらいいわね。

〔1〕サグリキル
「サグリ（決り）」は鍬で土を返したところ。畝。

1-43. 帰宅の遅い孫を心配する

001A：ジーチャン X マダ ガッコガラ サガッテコネーンダヨネ。
じいちゃん X まだ 学校から 帰ってこないんだよね。

002B：マダ コネーノガ。
まだ 来ないのか。

003A：クラクナッテキテンノニネー。
暗くなってきているのにね。

004B：ンダッチャワナー。イズモナラ トックニ カエッテルジカンダッチャナヤ。
そうだよな。 いつもなら とっくに 帰っている時間だよなあ。

005A：ンダヨ。 テレビ ミタリシテンダゲンド、 オソイゴダ。
そうだよ。テレビ 見たりしているんだけれど、遅いこと。

006B：ホンデ チョット スンペーダガラ アレ Xノトモダジノウジサ
それで ちょっと 心配だから あれ Xの友達の家に

デンワシテミロ。
電話してみろ。

007A：ンー。ンダネ デンワスッカラ。
うん。そうだね 電話するから。

008B：オレ チョット ソノヘンマデ ムガエニ イッテミッカラ。
私 ちょっと その辺まで 迎えに 行ってみるから。

009A：ハーイ ミデ シンペダガラ ミデケサイン。
はい ×× 心配だから 見てください。

010B：ン。　ンデ　　　　イッテクッカラ。
　　うん。それで[は]　行ってくるから。

1-44. 花瓶を倒す

001B：{花瓶が倒れる音} アヤヤヤヤ（A　アレ）イヤイヤ　カビン
　　{花瓶が倒れる音} あやややや（A　あれ）いやいや　花瓶

　　ヒックリゲシテシマッターー。（A　アヤヤヤヤ　ナン）ダ　ハヤク
　　ひっくり返してしまった。　　（A　あやややや　××）×　早く

　　ゾーキン　モッテキテケロー。
　　雑巾　　　持ってきてくれ。

002A：ナニシテンノ。　マダ　ミズ　コボシタノスカー。
　　なにしているの。また　水　　こぼしたのですか。

003B：イヤイヤ　コボシテスマッタ。アーラ　イヤ
　　いやいや　こぼしてしまった。あら　　いや

004A：ヨーク　コボスゴダー。
　　よく　　こぼすこと。

005B：ジュータンマデ　ヨゴレテスマッダドワ。
　　絨毯まで　　　　汚れてしまったぞ。

006A：スカネゴダ。　ヤンダゴダ。
　　好かないこと。嫌なこと。

1-45. 会合を中座する

001B：アレサー（A ン） マーダ カイギノトジューナンダゲンドモ
あのさ （A うん？）まだ 会議の途中なんだけれども

（A シーンー）オーレ コンナニ オソクナルトオモワネガッタカラ
（A うんうん）私 こんなに 遅くなると思わなかったから

ビョーインサ ヨヤクシテキテシマッタンダワ。（A シー）デ
病院に 予約してきてしまったんだよ。 （A うん）[それ]で

イマッカラ イガナクテネーガラサ、 サージ インカラワナー。
今から 行かなくてはいけないからさ、先 行くからな。

002A：シーンー。ダーヨネー、ズイブン ナガイモノネー。イガスイガス。
うんうん。だよね、 ずいぶん 長いものね。 いいですいいです。

ハヤグ イガインワ。
早く 行きなさいよ。

003B：ン。 ンデ アド タノムドワ。
うん。それで[は] あと 頼むぞ。

004A：ハイヨ。
はいよ。

1-46. メガネを探す

001B：ナーンダ メガネ ミッケランナインダゲッドモ ドコサ イッタヤー。
なんだ メガネ 見つけられないんだけれども どこに いったよ。

ワガンネガ。
知らないか。

002A：アーラ ッシャネ、ッシャネーヨー。
あら 知らない、知らないよ。

003B：ナーンダ イズモンドゴサ オイダノニ ネードー。ドゴサ
なんだ いつものところに 置いたのに ないぞ。 どこに

ヤッタンダベ。
やったんだろう。

004A：アラ ナンダイ。ジブンノモノ ジブンデ カ サガシタライーッチャ。
あら なんだい。自分のもの 自分で × 探したらいいさ。

オラ ッシャネヨ。
私 知らないよ。

005B：イヤ ンダガラ イズモ オイデッドゴサ
いや だから いつも 置いているところに

オイデダッテユッタンダッテ。 ホイズ ドッガサ ヤッタンダベ。
置いていたっていったんだって。そいつ どこかに やったんだろう。

006A：ッシャネーネ。
知らないね。

1-47. 朝、道端で出会う

①男性→女性

001B：ハイ　オハヨー。
　　　はい　おはよう。

002A：オハヨーゴザイマスー。
　　　おはようございます。

003B：ハーイ　ズイブン　ハヤイゴダ。ドコサ　イグノ。
　　　はい　ずいぶん　早いこと。　どこへ　行くの。

004A：エーットネ　カイランバン　スコシ　トマッテダガラ　モッテイグトコ。
　　　ええとね　回覧板　少し　止まっていたから　持っていくところ。

　　　キョー　ヨー　アンッダゲンドモ　イソガシーガラ（B　ンー）ハヤグ
　　　今日　用　あるんだけれども　忙しいから　（B　うん）早く

　　　イッテクンダヨ。
　　　行ってくるんだよ。

005B：ハイ　ンダネ。　アサノウジ、スズシーウジニ　イッテコセ。
　　　はい　そうだね。朝のうち、　涼しいうちに　行ってきなさい。

006A：ハーイ　オワラセッカラネ（B　ハイ）ドーモ。
　　　はい　終わらせるからね（B　はい）どうも。

007B：ハイ　ゴクローサンダネー。
　　　はい　ご苦労様だね。

008A：ハーイ。
　　　はい。

②女性→男性

001A：アラ　オハヨーゴザイマスー。
　　　あら　おはようございます。

002B：アーイ　オハヨー。
　　　はい　おはよう。

003A：ドコサ　イグトコ。
　　　どこに　行くところ。

004B：アーラ　アサノスズシーウジニサー（A　ン）　チョット　ハダケサ
　　　あら　朝の涼しいうちにさ　（A　うん）ちょっと　畑に

　　　イッデクッカトオモッタノ。
　　　行ってくるかと思ったの。

005A：アララ　カセンコタ。
　　　あらら　働くこと。

006B：ンー　ヤッパリネ　トシ　トッテクッドネ　アツグナット　ダメダカラ
　　　うん　やっぱりね　年　取ってくるとね　暑くなると　だめだから

　　　（A　ンダネー）ン　イッテ　ハヤク　カエッテクッペワ。
　　　（A　そうだね）うん　行って　早く　帰ってくるさ。

007A：ハヤク　イーモノ　トッテ　カエッテゴザイン。
　　　早く　いいもの　採って　帰っていらっしゃい。

008B：アーイ　アリガド。
　　　はい　ありがとう。

009A：アーイ。
　　　はい。

1-48. 朝、家族と顔を合わせる

001B：ドーレ　ハヤグ　オギロワー。ハヨ　ハヤグ　オギデ　ゴハンノヨーイ
どれ　早く　起きろよ。××　早く　起きて　ご飯の用意

スロ。
しろ。

002A：アー　ホントダネー。ヤンダ　ユンベ　ネムレナガッタ。
ああ　本当だね。　嫌だ　昨夜　眠れなかった。

003B：ナンデ　マダ。
なんで　また。

004A：ナンダ　トシナンダイガネ。トンデモナイジガンニ　メー　サメデ
なんだ　年なんだろうかね。とんでもない時間に　目が　覚めて

ヤンダグナル　コレ。
嫌になる　これ。

005B：キツケロヨー。　ダンダン　ボゲデクンダガラ。
気[を]つけろよ。だんだん　ぼけてくるんだから。

006A：サッサド　ゴハンノヨーイ　スッペワ。
さっさと　ご飯の用意　しよう。

007B：ン。　ゴハンノヨーイ　スルッテコドワネ　ノーオ　ツカウンダガラ、
うん。ご飯の用意　するってことはね　脳を　使うんだから、

ボゲネガラ　ハヤグ　ヤッセ。
ぼけないから　早く　やりなさい。

008A：ハイ。
はい。

1-49. 昼、道端で出会う

①男性→女性

001B：アイ　コンニズワー。
　　　はい　こんにちは。

002A：アラ　シバラクダゴト。
　　　あら　久しぶりだこと。

003B：アー　シバラクダネァ。(A　ウン) ゲンキーダッタカヤ。
　　　ああ　久しぶりだねえ。(A　うん) 元気だったかな。

004A：マズマズネ。
　　　まあまあね。

005B：ンー。ンデネ　コレガラ　アッツグナンダカラ　ハヤグ　ヤルゴド
　　　うん。それでね　これから　暑くなるんだから　早く　やること

　　　ヤッテ (A　ンダネー) チャント　シンママデ　カエッサイヨ。
　　　やって (A　そうだね) ちゃんと　昼間まで　帰りなさいよ。

006A：ンダワ　シンマダワネ。(B　ンー) ハンニチ　スゴスノ　ハエゴダネ。
　　　そうだわ　昼間だわね。(B　うん) 半日　過ごすの　早いことね。

007B：アイ。ンデ　イッテコセー。
　　　はい。それで[は]　行ってきなさい。

008A：ハイ　イッテキマース。
　　　はい　行ってきます。

②女性→男性

001A：アーラ　シバラグダゴダ　コンニチワ。
　　　あら　久しぶりだこと　こんにちは。

002B：アーイ　コンニジワ　シバラグダネー。
　　　はい　こんにちは　久しぶりだね。

003A：アー (B　ン)　ドゴサ　イッテキタノ。
　　　ああ (B　うん) どこに　行ってきたの。

004B：ンー　イマ　コーミンカンデサー　カラオケッコキョーシツナンテ
　　　うん　今　公民館でさ　カラオケ教室なんて

　　　ヤッテサー　(A　アラ) ン　トシゲーモナグ　イッテキタンダ。
　　　やって[いて]さ (A　あら) うん　年甲斐もなく　行ってきたんだ。

005A：アー　ホント。(B　ン)　マダ　シンマニナルンワネー〔1〕。
　　　ああ　本当。(B　うん) ××　昼間になるわね。

006B：ン　ダガラ　シンマニナッカラ　ホレ　イマ　イソイデ
　　　うん　だから　昼間になるから　ほら　今　急いで

　　　ケーッテキタトゴサ。
　　　帰ってきたところさ。

007A：アー　ソースカ　(B　ハイ) ハーイ　ホンデマズ。
　　　ああ　そうですか (B　はい) はい　それじゃあね。

008B：アーイ　ンデネー　マタネ。
　　　はい　それで[は]ね　またね。

〔1〕マダ　シンマニナルンワネー
　文脈上「もう昼間になるわね。」であれば通じるが、「マダ」では通らない。話者に確認してもこれはおかしいとのことであったので、「マダ」は言い間違いと判断して処理した。

1-50. 夕方、道端で出会う

①男性→女性

001B：オバンナリシター。クラグナッテキタネァ。
　　　こんばんは。　　　暗くなってきたねえ。

002A：オ　オバンデスー。ホントダネ　クラクナッテキタワネ。
　　　×　こんばんは。　本当だね　　暗くなってきたわね。

003B：ンー　シー　ミズカグナッテキタガラナ。
　　　うん　日　　短くなってきたからな。

004A：ホーントホント。
　　　本当本当。

005B：ン。　アノ　ホサ　　　イマッカラ　ドゴ　イグノサ。
　　　うん。あの　そうしたら　今から　　　どこ　行くのさ。

006A：イヤイヤ　イマ　ムスメンドゴサ　イッテ　マゴッコオモイデ
　　　いやいや　今　　娘のところに　　行って　孫[の]おもりで

　　　カエッテキタンダッチャ。
　　　帰ってきたんだよ。

007B：アー　ソーカ　カエッテキタノガ。アー（A　ソーナノ）ンデ
　　　ああ　そうか　帰ってきたのか。　ああ（A　そうなの）それで[は]

　　　ズイブン　ツカレデ　カエッテキタンダ。
　　　ずいぶん　疲れて　　帰ってきたんだ。

008A：ンダガラ。(B　ン)　デモネ　チョット　ミナイド　ムズルヨーニナッテワ。
　　　そうなの。(B　うん)でもね　ちょっと　見ないと　ぐずるようになってさ。

　　　マズ　タイヘンデシタ。
　　　まあ　大変でした。

009B：ハイハイ　ンデ　　　ヨメサンオ〔1〕ダイジニスルヨーニネ。
　　　はいはい　それで[は]　嫁さんを　　　大事にするようにね。

　　　（A　ンダネ）　チャント　マゴッコ　メンドー　ミデヤッシャイ。
　　　（A　そうだね）ちゃんと　孫　　　　面倒　　　見てやりなさい。

010A：ンダネ　　シャネーネ。オミョーニジー。
　　　そうだね　仕方ないね。また明日。

011B：ハーイ。
　　　はい。

②女性→男性

001A：オバンカタデスー。イマ　カエリスカ。
　　　こんばんは。　　　今　　帰りですか。

002B：ンーダ。イヤイヤ　ナガナガ　ハナス　ハズンデスマッテワサー　イマ
　　　そうだ。いやいや　なかなか　話　　　はずんでしまってさ　　　今

　　　ヤット　カエッテ、カエッテキタトゴサ。
　　　やっと　帰って、　帰ってきたところさ。

003A：アー　ホントー（B　ンー）スグ　ゴハンダワネ。
　　　ああ　本当　　（B　うん）すぐ　ご飯だわね。

004B：ンー　ソノメニ　ベコサ　モノ　カシェナグテネガラサ
　　　うん　その前に　牛に　　エサ　食わせなくてはいけないからさ

　（A　アララ　マズ）ンー　モーヒトガンバリスッペ。
　（A　あらら　まあ）うん　もうひと頑張りするよ。

005A：ンダネ　（B　ハイ）マダ　アガルイカラ　イ　イーンデナイ。
　そうだね（B　はい）まだ　明るいから　×　いいんじゃない。

　ガンバッテ。
　頑張って。

006B：ハイ　モーヒトガンバリスッカラ。
　はい　もうひと頑張りするから。

〔1〕ヨメサンオ
006Aで「ムスメンドゴサ」と言っているが、ここでは「ヨメサンオ」と言っている。これは、Aの娘に対して「ヨメ」という言い方をするのではなく、BがAの娘を嫁と取り違えたことによるものである。

1-51. 夜、道端で出会う

①男性→女性

001B：オー　オバンナリシタ。ア
　おお　こんばんは。　×

002A：アラ　オバンデガス。
　あら　こんばんは。

003B：ンー　オバンナリシタ。ナーンダベ　コンナオソグヤ、ドゴサ　イグノ。
　うん　こんばんは。　なんだよ　こんな遅くよ、　どこへ　行くの。

004A：イヤイヤ　ダレダトオモッタッケ　Bサンダッチャ。{笑}
　いやいや　誰だと思ったら　Bさんだよ。{笑}

005B：ンダ　マッテダワケデネーケドサー　（A　ンー）オナゴ　コンナニ
　そうだ　待っていたわけじゃないけどさ（A　うん）女の子　こんなに

　オソグ　ドコサ　イッテキタドコ。
　遅く　どこに　行ってきたところ。

006A：ンダヨネー。シャネンダネ。　チョーナイノカイゴー　アッテ　イマ
　そうだよね。仕方ないんだね。町内の会合　あって　今

　オワッタトコ。
　終わったところ。

007B：アー　ホント。ンー（A　ンー）ホンデ　アイッタッチャワ、
　ああ　本当。　うん（A　うん）それで　あれだよ、

　ゴッツオナッテキタノワ。
　ごちそうになってきたのか。

004B：イヤ　オソグナッタンダゲンドサ（A　ン）　ンーヤ　シガスノイ〔1〕ガラ
　　　いや　遅くなったんだけれどさ　（A　うん）いや　　東の家から

　　　イマッカラ　イッパイヤッカラ　コイッツンダ。　　（A　アララー）
　　　今から　　　一杯やるから　　　来いっていうんだ。（A　あらら）

　　　コーンナ　オソグナッタケンドモサ　オレモ　サゲ　スジダガラ
　　　こんな　　遅くなったけれどもさ　　私も　　酒　　好きだから

　　　（A　スギダネー）ン。　サグク　　イッテクンノサ。
　　　（A　好きだね）　うん。遠慮なく　行ってくるのさ。

005A：ホドホドニシサインヨ。（B　ハイ）ンデワ　　マタ。
　　　ほどほどにしなさいよ。（B　はい）それでは　また。

006B：ハイ　ケサモ　シドカッタガラ｛笑｝ホドホドニスッカラ。
　　　はい　今朝も　きつかったから｛笑｝ほどほどにするから。

007A：ア　ホーダネ。｛笑｝
　　　あ　そうだね。｛笑｝

008A：イヤ　キョー　ナニモ　デネーヨ。（B　ア　ホーカ）ンー（B　ンーデ
　　　いや　今日　　なにも　出ないよ。（B　あ　そうか）うん（B　それで[は]

　　　アイタッチャ）ムズカシーハナシダッタカラ（B　ソーカソーカ）
　　　あれだよ）　　難しい話だったから　　　　（B　そうかそうか）

　　　ヤンダグナッテキタノ。
　　　嫌になってきたの。

009B：ンーデワ　アイッタッチャ、ハヤグ、トッチャン　マッデッカラ　　ハヤグ
　　　それでは　あれだよ、　　　早く、　父ちゃん　　待っているから　早く

　　　イソイデ　カエッサイ。
　　　急いで　　帰りなさい。

010A：ンダワネ　　ハーイ　ドーモネー（B　ハーイ）オミョーニチー。
　　　そうだわね　はい　　どうもね　（B　はい）　また明日。

011B：アーイ　オミョーニズ。
　　　はい　　また明日。

②女性→男性

001A：オバンデガスト。（B　オ）ズイブン　オソインダネ。ドコサ　イグンダカ。
　　　こんばんは。　　（B　お）ずいぶん　遅いんだね。　どこへ　行くんだか。

002B：アー　オバンナリシタ。ホント　シバラグダネヤ。
　　　ああ　こんばんは。　　本当　　久しぶりだねえ。

003A：ホントダネ。
　　　本当だね。

〔1〕シガスノイ
　近隣の住居について言うときに、自分の家からみた東西南北の方角を用いて指し示すのが一般的である。

1-52. 夜、家族より先に寝る

001A：オトサン　イズマデモ　テレビ　ミデッカラー、モー　テレビモ
お父さん　いつまでも　テレビ　見ているから、もう　テレビも

アギダガラ　サキ　ネッカラワネ。
飽きたから　先　寝るからね。

002B：アー　ネセワ。　イーマ　イードゴー、マモナグ　オワッカラ。ンデ
ああ　寝なさいよ。今　いいところ、間もなく　終わるから。それで[は]

オレ　アドガラ　ネッカラ　ハヤグ　ネデロワ。
私　あとから　寝るから　早く　寝てろよ。

003A：＿＿　サキ　ヘヤニ　イッカラワ。
＿＿　先　部屋に　行くからね。

1-53. 晴れの日に、道端で出会う

001A：アーラ　コンニチワ。ヤット　アッタゲクナッテキタネ。
あら　こんにちは。やっと　暖かくなってきたね。

002B：シーダネヤー。ヤッパリ　ハルダ　コレ。(A　ホーダネ) ンー。
そうだねえ。　やっぱり　春だ　これ。(A　そうだね) うん。

003A：サクラノハナモ　ソロソロダワネ。
桜の花も　そろそろだわね。

004B：シーダネヤ。ンダゲッドナ　サーグラナンテユッテランネーンダ。
そうだねえ。そうだけれどな　桜なんていっていられないんだ。

ハタゲドガ　アーー、(A　ンダネ)　シャクショーワ。
畑とか　なあ、(A　そうだね) 百姓は。

005A：イロイロ　ヨグ (B　ハー) デテクルワネ。
いろいろ　よく (B　はあ) 出てくるわね。

006B：サクランドギガ　イジバン　イソガシーガラサ。
桜のときが　一番　忙しいからさ。

007A：ホントダネ　マズ。ガンバンナキャナイネ　コトシモネ。
本当だね　まあ。頑張らなきゃいけないね　今年もね。

008B：ン　ンダネ。(A　ン)　マズ　ガンバッテ　イマッカラ　イッテ
うん　そうだね。(A　うん) まあ　頑張って　今から　行って

ハタケウネ　シテクッカラ。
畑の土起こし　してくるから。

1-54. 雨の日に、道端で出会う

001B：イヤイヤ　スバラクダナ　コンニチワー。
　　　いやいや　久しぶりだな　こんにちは。

002A：ア　コンニチワ。
　　　あ　こんにちは。

003B：ナンダイ　コーンナ　アメ　フッテッドギ　ドコ、ドコサ　デカゲンノ。
　　　なんだよ　こんな　雨　降っているとき　どこ、どこへ　出かけるの。

004A：ンダヨネ　コダニ　フンノニネー。デモ　イガネグテナイヨー
　　　そうだよね　こんなに　降るのにね。　でも　行かなくてはいけない用

　　　アッテ　ヤンダゲンドモ　シャネンダネ。
　　　あって　嫌だけれども　仕方ないんだね。

005B：ホーカ　ンデ　コノカサデ　ダメダッチャ、ホヤ。コンナ
　　　そうか　それで[は]　この傘で[は]　だめだよ、　ほら。こんな

　　　チャッコイカサデ。オレノ、ウチノ　カシテヤッカラ　コイズ　サシテゲ。
　　　小さい傘で。　私の、　うちの　貸してやるから　こいつ　さしていけ。

006A：イー、イー。マニアウカラ。ソゴデ　ヨー　タセッカラ　イーヨ。
　　　いい、いい。間に合うから。そこで　用　足せるから　いいよ。

007B：ア　ホーカ（A　ンー）ンデ　イーナ。ンデ　キーツケデ
　　　あ　そうか（A　うん）それで[は]　いいな。それで[は]　気をつけて

　　　イッテコイ。
　　　行ってこい。

009A：ハーイ　ドーモ。
　　　はい　どうも。

1-55．暑い日に、道端で出会う

001A：コンニチワー。イヤイヤ　アッツイネー。
こんにちは。　いやいや　暑いね。

002B：ンーダネ。マイニジ　アッツイナヤー。
そうだね。毎日　　暑いなあ。

003A：コーンナニ　アッツインデワネー。ナンボ　フグ　ヌイダッテ
こんなに　　暑いのではね。　　いくら　服　　脱いだって

アッツイヨネー。
暑いよね。

004B：ンダナー。ナー　コレ　ヌギタデランネーナ　コレ。（A　ホン）ホノグライ
そうだな。ああ　これ　脱ぎきれないな　　これ。（A　××）そのくらい

アッツイネー。
暑いね。

005A：ンー（B　ンー）ナーンカ　テンキヨホーモ　サンジューゴドナンテ
うん（B　うん）なんか　　天気予報も　　三十五度なんて

ユッデタカラ　＝＝＝＝
言っていたから　＝＝＝＝

006B：ア　ホンナニ　タケーノガ。
あ　そんなに　高いのか。

007A：ンー。アルスペヨ。
うん。あるようですよ。

008A：ハーイハイ　イッテキマス。
はいはい　　行ってきます。

1-56. 寒い日に、道端で出会う

001B：アイ　コンニズワー。
　　　はい　こんにちは。

002A：コンニチワ。
　　　こんにちは。

003B：ドゴサ　イグノ　コンナ　ユギ　フッデ、ユギップリニ。
　　　どこへ　行くの　こんな　雪　　降って、雪降り[のとき]に。

004A：イシャサ　イガナクテネンダッチャー。
　　　医者へ　　行かなくてはいけないんだよ。

005B：ナーニ　イマッガラ　イガナグテネーノ。
　　　なに　　今から　　　行かなくてはいけないの？

006A：ンダデバ。　クスリ（B　ンーー）ネグナッテシマッテサ。
　　　そうだってば。薬　　（B　うーん）なくなってしまってさ。

007B：シーンー　ンデ　　　アイッタ、ハヤク　イッテコー。
　　　うんうん　それで[は]　あれだ、　早く　　行ってこい。

008A：ンダ　ンダネー。（B　ンー）イシャサ　イグメニ　カゼデモ
　　　××　そうだね。（B　うん）医者に　　行く前に　風邪でも

　　　ヒーテシマウヨーダワ。
　　　引いてしまうようだわ。

008B：ンー。ンデ　　　アイッタ、ヒン　ヒンマッカラニナッタラ　マダマダ
　　　うん。それで[は]　あれだ、　××　昼間以降になったら　　まだまだ

　　　アッツグナルナヤ。
　　　暑くなるなあ。

009A：ンダネー。ネッチューショーニナンネーヨーニ。（B　ン）　ミズ
　　　そうだね。熱中症にならないように。　　　　　（B　うん）水

　　　トンネート　ダメダネー。
　　　とらないと　だめだね。

010B：ン。　ヨシ　ンデ　　　オレ　ウッツァ　カエッテ　ツメテービールデモ
　　　うん。よし　それで[は]　私　　家に　　帰って　　冷たいビールでも

　　　ノムガ。
　　　飲むか。

011A：アラ｛笑｝ンデワ　　ヒドインデナイノ。　ユックリ　ヤスマイン。｛笑｝
　　　あら｛笑｝それでは　きついんじゃないの。ゆっくり　休みなさい。｛笑｝

1−57. 正月の三が日に、道端で出会う

001A：アララ　コドシ　ハジメデダネー。
あらら　今年　初めてだね。

002B：ンダネヤー。
そうだねえ。

003A：アラタメテ　アケマシテ　オメデトーゴザイマス。
あらためて　あけまして　おめでとうございます。

004B：アイ　オメデトサンネ。（A　コドシモ）コドシモ　ヨロシク　マズ。
はい　おめでとうさんね。（A　今年も）　今年も　よろしく　まあ。

005A：ハーイ（B　ンー）コッチコソ　ヨロシク　オネガイスッカラネ。
はい　（B　うん）こっちこそ　よろしく　お願いするからね。

006B：ンダネ。
そうだね。

1−58. 大晦日に、道端で出会う

001B：アイ　コンニズワー。
はい　こんにちは。

002A：アラ　コンニチワ。コドシモ　オッツマッタワネー。
あら　こんにちは。今年も　おしつまったわね。

003B：ンーダナー　ホンッドニ　イジネン　ハヤエゴドネァー。（A　ホンドニ）
そうだな　本当に　一年　早いことなあ。　（A　本当に）

オワリダオンワ。ンーー。
終わりだもんな。うーん。

004A：ンー　マイドシノコトナンダゲンットモ、イソガシーモンダネー。
うん　毎年のことなんだけれども、　忙しいものだね。

005B：ンダネ。　ンデ　アイッタナ、アー　オソグナンネウズ
そうだね。それで[は]　あれだな、　ああ　遅くならないうち

オショーガッツァンノヨーイ　スッペワ。
お正月の用意　しよう。

006A：ホントダネ。ライネンワ　イートシニナルヨーニ（B　ア）
本当だね。　来年は　いい年になるように　（B　あ）

ムカエデケサイン。
迎えてください。

007B：ンダネ。　マー　ライネンモ　ヨロシグネ。
そうだね。まあ　来年も　よろしくね。

008A：ヨロシグー。
　　　よろしく。

1-59. お盆に、道端で出会う

001A：アーラ　コンニチワ。オボンノヨーイスカ。
　　　あら　　こんにちは。お盆の用意ですか。

002B：ンダー。　コンニズワ　ドーモネ。（A　ハイ）ンダンダ　イヤ　オライデ
　　　そうだよ。こんにちは　どうもね。（A　はい）そうそう　いや　うちで

　　　ハズボンナンダッチャ　コンドネァー。（A　アー　ンダヨネー）ンー。
　　　初盆なんだよ　　　　　今度ね。　　　（A　ああ　そうだよね）うん。

　　　ンダガラ　マ　タイスタコトワ　シネーゲゲンッドモ　イッチョメヌ
　　　それだから　まあ　たいしたことは　しない×けれども　一人前に

　　　ヤッペ。
　　　やるよ。

003A：ンダネ。　オライデモ　ソロソロ　ブズダン　ソージシテ
　　　そうだね。うちでも　そろそろ　仏壇　掃除して

　　　コモクサ〔1〕デモ　トッテコナクテナイワネ。　イソガシーモンデガス。
　　　コモクサでも　取ってこなくてはいけないわね。忙しいものです。

004B：ンダネ。　アーノ　センゾガラ　ゴシャガレネヨーヌ。イッチョメナゴドモ
　　　そうだね。あの　先祖から　怒られないように。　一人前なことも

　　　デギネゲンッドモサ。（A　ン）　ン。
　　　できないけれどもさ。（A　うん）うん。

〔1〕コモクサ
三角藺の古名。真菰（まこも）。お盆期間中コモクサで編んだ敷物を供物の下に敷いておく。

1-60. 友人宅を訪問する

001A：ア　コンニチワー　イダノー。
あ　こんにちは　　いるの？

002B：オーー　コンニズワー。
おお　　こんにちは。

003A：アー　イダッタンダ。ナニシテダノ。
ああ　いたんだ。　　なにしていたの。

004B：オー　イマ　シンネ　シテダトコサ。
おお　今　　昼寝　　していたところさ。

005A：アララ　ワルガッタゴダ。
あらら　悪かったこと。

006B：ン。　イヤイヤ　イーガラ　モー。イマノシトゴトデネ（A　ウン）メ
うん。いやいや　いいから　もう。今の一言でね　　　（A　うん）目

サメダワ。
覚めたわ。

007A：アー　ンデ。
ああ　それで[は]。

008B：ンデ　　　　アガッテ　オチャデモ　ノマセー。
それで[は]　上がって　お茶でも　　飲みなさい。

009A：ハイ　アリガトー。ユックリ　スッカラ　ンジャ。
はい　ありがとう。ゆっくり　するから　それじゃ。

010B：ン、　ン。　ドーレ　オチャ　ドコサ　アッペナ。　　オラエノカッチャ
うん、うん。どれ　　お茶　　どこに　あるだろうな。うちの母さん

イダカナ。チョット　マッテロナ。{笑}
いるかな。ちょっと　待ってろな。{笑}

1-61. 友人宅を辞去する

001A：アララ　コンナジカンナッタガラ　ソロソロ　オイドマ　スッカラワ。
あらら　こんな時間[に]なったから　そろそろ　お暇　するからね。

（B　ン）　ドーモ　ゴッツォーサンネー。
（B　うん）どうも　ごちそうさまね。

002B：シーン　ソンナ　エソク゜ッゴタ　ネーベッチャ。ナーンダカサ　アーノ
ううん　そんな　急ぐことは　ないでしょう。なんだかさ　あの

サッパリ　カッチャンモ　デカケッタンダナー、ホンド　イネガシテヤ
さっぱり　母ちゃんも　出かけているんだな、本当　いないようでさ

（A　イヤイヤ）アー　サッパリ　オチャ　イッペーダゲデ
（A　いやいや）ああ　さっぱり　お茶　一杯だけで

ワリガッタネヤ。
悪かったねえ。

003A：イヤイヤ（B　ン）　アノ　チョード、チョード　イージカンデシタ。
いやいや（B　うん）あの　ちょうど、ちょうど　いい時間でした。

（B　ン）　マダ　キマスー。
（B　うん）また　来ます。

004B：アイ。ンデ　ナンノヨー　ネグテモ　キテケサイ。
はい。それで[は]　なんの用　なくても　来てください。

1-62. 商店に入る

001A：モーシー〔1〕。コンニチワ。
すみません。　こんにちは。

002B：アーイ　イラッシャイ。
はい　いらっしゃい。

003A：アー　イタッタ。（B　ン）　ナニカ　キョー　ンマイノ　ハイッタスカ。
ああ　いた。　（B　うん）なにか　今日　うまいの　入りましたか。

004B：アー　ケサ　ヤイダバリノカレー。（A　ンー）コイズ　ンメード。
ああ　今朝　焼いたばかりのカレイ。（A　うん）こいつ　うまいぞ。

005A：アー　ンジャ　（B　ン）　ソイツ　サン　ミッツモ　カッテンカナ。
ああ　それでは（B　うん）そいつ　××　三つも　買っていくかな。

006B：ア　ホーカ。ホンデ　イズモ　アリガトサン。
あ　そうか。それで　いつも　ありがとうさん。

007A：ハーイ　ンデ　ソレ　ツズンデケサイン。
はい　それで[は]　それ　包んでください。

008B：ハイ。
はい。

〔1〕モーシー
本来は相手に呼びかける語であるが、買い物でお店に入る際に使われる。ごめんください。

1-63. 商店を出る

001B：ナンダ　チョー　ソレダゲデ　イーノカ。ケーンノカワ。
なんだ　今日　それだけで　いいのか。帰るのかよ。

002A：ンー　ナンダカ　コノゴロ　アンマリ　クワンネガラ　コレデ
うーん　なんだか　この頃　あまり　食えないから　これで

ジューブンダオネ。
充分だもんね。

003B：フーン　ホーカ。ナーンダ　ジブン　クーノダゲ　カッタンデネーノガ。
ふうん　そうか。なんだ　自分　食うのだけ　買ったんじゃないのか。

{笑}トッチャン　クーノ　カワネデネーガ。　（A　マダ　ク）
{笑}父ちゃん　食うの　買わないんじゃないか。（A　また　×）

コイツモ　カッテゲ。コイツモ　ンメドー。
こいつも　買ってけ。こいつも　うまいぞ。

004A：イヤ。マダ　マダ　クッガラ　コンド。
いや。×× また　来るから　今度。

005B：アー　ホスカ。　ハイ。ドーモ　アリガドネー。
ああ　そうですか。はい。どうも　ありがとうね。

006A：ハーイ　ドーモー。
はい　どうも。

1-64. 友人が出かける

001A：ア　コンニチワ。ドコサ　イグンダカ。
あ　こんにちは。どこへ　行くんだか。

002B：アー　コンニズワ。ンー　チョット　コーミンカンデ　カイギ　アッテサ。
ああ　こんにちは。うーん　ちょっと　公民館で　会議　あってさ。

（A　アーララ）ンー　ンデ　アノ　アイッタッチャ、
（A　あらら）　うーん　それで　あの　あれだよ、

イツモチタゴトネイッチョーラノセビロ　イマ　オシーレガラ　ダシテ
いつも[は]着たことない一張羅の背広　今　押入れから　出して

（A　アララ　ホント）キテキタドゴサ。
（A　あらら　本当）　着てきたところさ。

003A：ア　ホント。（B　ンー）ンダ　タマーニシカキネーヨーナフク
あ　本当。（B　うん）そうだ　たまにしか着ないような服

キデッカラ。
着ているから。

004B：ンダナー。ドレ　オライサ　カガミモ　ネーガラヤ{笑}ネクタイ
そうだな。どれ　うちに　鏡も　ないからさ{笑}ネクタイ

マガッテネーガヤ。
曲がっていないかな。

005A：ダイジョブダイジョブ。チャント　ダイジョブダラ　イッテゴザイン。
大丈夫大丈夫。　ちゃんと　大丈夫だから　行ってらっしゃい。

006B：アー　ホーカ。(A　ンー)ア　ンデ　アンスンステ　イッテクッガラ。
　　　ああ　そうか。(A　うん)あ　それで[は]　安心して　行ってくるから。

　　(A　ハイ)ハイ。ンデ　イッテクッカンネー。
　　(A　はい)はい。それで[は]　行ってくるからね。

007A：ンデネ。
　　　それで[は]ね。

1-65．友人が帰ってくる

001A：オバンカタデスー。
　　　こんばんは。

002B：アーイ　オバンデスー。ア　サッキワ　ドーモネー。
　　　はい　こんばんは。あ　さっきは　どうもね。

003A：アーラララ。ズイブン　アサカラ　タイヘンダッタネ。イマ
　　　あららら。ずいぶん　朝から　大変だったね。今

　　　カエッテキタノスカ。
　　　帰ってきたのですか。

004B：ンーダ。アーノ　シルメス　ゴッツォニナッテノカイギダガラヤ　ンット
　　　そうだ。あの　昼飯　ごちそうになっての会議だからよ　うんと

　　　ナガビーテスマッタンダヤ。
　　　長引いてしまったんだよ。

005A：ンデ　タイヘンダッタネ。ン。
　　　それで[は]　大変だったね。うん。

006B：ンー。ドレ　ンデ　ツカッタゴトネーアダマ　ツガッタガラ
　　　うーん。どれ　それで[は]　使ったことない頭　使ったから

　　　ツカレダヤ。ンデ　ウッツァ　ハヤグ　カエッテ　ビールデモ
　　　疲れたよ。それで[は]　うちに　早く　帰って　ビールでも

　　　イッペー　ノムベワ。
　　　一杯　飲むよ。

1-66. 夫（妻）が出かける

①夫が出かける、妻は行先を知らない

001B：ンデ　　　イッテクッカンネー。
　　それで[は]　行ってくるからね。

002A：アラ　ナンサ　イグノ。
　　あら　なにに　行くの。

003B：ナーンダベッチャ、ケーサ　ユッタベッチャ。
　　なんだろうよ、　今朝　言っただろうよ。

004A：アラー（B　ンー）　キーデネオン。
　　あら　（B　うーん）聞いていないもん。

005B：コーミンカンデサ　ンー　オンナノヒトダノカイギ、カイギ　アッカラ。
　　公民館でさ　うーん　女の人たちの会議、　会議　あるから。

　（A　アー）ソゴサ　イッテクンダ。
　（A　ああ）そこに　行ってくるんだ。

006A：アー　マダ　イグノスカ。
　　ああ　また　行くんですか。

007B：ン　キテケロッテユワッテッカラ。　オーレモ
　　うん　来てくれっていわれているから。私も

　　コマッテルンダッチャネアー。
　　困っているんだよねえ。

008A：ズイブン　イソガシンダネ。
　　ずいぶん　忙しいんだね。

007A：ンダワネ。　ユックリ　ヤスンデケサイ。
　　そうだわね。ゆっくり　休んでください。

008B：ハイ（A　ハーイ　マダ）ンデマズネー。
　　はい（A　はい　また）それじゃあね。

009A：ハイ。
　　はい。

009B：ハイハイ。ンデ　　　オワッタラ　スグ　ケーッテクッカラ。
はいはい。それで[は]　終わったら　すぐ　帰ってくるから。

010A：ハイ　イッテラッシャーイ。
はい　行ってらっしゃい。

011B：ハーイ　イッテキマス。
はい　　行ってきます。

②夫が出かける、妻は行先を知っている

001B：ドレ　ズカンダナ。イッテクッカラ。
どれ　時間だな。　行ってくるから。

002A：ハイハイ。モー　ス　ソンナ　ジカンスカワ。
はいはい。もう　×　そんな　時間ですか。

003B：ンダンダンダンダ。アルッテグドオモッタッケ　チョット
そうそうそうそう。歩いていくと思ったら　　ちょっと

オソグナッタナヤ。ンデ　　　ジデンシャデ　イッテクッガラワサ。
遅くなったなあ。　それで[は]　自転車で　　行ってくるからさ。

004A：ンダワネ。　アブナイガラ　チューイシテ　イッテガインネー。
そうだわね。危ないから　　注意して　　行ってらっしゃいね。

005B：アイ　ンデ　　　イッ　イッテクルヨー。
はい　それで[は]　××　行ってくるよ。

006A：ハイ　イッテラッシャイ。
はい　行ってらっしゃい。

③妻が出かける、夫は行先を知らない

001A：アラ　ジガンダガラ　オトーサン　イッテクルヨワ。
あら　時間だから　　お父さん　　行ってくるよ。

002B：アレ　ナヌガ　アッタンダッケガ　チョ。
あれ　なにか　あったんだっけか　今日。

003A：アーレ　ユッテダッチャ。Xチャンガラ　デンワ　キタデショー。
あれ　　言っていたよ。　Xちゃんから　電話　　来たでしょう。

004B：アー　ンダッケガヤー。ナーンダ　ホーンデ　オレ　ヤクソグシタノサ
ああ　そうだったかな。なんだ　　それで　　私　　約束したのに

オレ　イガンネグナッタオンナヤ。
私　　行かれなくなったもんなあ。

005A：シャーネッチャー。ワダシ　サギダガラネ。イッテクッカラワネ。
仕方ないよ。　　　私　　　先だからね。　行ってくるからね。

006B：ンダッケガー。ンデ　　　シャーネーナ　イッテコイ。ンデーワ　オレ、
そうだっけか。それで[は]　仕方ないな　　行ってこい。それでは　私、

イーガ、ヒルマッカラ　ビールデモノ、ビールデモ　ノンデ　ネルッペワ。
いいか、昼間から　　　ビールでも×、ビールでも　飲んで　寝るよ。

007A：ンー　スギナヨーニシテテケサインワ。{笑}
うん　好きなようにしていてくださいよ。{笑}

008B：ンデ　　　イッテコセ。
それで[は]　行ってきなさい。

④妻が出かける、夫は行先を知っている

001A：ンデ　　　　オトーサン　Xチャンワ　　デンワ　キッタカラ
　　　それで[は]　お父さん　　Xちゃんから　電話　　来ていたから

　　　イッテクッカラワネ。
　　　行ってくるからね。

002B：アー　イッテコセ。　　オグレネヨニ　　イッテコイヨ。
　　　ああ　行ってきなさい。遅れないように　行ってこいよ。

003A：ンー　ナンダカ　イソギノヨージ　アルッチューガラ。カオダゲ
　　　うん　なんだか　急ぎの用事　　　あるっていうから。顔だけ

　　　（B　ホント）ダシテクルカラ。
　　　（B　本当？）出してくるから。

004B：ハイハイ。アイッタドー、アンマリ　オソグナルト　バンゲノヨーイ
　　　はいはい。あれだぞ、　　あまり　　遅くなると　　夕飯の用意

　　　デギナグナッド。
　　　できなくなるぞ。

005A：マー　ソノマエニ　カエッテクッカラ　シンパイスッゴトナイヨ。
　　　まあ　その前に　　帰ってくるから　　心配することないよ。

006B：マ　　ソッセ。　ハイ　ンデ　　　　イッテコセ。
　　　まあ　そうしな。はい　それで[は]　行ってきなさい。

007A：ハイ　イッテクッガラネー。
　　　はい　行ってくるからね。

1-67. 夫（妻）が帰宅する

①夫が帰宅する

001B：アイ　タダイマ　イマ　カエッタヨー。
　　　はい　ただいま　今　　帰ったよ。

002A：オカエンナサイ。ハヤガッタネ。
　　　おかえりなさい。早かったね。

003B：ンー　ハヤガッタ。アノ　オモッタヨリモ　カイギ　ハヤグ　オワッテサ。
　　　うん　早かった。　あの　思ったよりも　　会議　　早く　　終わってさ。

　　　マッスグ　カエッテキタッチャワ。
　　　まっすぐ　帰ってきたよ。

004A：ハイアイ。ンデワ　　ハヤグ　ゴハンノヨーイ　シナクテネーガラ
　　　はいはい。それでは　早く　　ご飯の用意　　　しなくてはいけないから

　　　イソガシー　コラ。
　　　忙しい　　　これは。

005B：ン　　ンデ　　　　ハヤグ。マッテッカラ。
　　　うん　それで[は]　早く。　待っているから。

②妻が帰宅する

001A：イヤイヤ　オソグナッタ。タダイマ　オトーサン。
　　　いやいや　遅くなった。　ただいま　お父さん。

002B：オーイ。オソガッタナ　ズイブン。
　　　はい。　遅かったな　　ずいぶん。

003A：シーー。Xチャント　ハナシ　シテダラ　　ズイブン　イロイロ
　　　うん。　Xちゃんと　話　　　していたら　ずいぶん　いろいろ

　　　アッテサー。オソグナッテシマッタ。
　　　あってさ。　遅くなってしまった。

004B：マー　タマニナ　オヤコノカイワ　ナニシテシタンダガ
　　　まあ　たまにな　親子の会話　　　なにしてきたんだか

　　　ワガンネゲントモ。　ンデモ　　オレ　ハラ　ヘッタンダゲントモ
　　　わからないけれども。それでも　私　　腹　　減ったんだけれども

　　　クワネデ　　マッテダンダガラヤ、　ハヤグ（A　ンダネ）
　　　食わないで　待っていたんだからさ、早く　（A　そうだね）

　　　バンゲノヨーイ　シテケロワ。
　　　夕飯の用意してくれよ。

005A：ハヤグ　ガラガラ〔1〕ヨーイ　スッカラ。マッテデケサイン。
　　　早く　　急いで　　　用意　　するから。待っていてください。

006B：ハーイ。ソーステケセ。
　　　はい。　そうしてくれな。

〔1〕ガラガラ
　急ぐさま。

1-68．食事を始める〔1〕

001A：サー　オヒルダヨ　オトーサン。ハヤグ　ホラ　オチャ　イレデ。
　　　さあ　お昼だよ　　お父さん。　早く　　ほら　お茶　　入れて。

002B：ア　ホダナ。　ドレドレ　ンデー　　マッテロ。　オジャ　イレッカラ。
　　　あ　そうだな。どれどれ　それでは　待っていろ。お茶　　入れるから。

〔1〕1-68．食事を始める
　食事を始めるときに、夫婦同士で会話をすることは普段ほとんどないようである。実際の調査時においても、話者同士がどのようなやりとりになるか少し考え込む様子が見受けられた。

1-69. 食事を終える

001B：オー　キョーノヤ　ウドン　ツベタクテヤ　ンメガッタナヤ。
おお　今日のさ　うどん　冷たくてさ　うまかったなあ。

002A：ンダネ。　タマニ　タベット　ンマイネー。
そうだね。たまに　食べると　うまいね。

003B：ンー　ヤッパリ　イーナ。ウーン　コノアッツイドキ　ウドンモ　イーナ。
うん　やっぱり　いいな。うん　この暑いとき　うどんも　いいな。

ハイ　ゴッツォサンネ。
はい　ごちそうさまね。

004A：ア　ンダネ。　ンマガッタデス　アイ。ゴッツォサンデシタ。
あ　そうだね。うまかったです　はい。ごちそうさまでした。

005B：アーイ　ゴッツォサン。
はい　ごちそうさま。

1-70. 土産のお礼を言う

001B：アー　コンニズワー。
ああ　こんにちは。

002A：コンニチワ。
こんにちは。

003B：コノメー　オミヤゲ　ドーモ　アリガドネヤ。（A　イヤイヤ）イヤ
この前　お土産　どうも　ありがとうねえ。（A　いやいや）いや

ンメクテンメクテヤ　ミンナヤ（A　ンマガッタ）
うまくてうまくてさ　みんなさ（A　うまかった？）

オライノマゴッコタズモ　バヤクラッテ〔1〕ク（A　ア）クッテダ。
うちの孫たちも　奪い合って　×（A　あ）食べていた。

004A：アー　ンデワ　イガッタ。ホダッタ。　（B　ウーン）ホンデワ
ああ　それでは　よかった。そうだった？（B　うん）　それでは

イガッタ。
よかった。

005B：ン。　ホントニ　アリガド。
うん。本当に　ありがとう。

006A：アンノ　オミヤゲデー　ヤデネー　ギョーレツ　ツグッテ
あの　お土産××　屋でね　行列　作って

ナランデダンダヨ。ミンナ　カッテダカラ　オラモ
並んでいたんだよ。みんな　買っていたから　私も

1-71. 相手の息子からの土産のお礼を言う

001A：コンニチワー。
こんにちは。

002B：オーイ　コンニズワー。
はい　　こんにちは。

003A：ソーイエバ　アンダイノXチャンカラモラッタリョコーノオミヤゲ
そういえば　あなたの家のXちゃんからもらった旅行のお土産

ンマガッター。
うまかった。

004B：アー　ンマガッタカー。オラモ　ウズデモ　イッシ　オナズナノ
ああ　うまかったか。　私も　　うちでも　×××　同じなの

クッタンダケッドモサ（A　ンー）ンマガッタネァ。
食ったんだけれどもさ（A　うん）うまかったなあ。

005A：ンマカッタネー。
うまかったね。

006B：ンー。（A　ンー）ヨグ　イーモノ　ミツケデキタモンダ、オラエノXヤ。
うん。（A　うん）よく　いいもの　見つけてきたもんだ、うちのXは。

007A：ホントダネ。タイシタモンダ。（B　ン）　ンー。
本当だね。　たいしたもんだ。（B　うん）うん。

カッテキタンダッチャ。
買ってきたんだよ。

007B：アー　ホント。ンメガッタ。（A　ンー）ンデ　　　コンド　イッダトギモ
ああ　本当。　うまかった。（A　うん）それで[は]今度　　行ったときも

マダ　タノムド。
また　頼むぞ。

008A：アリャー　ワカンネーヨワ、コンド　イズ　イッカ。
あら　　　わからないよ、　今度　　いつ　行くか。

〔1〕バヤクラッテ
「バヤウ」で奪い合うの意。「クラッ（テ）」の部分は「競べ」に相当するか。

1-72．息子の結婚式でお祝いを言う

001B：イヤー　キョーワ　ポットニ　オメデトーサンネ。
　　　いや　　今日は　　本当に　　　おめでとうさんね。

002A：ドーモドーモ　アリガトーゴザイマス。
　　　どうもどうも　ありがとうございます。

003B：ンーー。イヤーイヤ　オライマデヤ　アノ　ヨンデモラッデ　アリガト。
　　　うん。　いやいや　　うちまでよ　　あの　呼んでもらって　ありがとう。

004A：イヤーイヤ　ゴメーワグトオモッタンダゲッドモ（B　ンーー）
　　　いやいや　　ご迷惑と思ったんだけれども　　　（B　うーん）

　　　イソガシードコ　ドーモネー。
　　　忙しいところ　　どうもね。

005B：ヤ　　ホンナゴトネッチャ。コレガラ　アイッタッチャ、アー
　　　いや　そんなことないよ。　これから　あれだよ、　　　ああ

　　　アタラシー　ヨメサンモ　ムガエデネ、（A　ホーダノ）ト　トナリグミ〔1〕
　　　新しい　　　嫁さんも　　迎えてね、　（A　そうなの）×　隣組

　　　ナカヨグシテイガナクテネーガラ　　　ヨロシグネ。
　　　仲よくしていかなくてはいけないから　よろしくね。

006A：ハーイ　コッチコソ　オセワニナリマス。（B　アイ）
　　　はい　　こっちこそ　お世話になります。（B　はい）

　　　アリガトーゴザイマス。
　　　ありがとうございます。

007B：ハーイ　ンデ　　　　　Xチャンニ　ヨロシグ　イッテケサイ。
　　　はい　　それで[は]　Xちゃんに　よろしく　言ってください。

008A：ハーイハイ　アリガトーゴザイマス。
　　　はいはい　　ありがとうございます。

009B：ハーイ。
　　　はい。

〔1〕トナリグミ
　主に戦前に用いられていた町内会の下部組織。現代では「班」や「組」に相当する。ここでは、「同じ町内同士」程度の意味で用いている。

1-73. 喜寿の会でお祝いを言う

001A：コンニチワー。ドーモネー　キョーワ　ゴショータイイタダキマシテ
　　こんにちは。　どうもね　　今日は　　ご招待いただきまして

　　アリガトーネー。
　　ありがとうね。

002B：イヤイヤ。ホノ　ワリガッタゲントモネ。ンー。　キテモラッテ
　　いやいや。その　悪かったけれどもね。　うーん。来てもらって

　　アリガド。
　　ありがとう。

003A：イーヤイヤ。キジュダナンテネー　ハヤイネー。
　　いやいや。　喜寿だなんてね　　　早いね。

004B：ハイゴッタネアー。ナナジューナナ（A　ン）　オダガイダドー
　　早いことだねえ。　七十七　　　　（A　うん）お互いだぞ

　　オレダゲデネードー。
　　私だけじゃないぞ。

005A：イヤ　ソノウジ　ワダシワ　ユックリ　オイワイスッカラ。キョーワ
　　いや　そのうち　私は　　　ゆっくり　お祝いするから。　今日は

　　ホントニ　アリガトゴザイマスー。
　　本当に　　ありがとうございます。

006B：ン。　ンダネ。　アーノ　ゲンチニ　イギデイガレルヨーニサ。
　　うん。そうだね。あの　　元気に　　生きていけるようにさ。
　　（A　ン）　ンー。コンド　オレモ　イグガラサ（A　ア）
　　（A　うん）うん。今度　　私も　　行くからさ（A　×）

　　ショータイシテケロヨ。
　　招待してくれよ。

007A：アララララ。マー　ソンドギ　カンガエッカラ。
　　あらららら。まあ　そのとき　考えるから。

008B：ハイキタ〔1〕。ハイ。ンデ　　　　キョー　ユックリシテケサイ。
　　わかった。　　はい。それで[は]　今日　　ゆっくりしてください。

009A：アリガトー。{笑}
　　ありがとう。{笑}

010B：ハイ。
　　はい。

〔1〕ハイキタ
　応答詞「ハイ」の強調表現。

1-74. 兄弟の葬式でお弔いを言う

001B：イヤーヤ　コノタビワネ　ホンットニ　タイヘンデシタ。
いやいや　この度はね　本当に　大変でした[ね]。

002A：アリガトゴザイマスー。
ありがとうございます。

003B：ンー　ホラ　Xチャンニワ　チャッコイトジカラ　オセワニナッテサー。
うん　ほら　Xちゃんには　小さいときから　お世話になってさ。

ンット　アリガデガッタヤー。
本当　ありがたかったよ。

004A：イヤイヤ　オライノアンチャンコソ　ンットヌ　イロイロ　メンドー
いやいや　うちの兄ちゃんこそ　本当に　いろいろ　面倒

ミテモラッタトコ　アッテ（B　ンー）ホントニ　オセワニナリマシタ。
見てもらったところ　あって（B　うん）本当に　お世話になりました。

005B：ナーヌ　グアイ　ワリガッタンダッテガー。
なに　具合　悪かったんだってか。

006A：ナンダカネー。（B　ンー）ハヤク　ミテモラエバ　インダケントモ
なんだかね。（B　うん）早く　診てもらえば　いいんだけれども

キューニ　イッタンダオンネー。
急に　逝ったんだものね。

007B：ンー　ガマンスタンダベオンナー。
うーん　我慢したんだろうね。

008A：ホダネー。イロイロ　アッタガラネー（B　ン）　シャーネンダネ。
そうだね。いろいろ　あったからね　（B　うん）仕方ないんだね。

009B：ハイ　ンデ　キー　オドサネーヨーニ　ガンバッサイ。
はい　それで[は]　気を　落とさないように　頑張りなさい。

010A：ハーイ　ドーモ　アリガトゴザイマス。
はい　どうも　ありがとうございます。

1-75. 客に声をかける

001B：オクサン、オクサン。
奥さん、　奥さん。

002A：ア　ハーイ。ナニ。
あ　はい。　なに。

003B：ン　　アーノサ　キタガマ〔1〕ノメロンネー、キョー　ヘッタバリナンダ。
うん　あのさ　　北釜のメロンね、　　　　　今日　　入ったばかりなんだ。

ンー（A　フーン）コトシ　サイショダカラ　ンメードオモード　コレ。
うん（A　ふうん）今年　　最初だから　　　うまいと思うぞ　　これ。

004A：オー　キタガマー　メロン　デダスカワ。
おお　北釜は　　　メロン　出たんですか。

005B：ン　　イマワネ　ドンドン　シュッカシテルヨーダド。オラエサモ
うん　今はね　　どんどん　出荷しているようだぞ。　うちにも

ハイッテチタンダ。
入ってきたんだ。

006A：ドースッカナー。オモテゲントモ　ヒトツ　カッテグベカ。
どうするかな。　重たいけれども　一つ　　買っていこうか。

007B：カッテガンセー。　ヨロコバレッカラ。
買っていきなさい。喜ばれるから。

008A：ジャー　ヒトツ　クナイン。
じゃあ　一つ　　ください。

009B：セーエン。
千円。

〔1〕キタガマ
名取市下増田の北釜集落は「キタカマクィーン」というメロンの産地である。

『生活を伝える被災地方言会話集』2

収録地点　　　宮城県名取市

収録日時　　　2014（平成26）年7月5日・15日・27日

収録場所　　　話者Ａ宅、名取市植松集会所

話　　者

Ａ　女　1947（昭和22）年生まれ（収録時67歳）　［Ｂの同級生］

Ｂ　男　1947（昭和22）年生まれ（収録時67歳）　［Ａの同級生］

話者出身地

Ａ　名取市増田（マスダ）

Ｂ　名取市増田（マスダ）

収録担当者　　内間早俊、坂喜美佳、森秀明、刈間勇斗、工藤千桜秀、周于禎、周然飛（以上、東北大学大学院生）、佐々木元気、青山傑、大川孔明、小野寺諒、熊谷翔子、黒田瑛則、椎名晃子（以上、東北大学学生）、王煕月、孫士媛（以上、東北大学研究生）　※所属は収録時。

文字化担当者　坂喜美佳、内間早俊

2-1. 醤油差しを取ってもらう

001B：カーチャン、チョット　アメーガラサー
母ちゃん、　ちょっと　味が薄いからさ

002A：アララ　ナニ。
あらら　なに。

003B：ソゴサ　アル　ショーユサシ　チョット　トッテケネガヤ。
そこに　ある　醤油差し　ちょっと　取ってくれないかな。

004A：アー　コノショーユサシ。（B　ウン）ナンデ　ショ　ショーユ
ああ　この醤油差し？　（B　うん）なんで　××　醤油

カケナクタッテイーンダヨ、ソレ。
かけなくたっていいんだよ、それ。

005B：ンー　デモ　カケタホー　イーンダナー、オレナー。ソノホー
うーん　でも　かけた方　いいんだな、　私[は]な。その方

ウンメーンダ。
うまいんだ。

006A：ナンダ　カンタガリナンダネ〔1〕。　デモ　シャーネーガラ　スコシ
なんだい　しょっぱいのが好きなんだね。でも　仕方ないから　少し

カケサイン、ンデ　ヤッカラ。（B　ハイ）ハイ。
かけなさい、それで[は]　やるから。（B　はい）はい。

007B：ドレ。ンー　ヤッパリ　ショッパクスット　ンメーナー。ンー
どれ。うーん　やっぱり　しょっぱくすると　うまいな。　うーん

デモナー　ケズアズ　タゲガラナー。（A　ソーダネ）ンー。
でもな　血圧　高いからな。　（A　そうだね）うーん。

008A：ホドホドニシサイン。（B　ハイ）ハイ。
ほどほどにしなさい。（B　はい）はい。

009B：カンタガリトイワレナガラモ　ンデ　スコシダケ
しょっぱいのが好きといわれながらも　それで[は]　少しだけ

カケデミッペ。
かけてみよう。

010A：チョベットダケ　カゲサイン。
少しだけ　かけなさい。

011B：ソースッペ。アイ　アリガドー。
そうするよ。はい　ありがとう。

〔1〕カンタガリ
刺激が強いものや塩辛いものが好きな人のことを指して言う。「癇(かん)」はひきつけなどを起こす病気であり、「タガル」はそうした病気にかかること。

2-2. ハサミを取ってきてもらう

①受け入れる

001B：オーイ　カーチャン（A　ン。ハイ）チョット　ウエノホー
　　　おうい　母ちゃん　（A　ん？はい）ちょっと　上の方

　　　トドカネーガラサ、（A　ンー）アノ　モノオジガラ　ナゲーハサミ
　　　届かないからさ、（A　うん）あの　物置から　長いハサミ

　　　モッテチテケロ。センテーバサミダド。
　　　持ってきてくれ。剪定バサミだぞ。

002A：アーー（B　ン）　ズイブン　ハガイッタネ。（B　ン）　ンデ
　　　ああ　（B　うん）ずいぶん　はかどったね。（B　うん）それで[は]

　　　ウエノホーデワ　ソノハサミデワ　ムリダベワ　ンデ。
　　　上の方では　そのハサミでは　無理だろうよ　それで[は]。

　　　アソコノカベニタッテルヤツスカ。　カゲテ、カゲデアルハサミスカ。
　　　あそこの壁に立っているやつですか。かけて、かけてあるハサミですか。

003B：ンーンーンー　アレ（A　アレデ　イーノネ）モノオジサ　オイダヤズサ。
　　　いやいやいや　あれ（A　あれで　いいのね）物置に　置いたやつさ。

004A：ハイハイ（B　ウン）ワガッタ。（B　ハイ）ハーイ。{間}〔1〕
　　　はいはい（B　うん）わかった。（B　はい）はい。{間}

005B：アイ　アリガドネ。　アー　コンデワ　トドクナ、コレ。ヨシ（A　ハイ）
　　　はい　ありがとうね。ああ　これでは　届くな、　これ。よし（A　はい）

　　　ンデ　イマッカラ　ヤッド。
　　　それで[は]　今から　やるぞ。

006A：ハイ　キツケテ　ヤッテケサイン。
　　　はい　気[を]つけて　やってください。

007B：ハイ。
　　　はい。

②断る

001B：オイ　カーチャン、チョット　ウエノホー　キランネーガラサ、
　　　おい　母ちゃん、　ちょっと　上の方　切れないからさ、

　　　トドカネーンダ。（A　アーー）ウン　ハサミ　モッテキテケロヤ、アノー
　　　届かないんだ。（A　ああ）　うん　ハサミ　持ってきてくれよ、あの

　　　モノオギサ　アッカラサ。
　　　物置に　あるからさ。

002A：ズイブン　タカイトゴマデ　イッタンダッチャ、モー　アブネーヨワ。
　　　ずいぶん　高いところまで　行ったんだね、　もう　危ないよ。

　　　（B　ウン　モー）ヤメダホー　イーヨー。
　　　（B　うん　もう）やめた方　いいよ。

003B：モーチョットダカラー。ダイジョブダ。
　　　もうちょっとだから。　大丈夫だ。

004A：ダーメダデバ。モー　ソレデ　ソノハサミダッテ　トドガネガラ
　　　だめだってば。もう　それで　そのハサミだって　届かないから

　　　ヤメサインワ。
　　　やめなさいよ。

005B：ンー　　トドグトオモンダゲッドナー。
　　　うーん　届くと思うんだけれどな。

006A：イーノ。ハシゴナド　ヒックリカエッタラ　タイヘンナコトニナッカラ。
　　　いいの。梯子なんて　ひっくり返ったら　　大変なことになるから。

007B：ホーカ。ヒックリゲッテナー　ホーネデモ　フッチョッタラバ（A　ウン
　　　そうか。ひっくり返ってな　　骨でも　　　折ったらば　　　（A　うん

　　　タカイモン）ヤ　ヤッケ　カケッカラ　ンデ　　　　ヤメッカワ。
　　　高いもん）　×　厄介　　かけるから　それで[は]　やめるかな。

008A：アイ　ソノホーガ　イガスー。
　　　はい　その方が　　いいです。

009B：ハイシタ。ヤメダワ、ンデ。
　　　はい。　　やめたわ、それで[は]。

〔1〕{間}
ハサミを持ってきてもらって、受け取っている間がある。

2-3. 庭に来た鳥を見せる

001B：オイオイ　カーチャン（A　ハーイ）チョット　チテミロ、コッチサ。
　　　おいおい　母ちゃん　（A　はい）　ちょっと　来てみろ、こっちへ。

002A：ナニシタノ。
　　　どうしたの。

003B：チョット　ミタコトネーサー、チャッコイゲンドモ　ウッツグシートリッコ
　　　ちょっと　見たことないさ、　小さいけれども　　　美しい鳥

　　　イダガラサ（A　ホーン）ナンダカ　ワガンネーンダ、イッショニ
　　　いるからさ（A　ふうん）なんだか　わからないんだ、一緒に

　　　ミデミロ。
　　　見てみろ。

004A：ホーー　ナンカ　コノゴロ　ソイナ　　キテルネー。ドコサ　インノ。
　　　ほー　　なんか　この頃　　そんなの　来ているね。どこに　いるの。

005B：ホーレ　ソゴニ　イッペッチャ。
　　　ほら　　そこに　いるだろうよ。

006A：アラ。アラ　サッパリ　ミエネーネ。
　　　あら。あら　さっぱり　見えないね。

007B：ミエネーノガ。
　　　見えないのか。

008A：ミエネーネ。アー
　　　見えないね。ああ

009B：アーレ、アソゴノマズノキノウエガラ　イズ、ヌー、サンバンメンドゴサ
あれ、　あそこの松の木の上から　　一、　二、　三番目のところに

（A　アー）スガッテッペッチャ。
（A　ああ）とまっているだろうよ。

010A：エアー　アイズ　トリー。アーー。
ええ　　あいつ　鳥？　　ああ。

011B：ナンーダ　トーリモ　ミエネーノガワ。
なんだ　　鳥も　　　見えないのかよ。

012A：アーー　ナンダガ　ウゴイテルネ。
ああ　　なんだか　動いているね。

013B：ウゴイテンノシカ　ミエネーノガ。
動いているのしか　見えないのか。

014A：ミエネーネ。ナンカ　トリダカ　ナンダカ　ワガンネケント。
見えないね。なんか　鳥だか　　なんだか　わからないけれど。

015B：アー　ソーカソーカ。ソーデ　　ダメダ。メー　ミエネンデワ　　ダメダ。
ああ　そうかそうか。それで[は]　だめだ。目が　見えないのでは　だめだ。

メガネ　カッテヤンナクテナイナ。
メガネ　買ってやらなくてはいけないな。

016A：ンダネー。（B　ンー。ンデモナ）コノゴロ　オンダンカデ
そうだね。（B　うん。それでもな）この頃　　温暖化で

イロンナトリ　キテルヨネ、　ナンダカネ。（B　ンー）ミカケナイトリモ。
色んな鳥　　来ているよね、なんだかね。（B　うん）見かけない鳥も。

017B：ヤッパリ　ワガンネーガ。ミダゴドネーヨナ。ンー。
やっぱり　わからないか。見たことないよな。うーん。

018A：ウン。
うん。

2-4. 畳替えをもちかける

①同意する

001B：{息を吸う音} トコロデサ（A　ウン）ウン。ナガマノタダミ〔1〕
{息を吸う音} ところでさ（A　うん）うん。客間の畳

ズイブン　スリキレデキタワナー、フケデキダ〔2〕ドワ。（A　ダネー）
ずいぶん　擦り切れてきたわな、　痛んできたぞ。　　　　（A　だね）

ト　ウーン。アイッタナー、オギャグサンモ　タマニスカ　コネゲンッドモ
×　うん。　あれだな、　お客さんも　　たまにしか　来ないけれども

アイッタ、フグサ　コー　ズボサモ　　クッツカッテクッカラワサ
あれだ、　服に　　こう　ズボンにも　くっついてくるからさ

トッケタホー　イートオモンダゲッドナー。
取り替えた方　いいと思うんだけれどな。

002A：ナーンダ　コノゴロ　ウーン　ズイブン　ヒドクナッテキタオネ。
なんか　　この頃　　うーん　ずいぶん　ひどくなってきたもんね。

003B：ウン。ンデ　　　　トッケタホ　　イーナ。
うん。それで[は]　取り替えた方　いいな。

004A：ソースカ。
そうですか。

005B：ウン。トッケッペワ。
うん。取り替えよう。

006A：ンダネ。（B　ウン）タダミヤサンニ　ユッテダホー　　イーネ。
そうだね。（B　うん）畳屋さんに　　　言っておいた方　いいね。
（B　ウン）スグニーモ　コネーーベガラ　（B　ウン）ハヤメニ
（B　うん）すぐにも　　来ないだろうから（B　うん）早めに

ユッテタホーイーワネ。
言っておいた方いいわね。

007B：ンダナ。　マ　　マズ　アイッタッチャ、オモテガエダケ　スッペ。
そうだな。まあ　まず　あれだよ、　　　表替えだけ　　　しよう。

008A：ハイ。ユットクカラ　　モー。
はい。言っておくから　もう。

009B：ハイ。ンデ　　　　ソイナグ　　　ユットイテ。
はい。それで[は]　そういう風に　言っておいて。

010A：ウン。
うん。

②同意しない

001B：ナガマノヤ、タダミヤ、ズイブン　フルグナッテ（A　ウーン）ウーン
客間のさ、　畳さ、　　ずいぶん　古くなって　（A　うーん）うーん

ズイブン　アノ　アイッタドワ。
ずいぶん　あの　あれだぞ。

002A：イヤ　キニワ　シッタンダゲッドサ
いや　気には　していたんだけれどさ。

003B：ボ　ボサボサニナッテキタドワ。
×　ボサボサになってきたぞ。

004A：ンダヨネー。(B　ウーン) ズイブン　フケテキタワネ。
　　そうだよね。(B　うーん) ずいぶん　痛んできたわね。

005B：ウン。アーノ　コノママデワ　ダメダナ。ンデー　　トッケッペワ。
　　うん。あの　　このままでは　だめだな。それで[は]　取り替えよう。

006A：エヤイ　チョット　マッテサイン　　マズ。ライネン　ホージ　スンダモノ。
　　いや　　ちょっと　待っていなさい　まあ。来年　　法事　　するんだもの。

　　ライネンデ　イーンデナイノー。
　　来年で　　　いいんじゃないの。

007B：アー　ホーズダッタナー。(A　ウーン) ンダゲッド　　ソレマデ
　　ああ　法事だったな。　　(A　うん)　そうだけれど　それまで

　　マッテランネドー。　ズイブン　ボサボサニナッテキタッチャワ、コリャ。
　　待っていられないぞ。ずいぶん　ボサボサになってきたよ、　　　これは。

008A：ココマデ　キタンダンー　スコシ　マッテダライッチャ。セッカク
　　ここまで　きたんだもの　少し　　待っていたらいいよ。せっかく

　　(B　ウン) ホージスットギ　アダラシータタミデ　オキャクサン
　　(B　うん) 法事するとき　　新しい畳で　　　　　お客さん

　　ムカエタホーイートオモウガラ、(B　ウーン) ガマンスサインワ。
　　迎えた方いいと思うから、　　　(B　うーん) 我慢しなさいよ。

009B：イヤ　オレ　ガマンスンノワ　イーゲンドモヤ、オレ　ホ　ホージマデ
　　いや　私　　我慢すんのは　　いいけれどもさ、ほら　×　法事まで

　　ホノ、ホーノイジネンカン　オキャグサン　ダレモ
　　この、この一年間　　　　　お客さん　　　誰も

　　コネーッテワゲニイガネベー。　　(A　ウーン) ウーン　ホラ　ズボンサ
　　来ないってわけにいかないだろう？(A　うーん) うーん　ほら　ズボンに

　　クッツイタリスッチャ、コリャ。{笑} ウン。
　　くっついたりするよ、　これは。{笑} うん。

010A：モスコシ　ガマンシテケサイ。
　　もう少し　我慢してください。

011B：ホーカ。ンデ　　　　ガマンシテモラウガ。
　　そうか。それで[は]　[お客さんにも]我慢してもらうか。

〔1〕ナガマ
　中間。台所と奥座敷との間の座敷のこと。

〔2〕フケデキダ
　「蒸ける」。畳が湿ったり蒸れたりしてかびてしまい、畳床の部分まで傷んでしまうこと。

2-5. 朝、起きない夫を起こす

①起きない理由が納得できる

001A：オトーサン、モー　ジカンダスト。オキナキャナイヨワ。
　　　お父さん、　もう　時間ですよ。　起きなきゃいけないよ。

002B：アー　ホーガ。ンー。
　　　ああ　そうか。うーん。

003A：ンデモネー。ズイブン　シゴト　イソガシカッタオネー。マイニチ
　　　それでもね。ずいぶん　仕事　忙しかったもんね。　毎日

　　　オソイガラ。
　　　遅いから。

004B：ンダ。　ワガッペ。　モスコシ　ネカシテケロヤ。
　　　そうだ。わかるだろう。もう少し　寝かせてくれよ。

005A：ンデモネー。シャネヨ。　アノー　ゴハン　デギテッガラ　ハヤグ
　　　それでもね。知らないよ。あの　ご飯　できているから　早く

　　　オギテ。ツガレデンダベゲントモ　ハヤグ　オギデ。
　　　起きて。疲れているんだろうけれども　早く　起きて。

006B：アーイ。
　　　はーい。

007A：ゴハン　タベテケサイン。
　　　ご飯　食べてください。

②起きない理由が納得できない

001A：オットサン、イツマデ　ネデンノー。
　　　お父さん、　いつまで　寝ているの。

002B：ンーー　モスコシダナ。
　　　うーん　もう少しだな。

003A：トゲー　ミタライッチャ。モー　ジカンダスト。マイニジマイニジ
　　　時計　見たらいいよ。　もう　時間ですよ。　毎日毎日

　　　ノンデー。ナンダッテ　イギナリ〔1〕。　トシモ　カンガエネデ。
　　　飲んで。　なんだって　いっぱい[飲んで]。年も　考えないで。

004B：アノナ　オドゴノツジアイッテユーノ　アンダガラナー。
　　　あのな　男の付き合いっていうの　あるんだからな。

005A：ンダゴド　マイガイ　ユー。ユッタッテ　ダメ。ハヤグ　オギデ
　　　そんなこと　毎回　言う。言ったって　だめ。早く　起きて

　　　シゴドニ　イッデケサイン。
　　　仕事に　行ってください。

006B：ンアー　モスコス。モスコス　ネラシテケロ。
　　　ああ　もう少し。もう少し　寝させてくれ。

007A：ゴハン　デギデッカラネ。
　　　ご飯　できているからね。

008B：アーイ。
　　　はい。

〔1〕イギナリ
　「急に」「突然」という意味の他に、「とても」「非常に」「たくさん」などといった程度のはなはだしさの意味を持つ。

2-6. いじめを止めさせるよう話す

①受け入れる

001A：Bサン　イダスカヤ。
　　　Bさん　いますか。

002B：アイヨー、イダヨー。ナンダ。
　　　はいよ、　いるよ。　なんだ。

003A：アーノッサ　オライノマゴ　ナイテ　カエッテキダンダゲンドモ
　　　あのさ　　　うちの孫　　　泣いて　帰ってきたんだけれども

　　　アンダイノマゴニ　　イジメラッタッテユーンダヨ。
　　　あなたのうちの孫に　いじめられたっていうんだよ。

004B：アー　ソーガ。ナーンダ　コノメー　アオタン　ツグッテキタゲンドモ
　　　ああ　そうか。なんだ　　この前　　あざ　　　作ってきたけれども

　　　ホンナゴド　ヤッテチタノカー　ワリガッタナヤー。
　　　そんなこと　やってきたのか　　悪かったなあ。

005A：キョーナンカ　ズイブン　ナンダカンダッテイワッタッツテ　　モー
　　　今日なんか　　ずいぶん　なんだかんだっていわれたっていって　もう

　　　オライデナンカ　ナイテ　ヤ　ナキヤマネーンダゲンドモ。
　　　うちでなんか　　泣いて　×　泣き止まないんだけれども。

006B：ホーカ　オラエンナモ〔1〕テーハヤイガラナーー。オラエノムスコサ
　　　そうか　うちのも　　　　手が早いからな。　　　うちの息子に

　　　ソックリナンダ。オレモ　ソダテカダ　マジガッタガ。デモ　チャント
　　　そっくりなんだ。私も　　育て方　　　間違ったか。　でも　ちゃんと

　　　ムスコサ　ズブンノムスコオ　チャント
　　　息子に　　自分の息子を　　　ちゃんと

　　　キョーイクスロトユットグガラヤー。
　　　教育しろといっておくからさ。

007A：ンダネ。　オライノモサー（B　ウン）スグニ　ピーピート　ナグガラ
　　　そうだね。うちのもさ　　（B　うん）すぐに　ぴーぴーと　泣くから

　　　シャネゲンドモ　　マズ　ケガシネーヨーニ　アソバセネケネガラ、
　　　仕方ないけれども　まあ　怪我しないように　遊ばせなくてはいけないから、

　　　オタガイニ　キツケテ　　アソ　アン　ミテッペネ。
　　　お互いに　　気[を]つけて　××　あの　見ていようね。

008B：ンダナー。マー　イマノコドモダジナー　アノー　テード
　　　そうだな。まあ　今の子供たちな　　　　あの　　程度

　　　ワガンナエガラサー　アー　アブネガラ　ヤッパリ
　　　わからないからさ　　ああ　危ないから　やっぱり

　　　キーツケデオガナクテダメダナ。
　　　気をつけておかなくてはいけないな。

009A：ンダネ、　ユットグガラ。（B　ハイ）ヨロシグネ。
　　　そうだね、言っておくから。（B　はい）よろしくね。

010B：ハーイ。ワルガッタニヤ。
　　　はい。　悪かったねえ。

②受け入れない

001A：Bサン　イダスカヤ。
　　　Bさん　いますか。

002B：イダヨー。ナンスサ　キタノ。
　　　いるよ。　なにしに　来たの。

003A：アンダイノマゴッサー、ズイブン　キカナインダネ。オラエノマゴ　ナイデ
　　　あなたのうちの孫さ、　ずいぶん　きかないんだね。うちの孫　　　泣いて

　　　カエッテキダゲンドモ。　ナニカ　シタンデネーノ。
　　　帰ってきたんだけれども。なにか　したんじゃないの。

004B：ナヌ　オラエノマゴガ　ナンカ　ヤッタノガ。ンー。
　　　なに　うちの孫が　　　なにか　やったのか。んー？

005A：ナンダガ　ナイテ　カエッテキタンダヨ。アンダイノマゴダッツッテ。
　　　なんだか　泣いて　帰ってきたんだよ。　あなたのうちの孫だっていって。

006B：ナーンダ　オラエノマゴ　オレサ　ニデ　ホーンナゴド　スネナー。
　　　なんだ　　うちの孫　　　私に　　似て　そんなこと　　しないな。

　　　オドナスイヤズデサー。
　　　おとなしいやつでさ。

007A：ンダッテ　オライノマゴ　ユッテルモノ　　アンダイノマゴダッテ。
　　　だって　　うちの孫　　　言っているもの　あなたのうちの孫だって。

008B：ナーンダ　ホカニモ　イダンデネノー。　ホ　ホーノ　ホカノマゴ、
　　　なんだ　　他にも　　いたんじゃないの。×　その　　他の孫、

　　　コドモダジデネーノ。
　　　子供たちじゃないの。

009A：イヤ　チガウヨ。ホカノヒトモ　ユッテルヨー。ズイブン　ヒドイッテ
　　　いや　違うよ。　他の人も　　　言っているよ。ずいぶん　ひどいって

　　　ユッテッガラ。　マチガイネーヨ。
　　　言っているから。間違いないよ。

010B：ホーガヤ。ホーンデモ　ホンダゲ　イワレッドナー。オレモ
　　　そうかよ。それでも　　それだけ　言われるとな。　私も

　　　ミデダワゲデネーガンナー。　ンダゲンットモナー　オドナスイヤロッコ
　　　見ていたわけじゃないからな。そうだけれどもな　　おとなしい男の子

　　　ホンナゴド　スッカヤ。オライノデネートオモーゲンドモ、ンデモ
　　　そんなこと　するかよ。うちのじゃないと思うけれども、　それでも

　　　シャネ　　ジャ　オレモ　チャント　チーデミッカラ。（A　ンダネー）
　　　仕方ない　じゃ　私も　　ちゃんと　聞いてみるから。（A　そうだね）

　　　モース　ホイナンダッタラバ　オレモ　チャント　ウー　　ゲンコツデモ
　　　もし　　そうなんだったらば　私も　　ちゃんと　うーん　ゲンコツでも

　　　ケデ　　ナオサシッカラヤ。
　　　やって　直させるからさ。

011A：マジガイネートオモーガラ　ユッテケサイン。
　　　間違いないと思うから　　　言ってください。

012B：アイ　ワガリシタ。　ンデネー　アイッタナ　オラエノデネカッタラ
　　　はい　わかりました。それでね　あれだな　　うちのじゃなかったら

　　　ドースンノヤ。
　　　どうするんだよ。

013A：イーヤ　シャネ。　マジガイネーヨ　オラエノマゴ　ユッテンダガラ。
　　　いや　　知らない。間違いないよ　　うちの孫　　　言っているんだから。

（B　ホーカ）ウン。（B　ヨシ）ゼッタイ　アンダエノダヨ。
（B　そうか）うん。（B　よし）絶対　あなたのうちのだよ。

014B：ホーンデ　コイズ　オダガイニヤ　キーデミデヤ、オシ　ハナシアイスッペ
それで　こいつ　お互いにさ　聞いてみてさ、よし　話し合いしよう

アドデ。
あとで。

015A：マゴ　マゴドーシデ　ハナシアイサセルシカ　ネーンデネーノ
孫　孫同士で　話し合いさせるしか　ないんじゃないの

ンデ。
それで[は]。

016B：ンダナ。　チャッコイヤツラノケンカサナ　オヤ、アノー　オヤダノ
そうだな。小さいやつらのケンカにな　親、あの　親だの

ズンツァンバンツァン　クジハサムゴドネーナ。
じいちゃんばあちゃん　口はさむことないな。

017A：マズ　イーキカセデ、アド　オライノマゴニモ　ユットクガラ。
まず　言い聞かせて、あと　うちの孫にも　言っておくから。

（B　ウン）コンド　シネーヨーニシテケサイ。
（B　うん）今度　しないようにしてください。

018B：オシ　ケンカスンナラ　マケンナッテユットケ。
よし　ケンカするなら　負けるなっていっておけ。

〔1〕オラエンナモ
ナは準体助詞（の）である。人を表す場合、同等または目下を指す。目上を指すことはあまりない。この場合、「うちの孫も」と訳される。

2-7. 玄関の鍵が開いていて不審がる

001A：アヤッ。カギ　アイデンノ。　ナンデダベー。
あれ？　鍵　開いているの。なんでだろう。

002B：ナンダ、カギ　カゲテッタンダベ。
なんだ、鍵　かけていったんだろう。

003A：カゲダンダゲンドモ　アイテンダイネー。　オッカシーネー。アー
かけたんだけれども　開いているんだよね。おかしいね。　ああ

ソーイエバ　イッタリキタリシテ　ナンカ　モノ　トリニ
そういえば　行ったり来たりして　なんか　物　取りに

イッタリシタガラ、イソガシク　デテシマッテ　ワスレダンダワネー。
行ったりしたから、慌てて　出てしまって　忘れたんだわね。

アヤヤヤヤ　キツケナキャナイネ。
あらららら　気[を]つけなきゃいけないね。

004B：ンダナー　キツケナクチャナイナ。　（A　ンー）ソイズオ
そうだな　気[を]つけなくちゃいけないな。（A　うん）そいつを

ボゲダッデイワレンダドー。
ぼけたっていわれるんだぞ。

005A：イヤ　モノワセダネ。
いや　物忘れだね。

006B：ア　ホーカ。マー　ソンナテードナラ　イーゲンドモサ。トコロデ　カギ
あ　そうか。まあ　そんな程度なら　いいけれどもさ。ところで　鍵

カガッテネカッタンナラ　ゲンカンカラ　ダレデモ　ハイレダベッチャ。
かかっていなかったのなら　玄関から　誰でも　入れただろうよ。

（A　ンダネー）ンー。チョット　ナカ　ミデミロ。ナンニモ　ヌス
（A　そうだね）うん。ちょっと　中　見てみろ。なにも　××

ヌスマッタモノ　ネーガ。
盗まれた物　ないか。

007A：ナンニモナイトオモーケッドモ。
なにもないと思うけれども。

2-8．玄関の鍵をかけたか確認する

001B：アレー　チョット　ココマデ　キテシマッタゲンドサ（A　ウン）
あれ　ちょっと　ここまで　来てしまったけれどさ（A　うん）

ゲンカンノカギ　カシェダ　カケダカ　ドーカ　チョット　ワスレダヤ。
玄関の鍵　××××　かけたか　どうか　ちょっと　忘れたな。

カケタッケガヤ。
かけたっけかな。

002A：ワダシ　カケタヨー。マ　カケタカケタ。
私　かけたよ。　まあ　かけたかけた。

ダイジョーブダトオモウゲドモー。
大丈夫だと思うけども。

003B：ホントヌカ。（A　ウーン）チョット　オレ　カケッタスガタ
本当にか。　（A　うーん）ちょっと　私　かけていた姿

ミエネカッタド。
見えなかったぞ。

004A：ダッタイカ。　アエ。イヤー　ジャー　イマノウジ　イッカイ　モドル。
そうだったっけ。あれ？いや　じゃあ　今のうち　一回　戻る？

ソノホー　イーワネ。（B　ン）　モドッテケサイン、ナンカ
その方　いいわね。（B　ん？）戻ってください、　なんか

ブョージンダカラ。
不用心だから。

005B：ソーカ、ンデ　　　チョット（A　ハイ）オソグナッケンドモ
そうか、それで[は]　ちょっと（A　はい）遅くなるけれども

モドッカ。（A　ウン）ダイジョーブ　マダ　ミセ　シマンネベ。
戻るか。　（A　うん）大丈夫　　　まだ　店　　閉まらないだろう。

006A：ダイジョブダイジョブ。ナンカ　シンパイ。
大丈夫大丈夫。　　　　なんか　心配。

007B：ヨシ。ジャー　モドッド。
よし。じゃあ　戻るぞ。

008A：シンペー　シンペーニナッテキタ。
心配　　　心配になってきた。

009B：ウン。ジャ　スンペーニナッタラ　モドルニコシタコトネーナ。ヨシ
うん。じゃ　心配になったら　　　戻るに越したことないな。　よし

ンデ　　　　モドッドー。
それで[は]　戻るぞ。

2-9．夫が飲んで夜遅く帰る

001B：ピンポーン〔1〕。オーイ　イマ　カエッタドー。アケテケロー。
ピンポーン。　　おうい　今　　帰ったぞ。　　開けてくれ。

002A：ガチャ〔2〕。ハーイ　ヨグ　カエッテキダゴダ。マイバン　ツズクモンダネ。
ガチャ。　　はい　　よく　帰ってきたこと。　毎晩　　　続くもんだね。

003B：アー　ホーカ。マイバンッテイワレット　ホダナ。　チョー　ホンナニ
ああ　そうか。毎晩っていわれると　　　そうだな。今日　　そんなに

オソグ　オソグネードオモンダゲッドモヤ。
遅く　　遅くないと思うんだけれどもさ。

004A：ジューニジ　スギデンダスト。
十二時　　　すぎているんですよ。

005B：ジューニジ　スギダノワ。
十二時　　　すぎたの。

006A：スギテンダヨワー。
すぎているんだよ。

007B：ホーカー。ンデ　　　チョット　オソ
そうか。　それで[は]　ちょっと　××

008A：ナニ　ホデナシテ　　　　　　ノンデンダガ。
なに　わけがわからないくらい　飲んでいるんだか。

009B：ホデナシテ　　　　　　　ノンデタワケデネーンダッチャナヤ。イーサゲ
わけがわからないくらい　飲んでいたわけではないんだよなあ。いい酒

ミンナ　トモダチトサー、ンメーサゲ　ノンデキタンダ。
みんな　友達とさ、　　　うまい酒　　飲んできたんだ。

010A：フーーン。マズ（B　マ　　アイッタナ）ノムヒトワ　オモシェベゲンド
ふうん。　まあ（B　まあ　あれだな）　飲む人は　　面白いだろうけれど

マッテルホー　ラクデネーヨ。
待っている方　楽で[は]ないよ。

011B：ンダガラ　　マッテネーデ　　ネデロッツッタノヌ。
それだから　待っていないで　寝てろっていったのに。

012A：ダッテー　ホダゴド　　イワッタッテ、フロニ　ハイルダノ
だって　　そんなこと　言われたって、風呂に　入るだの

ナンダノナッテ　イワッタンデワ　メンドクサイガラ
なんだのなんて　いわれたのでは　面倒くさいから

オギテルシカナイッチャ。
起きているしかないでしょう。

013B：ウンウン　ンダナ。　ンデ　　　ソノフロ　イーノガ。
うんうん　そうだな。それで[は]　その風呂　いいのか。

014A：イーガス。ハイッテケサイン。（B　ア　ホーガ）サッサド　ハイッテ
いいです。入ってください。（B　あ　そうか）さっさと　入って

ハヤク　ネサインワ。
早く　　寝なさいよ。

015B：ンデモナ　　サゲ　ノンダドジヌ　アノ　フロサ　ヘッタラ
それでもな　酒　　飲んだときに　あの　風呂に　入ったら

ヤバイガラナー。ナンダ　コノ　コロットイグノ　マッテンデネーガ。
大変だからな。　なんだ　こう　コロっといくの　待っているのでないか。

016A：{笑} ドッチニシテモ。ンデ　　　ハインスナワ　　　キョー。
{笑} どっちにしても。それで[は]　入らないでください　今日。

モー　ソノママ　ネサインワ。ダメダ　マイニジ　ノンデッカラ。
もう　そのまま　寝なさいよ。だめだ　毎日　　　飲んでいるから。

017B：アイ　ワガッタワガッタ。ンデ　　　ネルワ。アイ　ンデ
はい　わかったわかった。それで[は]　寝るわ。はい　それで[は]

アンマリ　ゴッシャガネーデ。
あまり　　怒らないで。

〔1〕ピンポーン
チャイム音を話者が口頭で表している。

〔2〕ガチャ
戸を開ける音を話者が口頭で表している。

2-10. 娘の帰宅が遅い

001B：ナンダ　A。イマ　カエッテキタノガ。
なんだ　A。今　帰ってきたのか。

002A：アイ　タダイマー。イヤイヤ　オトーサン　オキッタノ。
はい　ただいま。いやいや　お父さん　起きているの。

003B：シーダベッチャ。オーメ、ワゲームスメガ　ナーンダイ　トジドジ
そうだろうよ。お前、若い娘が　なんだい　時々

サイキン　オソイゾ。ンダガラ　イママデ　マッデダンダ。
最近　遅いぞ。それだから　今まで　待っていたんだ。

004A：キョー　デンワシタンダゲントモ。ワガンナカッタノ。
今日　電話したんだけれども。わからなかったの。

005B：アー　オレ　イネードギ　デンワシタンダベ　ンデ。
ああ　私　いないとき　電話したんだろう　それで[は]。

006A：ホダノー。(B　ン)　アノ　シャネーンダヨ、トモダチニ
そうなの。(B　うん) あの　仕方ないんだよ、友達に

サソワッテッサー。シバラグブリダッタガラ　オソグナッタノ。
誘われてさ。久しぶりだったから　遅くなったの。

007B：ン。　シバラグブリ、トジ　トジドジダナ　サイキンナ。オーマエ　マダ
うん。久しぶり、××　時々だな　最近な。お前　まだ

ケッコンマエナノヌ　ホンナコト　シッタラ　オメー　ヨメノモライテ
結婚前なのに　そんなこと　していたら　お前　嫁のもらい手

イネグナッド。
いなくなるぞ。

008A：アノ　オトサン、ワルイゲンド　アンマリ　ヨケーナゴド
あの　お父さん、悪いけれど　あまり　余計なこと

シンパイシナクテイーガラ。(B　ウン) ワダシダッテ
心配しなくていいから。(B　うん) 私だって

カンガエデンダガラ。
考えているんだから。

009B：イヤ　ホンダラ　イーゲッドモサ、アンマリ　クジダシワ
いや　それなら　いいけれどもさ、あまり　口出しは

シタクネーゲンドモ　セケンテーモ　アンダガンナ。
したくないけれども　世間体も　あるんだからな。

2-11. 息子が勉強しない

001A：B、カエッテキタノ。（B　アー）コッチサ　ガイン。
B、帰ってきたの。　（B　ああ）こっちに　来なさい。

002B：アー　イマ　カエッタヨ。ナヌ　ハナシ　アンノ。
ああ　今　帰ったよ。　なに　話　あるの。

003A：キョーノメンダンデネー、ガッコノセンセニ　ズイブン　セーセキ
今日の面談でね、　学校の先生に　ずいぶん　成績

サガッテルッテ　ゴシャガッテキタンダケッドモ　ナニ　カンガエテンノ
下がっているって　叱られてきたんだけれども　なに　考えているの

アンタ。
あなた。

004B：ハーーンダ　センセー　オレサバリ、オレデ　タクサンナノヌ
なんだ　先生　私にだけ、　私で　たくさんなのに

カーチャンニモ　ホンナゴド　ユッタノ。
母ちゃんにも　そんなこと　言ったの。

005A：アタリマエダッチャー。マモナクダッテユーノニ。ローニンナンカサッタラ
当たり前だよ。　間もなくだっていうのに。浪人なんかされたら

コマッカラ、ガンバッテケサイン。
困るから、　頑張ってください。

006B：ヘイ。オレナリニ　ガンバッテンダガラ　ホンナゴド　イワレッゴド
はい。私なりに　頑張っているんだから　そんなこと　言われること

ネーガラ。
ないから。

007A：イヤイヤ　コマッタモンダ。
いやいや　困ったもんだ。

2-12. 息子がよく勉強する

001A：B、オカエリ。
B、おかえり。

002B：アーイ　タダイマ。
はい　ただいま。

003A：アンタ　ズイブン　ガンバッテルッテ　センセー　ユッテタゲンドモ
あなた　ずいぶん　頑張っているって　先生　言っていたけれども

タイシタモンダネー。
たいしたもんだね。

004B：ナーヌ　センセ　ホンナゴド　ユッタノガー。ナーヌ　カッコワルイナヤ。
なに　先生　そんなこと　言ったのか。　なに　かっこ悪いなあ。

005A：ナントカネー　モクヒョーノダイガクニ　ハイレット　イーネー。モスコシ
なんとかね　目標の大学に　入れると　いいね。　もう少し

ガンバライネ。
頑張りなさいね。

006B：ンダネ。　モースコスダッテ　シェンシェーガラモ　ユワレテルス、
そうだね。もう少しだって　先生からも　言われているし

ンデ　ガンバッカラ　ホンナニ　スンペースネーデナ。
それで[は]　頑張るから　そんなに　心配しないでな。

007A：イヤ　ントニ　モスコシダネ。
いや　本当に　もう少しだね。

2-13. 嫁の起きるのが遅い

001A：イヤイヤ　ヨメサン　モラッタノ　イーゲンドモ、マダ　キョーモ
いやいや　嫁さん　もらったの　いいけれども、また　今日も

オソインダネー。ヤンダグナッテキタ、ワダシ　アサゴハン　ツグンノ。
遅いんだね。　嫌になってきた、　私　朝ご飯　作るの。

002B：マー　ホンナゴド　イワネーデサー、ワゲーフタリナンダガラ
まあ　そんなこと　言わないでさ、　若い二人なんだから

シャーネーベー。(A　ンダネー)　ンーー。オレダジノワゲードギオ
仕方ないだろう。(A　そうだね)　うん。　私たちの若いときを

カンガエデミロ。
考えてみろ。

003A：マーネー。ヒト　ヒトゴトデワナインダゲンドモサ。(B　ウン)デモ
まあね。××　他人ごとではないんだけれどもさ。(B　うん)でも

ジブンノダンナノゴハンクレ　ツグッテ　エー　カイシャニ　オクンノ
自分の旦那のご飯くらい　作って　ええ　会社に　送り出すの

フツーデナイノスカヤ。
普通ではないのですか。

004B：マー　ンダゲンドナ、　フタリトモ　トモバタラキシテンダカラ、マ
まあ　そうだけれどもな、二人とも　共働きしているんだから、　まあ

スカタネサ、チャント　オーメニ　ミデヤッテ　モースコス、マダマダ
仕方ないさ、ちゃんと　大目に　見てやって　もう少し、　まだまだ

ウゴカレルウズ　アサゴハングライ　ツグッセ。
動けるうち　　　朝ご飯くらい　　　作りなさい。

005A：ンダネ、　イガイト　ヨメサンノゴハン　ンマグナイノカネ。{笑}
そうだね、意外と　　嫁さんのご飯　　　うまくないのかね。{笑}

006B：ソイズワ　ガマンスネドナ。ワガイヒトダチノゴッタガラサ。
そいつは　我慢しないとな。若い人たちのことだからさ。

007A：シャネネ。
仕方ないね。

2-14. 冷房の効いた部屋から外へ出る

001B：イヤーイヤ　ヤット　オワッタナヤ、カイギモヤ。
いやいや　　やっと　終わったなあ、会議もな。

002A：イヤイヤ（B　ンー）ズイブン　ナガカッタネ。
いやいや（B　うん）ずいぶん　長かったね。

003B：ンー。ドレ　ンデ　　　　カエッテンカ。ナンーーダ　ソド　アッズイゴド。
うん。どれ　それで[は]　帰るか。　　　なんだ　　外　　暑いこと。

（A　アーヤ）コンナニ　アズカッタノカヤ。
（A　あら）　こんなに　暑かったのかよ。

004A：アイヤー（B　ンーー）ホントニ　オデントサン　オドゲデナイ。
あら　　　（B　うーん）本当に　　お天道様　　　とんでもない。

アッツイアッツイアッツイワ。アダマ　グラグラスルネ、ホントニ。
暑い暑い暑いわ。　　　　　頭　　　ぐらぐらするね、本当に。

005B：ンダネーー。イマドジダガラナー、アノー　エアコンアッガラ
そうだね。　今の時代だからな、　あの　　エアコンあるから

イーゲンドサ。
いいけれどさ。

006A：ンートニ（B　ンー）ズイーブン　コンデ　　　アツカッタベネーー。
本当に　（B　うん）ずいぶん　　これで[は]　暑かっただろうね。

007B：ンダラ　　　コー（A　ンー）ヤーッパリネ　ムカシダッタラ　モー
そうしたら　こう（A　うん）やっぱりね　　昔だったら　　　もう

ミンナシテ　ハヤグ　ヤメローッテユッタワナ。
みんなして　早く　やめろっていったよな。

008A：ホーントダネ。(B　ンー) ハヤグ　ウチサ　ケッテ　ヤスマナキャナイ
本当だね。　(B　うん) 早く　家に　帰って　休まなきゃいけない

コラ。　トテモ (B　ンダ　コレ) ケールマデニ
これは。とても (B　そうだ　これ) 帰るまでに

グエ　ワルグナッカモワカンネヨ。
具合　悪くなるかもしれないよ。

009B：ン。　マ　ホダニ　イソグゴドモネーンダケンドモサ　アノ
うん。まあ　そんなに　急ぐこともないんだけれどもさ　あの

アッツイドゴ　サケデ　ドッカ　ヨッテンカ。
暑いところ　避けて　どこか　寄っていくか。

010A：エーー。{笑} オラ　イ　イガスワ。　アノ　サッサド　ウジサ
ええ。　{笑} 私　×　いいですよ。あの　さっさと　家に

ケーッカラワ。
帰るからね。

011B：ホーカ。アー　トーチャンモ　マッテッカラナー。ホンデ
そうか。ああ　父ちゃんも　待っているからな。それで[は]

キーツケテナー。
気をつけてな。

012A：ハーイ　ドーモ　オツカレサーン。
はい　どうも　お疲れ様。

2-15. 暖房の効いた部屋から外へ出る

001A：アー　ヤット　オワッタ。アイヤヤヤヤヤ　ズイブン
ああ　やっと　終わった。あらららららら　ずいぶん

サムグナッテダンダッチャワ　シャネッタマニ。コダニ　サムインデワ
寒くなっていたんだね　知らないうちに。こんなに　寒いのでは

タエヘンダッタ。
大変だった。

002B：ンーダナー。アッタゲドゴサ　イダガラナー。(A　ンーー) アセ　アセ
そうだな。　暖かいところに　いたからな。　(A　うん)　汗　汗

デッタヤー。ウン。(A　ホーントダヤ) ホンダゲ　ホンダゲド
出ているよ。うん。(A　本当だよ)　××××　そうだけど

コノママデワ　ンデ　カゼ　ヒクナー。
このままでは　それで[は]　風邪　引くな。

003A：ンダネーー (B　ウン) コンデワ。(B　ア) シミルヨーダ　ホンニ。ハヤグ
そうだね　(B　うん) これでは。(B　あ) 凍るようだ　本当に。早く

ウジサ　ケッテ　コダズニ　ハイッテ　スコシ　ア
家に　帰って　コタツに　入って　少し　×

アッタマンナキャナイワネ。
温まらなきゃいけないわね。

004B：ンダナ。　ンデ　マッスグ　ケッペワ。オシ　ングド。
そうだな。それで[は]　まっすぐ　帰ろうよ。よし　行くぞ。

2-16. 初物のタケノコを食べる

001A：オトサン　ハツモンダヨ。（B　オッ）タケノコ　デダガラ　ゴハン
　　　お父さん　初物だよ。　　（B　おっ）タケノコ　出たから　ご飯

　　　ツグッタヨ。
　　　作ったよ。

002B：アー　ホント。オー　イガッタナヤ。ナヌ　オラエノタケノコカ。
　　　ああ　本当。　おお　よかったなあ。なに　うちのタケノコか。

　　　モラッタノガ　ドッカガラ。
　　　もらったのか　どこかから。

003A：モラッタノモラッタノ。（B　アー　ホーガ）マーダ　オラエノ
　　　もらったのもらったの。（B　ああ　そうか）まだ　　うちの

　　　デネーモノ。（B　アー　ホーナノガ）Xチャンエガラネー　キノー
　　　出ないもの。（B　ああ　そうなのか）Xちゃん家からね　　昨日

　　　モラッタガラ　サッソク　ユガイタッチャ。（B　ウン）ヤッパリ
　　　もらったから　さっそく　湯がいたよ。　　（B　うん）やっぱり

　　　チガウネー。ハツモンダネ
　　　違うね。　　初物だね。

004B：ドーレドレ　ンデ　　　　ハズモノ、タゲノゴノハツモノ　ンメガラナー。
　　　どれどれ　　それで[は]　初物、　　タケノコの初物　　　うまいからな。

005A：カオリ　チガウネ。
　　　香り　　違うね。

005A：ソ　ソースッカラワ。
　　　×　そうするからさ。

006B：ン。　オレモ　ンデ　　　　アイッタナ、ウッツア　イッテ　アツカン
　　　うん。私も　それで[は]　あれだな、　家に　　　行って　熱燗

　　　ジット　　ヤッカ。
　　　キュッと　やるか。

007A：スギナヨーニ　ヤライン。{笑}
　　　好きなように　やりなさい。{笑}

006B：ンー。ドレ　ナ　ドイナグ　　　ツグッタノ。
　　　うん。どれ　×　どういう風に　作ったの。

007A：ゴハントネ（B　ウン）ニツケニシタカラ　クッテミサイン。
　　　ご飯とね　（B　うん）煮付けにしたから　食べてみなさい。

008B：ウン　ドレ　クッテミッカ。アー　ヤッパリ　ハズモンダナー。ンメーナ
　　　うん　どれ　食べてみるか。ああ　やっぱり　初物だな。　　　うまいな

　　　ヤッパリナー。ンー　　コーイズラダッタラ　マー　ススムナヤ。　　モー
　　　やっぱりな。　うーん　こいつだったら　　　まあ　[酒が]進むなあ。もう

　　　イッポン、カーチャン。
　　　一本、　　母ちゃん。

2-17. 久しぶりに友人に出会う

001A：アイヤー　シバラグダゴダ　Bサンデナイノー。
　　　あいや　　久しぶりだこと　Bさんじゃないの。

002B：アレー　アー　ナンダ　Aサンガー。
　　　あれ　　ああ　なんだ　Aさんか。

003A：ンー。（B　アー）ナニシタノ。　　シバラグ　アワネガッタゲッド
　　　うん。（B　ああ）どうしていたの。しばらく　会わなかったけれど

　　　カエッテキッタノ。
　　　帰ってきていたの。

004B：イヤー　ンダンダ。　　マー　アッチサ　ズット　イット
　　　いや　　そうだそうだ。まあ　あっちに　ずっと　いると

　　　オモッタンダゲッドモヤ、（A　ウーン）ナーンダ　オヤジガ　ナンカ
　　　思ったんだけれどもさ、　（A　うん）　なんだ　　おやじが　なんか

　　　グエー　ワルグナッテサ。（A　アー　ソー）ンー。オレ
　　　具合　　悪くなってさ。　（A　ああ　そう）うん。私

　　　チョーナンダッチャ。（A　ンダヨネー）ンーダガラヤ　メンドー
　　　長男だろう。　　　　（A　そうだよね）それだからさ　面倒

　　　ミナクテナイガラサー　　　アノ（A　アー　ソー）コノマエッカラ
　　　見なくてはいけないからさ　あの（A　ああ　そう）この前から

　　　カエッテキタンダ。（A　アー　ソー）ワルガッタナ　　レンラグモ
　　　帰ってきたんだ。　（A　ああ　そう）悪かったな　　　連絡も

スネーデナー。
しないでな。

005A：イヤイヤイヤ（B　ウン）ンデ　　　シバラグ　インノスカ。　マ　マダ
いやいやいや（B　うん）それで[は]　しばらく　いるのですか。×　また

カエンノ。
帰るの。

006B：マ　　カドグトユーゴドデネ、（A　ウン）コッチサ
まあ　家督ということでね、　（A　うん）こっちに

オジズグヨーンナッペナー。
落ち着くようになるだろうな。

007A：アー　ソー（B　ンー）ンデ　　　シャーネーワネ。（B　ン）
ああ　そう（B　うん）それで[は]　仕方ないわね。　（B　うん）

ミンナシテ　ネー　オヤ　ミナキャナイヨーニナッテッカラ。
みんなして　ねえ　親　　見なきゃいけないようになっているから。

（B　ンダネ）　ン。　ガンバンナキャナイネ。
（B　そうだね）うん。頑張らなきゃいけないね。

008B：ウン。コンド　ケーッテキタンダガラ　アド　ドーキューカイダノ
うん。今度　　帰ってきたんだから　　あと　同級会だの

レンラクシテケロナー。
連絡してくれな。

009A：ソーダネ。タノシミダネ。
そうだね。楽しみだね。

010B：ンダネ。　（A　ハーイ）ハイ。
そうだね。（A　はい）　はい。

2-18. 見舞いに行くべきか迷う

001A：トーチャン、アノー　オバチャンカラ　キータンダゲッドモサ（B　ウン）
お父さん、　あの　おばちゃんから　聞いたんだけれどもさ（B　うん）

アノ　トーキョーノ　アノ　シバラク　アワネーンダゲンッドモ、
あの　東京の　あの　しばらく　会わないんだけれども、

オンチャンノムスコ　ニューインシタッテユノ　キータンダゲンッドモ、
おじちゃんの息子　入院したっていうの　聞いたんだけれども、

ナジョシタライーンダイネ。
どうしたらいいんだろうね。

002B：アーー　ナンド　ナンジューネンモ　イギギシタコトネーワナ。
ああ　なんと　何十年も　行き来したことないよな。

（A　ンーー）ミダゴドモネーワナー〔1〕。
（A　うーん）見たこともないよな。

003A：モー　ドッチモ　オヤ　シンデッカラワネー。
もう　どっちも　親　死んでいるからね。

004B：ンー。　マア　シンルイニワ　マジガイネーゲンドナー。{息を吸う音}
うーん。まあ　親類には　間違いないけれどな。　{息を吸う音}

（A　ンー）　ターダナー　ナンジューネンモ　アレ　シテネーンダガラ
（A　うーん）ただな　何十年も　あれ　していないんだから

オタガイ　キツカウーゴドモナイベワ　モ。
お互い　気[を]つかうこともないだろう　もう。

005A：ウーーン　ワダシモ　ソーオモウヨワー。（B　ンーンー）
うーん　私も　そう思うわ。　（B　うんうん）

セッカクダゲンットモネー。
せっかくだけれどもね。

006B：ンダナー。セッカク　レンラク　モラッタンダゲンドモ（A　ンーンー）
そうだな。せっかく　連絡　もらったんだけれども（A　うんうん）

ソーシタホー　インデネーガイ。　（A　ンー）ンナノー　モー
そうした方　いいので[は]ないかい。（A　うん）そんなの　もう

イーンデネーガワ。
いいのではないか。

007A：オタガイニ（B　ウン）キツカワナイヨーニシタホー　イーワネ。
お互いに　（B　うん）気[を]つかわないようにした方　いいわね。

008B：ンダワナ。（A　ウン）マ　コッツガラー　トツゼン
そうだよな。（A　うん）まあ　こっちから　突然

ミマイニナンテタラ　アッチモ　ビックリスッペワ。
見舞いになんて[行っ]たら　あっちも　びっくりするだろうよ。

009A：ソーダトオモウネ。（B　ウンウン）ウン。
そうだと思うね。（B　うんうん）うん。

010B：マ　ソーユーコトデ　オワリニスッペ。
まあ　そういうことで　終わりにしよう。

011A：ソイナグスッカラワネ。（B　ウン）ハイ。ンデ　カエッテ
そういう風にするからね。（B　うん）はい。それで[は]　かえって

2-19. 瓶の蓋が開かない

①なんとか開ける

001A：イヤーー　アガネゴダ　ナンーダイ。コノビン　イッツモ
いや　開かないこと　なんだい。　この瓶　いつも

アガネンダヨネーー。コマッタ。
開かないんだよね。　困った。

002B：タダイマー。
ただいま。

003A：アー　オトーサン　イイトゴニ　キタ。（B　ン）　コイズ
ああ　お父さん　いいところに　来た。（B　ん？）こいつ

アゲテケンネ。
開けてくれない？

004B：ナンスッタノ。
どうしたの。

005A：カー　アガネグテアガネグテ。イヤイヤ（B　オーレ）シッシャマシテタ。
ああ　開かなくて開かなくて。いやいや（B　ほれ）　持て余していた。

006B：ホーンデ　オメノツカラデワ　ダメナンダ。ドレ（A　ダーメダネ）オレ
それで[は]　お前の力では　だめなんだ。どれ（A　だめだね）　私

オレデワ　イッパツデ　アグドー。フーン。フーン。〔1〕
私なら　一発で　開くぞ。　うーん。うーん。

007A：アガネスペ。
開かないでしょう。

イガッタ。
よかった。

012B：ウン。
うん。

〔1〕ミダゴドモネーワナー
何十年も会っていないことを、このように表現している。

008B：ダメダ　コリャ。
　　　だめだ　これは。

009A：オトサンモ　トシダ。
　　　お父さんも　年だ。

010B：アー　マッタマッタ　オモイダシタ。アーノヤ（A　ナーニスンノ）
　　　ああ　待った待った　思い出した。　あのさ　（A　なにするの）

　　　テレビデネ　テレビデ　アゲカタネ、チョット　スッタノ　ミッタンダ
　　　テレビでね　テレビで　開け方ね、　ちょっと　していたの　見ていたんだ

　　　オレ。（A　アラ　ソー）ン　（A　ハイヤイヤ）コンロデサ（A　ウン）
　　　私。　（A　あら　そう）うん（A　はいやいや）コンロでさ（A　うん）

　　　アッタメットネー　カンタンニ　トレルラシーンダ。ドレ　コンロ　ドレ。
　　　温めるとね　　　　簡単に　　　取れるらしいんだ。どれ　コンロ　どれ。

011A：イヤーー　ズイブン　カテーヨ　ソイツ。
　　　いや　　　ずいぶん　固いよ　　そいつ。

012B：カチッ〔2〕。ヨシ　ドレ。{間}〔3〕ン。　イーガナ。ドレ（A　イヤー）
　　　カチッ。　　　よし　どれ。{間}　　うん。いいかな。どれ（A　いや）

　　　アツツツツ〔4〕。
　　　あつつつつ。

013A：{笑}ヨゲナゴドシテ。
　　　{笑}余計なことして。

014B：フッフッフーーッ〔5〕。ヨシ　コンド　イーナ。ン　ン　ンーー〔6〕。
　　　ふっふっふーっ。　　　よし　今度[は]　いいな。うん　うん　うーん。

　　　アゲダ　ホレーー。
　　　開けた　ほら。

015A：アーー　ヤッパリ（B　ヤッパリ）オドゴノヒトダネ。
　　　ああ　　やっぱり（B　やっぱり）男の人だね。

016B：ン。　ヤッパリ　チカラダナ。ンー。
　　　うん。やっぱり　力だな。　　うん。

017A：ンーダネ。アー　イガッタイガッタ。アイ　アリガド。　（B　ハイハイ
　　　そうだね。ああ　よかったよかった。はい　ありがとう。（B　はいはい

　　　ハイ）ジャー　ナントカ　キョーノゴハンニ　マニアウネ。
　　　はい）じゃあ　なんとか　今日のご飯に　　　間に合うね。

　　　（B　ハイ　ハヤグハヤグ）オカズニ　マニアイマス。
　　　（B　はい　早く早く）　　おかずに　間に合います。

018B：ウン。
　　　うん。

②どうしても開けられない

001A：イヤイヤ　アガネーゴダ　ナンダイ。チカラ　ネグナッタンダッチャワー。
　　　いやいや　開かないこと　なんだい。力　　　なくなったんだわ。

　　　トシダナヤー。ヤンダグナッゴダ。
　　　年だなあ。　　嫌になること。

002B：タダイマー。
　　　ただいま。

003A：アヤ　オトーサン　イードゴニ　　カエッテキタ。コイズ
　　　あら　お父さん　　いいところに　帰ってきた。　こいつ

　　　アゲテモラエルー。
　　　開けてもらえる？

004B：ナンスッタノ。
　　　どうしたの。

005A：ナガナガ　アガナクテッサ。{机の上で瓶を滑らせて渡している音}
　　　なかなか　開かなくてさ。　{机の上で瓶を滑らせて渡している音}

　　　タベランナガッタノ。
　　　食べられなかったの。

006B：ドーレ　カシテミロ。ドレ。ン　ンーー。
　　　どれ　　貸してみろ。どれ。ん　うーん。

007A：カダイスペ。　ナーンダ　ソンナニ。
　　　固いでしょう。なんで　　そんなに。

008B：ダーメダ　コリャ。ホーンデ　　モイッカイダナ。ンーーー。
　　　だめだ　　これは。それで[は]　もう一回だな。　うーん。

009A：イーガラワイーガラワ。
　　　いいからいいから。

010B：ダメダ　オレノチカラデワ　ダメダ　コリャ。
　　　だめだ　私の力では　　　　だめだ　これは。

011A：ケズアズ　アガッカラ　イーガラワ　モー。（B　ンーダワナ　ウン）
　　　血圧　　　上がるから　いいからさ　もう。（B　そうだな　　うん）

　　　イーガラ　ソレ　ツカワネガラワ。
　　　いいから　それ　使わないからさ。

012B：イーノガワ　コレ　ツカワナグタッテ。
　　　いいのか　　これ　使わなくたって。

013A：イーガラ　キョー　イーガラワ。アトデ　アナデモ　アゲッカラワ。
　　　いいから　今日　　いいから。　あとで　穴でも　　開けるから。

014B：ン。　ンデ　　　　アレ　リョーリ　ウデフルッテ　ベツナノ　ツカッテ
　　　うん。それで[は]　あれ　料理　　　腕ふるって　　別なの　　使って

　　　ヤレワ。
　　　やれよ

015A：ンダワネ。　ナクテモインダ。　イガスワ。
　　　そうだわね。なくてもいいんだ。いいです。

〔1〕フーン。フーン。
　蓋を開けるためにいきむ様子を表す。

〔2〕カチッ
　コンロを付ける様子を口頭で表している。

〔3〕{間}
　瓶をコンロで熱している間。

〔4〕アツツツツ
　熱くなった瓶に不用意に触れてしまい驚いた様子を表す。

〔5〕フッフッフーーッ
　熱くなった瓶を冷ますために息を吹きかけている様子を表す。

〔6〕ン　ン　ンーー。
　蓋を開けるためにあらためていきむ様子を表す。

2-20. 買ってくるのを忘れる

001A：アイヤ　アヤ　アラーー。ナンダイ　セッカグ　カイモノサ　イッタノニ
あいや　あら　あら。　なんだい　せっかく　買い物に　行ったのに

ネーンデネ。　カレーライス　ツクットオモッテ　ニンジン　カイサ
ないんじゃない。カレーライス　作ると思って　人参　買いに

イッタンダゲッド　アイヤ　ワシェデキタンダイッチャワー。（B　ナニ）
行ったんだけれど　あいや　忘れてきたんだわ。（B　なに）

セッカク　イッタノニー。
せっかく　行ったのに。

002B：ナニ　ワスレデキタノ。（A　ナーンダカネ）カンジンナノ　ワスレ、
なに　忘れてきたの。（A　なんだかね）肝心なの　忘れ、

カンズンナノ　ワスレデキタンダナ　ホンデ。
肝心なの　忘れてきたんだな　それで[は]。

003A：ンダイッチャ　カレーライス　キョー　スッカラネーナンテユッテデ
そうだよ　カレーライス　今日　するからねなんていっていて

イッタノニネー。（B　ンーダ）ヤンダクナルネ。
行ったのにね。（B　そうだ）嫌になるね。

004B：マ　ッタナ　ボケハジマッタンダナ　コレ。
まあ　[あれ]だな　ぼけ始まったんだな　これ。

005A：ンダオネ。（B　ン）トシヒトズッテイワンネーワネ〔1〕。ナンダカ
そうだよね。（B　うん）年一つっていえないわね。　なんだか

　　コノゴロ　ワスレモノ　オークテ　コマルワ。
　　この頃　忘れ物　多くて　困るわ。

006B：ンダナ。　ンデ　ボケッテイワンネーヨーヌ　コンド　イズバンー
　　そうだな。それで[は]　ぼけっていわれないように　今度　一番

　　ダイジナノ　イズバン　サイショニ　カウヨーニッセ。
　　大事なの　一番　最初に　買うようにしなさい。

007A：ンダネ。　キョー　カレーライス　チューシネ。
　　そうだね。今日　カレーライス　中止ね。

008B：アー　ンデ　ヌンジン　ネガッタラナー。ンーデモ　ヌンジンナンカ
　　ああ　それで[は]　人参　なかったらな。　それでも　人参なんか

　　ネグタッテ　カレーライス　オレ　クイデーナヤ。
　　なくたって　カレーライス　私　食べたいなあ。

009A：イヤ　ニンジン　アッテコソノ　カレーダガラ　キョー　ヤスミ。
　　いや　人参　あってこその　カレーだから　今日　休み。

010B：アー　ホーガ。ンデ　イーサ。シャネ。
　　ああ　そーか。それで[は]　いいさ。仕方ない。

〔1〕トシヒトズッテイワンネー
トシヒトツは人生の中のわずか一年の意味。高齢になると、わずか一年であっても、体に変化が出たり、はっきりとわかる老いが現れたりすることがある。そのようなことを表す時の言い方。逆に子供の目覚ましい成長ぶりなどには用いることができない表現である。

2-21. 生徒の成績を説明する

001B：アイ　Aサン　ドーゾ。（A　ハイ）スワッテケサイ。
　　はい　Aさん　どうぞ。（A　はい）座ってください。

002A：ハイ。オセワサマデス。ヨロシク　オネガイシマスー。
　　はい。お世話様です。　よろしく　お願いします。

003B：ハイ。ドーモドーモ　アツイドゴ　ゴクロサンデスネ。（A　ハイ）
　　はい。どうもどうも　暑いところ　ご苦労様ですね。（A　はい）

　　{息を吸う音}トコロデ　アノー　Xクンーナンダゲンドネ、ウン
　　{息を吸う音}ところで　あの　Xくんなんだけれどね、　うん

　　（A　ウーン）ンート　ワダシトシテモ　オー
　　（A　うーん）うーんと　私としても　おお

　　キタイワシッタンダゲンドモ、{息を吸う音}（A　ナンダカネー）ナンカ
　　期待はしていたんだけれども、{息を吸う音}（A　なんだかね）　なんか

　　アー　チョットネ　サイキン　セーセキガ
　　ああ　ちょっとね　最近　成績が

　　オジデキテルヨナンダゲンドモ　ナニガ　オモイツグゴドナイスカ。
　　落ちてきているようなんだけれども　なにか　思いつくことないですか。

004A：ナンダカネー。ウワツイテットコ　ヤッパリ　ミエルオンネー。（B　ウン）
　　なんだかね。浮ついているところ　やっぱり　見えるもんね。（B　うん）

　　ダイガクットワ　ユッテンダゲッドモ。
　　大学[へ行く]とは　言っているんだけれども。

005B：ウン。マー　アンマリ　ベンキョーベンキョーッテユーノモ
うん。まあ　あまり　勉強勉強っていうのも

ワリゲンドモネ（A　ウーン）マー　アイッタ、Xクンワ　ブカツモ
悪いけれどもね（A　うーん）まあ　あれだ、　Xくんは　部活も

イッショケンメーヤッテルシ　オノ　ソノヘン、ソーユーメンデワ　シット
一生懸命やっているし　その　その辺、　そういう面では　本当

ワダシワ　アー　カッテルンダゲンドモ、（A　ウン）タダ　ダイガクサ
私は　ああ　買っているんだけれども、（A　うん）ただ　大学へ

イク゜トナット（A　ソーナンダネー）
行くとなると　（A　そうなんだね）

モーーチョットダナートオモッタンデス。
もうちょっとだなと思ったんです。

006A：ハーイ。（B　ウン）アノー　ユットキマス。
はい。　（B　うん）あの　言っておきます。

007B：ウン。ンデ　アノ　メザスワ　コ　ウー　タカイトゴロガ
うん。それで　あの　目指すは　こう　うーん　高いところが

イーンダゲレドモ　ンー　イマノジョーキョーオ　カンガエデ
いいんだけれども　うーん　今の状況を　考えて

ジブンナリニ　ハンダンシテ　ヒトツ　オロストガネ、ドーカ
自分なりに　判断して　一つ　落とすとかね、どうか

（A　ソーダネ）コノヘンモ　フグメデ　ハナシアッテミテケサイ。
（A　そうだね）この辺も　含めて　話し合ってみてください。

（A　ソーダネ）ウン。ワダシモネ　Xクント　イロイロ　ハナシ
（A　そうだね）うん。私もね　Xくんと　いろいろ　話

シテインッカラ。（A　ハイ）ナオ　アノー　カゾクデモネ、
していくから。　（A　はい）なお　あの　家族でもね、

オカサンノホーカラモ　ンー　ソノヘンノハナシ　シトイテケサイ。
お母さんの方からも　んー　その辺の話　しておいてください。

008A：ハイ。アノ　Xノホーニ　ヨク　ユッテ、マ　ホンニンモ　ヨク
はい。あの　Xの方に　よく　言って、まあ　本人も　よく

ワカッテルトオモイマスケドモ。ヨク　ハナシ　シトキマス。（B　ハイ）
わかっていると思いますけども。よく　話　しときます。（B　はい）

イロイロ　オセワニナリマス。ヨロシク　オネガイシマス。
いろいろ　お世話になります。よろしく　お願いします。

009B：ハイ。ジャー　ヒトツ　ヨロシク　ドーゾネ（A　ハイ）オネガイシマス。
はい。じゃあ　ひとつ　よろしく　どうぞね（A　はい）お願いします。

ゴクローサンデシタ。
ご苦労様でした。

010A：ハイ。
はい。

2-22. 息子の成績が悪いことを話す

001A：トーチャン、キョーサ　ガッコーニ　イッテキタンダゲッド　Xノセーセキ
父ちゃん、　今日さ　学校に　行ってきたんだけれど　Xの成績

アンマリ　ヨクネーンダド。
あまり　よくないんだと。

002B：ア　ホーナノガ。
あ　そうなのか。

003A：ウーン。ナンダカ　コノゴロ　アンマリ　ミ　ハイッテネモノネ。
うーん。なんだか　この頃　あまり　身　入っていないものね。

004B：ウーン。チョット　オレモナ　スンペスタンダゲドモナ（A　ウーン）
うーん。ちょっと　私もな　心配したんだけどもな　（A　うーん）

ホーンデモナー　アンマリ　ジリジリカゲデモ　ショーガネス　ア
それでもな　あまり　ガミガミ言っても　仕方ないし　あ

ブカズモ　ヤッテンダッチャ。
部活も　やっているんだろう？

005A：マーズネー。（B　ウンウン）ソッチモ　イッショ　ソッチワ
まあね。　（B　うんうん）そっちも　××××　そっちは

イッショケンメナンダゲントモネ。
一生懸命なんだけれどもね。

006B：ウン。（A　ウン）ヤッパリネ　リョーホーヤッテガネド。ガリベンダケデ
うん。（A　うん）やっぱりね　両方やっていかないと。　ガリ勉だけで[は]

ダメダガラト、{息を吸う音}マー　ソンデ　イーノカナードモッテ　オレワ
だめだからと、{息を吸う音}まあ　それで　いいのかなと思って　私は

イママデ　キタンダゲッドモサ。
今まで　来たんだけれどもさ。

007A：ウーン。マーネー　Xガ　キメルコッダカラ　ジブンデ　ソレー　モクヒョ
うん。　まあね　Xが　決めることだから　自分で　それ　目標

モッテンナラ　ガンバッペシ。　マズ　ミマモルシカネンダベネ。
持っているなら　頑張るだろうし。まあ　見守るしかないんだろうね。

008B：ウン。ンダナ。　ヤッパリ（A　ウン）ホンニンガナ　ホノー
うん。そうだな。やっぱり（A　うん）本人がな　その

ソーヤッテミタイドオモッテ　ヤッテルコッダカラ　タダ　ウーン
そうやってみたいと思って　やっていることだから　ただ　うーん

ヒトコトグライワナ　アノー　ユッテヤンナクテンナー。　ヤッパリ
一言くらいはな　あの　言ってやらなくてはいけないな。やっぱり

オドゴワネ　ヒトリデ　イギデガナグテネンダゾッテグラエワ
男はね　一人で　生きていかなくてはいけないんだぞってくらいは

（A　ンダイネ　ウン）マ　ユッテクベワ。カーチャンモ　ヤンワリド
（A　そうだよね　うん）ま　言っておくよ。母ちゃんも　やんわりと

ユットゲヨ。（A　ンダネ）　ウン。アンマリ（A　シカシ　ウン）
言っておけよ。（A　そうだね）うん。あまり　（A　しかし　うん）

ガリガリカケネデ。　イッショケンメー　Xモ　ガンバッテンダガラ。
ガミガミ言わないで。一生懸命　Xも　頑張っているんだから。

009A：ソンナニネ　アンマリ　ナイガラワネ。　（B　ウン）
　　　そんなにね　あまり　[受験まで日が]ないからね。（B　うん）

　　　ユッテオキマス。
　　　言っておきます。

010B：ハイ。ンデ　　　ソッセヤ。
　　　はい。それで[は]　そうしなさいよ。

2-23．外が暑いことを話す

001B：イヤーイヤ　ハタケデ　クサトリ　シテキタゲンドモヤ　ホーント
　　　いやいや　畑で　草取り　してきたけれどもさ　本当

　　　（A　シー）アツガッタアツガッタ。
　　　（A　うん）暑かった暑かった。

002A：アーラ　オカエンナサイ。（A　ウン　アーア）ハガイッタスカ。
　　　あら　おかえりなさい。（A　うん　あーあ）はかどりましたか。

003B：シー　マ　イツモノグレーワ　ハガイガネゲッドモナ　（A　ウーン）
　　　うーん　まあ　いつもくらいは　はかどらないけれどもな（A　うーん）

　　　ン　デモ　ヤルダケ　ヤッテチタガラサ。ホーンデ　コレ　ウチ
　　　うんでも　やるだけ　やってきたからさ。それで　これ　うち

　　　ハイッタッケヤ、アー　オモッタヨリ　スズスィーナ。
　　　入ったらさ、　ああ　思ったより　涼しいな。

004A：アーラ　ソンナニ（B　ウン）アツカッタスカー。（B　ナー）ズイブン
　　　あら　そんなに（B　うん）暑かったですか。（B　なー）ずいぶん

　　　ウチンナカ　スズシーンダヨ。
　　　家の中　涼しいんだよ。

005B：ホーガヤ。ンデモナー　アセ　シッコマネ。　ヤー　ツメテーノガ
　　　そうかよ。それでもな　汗　引っこまない。いや　冷たいのが

　　　イッパイヤリテナヤ。ヒェッタガヤ。
　　　一杯やりたいなあ。　冷えているかな。

006A：アー　ンデ　　　　ハヤグ　フロニ　ハイ　ヘッテ　アセデモ
　　　ああ　それで[は]　早く　　風呂に　××　入って　汗でも

　　　ナガサインワ。
　　　流しなさいよ。

007B：ア　ンデ　　　　ソノウズニ　ヨーイ　シテケロナ。
　　　あ　それで[は]　その間に　　用意　　してくれな。

008A：ンダワネ。
　　　そうだわね。

009B：ヨーシ　ンデ　　　　ハイッテクッペ。
　　　よーし　それで[は]　入ってこよう。

010A：ハーイハイ。（B　ハイ）オツカレサン。
　　　はいはい。　（B　はい）お疲れ様。

011B：ジャバジャバジャバ〔1〕。
　　　ジャバジャバジャバ。

〔1〕ジャバジャバジャバ
　風呂に入って湯を浴びる様子を話者が口頭で表している。

2-24．外が寒いことを話す

001B：タダイマー。
　　　ただいま。

002A：ハーイ　オカエンナサイ。
　　　はい　　おかえりなさい。

003B：アイヤイヤ　ソト　ウーント　サムカッタゲッド　オー　ヤッパリ
　　　あいやいや　外　　うんと　　寒かったけれど　　おお　やっぱり

　　　ウズンナガワ　イーナー　アッタカクテ。
　　　家の中は　　　いいな　　暖かくて。

004A：ソダニ　　サムガッタスカ。
　　　そんなに　寒かったですか。

005B：チョ　ンット　サムインダ。
　　　今日　うんと　寒いんだ。

006A：アー　ソー（B　ンー）ナンカ　オラ　ウジサバリ　イダガラ　サッパリ
　　　ああ　そう（B　うん）なんか　私　　家にばかり　いたから　さっぱり

　　　ワガンナガッタネ。
　　　わからなかったね。

007B：マ　　アイッタナ、サグ
　　　まあ　あれだな、　××

008A：マダスカワ。
　　　またですか。

009B：ン。　ヤーッパリサ　オドゴワネ、サムイドゴカラ　キタラ
うん。やっぱりさ　男はね、　寒いところから　来たら

イッペーヤリタクナッゲンドモサ、マ　ホンナゴド　ウー　アドデ
一杯やりたくなるんだけれどもさ、まあ　そんなこと　うーん　あとで

イーガラ　マー　ハヤグ　ゴハンニスッペ　ハヤグ。
いいから　まあ　早く　ご飯にしよう　早く。

010A：ンダワネ。　ハイ。ンデ　（B　ハイ）スコシ　オサケデモ
そうだわね。はい。それで[は]（B　はい）少し　お酒でも

ツケデヤッカラ。（B　アー）アッダマッテケサイン。
つけてやるから。（B　ああ）温まってください。

011B：アー　イーカーチャンダナー。
ああ　いい母ちゃんだな。

2-25. ガソリンの値上がりについて話す

001B：イヤーイヤ　ガソリン　サイチン　ホンットヌ　アガッテクルナヤ。
いやいや　ガソリン　最近　本当に　上がってくるなあ。

バンバン　アガルナヤ。
バンバン　上がるなあ。

002A：タガグナッタネー。
高くなったね。

003B：ウーーン。ンダガラツタッテナー。　クルマ　ツガワネースイガネス
うーん。　それだからっていったってな。車　使わないし×××××

ツガワネワゲニイガネス。
使わないわけにいかないし。

004A：ホントダ　ヨー　ナンネンネ。
本当だ　用が　足せないもんね。

005B：ホンダナ。ビョーインサ　イグノデモ　カイモノサ　イグノモナヤ。
そうだな。病院に　行くのでも　買い物に　行くのもなあ。

006A：ノッテデモ　ハカハカスルネ（B　ウン）ガソリンナグナットオモウド。{笑}
乗っていても　ドキドキするね（B　うん）ガソリンなくなると思うと。{笑}

007B：ンーダナ。（A　ウーーン）ホンデ　ヤッパリ　アイッタ、
そうだな。（A　うん）　それで　やっぱり　あれだ、

チャッコイクルマニスッペワ。
小さい車にしよう。

008A：ンダネ。　ネンピ　イーッテユーガラネー。（B　ウーン）マ
　　　そうだね。燃費　　いいっていうからね。　（B　うん）　まあ

　　　トシ　トッテクット　チョードイーガモワカンナイヨ。
　　　年　　取ってくると　ちょうどいいかもしれないよ。

009B：ンダ。　ウン　ヤッパリ
　　　そうだ。うん　やっぱり

010A：ヨータシスンノニ　チョード　イーガラ。（B　ウン）Bサンモ　クルマ
　　　用足しするのに　　ちょうど　いいから。（B　うん）Bさんも　車

　　　カエテミサインワ。
　　　替えてみなさいよ。

011B：ンダ　　ヤッパリ　ネンキンセーカツニ　アワシェッペ。（A　ウフンウフン）
　　　そうだ　やっぱり　年金生活に　　　　　合わせよう。　（A　うんうん）

　　　ウン。
　　　うん。

2-26. 町内会の連絡を伝える

001A：コンニチワ。Bサン　イダスカ。
　　　こんにちは。Bさん　いますか。

002B：アー　イダヨー。
　　　ああ　いるよ。

003A：アー　イガッタイガッダ。マダ　イダンダ。（B　ウン）アノネー
　　　ああ　よかったよかった。まだ　いたんだ。（B　うん）あのね

　　　キョーノチョーナイカイネー、ニジダッタンダゲッドモ　サンジカラニ
　　　今日の町内会ね、　　　　　二時だったんだけれども　三時からに

　　　ナッタンダド。
　　　なったんだと。

004B：ア　ナニ　マズ。ア。
　　　あ　なに　まあ。あ。

005A：カイチョーサン　キテッサー（B　ウン）コレー　Bサンニー
　　　会長さん　　　　来てさ　　（B　うん）これ　　Bさんに

　　　レンラクシテケサインッテ　サッキ　キタトゴッサ。
　　　連絡してくださいって　　　さっき　来たところさ。

006B：アー　ソーガ　イマ（A　ウン）ホレ　イグ゜ドオモッテ
　　　ああ　そうか　今　（A　うん）ほら　行こうと思って

　　　ズンビスッタトゴサ。
　　　準備していたところさ。

007A：ンダイッチャネー。(B　ウン) ワタシモ　ソノツモリデ
そうだよね。　(B　うん) 私も　そのつもりで

イタンダゲンッドモ　ソノレンラク　キタガラ、スコシ　オクレッカラ。
いたんだけれども　その連絡　来たから、少し　遅れるから。

ユックリシテテ　イーヨ。
ゆっくりしていて　いいよ。

008B：ア　ホーガ。(A　ウン) デモ　ハズマンノ　オソグナッタンデワ　マ
あ　そうか。(A　うん) でも　始まるの　遅くなったのでは　まあ

インダゲンッドモヤ (A　ウン) {息を吸う音} オレ　ソノ　オワッ　カイギ
いいんだけれどもさ (A　うん) {息を吸う音} 私　その　×××　会議

(A　エー　ソンナ) オワッタアド　ベズノヨージ　アッタガラ
(A　ええ　そんな) 終わったあと　別の用事　あったから

(A　アーー) シーーーデ　コーイズ　ホノカイギサ　イガレッカナー。
(A　ああ)　それで[は]　こいつ　この会議に　行けるかな。

009A：ンーー。ナルベク　ハヤク　オワルヨーニ　カイチョサンニ (B　ウン)
うーん。なるべく　早く　終わるように　会長さんに　(B　うん)

ユッテミタラ　イーンデナイ。
言ってみたら　いいんじゃない。

010B：ンダナ。(A　ウン) デッカラッツタンダガラ
そうだな。(A　うん) 出るからっていったんだから

デネワゲニイガネガラ。(A　ウンウン　ソーダネ) ウン。ンデ
出ないわけにいかないから。(A　うんうん　そうだね) うん。それで[は]

イズズ　イズズカンオクレデネ (A　ハイ) サンジカラネ。
×××　一時間遅れでね　(A　はい) 三時からね。

011A：アイ　ソユコトデスー。
はい　そういうことです。

012B：アーイ　ワガリシタ。　アリガドー。
はい　わかりました。ありがとう。

013A：ハイ。
はい。

2-27. 回覧板を回す

001A：コンニチワ。
こんにちは。

002B：ハイヨー。
はいよ。

003A：カイランバン　マワッテキタヨ。
回覧板　回ってきたよ。

004B：ア　ソーカ（A　ウン）ドレ　ンデ　モラウガラ。（A　ハイ）ナンダ
あ　そうか（A　うん）どれ　それで[は]　もらうから。（A　はい）なんだ

コンドワ。
今度は。

005A：ケーサツカラノカイランデネ（B　ウン）ナンダカ　イロイロ
警察からの回覧でね　（B　うん）なんだか　いろいろ

フリコメサギノチューイナンテ　カイテアッタヨ。
振り込め詐欺の注意なんて　書いてあったよ。

006B：フリゴメサギッテナワ〔1〕アノ　カネー　オグルヤズガ。
振り込め詐欺ってのは　あの　金　送るやつか。

007A：ソーナンダヨ。
そうなんだよ。

008B：アー　イーサ。オラエワ　スンペネ。カネ　ネーガラ。
ああ　いいさ。うちは　心配ない。金　ないから。

009A：ホイナヒト　ミンナ　ヒッカカッテンダガラ。
そんな人　みんな　引っかかっているんだから。

010B：ア　ホーカ。（A　ウンウン）ウン　ンデ　アイッタナ、オレ
あ　そうか。（A　うんうん）うん　それで[は]　あれだな、　私

モッテネーゲンドモ　カーチャン　カネ　モッテーッカモシャネガラ
持っていないけれども　母ちゃん　金　持っているかもしれないから

{笑} キツケルヨーニ　ユットッカラヤ。（A　ンダネ）　アイ
{笑} 気[を]つけるように　言っておくからさ。（A　そうだね）はい

アリガド。
ありがとう。

011A：ハイ　ハーイ　ヨロシクー。{回覧板を置く音}
はい　はい　よろしく。　{回覧板を置く音}

〔1〕フリゴメサギッテナワ
ナは準体助詞で共通語の「の」に相当する。

2-28. 遠くにいる人を呼び止める

001B：オー　ナンダ　Aサンデネーガー。ナーヌ　ホッチノホーサ　ムガッテ
おお　なんだ　Aさんではないか。なに　そっちの方に　向かって

ドゴサ　イク゜ノ。
どこへ　行くの。

002A：ナンダイ　キョー　チョーナイカイノカイゴー、イマカラダッチャ。
なんだい　今日　町内会の会合、　今からだよ。

イソガナクテナイヨ。
急がなくてはいけないよ。

003B：ホンダッチャナー。イッショニ　ハズ　イク゜ハズダッタンダナ。(A　ウン)
そうだよな。　一緒に　××　行くはずだったんだな。(A　うん)

ンダゲッドモ　キョー　カワッタッテノ　ワガンネガッタノカ。
そうだけれども　今日　変わったっていうの　わからなかったのか。

オデラ、(A　アラ) オデラデサー (A　アラ) イソガスクナッテネー
お寺、(A　あら) お寺でさ　(A　あら) 忙しくなってね

(A　アラアラー) シューカイジョーニナッタンダ　コンド。ホイズ
(A　あらあら)　集会場になったんだ　今度。　そいつ

ワガンネガッタガ。
わからなかったか。

004A：ゼンゼン。ゼンゼン　シャネガッタヨ。
全然。　全然　知らなかったよ。

005B：アーンダベ　イガッタ。ココデ　アッテ　イガッタナヤ。
なんだよ　よかった。ここで　会って　よかったなあ。

006A：ンダネー。(B　ウン) ドゴナノ。
そうだね。(B　うん) どこなの。

007B：ウン　ウエマズノシューカイジョダド。
うん　植松の集会所だぞ。

008A：アリャ　ゼンゼン　チガウトゴダッチャ。(B　アー) タイヘンダ　コリャ。
ありゃ　全然　違うところだよ。　(B　ああ) 大変だ　こりゃ。

009B：ダガラ　ハンタイガワサ　イッツシマッタンダナ。(A　ホーントダネ) オシ
だから　反対側に　行ってしまったんだな。(A　本当だね)　よし

ンデ　マー　シャーナイ　イッショニ　イク゜ベ。
それで[は]　まあ　仕方ない　一緒に　行こう。

010A：アー　イガッタネ。イマ　アッテ (B　ンー) イガッタ　ホントニ。
ああ　よかったね。今　会って (B　うん) よかった　本当に。

(B　ウン) ア　イヤ　タスカリマシタ。
(B　うん) あ　いや　助かりました。

011B：アイ　ンデ　イク゜スペ。
はい　それで[は]　行きましょう。

012A：ハーイ。
はい。

2-29. バスの中で声をかける

001A：{肩を叩く音} ハイ。
{肩を叩く音} はい？

002B：ナンダ。Aサンダッチャナヤ。
なんだ。Aさんだよなあ。

003A：アーアー　ハイ。アラマー　メズラシーゴダ。
ああああ　はい。あらまあ　珍しいこと。

004B：ナンダ　オレバ　　キズカネガッタノガ。
なんだ　私のこと　気づかなかったのか。

005A：ジェンジェン　ワガンナガッタネー。
全然　　　　　わからなかったね。

006B：アー（A　ウン）マズサ　デッドジナ、スマシテ（A　ンダッチャ）
ああ（A　うん）町へ　　出るときな、澄まして（A　そうだよ）

イッカラナ。（A　ウン）ウン。ホンデモ　アイッタナ、ドゴサ　イグノ。エ
いるからな。（A　うん）うん。それでも　あれだな、　どこへ　行くの。×

007A：ビョーイン。イッツモ　イグトコロ。
病院。　　　いっつも　行くところ。

008B：アイヤ　オレモ　ビョーインナンダゲンドモ。（A　アーラ）マー　デモ
ありゃ　私も　　病院なんだけれども。　　　（A　あら）　まあ　でも

ビョーインワ　ツガウベゲッドナ。
病院は　　　　違うだろうけれどな。

009A：ンダネー。（B　ウーン）マズ　シャネンダネ　　モー　ズット　クスリ
そうだね。（B　うーん）まあ　仕方ないんだね　もう　ずっと　薬

ノンデッカラネ、　クスリ　ナクナッテシマウト　オッカナイガラ
飲んでいるからね、薬　　　なくなってしまうと　恐いから

モライニ　イグノッサ。
もらいに　行くのさ。

010B：ンカ。　オダガイ　トシダガラナ。（A　ホントダネー）ウン。オレモ
そうか。お互い　　年だからな。（A　本当だね）　　うん。私も

ケンサダゲンドモサ（A　ハー）ウン　アノ　モースコス　イギデーガラサ。
検査だけれどもさ　（A　ああ）うん　あの　もう少し　　生きたいからさ。

011A：ホントダネ。（B　ウン）ウン。ケンサシテレバ（B　ウン）
本当だね。　（B　うん）うん。検査していれば（B　うん）

アンシンダカラ。（B　ンメサケ）セッカク　　　　　ミデモラワイン。
安心だから。　　（B　うまい酒）せっかく[だから]　見てもらいなさい。

012B：ウン　ンメサケ　ノムヨーニ〔1〕　チャント　ミデクッカラ、
うん　うまい酒　飲めるように　　　ちゃんと　見てくるから、

ミデモラッテクッカラ。（A　ウン）ウン。ンデサ　　オレ　コノツギーデ
見てもらってくるから。（A　うん）うん。それでさ　私　　この次で

（A　アーアー　スカ）オリッカラサ　ウン（A　ハイハイ）
（A　ああああ　＿＿）降りるからさ　うん（A　はいはい）

スグソコナンダ。
すぐそこなんだ。

013A：ア　オタガイニ（B　ウン）ハイ（B　ウン）マタ　ゲンキデ
×　お互いに　（B　うん）はい（B　うん）また　元気で

アイマショー。
会いましょう。

014B：ンダネ。　ホンデマズネ。（A　ハイ）アンマリ　オ　オレダズモ
そうだね。それじゃあね。（A　はい）あまり　×　私たちも

トシナンダガラ　ムリスネデ。　チャント　ミデモラッテコセ。
年なんだから　無理しないで。ちゃんと　見てもらってきなさい。

015A：ハイ。キツケデ　イッテガイン。
はい。気[を]つけて　行ってらっしゃい。

016B：アーイ。ンデマズネ。
はい。　それじゃあね。

017A：ハイ。
はい。

〔1〕ノムヨーニ
話者は「飲めるように」の意味でこのように話している。

2-30．近所の家に来たお嫁さんに出会う〔1〕

001B：アヤヤヤヤ　Xクンノオヨメサンダッチャナヤ。
あららららら　Xくんのお嫁さんだよなあ。

002A：ハイ。オハヨーゴザイマスー。
はい。おはようございます。

003B：アーイ　オハヨー。アーサッカラ　ゴクローサンダナヤ。
はい　おはよう。朝から　ご苦労様だなあ。

004A：ハーイ。
はい。

005B：ンー　コノマエナ　アノ　ケッコンシギニ　チョット　グエ
うーん　この前な　あの　結婚式に　ちょっと　具合

ワルグナッテサ、（A　アラマー）アノー　イガンネグナッテ
悪くなってさ、（A　あらまあ）あの　行かれなくなって

ワリガッタナー。
悪かったな。

006A：ハイハイ（B　ウン）キーテマシタ。（B　ウンウン）ウチノオカーサン
はいはい（B　うん）聞いていました。（B　うんうん）うちのお母さん

ユッテマシタ。
言っていました。

007B：ウン。オレ　ホレ　メノメーノエノ（A　ハイ）ウーン　Bッテユーンデネ、
うん。私　ほら　目の前の家の　（A　はい）うーん　Bっていうんでね、

（A　ハイハイ）アノー　ヨロシグ　オネガイシマス。
（A　はいはい）あの　よろしく　お願いします。

008A：ハイ。（B　ウンウン）イロイロ　ウチデ　オセワニ（B　ウン）
はい。（B　うんうん）いろいろ　うちで　お世話に（B　うん）

ナッテルッテユーコトモ　（B　ウン）キーテマシタ。
なっているっていうことも（B　うん）聞いていました。

009B：トコロデ　ドッカラ　チタンダッケガ。
ところで　どこから　来たんだっけか。

010A：アノネー　センダイーノハラノマチッテユートコナンデス。
あのね　仙台の原ノ町っていうところなんです。

011B：アーー　ンデ　マズバダナ。コンーナイナカサ　キテ
ああ　それで[は]　町場だな。　こんな田舎に　来て

クロースッペゲンドナー。
苦労するだろうけれどな。

012A：イエイエ。
いえいえ。

013B：ガンバレヨ。
頑張れよ。

014A：ソーデスネ。
そうですね。

015B：アイ。アノネ（A　ハイ）アンダエノオトサンダノオバサンダノ
はい。あのね（A　はい）あなたの家のお父さんだのお母さんだの

アンダノダンナサン　ミンナ　イーヒトタジダガラ（A　アーイ）アイ
あなたの旦那さん　みんな　いい人たちだから　（A　はい）　はい

チャントネ（A　アリガドーゴザイマス）ナカヨグ　アノ　クラッサエ。
ちゃんとね（A　ありがとうございます）仲よく　あの　暮らしなさい。

ワガヤモネ　トナリグミダガラ　ヨロシグネ。
我が家もね　隣組だから　よろしくね。

016A：ハーイ。オセワニナリマス。
はい。　お世話になります。

017B：ハイ。ンデ　ガンバッテ　ヤッサエ。
はい。それで[は]　頑張って　やりなさい。

018A：ハーイ。
はい。

〔1〕2-30. 近所の家に来たお嫁さんに出会う
実際の言語生活でこのような場面は想定できないとのことである。今回はやや無理をお願いしてこのような場面を作ってもらった。また、嫁に来たばかりの立場で大きな声を出せないとのことで、Aはやや小声で話している。

2-31. 結婚相手を紹介する

001B：オバンナリスタ。
こんばんは。

002A：アー　ハイ　コンバンワ。
ああ　はい　こんばんは。

003B：ア　イダスカ。
あ　いましたか。

004A：イダヨー。
いるよ。

005B：オー　ゴハン　クイオワッタノカワ。
おお　ご飯　食い終わったのかよ。

006A：イマカラダイッチャー。(B　オ) ナンナノ　イマコロ。
今からだよ。(B　お) なんなの　今頃。

007B：オー　ンデワ　ナガバナシデキネゲッドモサ、(A　ウン) アレ　コノマエ
おお　それでは　長話できないけれどもさ、(A　うん) あれ　この前

アレ　Xクンノ (A　ウン) オヨメサン　ダレカ　イーヒト
あれ　Xくんの (A　うん) お嫁さん　誰か　いい人

イネガナナンテ (A　アー　ウンウンハイ) ユッテタッチャ。(A　ウン)
いないかななんて (A　ああ　うんうんはい) いっていたよね。(A　うん)

ウンウン。ンーデネ
うんうん。それでね

008A：ダレカ　イダスカ。
誰か　いましたか。

009B：ウンウン　オレネ　アノ　オレノ　トモダジーノムスメーナンダゲッドモサ、
うんうん　私ね　あの　私の　友達の娘なんだけれどもさ、

(A　ウン) オラ　ホノ　トモダジ　トモダジノイエサ　ホレ　タマタマ
(A　うん) ほら　その　友達　友達の家に　ほら　たまに

ノミニ　インカラ (A　ウン) ウン　ソンドキネ　ホノー　カン　ツケテ
飲みに　行くから (A　うん) うん　そのときね　その　癇　つけて

モッテキテケル　ムスメガ　インダゲッドモサ。(A　オー) ウーン。
持ってきてくれる　娘が　いるんだけれどもさ。(A　おお) うん。

オレネー　イロイロ　ハナシテミタッケネ、(A　エー) カラッカラッテ
私ね　いろいろ　話してみたらね、(A　ええ) カラカラと

アガルクテネ　イーオンナノコナンッチャネ。
明るくてね　いい女の子なんだよね。

010A：アラー　イーゴトー。
あら　いいこと。

011B：ウーン。アンダエノXクン　オドナシーガラー (A　ンダヨネー)
うん。あなたのうちのXくん　おとなしいから (A　そうだよね)

チョード　ツリアイ　トレッカナー。
ちょうど　釣り合い　取れるかなあ。

012A：アー (B　ウン) ンダネー　イーネ。
ああ (B　うん) そうだね　いいね。

013B：ウン。ショーレー　カテーエンマンダトオモウヨ　カーチャン。
うん。将来　家庭円満だと思うよ　母ちゃん。

014A：ア　ソー。（B　ウン）Bサンガ　イーッツーンデワ
あ　そう。（B　うん）Bさんが　いいっていうのでは

イームスメサンダスペ。
いい娘さんでしょう。

015B：ダドオモウンダナ　ウン。
だと思うんだな　うん。

016A：ゼヒ　ウーン　オネガイシテミッカラ。
ぜひ　うん　お願いしてみるから。

017B：オレノ　オレノミタテデワ　イーオンナノコダカラサ。
私の　私の見立てでは　いい女の子だからさ。

018A：ウンウン。（B　ウン）タダネ　オラエノムスコ　ハッキリシネガラ
うんうん。（B　うん）ただね　うちの息子　はっきりしないから

イチオー　ムスコニー　ソノコト　ユッテ　アウバリアッテモラウヨーニ
一応　息子に　そのこと　言って　会うだけ会ってもらうように

（B　ンダナ）　ウン。（B　ウン）アノ　ムスコニ　ユッテミッカラ。
（B　そうだな）うん。（B　うん）あの　息子に　言ってみるから。

（B　ウン）アリガドー。
（B　うん）ありがとう。

019B：オヤガ　ジリジリネー（A　ウン）コドモ　ッツケルワケニイガネーガラ
親が　無理やりね　（A　うん）子供　くっつけるわけにいかないから

（A　ホントニネ）アノー　アイッタ　ホンニンダジシダイダ。アノー
（A　本当にね）　あの　あれだ　本人たち次第だ。　あの

トニッカク　アワネドー（A　ホダネ）　ハナシニナンネーガラネ。ウン。
とにかく　会わないと（A　そうだね）話にならないからね。　うん。

ンデ　ハナシシテケサイ。
それで[は]　話してください。

020A：セッカクダカラネ（B　ウン）マトマッテホシーネ。
せっかくだからね（B　うん）まとまってほしいね。

021B：アイ。ンデ　アドー　レンラクケサイ。
はい。それで[は]　あと　連絡ください。

022A：ウン。（B　ウン）マッテッカラネ。　（B　ハイ）ハイ。
うん。（B　うん）[相手も]待っているからね。（B　はい）はい。

ハナシトッカラ。（B　ウン）ドーモ　アリガドー。
話しておくから。（B　うん）どうも　ありがとう。

023B：ハイハイ。
はいはい。

『生活を伝える被災地方言会話集』3

収録地点　　宮城県名取市

収録日時　　2015（平成27）年7月5日・11日

収録場所　　慶雲院、名取市市民活動支援センター

話　者

A　女　1947（昭和22）年生まれ（収録時68歳）　［Bの同級生］

B　男　1947（昭和22）年生まれ（収録時68歳）　［Aの同級生］

話者出身地

A　名取市増田（マスダ）

B　名取市増田（マスダ）

収録担当者　　坂喜美佳、太田有紀、小原雄次郎、程駿、梁若然（以上、東北大学大学院生）、小澤達、川村由佳、齋藤明日香、鈴木星砂、富田紘輔、八木澤亮（以上、東北大学学生）　※所属は収録時。

文字化担当者　　坂喜美佳、八木澤亮

3-1. ティッシュペーパーを補充する

①了解する

001A：イマッカラ　カイモノニ　イグゲンド　オトーサン　ナニカ
今から　買い物に　行くけれど　お父さん　なにか

カッテクルモノ　アル。
買ってくる物　ある。

002B：ンーー　ホダナヤ。　ア　ナンダ　テッシュペーパー
うーん　そうだなあ。あ　なんだ　ティッシュペーパー

ネグナッテルンデナイッケ。
なくなっているんじゃないっけ。

003A：アー　アー　ホダッタネ。（B　ウーン）ティッシュペーパー、ハイ
ああ　ああ　そうだったね。（B　うん）　ティッシュペーパー、はい

（B　ウン）カッテクッガラ。
（B　うん）買ってくるから。

004B：アイズ　ネードネー、ムガシミテナグネー、シンブンガミデ　ハナ
あいつ　ないとね、　昔みたいにね、　新聞紙で　鼻

カマネクテネグナッガラサー。　{息を吸う音}（A　アーー　ソヤシ＿）
かまなくちゃいけなくなるからさ。{息を吸う音}（A　ああ　＿＿）

アーレ　ムガシ　インクデ　ハナ　マーックロッケニナッタベ。
あれ　昔　インクで　鼻　真っ黒けになっただろう。

（A　ンダ。　ソーユ）　ホンナゴト　イマ　ステランネーガラサ
（A　そうだ。そういう）そんなこと　今　してらんないからさ

（A　ホンナゴド　ヤメデケサイ）　カッテキテケロ。
（A　そんなこと　やめてください）買ってきてくれ。

005A：ハイハイ。アノ{笑}タンマリ　カッテクッカラ。ハイ。アト　ナイースカ。
はいはい。あの{笑}たんまり　買ってくるから。はい。あと　ないですか。

006B：ウン。アド　ネーナ。（A　ハイ）ウン。
うん。あと　ないな。（A　はい）うん。

007A：ンジャ　イッテクルネ。
それじゃ　行ってくるね。

008B：ソノ　ソノグレダオン。　ウン。（A　アーイ　ウン）キツケテ　イゲヨ。
その　そのくらいだもん。うん。（A　はい　うん）気[を]つけて　行けよ。

009A：アーイ　イッテキマース。
はい　行ってきます。

②了解しない（買い置きがある）

001A：オトーサン　イマー　チョード　ジカン　アッカラ　カイモノニ
お父さん　今　ちょうど　時間　あるから　買い物に

イッテクッケントモ　ナニカ　カウモノ　アル。
行ってくるけれども　なにか　買う物　ある。

002B：ンダナー　ウーーン　アイッタナ、テッシュペーパー
そうだな　うーん　あれだな、　ティッシュペーパー

ネグナッテルンデネーガヤ。
なくなっているんじゃないかな。

003A：アー　アレ　ア　アルアル。モノオキニ　オイッタガラ　　ダイジョブダヨ。
ああ　あれ　×　あるある。物置に　　置いているから　大丈夫だよ。

イマ　マダ　カウコトナイトオモーガラ。（B　ナンーダ）イーガス。
今　　まだ　買うことないと思うから。　（B　なんだ）　いいです。

004B：アノ　ネーナドオモッタッケ　モノオジサ　オイッタノ。
あの　ないなと思ったら　　　物置に　　　置いているの。

005A：ジャーマンナッカラ（B　ワ）スコシ　オイッタンダネ。　ハイ。
邪魔になるから　　（B　×）少し　　置いているんだね。はい。

（B　オーレノ　オマエ）ダシトッカラ、　ハイ。
（B　私の　　　お前）　出しておくから、はい。

006B：ワガッドゴサ　　ホレ　ダシトケヤ。
わかるところに　ほら　出しておけよ。

007A：ハーイハイ。アト　イースカ。
はいはい。　あと　いいですか。

008B：ウン。アドワ　イー。
うん。あとは　いい。

009A：ハーイ。ンジャ　　イッテキマース。
はい。　それじゃ　行ってきます。

010B：アイ。キツケテ　　　イゲヨ。
はい。気[を]つけて　行けよ。

011A：ハイ。
はい。

3-2. バスの時間が近づく

001A：アーイヤ　オトーサン、マダ　イダノー。アサッカラ　ヨーイシテンノニー。
あら　　　お父さん、まだ　いるの。　朝から　　　用意してんのに。

バス　モハヤ　　クルヨー。
バス　もうすぐ　来るよ。

002B：ナーンダ　マーダ　ジカン　アッペッチャ。ダーイジョブダー。
なんだ　　まだ　　時間　　あるだろうよ。大丈夫だ。

003A：キョー　ニチヨービダヨー。
今日　　日曜日だよ。

004B：ン。キョー　ニジョービガ。
ん？今日　　日曜日か。

005A：ンダイッチャー。ナイヨワ、バス。ハヤグ　イガナイト　ノリオクレルヨ。
そうだよ。　　　ないよ、　バス。早く　　行かないと　乗り遅れるよ。

006B：アー　ホンダッケガ。アー　ナドリ　イナガダガラ　イッポンシカ
ああ　そうだっけか。ああ　名取　　田舎だから　　一本しか

ネガッタンダッケガヤ。
なかったんだっけかな。

007A：ソーダヨ。ハヤグ　イガイン。
そうだよ。早く　　行きなさい。

008B：アー　ンジャ　　ダメダワ。
ああ　それじゃ　だめだわ。

009A：ダーメナノワ。{笑}（B　ウン）ンージャ　ゴ
　　　だめなの？　　{笑}（B　うん）それじゃ　×

010B：ホーンデァ　シカタネ。カーチャーン、クルマサ　ノセデイベヤ。
　　　それでは　　仕方ない。母ちゃん、　　車に　　　乗せていけよ。

011A：イヤイヤイヤイヤ　ヨゲーナコトニナッタ。{笑}
　　　いやいやいやいや　余計なことになった。　{笑}

012B：ンー。オレモ　ウンテン　スンペダケドモ　シャネ、　ノッテグベ。
　　　うん。私も　　運転　　　心配だけども　　仕方ない、乗っていこう。

3-3. 夕飯のおかずを選ぶ

①同意する

001A：キョーノカツオー　イギ　イクテ　イーゴダー、オッキクテ。
　　　今日のカツオ　　　活き　よくて　いいこと、　大きくて。

　　　コンバンノオカズ　カツオノサシミニスッケントモ　イースカ
　　　今晩のおかず　　　カツオの刺身にするけれども　　いいですか

　　　オトーサン。
　　　お父さん。

002B：アー　カツオガヤ、イーナー。オシ　ンデ　　　　ハツゴ　ハツガツオデ
　　　ああ　カツオか、　いいな。　よし　それで[は]　初×　　初ガツオで

　　　キョーノバンシャクワ、キョーノイッパイワ　アイッタナ、（A　ンダネ）
　　　今日の晩酌は、　　　　今日の一杯は　　　　あれだな、　（A　そうだね）

　　　ウーン　スバラクブリデ　ンメーサケ　ノマレルナヤ。
　　　うーん　久しぶりに　　　うまい酒　　飲めるなあ。

003A：マータ　イツモ　ノンデルクセニ。
　　　また　　いつも　飲んでるくせに。

②しぶる

001A：オトサーン、キョーノカズオ　ウンット　イーンダゲンッドモ　カウ。
　　　お父さん、　今日のカツオ　　うんと　　いいんだけれども　　買う？

　　　サシミニシテモ　イースカヤ。
　　　刺身にしても　　いいですかね。

002B：ウーン　カズオガー。{舌打ち}コノゴロノノミガイ　ナンダ
うーん　カツオか。　{舌打ち}この頃の飲み会　　なんだ

カズオダラケナンダナーー。
カツオだらけなんだな。

003A：ヤンダグナッタスカワ。
嫌になりましたか。

004B：ウン。ターマニワ　ヌグ　クイデナヤ。
うん。たまには　肉　食いたいなあ。

005A：アーアー{笑}(B　ウーン　ウン)ソースカ。　ンデ　　キョー
ああああ{笑}(B　うーん　うん)そうですか。それで[は]　今日

ヤメッカラワネ。
やめるからね。

006B：イヤ　ヤスクテモ　イー、ニグダガラサ。(A　ウン)ンダナ、
いや　安くても　いい、肉だからさ。(A　うん)そうだな、

トンチャン〔1〕デモ　イーヤ。(A　アー　ハイ)ヨシ　トンチャンデ
とんちゃんでも　　いいや。(A　ああ　はい)よし　とんちゃんで

イッパイカト。
一杯か×。

007A：ンジャ　キョー　ヤメッカラワネ。
それじゃ　今日　やめるからね。

〔1〕トンチャン
豚肉のホルモン炒めのこと。

3-4. 訪問販売を断る

001B：コンニズワー。
こんにちは。

002A：ハーイ。
はい。

003B：シンブンヤナンダゲットモッサ(A　アラ)アノー　トッテケサイヤ。
新聞屋なんだけれどもさ　　(A　あら)あの　取ってくださいよ。

004A：ア　シンブンー。(B　ウン)マニアウカラ　イラナイヨー。
あ　新聞?　　(B　うん)間に合うから　いらないよ。

005B：イヤ　アノー　トーホクニッポーッテサ　アノ　ジモドノ、
いや　あの　東北日報ってさ　　あの　地元の、

ジモドーノクワシーニュース　アノー　ダシテールシンブンナンダッチャ。
地元の詳しいニュース　　あの　出している新聞なんだよ。

006A：ンーー(B　ウン)イガラー。
うーん(B　うん)いいから。

007B：イヤ　アノー　オレ　コレ　ミッ　ナフダ　ミデケサイ。
いや　あの　私　これ　××　名札　見てください。

マズゲーネーガラ。
間違いないから。

008A：エー　イヤイヤ。
ええ　いやいや。

009B：ウン。ミエルスペ　　コレ。
うん。見えるでしょう　これ。

010A：エ　ミエ（B　ウン）イーゲントモサー（B　ウン）ソンナニ
え　××（B　うん）いいけれどもさ　（B　うん）そんなに

ヨマンネモノ　フタッツモ　ミッツモ。
読めないもの　二つも　　三つも。

011B：マ　　アンダカラ　アノー　フタツモ　トレッツッタラネ　　アノー
まあ　あれだから　あの　　二つも　　取れっていったらね　あの

コッツモ　イワンネゲントモ　アー　サンカゲズオジドガサ
こっちも　言えないけれども　ああ　三か月おきとかさ

ロッカゲズオジニ　コー　コータイデ　トルッテコト　デキネスカ。
六か月おきに　　　こう　交替で　　　取るってこと　できないですか。

012A：イヤー　ウチデネー　ナン　ナンジューネント　オンナジドコノシンブン
いや　　家でね　　　××　何十年と　　　　　　同じところの新聞

ヨンデッカラ　ナレデルシネー（B　アー）ヤンダネー。（B　ウーン）タダ
読んでるから　慣れているしね（B　ああ）嫌だね。　　（B　うーん）ただ

オトーサン　イーネガラネー　ワタシ　キメランネスト。　ターブン
お父さん　　いないからね　　私　　　決められないですよ。多分

イラナイガラ　イーガスー。
いらないから　いいです。

013B：ア　ホント。{息を吸う音}（A　ウーン）ンー　　スンブンニモネ　アノ
あ　本当。　{息を吸う音}（A　うん）　うーん　新聞にもね　　　あの

チューオード　チホーデネ　ドッツモ　イードゴモ　　アッシネ。ソッカ。
中央と　　　　地方でね　　どっちも　いいところも　あるしね。そうか。

ンデー　　アト　　　トーチャント　ソーダンシテケサイ。マタ　クッカラ。
それでは　あと[で]　父ちゃんと　　相談してください。　また　来るから。

（A　エー）ンデ　　　　コイズ　アノ　モッテッカラワネ。
（A　ええ）それで[は]　こいつ　あの　持っていくからね。

014A：ナニ　ソイツ。{咳}
なに　そいつ。{咳}

015B：ン。アノ　トッテモラウードオモッ　トシタラバネ
ん？あの　取ってもらう×××××　としたらばね

016A：アーー　ソイナグ　　　ヤッテ　ススメデンノー。
ああ　　そういう風に　やって　勧めているの。

017B：アノー　アゲスッドモッテ　アリガドーッテ　モッテキタンダケットモー
あの　　あげますと思って　ありがとうって　持ってきたんだけれども

{息を吸う音}（A　ウーーン）ウーン　ホイズ　コノツギニスッカラワネ。
{息を吸う音}（A　うーん）　うん　　そいつ　この次にするからね。

018A：イーヤ　イヤ　イーガスー。アノー　タブン　コンド　キタッテ
いや　　いや　いいです。　あの　　多分　　今度　　来たって

コドワッカラー。イ　イーガラワ。
断るから。　　　×　いいからさ。

019B：イヤー　ホンナコト　イワネーデ　アト　　　クッカラ。
いや　　そんなこと　言わないで　あと[で]　来るから。

3-5. 主人がいるか尋ねる

001B：アイ　オバンナリシター、ヤスンダガワー。
はい　こんばんは、　　　休んだかな。

002A：ハイ　オバンデス。イッツモ　オセワサンデスー。
はい　こんばんは。いつも　　お世話様です。

003B：イヤイヤ　コッツコソ。
いやいや　こっちこそ。

004A：ナニ。
なに。

005B：ン。アノサ（A　ウン）チョット　チョーナイカイーノコドデー　マー
ん？あのさ（A　うん）ちょっと　町内会のことで　　　　　　まあ

ギョージ　アルンダゲンドモ（A　ウンウン）ンー　　チョット
行事　　　あるんだけれども（A　うんうん）うーん　ちょっと

ソーダンシテーンダ、トーチャンニ。（A　アララ）イダガ。
相談したいんだ、　　父ちゃんに。　（A　あらら）いるか。

006A：アー　イー　イダスト。チョット　マッテサイン。（B　ウン）
ああ　××　いますよ。ちょっと　待っていなさい。（B　うん）

オトーサーン。Bサン　キタンダゲンッドモ。オトーサン。アラ
お父さん。　　Bさん　来たんだけれども。　お父さん。　あら

イネーヨーダヨ。
いないようだよ。

007B：イネーノガ。
いないのか。

008A：ナンダガ　コエ（B　ナーン）シネーネ。
なんだか　声　（B　なに）　しないね。

009B：ナーンダ　コレ　イヌッコ　イネートオモッタッケ　イヌッコト
なんだ　　これ　犬　　　　いないと思ったら　　　犬と

サンッポシサ　イッタワ　コラ。
散歩しに　　　行ったわ　これは。

010A：アー（B　アー）ンダイッチャ　コラ。　クツ　ナイモノ。（B　ウン）
ああ（B　ああ）そうだよ　　　これは。靴　　ないもの。（B　うん）

デデッタンダネ。
出ていったんだね。

011B：ンダナ。　ンデー　　　アイッタナ　アダ　アト　　　アラタメデ。
そうだな。それで[は]　あれだな　　××　あと[で]　あらためて。

012A：ウン　ワルイゲントモ。
うん　悪いけれども。

013B：ウン　マダ、マダ　クッカラ。
うん　また、また　来るから。

014A：モーイッカイ　キテケサイ。
もう一回　　　来てください。

015B：ウン。イズー　イル。マイニズ　イルハズダッチャナヤ。
うん。いつ　　いる。毎日　　　いるはずだよなあ。

016A：イールンダゲンットモネ　コノトーリダガラ。（B　ワガッタ）マタ
いるんだけれどもね　　この通りだから。　（B　わかった）また

（B　ウン）オネガイシマス。
（B　うん）お願いします。

017B：ハイ。ンデ　　　オレガラ　デンワシテガラ　インカラ。{笑}
はい。それで[は]　私から　　電話してから　　行くから。{笑}

018A：ハイ。
はい。

3-6．夫の友人が訪ねてくる

001B：ハーイ　コンニズワー。イダスカヤ　ダンナサン。
はい　　こんにちは。　いますかな　旦那さん。

002A：ハイ　アラー　ドナタサンデスカ。
はい　あら　　どちら様ですか。

003B：ア　イヤイヤ　ワルガッタナヤ　ナノンネーデネヤ。オレー（A　アヤー）
あ　いやいや　悪かったなあ　　名乗らないでねえ。私　　（A　あら）

ホレー　コッチノエノダンナトサ　アノー（A　アラーー）
ほら　　こっちのうちの旦那とさ　あの　（A　あら）

ドーチューシェーノBットゥンダッチャ。
同級生のBというんだよ。

004A：アーー　ソーイエバ（B　ウーン）キータコト　アッケント
ああ　　そういえば（B　うん）　聞いたこと　あるけれど

ハジメテダッチャネ（B　アー　ホーカ）カオ（B　ウン）アッタノネー。
初めてだよね　　　（B　ああ　そうか）顔　（B　うん）会ったのね。

005B：オクサントワ　ハズメデダオネ　コレ。
奥さんとは　　初めてだもんね　これ。

006A：ホントダネー。
本当だね。

007B：ウーン。（A　アー）ワリガッタナヤ。
うん。　（A　ああ）悪かったなあ。

008A：オセワサンデガスー。
お世話様です。

009B：ウンウン　ウンウン。イヤ　トクベツ　ヨー　アッタワケ
うんうん　うんうん。いや　特別　用　あったわけ

ネーンダゲッドモサ。
ないんだけれどもさ。

010A：ウンー。(B　ウン) ナニ　マタ　オトサン　ヨンデキテモ
うん。(B　うん) なに　また　お父さん　呼んできても

イーンダゲントモ。
いいんだけれども。

011B：ウン　マズ　アイッタッチャ。コレ　コイズ　オクサーン
うん　まあ　あれだよ。　これ　こいつ　奥さん

リョーリスッカラ　オクサンサ　マズ　オハナシ　スッカラ。チノー
料理するから　奥さんに　まず　お話し　するから。昨日

イッテサ (A　ア　アー　アララララ) ンー　オモイガゲネグ　ホラ
行ってさ (A　あ　ああ　あらららら) うん　思いがけなく　ほら

トレダンダッチャ。(A　アララ ラーー　イ) ウン。ダカラ　オライ　ヒト
取れたんだよ。　(A　あらら　×) うん。だから　うち　××

オライダケデ　クイダデランネガラ。
うちだけで　食い切れないから。

012A：アラー　ナニヨリダ。
あら　なによりだ。

013B：ウーン。ヒトカ　ヒトカダケブンシカ　ネーゲンドモ (A　アー　ハイ)
うん。　×××　一食分しか　ないけれども (A　ああ　はい)

アノー　クッテケサイ。
あの　食べてください。

014A：ハイハイ (B　ウン) チョット　マッテケサイネ　イマ　オトサン
はいはい (B　うん) ちょっと　待ってくださいね　今　お父さん

ヨブカラ。
呼ぶから。

015B：アー　イダノ。ウン　デ　ヨンデケサイ。
ああ　いたの。うん　で[は]　呼んでください。

016A：ハイハイ (B　ウン) オトサーン。オトーサーンッテ〔1〕。
はいはい (B　うん) お父さん？　お父さん？

017B：アー　イーヨワ。
ああ　いいよ。

018A：ナンーダカ　イネーヨーダネー。
なんだか　いないようだね。

019B：エ　ナンカ　イソガシインデネーノ。
×　なんか　忙しいんじゃないの。

020A：ナー　イソガシーワケデワ (B　ウン) ネーンダゲントモワ　ドコカサ
いや　忙しいわけでは　(B　うん) ないんだけれどもさ　どこかへ

イッタンダネー。
行ったんだね。

021B：アー　ホーカー　ンデ　　　アノ
ああ　そうか　　それで[は]　あの

022A：アヤヤ　アンマリ　ワルイゴター。
あらら　大変　　　悪いこと。

023B：ウン。ナンダ　ソノヘンデ　タオレッタンデネースカ。　　オク　オクサン
うん。なんだ　その辺で　　倒れているんじゃないですか。××　奥さん

アト　　　イッテミダサイヨ。
あと[で]　行ってみなさいよ。

024A：イヤー（B　ウン）ナニー　ピンピンシテダオン。　ホダコトネッチャ。
いや　（B　うん）なに　　ピンピンしているもん。そんなことないよ。

025B：ア　ホーカ。ンデ　　　　イーケントモサ。アイ　ンデ　　　　アノ
あ　そうか。それで[は]　いいけれどもさ。はい　それで[は]　あの

スコシバリダケド　タベテケサイネー。
少しだけだけど　　食べてくださいね。

026A：アララー　ンジャ　（B　ウン）カエッテキタラ　ヨク　ユッテオキマス。
あらら　　それじゃ（B　うん）帰ってきたら　　よく　言っておきます。

（B　アイハイ）ドーモドーモ。
（B　はいはい）どうもどうも。

027B：ハーイ　ドーモー。
はい　　どうも。

028A：アーイ　ゴッツォーンナリマスー。
はい　　ごちそうになります。

029B：ハーイ。
はい。

〔1〕オトーサーンッテ
末尾の「ッテ」には特に意味はない。「どっこいしょっと」の「っと」と同じと考えられる。

3-7. 天気予報を不審がる

001B：ドレ　ソロソロ　ジカンダナー。ア　デ　　イク゜ベナー。
どれ　そろそろ　時間だな。　あ　で[は]　行こうかな。

002A：モー　イグスカワ。
もう　行きますかね。

003B：ウン。ナンダ、ユーンベナー　イーテンキヨホーヤ
うん。なんだ、昨夜な　　いい天気予報さ

（A　アー　ナンダカネー）ハレルッテダッケ　　　アブネーナ
（A　ああ　なんだかね）　晴れるって[言って]いたけれど　危ないな

コレ。イマニモ　フリソーダナヤ。
これ。今にも　降りそうだなあ。

004A：ナンダカ　キューニ　クモッテキタネー。
なんだか　急に　　曇ってきたねえ。

005B：アーンダ　コンデ　　ダーメダ、コンデ。
なんだ　　これで[は]　だめだ、　これで[は]。

006A：アテンナンナイガラネー。
当てにならないからねえ。

007B：ウーン。ヨシ　ンデ　　　シャーナイ。
うん。　よし　それで[は]　仕方ない。

008A：カサ　モッテッタホー（B　ンー　ネー）イーネー。
傘　　持っていった方（B　うん　ねえ）いいね。

009B：ンー。ニモズニナッケント　モッテグベヤ。
うん。荷物になるけれど　　持っていこうか。

010A：ンダネー。（B　ウン）ワータシモ　センタクモノ　ナジョニシタラ
そうだね。（B　うん）私も　　　洗濯物　　　どうしたら

イーンダガ。ズイブン　タマッテッガラワ。　ハ　ハレテモラウト
いいんだか。ずいぶん　溜まっているからね。×　晴れてもらうと

イーンダケントモ。（B　ウン）ヨース　ミナガラ、キョー　オデ
いいんだけれども。（B　うん）様子　　見ながら、今日　　××

オデントサン　ミテッカラワ。
お天道様[を]　見ているからね。

011B：ンダナ。　（A　ウン）ハイ　ソラモヨー　ミナガラデ、ズイブン
そうだな。（A　うん）はい　空模様　　　見ながらで、ずいぶん

タマッテルヨーダガラ　　ハヤク　ヤッセ。　（A　ハイ）ドレ　デ
溜まっているようだから　早く　　やりなさい。（A　はい）どれ　で[は]

イッテクッドー。
行ってくるぞ。

012A：アーイ　イッテゴザイン。　キツケテネ。
はい　　行ってらっしゃい。気[を]つけてね。

013B：ハイ。
はい。

3-8. 魚の新鮮さを確認する

①確かに少々古い

001A：コンニチワー。
　　　こんにちは。

002B：アーイ。アイ　イラッシャイー。
　　　はい。　はい　いらっしゃい。

003A：ハーイ。キョー　ナニ　アンノ。
　　　はい。　今日　　なに　あるの。

004B：アー　キョーネー（A　ウン）ウーン　イーサンマ　ハイッテッカラ。
　　　ああ　今日ね　　（A　うん）うん　　いいサンマ　入っているから。

　　　（A　オーー）アイ　コンバンノオカズニ　イードー。
　　　（A　おお）　はい　今晩のおかずに　　　いいぞ。

005A：イーヤ　サンマ　カイニキタンダゲンットモー　サンマ　アッコッテ
　　　いや　　サンマ　買いにきたんだけれども　　　サンマ　あるようで

　　　チョード　イガッタ。（B　ウンウン）アヤ　ンデモ　コレ
　　　ちょうど　よかった。（B　うんうん）あら　それでも　これ

006B：コレ　ミ　ミテケロヤ。
　　　これ　×　見てくれよ。

007A：スコシ　ナンカ　チョットー　ナマデ　タベンデワ　チョット
　　　少し　　なんか　ちょっと　　生で　　食べるのでは　ちょっと

　　　フルインデナイ。
　　　古いんじゃない。

008B：ウン。ンダ　コイズネー　アノー　キノー　イズバガラ
　　　うん。そうだ　こいつね　あの　　昨日　　市場から

　　　シイレデキタヤズナンデサ（A　アー　ソーカ）ウン。デモネ（A　ウン）
　　　仕入れてきたやつなんでさ（A　ああ　そうか）うん。でもね（A　うん）

　　　イマガ　イジバン　ンメンダガラ＿＿。（A　ンダヨネ）　ウーン。
　　　今が　　一番　　　うまいんだから＿＿。（A　そうだよね）うん。

　　　（A　ンデ　　　　キョー）タダ、タダサ（A　ウン）ナマデナグ
　　　（A　それで[は]　今日）　ただ、たださ（A　うん）生じゃなく

　　　チャント　ヤグーーヨニネ。
　　　ちゃんと　焼くようにね。

009A：ヤクカラワネ。（B　ウン）ンデー　サシミニシネーガラ、イーガラ。
　　　焼くからね。　（B　うん）それで　刺身にしないから、　いいから。

010B：ソーソ。　（A　ンデ　　　　ウン）ナマデ　クワネヨー
　　　そうそう。（A　それで[は]　うん）生で　　食わないよう

011A：ヤイテ　タベッカラ　ンデ　　　　コレ
　　　焼いて　食べるから　それで[は]　これ

012B：ソースレバ　モー　イマ　コレガ　イジバン　ンメンダガラ。
　　　そうすれば　もう　今　　これが　一番　　　うまいんだから。

013A：アイ。ンデ　　　　サンビキ　クナイン。
　　　はい。それで[は]　三匹　　　ください。

014B：ハイキタ。アイ　サンビャクエン。
　　　よしきた。はい　三百円。

②それほど古くはない

001A：コンニチワ。
　　こんにちは。

002B：アイ　イラッシャイ。
　　はい　いらっしゃい。

003A：サンマ　イーノ　ハイテッベカ。
　　サンマ　いいの　入っているだろうか。

004B：アー　イーノ　ハイッタドー。ア　ケサハヤグ　シイレテキタンダガラ。
　　ああ　いいの　入ったぞ。　あ　今朝早く　仕入れてきたんだから。

　　オイ（A　ア　コイ）ミデミロ　コレ。
　　おい（A　あ　××）見てみろ　これ。

005A：ア　コレ。（B　ウン）コイツナノ。
　　あ　これ？（B　うん）こいつなの。

006B：ホ　コイズサ　ホレ。
　　そう　こいつさ　ほら。

007A：ナンダ　アンマリ　ヨグナインデナイノ。
　　なんだ　あまり　よくないんじゃないの。

008B：ナンーダ　ホラ　メー　クログロシテルス（A　アー　ソー）オーー
　　なんだ　ほら　目　黒々しているし　（A　ああ　そう）おお

　　ウロコモ　モー　バリバリダ。
　　ウロコも　もう　バリバリだ。

009A：ホンデワー　サガナヤサン　ユンダラ　マチガイネーベガラ。
　　それでは　魚屋さん　言うんだから　間違いないだろうから。

　　（B　アイ）アイ（B　オ）ンデ　サンビキデ　モラウガラ、
　　（B　はい）はい（B　×）それで[は]　三匹で　もらうから、

　　ケサイン。
　　ください。

010B：ソーガ。サンビキデ　イガッタッケガヤ。
　　そうか。三匹で　よかったっけかな。

011A：ハイ　イーンデス。
　　はい　いいんです。

012B：ヨシ　ンデ　ウッタ。
　　よし　それで[は]　売った。

3-9. 福引の大当たりに出会う

001調：ツギノカタ　ドーゾー。
次の方　どうぞ。

002A：ハーイ。イヤイヤ　アタレバ　イーゲント。トーガッタオンセン〔1〕
はい。　いやいや　当たれば　いいけれど。遠刈田温泉

イギダガッタンダゲッドネー。{抽選機を回して玉が出た音}
行きたかったんだけれどね。　{抽選機を回して玉が出た音}

003調：ザンネンデス。ポケットティッシュデース。
残念です。　ポケットティッシュです。

004A：アーー　ヤッパリ　ダメダネー。ハーイ　シャーネーネ。ハナデモ
ああ　やっぱり　だめだね。　はい　仕方ないね。　鼻でも

カンデッカラ。
かんでいるから。

005調：ハイ　ツギノカタ　ドーゾー。
はい　次の方　どうぞ。

006B：ハーイ。ヨシ　アテッド。
はい。　よし　当てるぞ。

007A：Bサン　ウン　インダヨネー　コノヒト。{抽選機を回して玉が出た音}
Bさん　運　いいんだよね　この人。　{抽選機を回して玉が出た音}

008B：オシ。
よし。

009調：アッ　オーアタリデース。{鐘の音}
あっ　大当たりです。　{鐘の音}

010B：アララララララ。オシ　ヨガッタヨガッタヨガッター。
あらららららら。よし　よかったよかったよかった。

011A：アーーーーー。ナンーーダーーエ。
ああ。　なんだい。

012調：オメデトーゴザイマース。トーガッタオンセンデス。
おめでとうございます。　遠刈田温泉です。

013B：オッ（A　イーゴダーー）アー　オンセンショータイ。
おっ（A　いいこと）　ああ　温泉招待？

014A：アー　イーゴダー。
ああ　いいこと。

015B：ンー　イーゴダーーーー。
うーん　いいこと。

016A：オクサント　イガインネ。｛笑｝ホカノヒトト　イッテ　ダメダヨ。
奥さんと　行きなさいね。｛笑｝他の人と　行って[は]　だめだよ。

017B：オヤ　ン。マッテ　ホンデモ　コレ　ミンナデ　イガレンデネーガヤ。
おや　ん？待って　それでも　これ　みんなで　行けるんじゃないかな。

マッテ　ペアゴショー、ペアゴショータイッテ、ダケド
待って　ペア××、　ペアご招待って、　だけど

018A：イヤイヤ　オクサント　イガイン。
いやいや　奥さんと　行きなさい。

019B：ペアッテ　ナンダッケ。
ペアって　なんだっけ。

020A：エ　ダッ　オクサント。{笑}
えっ　だから　奥さんと。{笑}

021B：ア　フタリッテコトガー。アー　ソンデ　ダメダナ。{笑}ウン。
あ　二人ってことか。　ああ　それで[は]　だめだな。{笑}うん。

ンデ　オレー　イッテクッカラナ。(A　ハイ)アーイ。(A　オヤ)
それで[は]　私　行ってくるからな。(A　はい)はい。(A　××)

ンデ　コノツギ　アデロヨ。
それで[は]　この次　当てろよ。

022A：ンダネー。(B　アイ　ンデマズ)　イーゴダネー。ウン　イクテネ。
そうだね。(B　はい　それじゃあ)いいことね。　運　よくてね。

023B：オッケイ。(A　ウン)ンジャ　アイ　ドンドン　カイモノシテ。
オーケー。(A　うん)それじゃ　はい　どんどん　買い物して。

(A　ハイハイ)アーイ。
(A　はいはい)はい。

〔1〕トーガッタオンセン
宮城県刈田郡蔵王町にある温泉。

3-10. 福引の大当たりについて話す

001A：タダイマー〔1〕。イヤイヤ(B　アイ　ウン)キョー{笑}オンセン
ただいま。　いやいや(B　はい　うん)今日　{笑}温泉

アデッドオモッテ　クジビキニ　イッタゲンドモ、サッパリ。
当てようと思って　くじ引きに　行ったけれども、さっぱり。

ポケットティッシュ　ヤマノクレ　モラッテキタンダゲッドモッサー。
ポケットティッシュ　山のように　もらってきたんだけれどもさ。

ワタシノアトニヒータサトーサン、タイシタクジモ　ネーノニ
私のあとに引いた佐藤さん、　たいしたくじ[の枚数]も　ないのに

オンセンリョコー　アテダンダヨー。
温泉旅行　当てたんだよ。

002B：ホーガ。マー　ワガヤワナ　ダイダイ　ムカスッガラ　クジウンガ
そうか。まあ　我が家はな　代々　昔から　くじ運が

ワルインダ。(A　ンダネーー)ポケットテッシュ　アタッタラ
悪いんだ。(A　そうだね)ポケットティッシュ　当たったら

タイシタモンダッチャ。
たいしたもんだよ。

003A：タイシタモンダネ。
たいしたもんだね。

004B：ウン。ンダガラ　クズダヨリデナグテ　ソノウズニ
うん。それだから　くじ頼りじゃなくて　そのうちに

　　トーガッタオンセンサデモ　イッミッペヤ。
　　遠刈田温泉にでも　　　　　行ってみようよ。

005A：アー　ホントダネ。
　　　ああ　本当だね。

〔1〕タダイマー
　Bの咳払いが重なっているが、これは会話と関係ない、準備の咳払いである。

3-11. 食事の内容が気に入らない

①折れる

001B：オイ　ドレ　ンデ　　　　ウン　ゴハンダナ。ンデ　　　　クーカ。
　　　おい　どれ　それで[は]　うん　ご飯だな。　それで[は]　食うか。

002A：アヤー　オソクナッテ　ゴメンネ。(B　ウン) ハイ
　　　いや　　遅くなって　　ごめんね。(B　うん) はい

　　　ゴハンニスッカラワネ。
　　　ご飯にするからね。

003B：ンダネ。　ドレ　ナンダ。キョーモ　マダ
　　　そうだね。どれ　なんだ。今日も　　また

004A：ホンダオンネーー。
　　　そうだもんね。

005B：アーブラモンダナー　コレ。
　　　油物だな　　　　　　これ。

006A：ネー　イソガシクテネー。(B　ウーン) ツグルヒマ　ナクテ
　　　ねえ　忙しくてね。　　　(B　うーん) 作る暇　　　なくて

　　　カッテキタッチャワ。
　　　買ってきたのよ。

007B：イーソガスィノ　ワガッケンドモサー。ウン。ナーンダ　コレ、ホーイズ
　　　忙しいの　　　　わかるけれどもさ。　うん。なんだ　　これ、こいつ

　　　アイッタッチャ。
　　　あれだよ。

002A：アーイ　イタダキマース。
はい　いただきます。

003B：ナンーダ　キョーモ　アイッタナ、アブラモンノテンプラー　ホレカラ
なんだ　今日も　あれだな、　油物の天ぷら　それから

コロッケガー。アーーー。
コロッケか。　ああ。

004A：ダッテ　キョーダッテ　イソガシクデー　ツグルヒマナンカ　ナイッチャー。
だって　今日だって　忙しくて　作る暇なんか　ないよ。

ジーチャンバーチャンワ　ミナキャネーベシ　シゴドワ　イソガシーシ。
じいちゃんばあちゃんは　見なきゃいけないし　仕事は　忙しいし。

ホンナニホンナニ　ツグッテランナイヨ。
そんなにそんなに　作ってられないよ。

005B：ホイズワ　ワーッケンドサ、タマニワサ　テズクリ　スネードサ。アド
そいつは　わかるけれどさ、たまにはさ　手作り　しないとさ。あと

リョーリ　ワシェット。
料理　忘れるぞ。

006A：ンデ　コンドノヤスミノヒマデ　マッテデモラウガラ。　スコシ
それで[は]　今度の休みの日まで　待っていてもらうから。少し

ガマンシテケサイ。
我慢してください。

007B：シー　マア　イーヤ。アノー　イソガスイノ　ワガル。トモカシェギデネ。
うーん　まあ　いいや。あの　忙しいの　わかる。共働きでね。

008A：スギデナイノ　ソイツ。
好きじゃないの　そいつ。

009B：ンーー。キャーベズダノ、ヤ　セメデ　ヤーサイ　モースコス
んー。　キャベツだの、　×　せめて　野菜　もう少し

オーク××シテモラワネードナー。カラダサ　ワリナヤ。
多く××してもらわないとな。　体に　悪いなあ。

010A：ゴーメン（B　ウーン）イソガシク　カエッテキタカラ。（B　ウン）
ごめん　（B　うーん）慌てて　帰ってきたから。（B　うん）

アシタッカラ　ン　チャント　ツグッカラ　キョーダケ　クッテケサイン。
明日から　うん　ちゃんと　作るから　今日だけ　食べてください。

011B：ハイ。ンデ　ヤクソクスッド。{笑}
はい。それで[は]　約束するぞ。　{笑}

012A：ンダネ　ガンバッカラネ。
そうだね　頑張るからね。

013B：ハイ　ンデ　イタダキマスー。
はい　それで[は]　いただきます。

014A：ハイ　イタダキマース。
はい　いただきます。

②折れない

001B：アイ　ドレ　イタダキマース。
はい　どれ　いただきます。

ンー　　ツカレテッペガラ。　　ダケントモ　スーパーデ
うーん　疲れているだろうから。だけれども　スーパーで

カウトジダッテネ　アブラモンダケシカ　ウッテルワケデネーンダカラ。〔1〕
買うときだってね　油物だけしか　　　売っているわけじゃないんだから。

008A：ワカッテマスカラ。ハイハイ。(B　ハイ　ウン　ンデ)　　　マズ
わかってますから。はいはい。(B　はい　うん　それで[は]) まあ

キョーワ、キョーワ　タベテケサイ。
今日は、　今日は　　食べてください。

009B：オシ　ンデ　　　キョーワ{笑}モ　　コノママ　クーベ。ンー　　アト
よし　それで[は]　今日は　{笑}もう　このまま　食おう。うーん　あと

タノムガンナヤ。(A　シャナイネ) ムリスルワゲニ　イガネガラサ。
頼むからなあ。　(A　仕方ないね) 無理するわけに　いかないからさ。

010A：アタシダッテ　イソガシーンダケンットモ。シャナイネ。
私だって　　　忙しいんだけれども。　　　仕方ないね。

011B：アイ。
はい。

〔1〕アブラモンダケシカ　ウッテルワケデネーンダカラ。
「油物だけしか売っていないわけじゃないんだから」という意図であろう。

3-12. 隣人が回覧板を回さない

①同意する

001B：ナンダ。トナリノサトーサンヤ、コノゴロ　ゴミーノヒデネーノヌ
なんだ。隣の佐藤さんさ、　　　この頃　　ゴミの日じゃないのに

ダシタリ、ミロー　ホレ　イ　イヌニ（A　ア　アラーー）
出したり、見ろ　　ほら　×　犬に　（A　あ　あら）

チラカサッタリシテンノ。(A　ンダッチャーー) ンーーー。
散らかされたりしてんの。(A　そうだよ)　　　うーん。

カイランバンモダド。アノー　トキ　　　　　スギデガラ
回覧板もだぞ。　　　あの　　時[＝日にち]　すぎてから

ヨゴシタリイッカラサ。　(A　ンダヨネー) ウン。
よこしたりしているからさ。(A　そうだよね) うん。

002A：ワタシモサ　タマニ　カイラン　ワガンネデ、　ッシャネデイット
私もさ　　　たまに　回覧　　　わからないで、知らないでいると

（B　ウン）ベツナヒトガラ　イワレルモンネー。(B　ウン) スット
（B　うん）別の人から　　　言われるもんね。　(B　うん) すると

ナニナノナンテユート　マワッテコネノナンテイワレルゴト　タビタビ
なんなのなんていうと　回ってこないのなんていわれること　たびたび

アルオンネ。ナンダガ　アノ　サトーサン、ミンナニ
あるもんね。なんだか　あの　佐藤さん、　みんなに

ユワッテンダゲンットモ　　ドゴマデ　キーデンダガネー。
言われているんだけれども　どこまで　聞いているんだかね。

003B：ウーン　デモネー　オヤズドーシ　ナガナガ　アウ、アウドギガ
うーん　でもね　親父同士　なかなか　会う、会うことが

ネーガラサ（A　ウーン）アンダダズ、カーチャンダズ　オジャノミデモ
ないからさ（A　うん）　あなたたち、母ちゃんたち　お茶飲みでも

スルンダベ。
するんだろう。

004A：ターマニネ。
たまにね。

005B：ウン。ンデ　アイッタナ、コンドー　オジャノミデモ
うん。それで[は]　あれだな、　今度　お茶飲みでも

アッタドギ　キズグ　ユッドゲヤ。ホンデ　ダメダッテ。
あったとき　きつく　言っとけや。それで[は]　だめだって。

006A：ダーレ　ワダシ（B　ウン）ユーノ　ヤンダッチャ。
なに　私　（B　うん）言うの　嫌だよ。

007B：ンデ　オレ　インカワ。{息を吸う音}
それで[は]　私　行くか。　{息を吸う音}

008A：イーカラ。アンマリ　ヨゲナゴト　イワナクテ　イーヨ。（B　ヨシ）
いいから。あまり　余計なこと　言わなくて　いいよ。（B　よし）

ソノウチ　ハンチョーサンニデモ　ユットケバ　イーンデナイ。
そのうち　班長さんにでも　言っておけば　いいんじゃない。

009B：アー　ンダナ。（A　ウン）ソノホーガ　イーナ。（A　ウーン）カド
ああ　そうだな。（A　うん）その方が　いいな。（A　うん）　角

タタナクテナ。（A　ウーン）ンデ　ソースロヤ。
立たなくてな。（A　うん）　それで[は]　そうしろや。

②同意しない〔1〕

001B：{息を吸う音}アンダ。アイッタナー（A　ン）　トナリノXサンヤ、
{息を吸う音}なんだ。あれだな　（A　ん？）隣のXさんさ、

ゴミノヒデネノニ　（A　ナニシタ）ゴミ　ダシタリ、（A　アーー）
ゴミの日じゃないのに（A　どうした）ゴミ　出したり、（A　ああ）

ウーーン　カイランバン　トジ　スギデガラ　マワシテヨゴシタリ
うーん　回覧板　時[＝日にち]　すぎてから　回してよこしたり

{息を吸う音}ドーモ（A　ンダヨネー）サイキンナ、オーイナ。
{息を吸う音}どうも（A　そうだよね）最近な、　多いな。

（A　ウーーン）ウン。{息を吸う音}ンダガラ　アイッタナー、
（A　うーん）　うん。{息を吸う音}それだから　あれだな、

ハンチョーサンニデモ　ユッテ、アノー　ナオシテモラウヨーニ、　カド
班長さんにでも　言って、あの　直してもらうように、　角

タタネーヨーヌ（A　ウーン）ユッテケロヤ。
立たないように（A　うーん）言ってくれよ。

002A：ソーダネー。ソー　ワダシモ　ソー　ミッタンダゲンットモサー、ナンダカ
そうだね。　そう　私も　そう　見ていたんだけれどもさ、　なんだか

コノゴロ　シゴド　オソインデナイ、カエリ。デモ　アサ　ハヤクモ
この頃　仕事　遅いんじゃない、帰り。　でも　朝　早くも

アルシネー。（B　ウン）タイヘンナンダネ　アノヒト　シゴト
あるしね。　（B　うん）大変なんだね　　あの人　　仕事

カワッテガラ。ゴミノヒ　ヤスミデモナイカラ　ソイナグ
変わってから。ゴミの日　休みでもないから　　そういう風に

ナンダベオンネー。デモ　チラカッタリナンカ　スットネ、（B　ウン）
なるんだろうね。　でも　散らかったりなんか　するとね、（B　うん）

キタナイカラ　ハンチョーサンニ　ユッテモラウト　イーンダネ。
汚いから　　　班長さんに　　　　言ってもらうと　いいんだね。

003B：ンダナ。　アー　キンジョメーワクナンダッチャナヤ。アド
そうだな。ああ　近所迷惑なんだよなあ。　　　　　　あと

カイランバンデヤ　トジ　　　　　スギタノ　ヨゴサッテネ（A　ウン）
回覧板でさ　　　　時[＝日にち]　すぎたの　よこされてね（A　うん）

ギリー　ハタセネガッタリシタラ〔2〕コンド　コッチガネー、
義理　　果たせなかったりしたら　　　今度　　こっちがね、

イワレッカラサ。
言われるからさ。

004A：ンダネ。　（B　ウン）シャネゲンッドモ　ソノウチ　アッタラ
そうだね。（B　うん）仕方ないけれども　そのうち　会ったら

ユッテミッカラ、ンデ。
言ってみるから、それで[は]。

005B：ンダ。　（A　ウーン）ソーシテケロ。
そうだ。（A　うん）　そうしてくれ。

〔1〕②同意しない
調査の際には、同意しない場合を演じてほしい旨を説明したが、実際の会話では「①同意する」に比べてAは隣人の肩を持つものの、最終的にBに同意している。

〔2〕ギリ　ハタセネガッタリシタラ
回覧板が回ってこないために、町内の葬式など近隣の付き合いを怠ったりしたら、の意。

3-13. 見舞いと友人との再会とで悩む

001A：オトーサン。
お父さん。

002B：ナンダ。
なんだ。

003A：X1ニーサンノオミマイダケントモッサ。（B　ウン）
X1兄さんのお見舞いだけれどもさ。　（B　うん）

ナントカナンナイスカ。　アノッサー　X2チャン　トーキョーカラー
なんとかならないですか。あのさ　X2ちゃん　東京から

ソノヒニ　クルッテユーンダッチャ。
その日に　来るっていうんだよ。

004B：オー　ソーガ。
おお　そうか。

005A：ウン　ナンカ　スグ　カエルッテユーガラネ　ワタシモ　セッカクダカラ
うん　なんか　すぐ　帰るっていうからね　私も　せっかくだから

ヒサシブリニ　アイ　アウシネー、ソノヒ　ナントカ　ンー。
久しぶりに　××　会うしね、　その日　なんとか　うーん。

006B：ンダベナー。　ンー　シバラクブリダガラ。
そうだろうな。うーん　久しぶりだから。

007A：ホントダネ。
本当だね。

008B：ナンジニ　クルッツーノ。
何時に　来るっていうの。

009A：イヤ　アサワ　シンカンセンデ　クルッテワ　ユーンダケンットモネー。
いや　朝は　新幹線で　来るとは　言うんだけれどもね。

010B：ンー　オンデ　コッツーワ　ビョーキミマイワサ、オミマイサ
うーん　それで　こっちは　病気見舞いはさ、　お見舞いへ

イグッテヤッチャ、ソイズワ　ジカン　キメデネガッタガラ。　デー
行くってやつは、　そいつは　時間　決めていなかったから。では

アノー
あの

011A：イースカー。
いいですか。

012B：ソレ　ズラシテ　イグ゜ゴドニシタラ　イーンデネーノガ。
それ　ずらして　行くことにしたら　いいんじゃないのか。

013A：ンダネー。（B　ウン）ソーシテモラウト　ワタシモ　ナンカ　セッカグ
そうだね。（B　うん）そうしてもらうと　私も　なんか　せっかく

X2チャント　アイタイシ　ナントカ。ンデ　ソーユーゴト
X2ちゃんと　会いたいし　なんとか。それで[は]　そういうこと

デンワシテミッカラネ。（B　ウン）カクニンシテミッカラ。
電話してみるからね。　（B　うん）確認してみるから。

014B：ソッセ。　ダカラ　ジカン　キーデサ。ア　ホンデ　ズラシテ
そうしろ。だから　時間　聞いてさ。あ　それで　ずらして

イク゜ベヤ。
行こうよ。

015A：ソダネ。
そうだね。

016B：ウン。マー　イマスグ　ドーノコーッテネンダガラサ。
うん。まあ　今すぐ　　どうのこうってないんだからさ。

017A：ソーシテモラウト　イーゲンッド。
そうしてもらうと　いいけれど。

018B：ウーン　アニチモネ。マダ　スコシ
うーん　兄貴もね。　まだ　少し

019A：オニーサンニワ　モーシワケネゲントモ　ソーシテモラウト　イーネ。
お兄さんには　　申し訳ないけれども　　そうしてもらうと　いいね。

020B：モースコシ　モズベ。　　ホラ　アニキモ。
もう少し　　もつだろう。ほら　兄貴も。

3-14. 猫を追い払う

001A：アリャ　シッ　シッ。ナンダネ　マタ　ドコノ　ノッツォネコダガ。
ありゃ　しっ　しっ。なんだね　また　どこの　野良猫だか。

セッカク　ホシダーズー。　アラララ。
せっかく　干してあるやつ。あららら。

002B：ナ　ナ　ナ　ナン　サワイデンノ。ナンシタノ。
×　×　×　なに　騒いでるの。　どうしたの。

003A：イヤー（B　ウン）ダイジョブダッタビョン。（B　フーン）アー
いや　（B　うん）大丈夫だっただろうよ。（B　ふうん）ああ

ナーンダカ　ネーゴ　キテサー　ネラッテタンダッチャ。
なんだか　　猫　　　来てさ　　狙っていたんだよ。

004B：デ　モッテガッタノガワ。
で　持っていかれたのかよ。

005A：イヤー　ダイジョブダッタ。
いや　　大丈夫だった。

006B：ホーンデ　　イガッタイガッタ。
それで[は]　よかったよかった。

007A：ウン　ウン。チョード　サンビキダッタガラ。
うん　うん。ちょうど　三匹だったから。

008B：ウーーン。ウン　セッカクヤ（A　ウーン）ウン（A　ヤー）コンバンノヤ
うーん。　うん　せっかくさ（A　うーん）うん（A　やあ）今晩のさ

009A：ヤンダゴダ。(B　ウン)アノネコ　ソッチュー　クンダヨー。
嫌なこと。(B　うん)あの猫　しょっちゅう　来るんだよ。

010B：アイズ　マタ　クッカラ　カナラズ。
あいつ　また　来るから　必ず。

011A：ンダネ。
そうだね。

012B：ダカラ　コンド
だから　今度

013A：キツケテ　(B　═══　ウン)ホサナキャナイネ。
気[を]つけて(B　═══　うん)干さなきゃいけないね。

014B：ツルシトカサイ。
吊るしておきなさい。

015A：シーダネー。(B　ウーン)イヤー　イカッタイカッタ。(B　ウン)
そうだね。(B　うーん)いや　よかったよかった。(B　ウン)

ミツケテ　イカッタ。
見つけて　よかった。

016B：オーレノヨ(A　ウンウン)コンバンノオカズ　ネゴサ
私のよ　(A　うんうん)今晩のおかず　猫に

カシェデランネーガラヤ、(A　ウンウン){笑}チャツト、チャント
食わせていられないからさ、(A　うんうん){笑}ちゃんと、ちゃんと

ホシトゲー　ンナノ。
干しとけ　そんなの。

017A：ネー。イキ　イーノ　カッテキタノニ。
ねえ。活き　いいの　買ってきたのに。

3-15. よそ見をしていてぶつかる

001B：オット（A　ア　アラ　ア）ア　ワリ　ワリガッタ。
おっと（A　あ　あら　あ）あ　××　悪かった。

002A：アー　イヤイヤ。
ああ　いやいや。

003B：ダイジョブガヤ。
大丈夫かな。

004A：イヤイヤ　コロブトコダッター。（B　アー　ホカ）　ダイジョブスカ
いやいや　転ぶところだった。　（B　ああ　そうか）大丈夫ですか

アンタモ。
あなたも。

005B：ウン　オ　オレワ　ダイジョーブダ。（A　アラー　ンジャ）　オレワ
うん　×　私は　大丈夫だ。　（A　あら　それじゃ）私は

ガンジョーダ。
頑丈だ。

006A：ハイ　オダガイニ　キーツケテ。
はい　お互いに　気をつけて。

007B：ダイジョブダ。
大丈夫か。

008A：ハイ。（B　ハイ）ダイジョブデス。ハイ。
はい。（B　はい）大丈夫です。　はい。

009B：ゴメンネー。
ごめんね。

010A：ハイ（B　ハーイ）ドーモ。
はい（B　はい）　どうも。

3-16. 出店のことで話す〔1〕

001A：コンニチワー。Bサン　イタ。
　　　こんにちは。　Bさん　いる？

002B：オーイ　イダヨー。ナンダ　メズラシーナヤ。
　　　おい　　いるよ。　なんだ　珍しいなあ。

003A：メズラシーネー。イソガシクナッテクンデナイ　ナツマツリデ。
　　　珍しいね。　　　忙しくなってくるんじゃない　夏祭りで。

004B：ンダナー。(A　ウーン) モー　ソロソロ　セズダガラ。
　　　そうだな。(A　うん)　もう　そろそろ　季節だから。

005A：セズダネー。
　　　季節だね。

006B：ウン　ソロソロ　ジュンビシナクテネンデネノ。
　　　うん　そろそろ　準備しなくちゃいけないんじゃないの。

007A：コンド　ワタシタチ　カキゴーリ　ヤンダトネー。
　　　今度　　私たち　　　かき氷　　　やるんだとね。

008B：ア　ホーカ。
　　　あ　そうか。

009A：ンダヨ。
　　　そうだよ。

010B：ンダ　　ンダッタッタナヤ (A　ウン) ワシェッタナヤ。
　　　そうだ　そうだったなあ　(A　うん) 忘れていたなあ。

011A：Bサン　ナンベンモ　ヤッテッカラ　　イーゲンド　ワタシ
　　　Bさん　何回も　　　やっているから　いいけれど　私

　　　ハジメテダガラサー。ナンダカ　ダンドリー　キギサ　キタノ。
　　　初めてだからさ。　　なんだか　段取り　　　聞きに　来たの。

　　　オシエデモラウッチャ。
　　　教えてもらうよ。

012B：{舌打ち} アー　ホーカ。ウーン　オレモ　アンマリワ　ヤッタコト
　　　{舌打ち} ああ　そうか。うーん　私も　　あんまりは　やったこと

　　　ネーンダケンド　マ　ミヨーミマネデ　デキッカラ、ウン。アノー
　　　ないんだけれど　ま　見よう見まねで　できるから、うん。あの

　　　アイッタッチャナ、キカイワ　ネー、アノ　コーチョーナイカイサ
　　　あれだよな、　　　機械は　　ない、あの　この町内会に

　　　ネーヨナ。カリナクテネナ。
　　　ないよな。借りなきゃいけないな。

013A：ウーン　ナイ。(B　ウン) ソーダベネ。
　　　うーん　ない。(B　うん) そうだろうね。

014B：ウン。マー　ホイズワ　イマ　リースヤ　アッカラ。ソコ　タノモー。
　　　うん。まあ　そいつは　今　　リース屋　あるから。そこ　頼もう。

015A：ハイハイ。
　　　はいはい。

016B：ウン。(A　ウン) ホーンデ　アレワネー
　　　うん。(A　うん) それで　　あれはね

017A：アト　コーリ。
あと　氷？

018B：ウンウン。アト　コーリドカ。（A　ウン）ウン。アド　シロップトカ
うんうん。あと　氷とか。　（A　うん）うん。あと　シロップとか

カエバ　イッチャ。ウン。
買えば　いいよ。　うん。

019A：ダヨネ。
だよね。

020B：ウン。ホーンデサ（A　アー　ウン）アノー　オ　アイッタッチャ、
うん。それでさ　（A　ああ　うん）あの　×　あれだよ、

オナゴヒタチワ　イーガラ　アノー　ナンダ
女の人たちは　いいから　あの　なんだ

021A：オキャクサンニ　ダスヤクダネ。
お客さんに　出す役だね。

022B：ウ　ウリウリ　ウン。ウリガタノホーダケ　スレバ　イーンダナ。（A　ウン）
×　××××　うん。売り方の方だけ　すれば　いいんだな。（A　うん）

ウーン。ホンデ　オトコダカラ　オレ　オトコデデ　チカイマワシ　スッカ。
うん。　それで　男だから　私　男手で　機械回し　するか。

023A：ソーダネ。ホカノヒトモ　インダッチャ、オトコノヒトモ。
そうだね。他の人も　いるんだよね、男の人も。

024B：アー　ミンナ　テツダッテ　モラッチャナヤ。
ああ　みんな　手伝って　もらおうなあ。

025A：ソーダッチャネー。（B　ウン）マサカ　ヒトリデ　ズート　ヤッテンノモ
そうだよね。　（B　うん）まさか　一人で　ずっと　やってんのも

ラクデナイスペ。
楽じゃないでしょう。

026B：ンダッチャ。（A　ウン）マー　ミンナデ　ヤルヨーニ　タノムッチャナー。
そうだよ。　（A　うん）まあ　みんなで　やるように　頼もうな。

ウン。
うん。

027A：ンジャ　ワタシラワ　オキャクサンニ　デキアガッタノー　シロップ
それじゃ　私らは　お客さんに　できあがったのを　シロップ

カケタリシテ、（B　ウン）ヤッテ　オーカネ　イタダクッテユーヤクワリデ
かけたりして、（B　うん）やって　お金　いただくっていう役割で

イスカ。
いいですか。

028B：ンダネ。　カネー（A　ウン）トルヒトト（A　ウン）ダスヒトト
そうだね。金　（A　うん）取る人と　（A　うん）出す人と

（A　ウン）ブンタンシタラ　イッチャ。
（A　うん）分担したら　いいよ。

029A：ンダネ。　（B　ウン）ジャ　オモニ　オンナノヒト　ソンナフニ
そうだね。（B　うん）じゃ　主に　女の人　そんな風に

スルヨーニ。
するように。

030B：ウン　ソイナグシテ。
うん　そういう風にして。

031A：ウン（B　ウン）アトノヒトニ　ユッテオッカラ。
うん（B　うん）あとの人に　言っておくから。

032B：ウン。アノネ｛息を吸う音｝ヒトズデ　モーケッコドネーヨーヌ。ン
うん。あのね｛息を吸う音｝一発で　儲けることないように。　うん

マ　シロップ　バイグライ　カケデ。（A　アー　ソッカ）ホスット
まあ　シロップ　倍ぐらい　かけて。（A　ああ　そうか）そうすると

ヨロコブガラ。ウン。
喜ぶから。　うん。

033A：デモ　アカジニナッタラ　タイヘンダヨ。
でも　赤字になったら　大変だよ。

034B：アカジナンネーテードニサー。
赤字[に]ならない程度にさ。

035A：アー　ソースカ。　ハイ。
ああ　そうですか。はい。

036B：ウン。ソノヘンワ　オンナノヒトワ　フトコロモ　アノ
うん。その辺は　女の人は　懐も　あの

サイフモジダカラ、ワカッペガラ、　タノムガラ。
財布持ちだから、　わかるだろうから、頼むから。

037A：ア　ンジャ　ナントカ　ン　チョーナイカイノオマツリダカラネ
あ　それじゃ　なんとか　×　町内会のお祭りだからね

ヤリマショ。
やりましょう。

038B：フンダネ。ハイ　テンチダケダナ　スンペワナ。
そうだね。はい　天気だけだな　心配はな。

039A：ホントダネ。ハイ。ドーモネー。ハイ。
本当だね。　はい。どうもね。　はい。

040B：ハイ。
はい。

〔1〕3-16. 出店のことで話す
話題にしやすいものとして、話者がかき氷の出店を手伝うという設定をした。

3-17. 折り紙を折る〔1〕

001B：ナニ　マズ　ツルー　オンノガヤ。(A　ダトネー) オーレ　ヤッタコト
　　　なに　まあ　鶴　　折るのかよ。(A　だってね) 私　　やったこと

　　　ネーナヤー。
　　　ないなあ。

002A：アラーー (B　ウン) ナツカシイッチャーー。ヨク　ツ　オッタッチャー。
　　　あら　　(B　うん) 懐かしいわ。　　　　よく　×　折ったわよ。

　　　(B　ンナ　　オラ) ワカンナイ。
　　　(B　そんな　＿＿) わからない？

003B：オトゴ　ホンナゴド　スネガッタド。
　　　男　　そんなこと　しなかったぞ。

004A：ンダガモワガンネネー。ンデ　　　オシエッカラ。
　　　そうかもしれないね。　それで[は]　教えるから。

005B：ンー　ドレドレ。
　　　うん　どれどれ。

006A：マズ　サンカクニ　カド　アワセテ。
　　　まず　三角に　　角　　合わせて。

007B：サンカクニガ。
　　　三角にか。

008A：ウン。(B　ウン) ソシテー
　　　うん。(B　うん) そして

009B：アイ　ツギワ。
　　　はい　次は？

010A：マタ　サンカクニ。
　　　また　三角に。

011B：フタツニスンダナ。ンデナ。
　　　二つにするんだな。それでな。

012A：ソーソーソー。(B　オー　ソーカ) オンノ。
　　　そうそうそう。(B　おお　そうか) 折るの。

013B：ヨシ。
　　　よし。

014A：コッカラ　ムズカシーンダワ。
　　　ここから　難しいんだわ。

015B：オッタド。
　　　折ったぞ。

016A：ハイ。ソシタラー　　オッタ、ナンッツッタラ　イーンダイ、ココネー。
　　　はい。そうしたら　　折った、なんていったら　いいんだい、ここね。

　　　ココ　ユビ　イレテ　ヒロゲンノ。
　　　ここ　指　　入れて　広げるの。

017B：ア　コ　　ショーインダー。(A　ウン) ウン　ア　コイナグ。
　　　あ　ここ　広げるんだ。　　(A　うん) うん　あ　こういう風に。

018A：ソー。センオ　アワセンノ、ソシテ　シタノセント。デギタ。
　　　そう。線を　　合わせるの、そして　下の線と。　　できた？

019B：コンデ　イーノガヤ。
これで　いいのかよ。

020A：ウン　イーンダネ。ハイ（B　オシ）チャント　アワセンノサインネ。
うん　いいんだね。はい（B　よし）ちゃんと　合わせ××なさいね。

（B　ウン）デ　モイッカイ　コンド　ウラガエシ　シテー
（B　うん）で　もう一回　今度　裏返し　して

（B　アー　ソ）　ウラガワ
（B　ああ　そう）裏側

021B：デ　オナジヨーニ　ヤレバ　イーノガ。
で　同じように　やれば　いいのか。

022A：オナジヨーニ　アワセンノ。
同じように　合わせるの。

023B：ナンダ　ヤッタコトネーケッドモ｛息を吸う音｝
なんだ　やったことないけれども｛息を吸う音｝

024A：デモ　ネ（B　マ）　ミテルッチャー　ヨグ。（B　ウンウン）ムガシ
でも　ね（B　まあ）見ているでしょう　よく。（B　うんうん）昔

タナバタントキ　ツルダノ　ヨク　オッタンダヨ　コドモカイデ。
七夕のとき　鶴だの　よく　折ったんだよ　子供会で。

025B：エ。チョット　コレ　ドースンノ　コレ。
え？ちょっと　これ　どうするの　これ。

026A：ン。ヒロゲテ。ソーン。
ん？広げて。　ううん。

027B：アー　コイズガ、シロゲテ。〔2〕
ああ　こいつか、広げて。

028A：ココマデ　コーヤッタラ　コーヤッテ　コンド、コレオ　コンド　マタ
ここまで　こうやったら　こうやって　今度、　これを　今度　また

オンナジヨーニ　カサネンノ。
同じように　重ねるの。

029B：ワカッタワカッタワカッタワカッタ。｛息を吸う音｝
わかったわかったわかったわかった。｛息を吸う音｝

030A：アノ　ズレナイヨーニシテネ。ツル　ウツクシグ　デキナイカラ。
あの　ずれないようにしてね。鶴　美しく　できないから。

031B：ソーンー。マーズ　サイショ　ダカラナ。マズ　ヤッテ　ミッペ。
うんうん。まあ　最初　だからな。まず　やって　みよう。

032A：コーヤッテ　ピチット　オッテケサイ。（B　ウン）ハイ。〔3〕
こうやって　ピチッと　折ってください。（B　うん）はい。

033B：デモ　ズレテッチャ　コリャ。
でも　ずれているだろう　これは。

034A：ウン　サイショ　ワリーンダッチャ。
うん　最初　悪いんだよ。

035B：セ　ア　ソーカ。｛笑｝センセーノガ　ズレテンデネノ。
×　あ　そうか。｛笑｝先生のが　ずれているんじゃないの。

036A：テドクサレナンデナイノー。サイショガ　ワルイトネー　ダメナンダヨ。
不器用なんじゃないの。　最初が　悪いとね　だめなんだよ。

{息を吸う音}（B　オシ）ナンッツッテ　ワタシモダ　コラ。
{息を吸う音}（B　よし）なんていって　私もだ　これは。

037B：チョット　ンデ　モドス。ハンブン。〔4〕
ちょっと　それで[は]　戻す。　半分。

038A：ヤリ　ヤリナオシ。（B　ヨシ）アタラシーノ　アルヨ。
××　やり直し？　（B　よし）新しいの　あるよ。

039B：イー。コレ　ムダヌスネデ　イーガラ。（A　ウン）ウン。
いい。これ　無駄にしないで　いいから。（A　うん）うん。

040A：セン　ワケ　ワガンナクナッテ。
線　わけ　わからなくなって。

041B：コーダッチャ。
こうだろう？

042A：ウン。ハイ　ソシテー
うん。はい　そして

043B：ショゲデ。
広げて？

044A：ヒロゲデ。
広げて。

045B：コー。
こう？

046A：ハイハイハイ。（B　ウーン）カド　ソロエルノ。
はいはいはい。（B　うん）　角　揃えるの。

047B：ナンツッタッテ　オレ　ハズメデダガンナー。
なんていったって　私　初めてだからな。

048A：ンダヨネ。
そうだよね。

049B：コイズモー　アー　コーカ。ココモ　コーカ。
こいつも　ああ　こうか。ここも　こうか。

050A：ワタシモー　ワカンナイ。ウン　ソーソ　オンナジョーニ　ソー。
私も　わからない。うん　そうそう　同じように　そう。

051B：ンー　ワカッタワカッタワカッタ。スコ　ズレタナー。
うーん　わかったわかったわかった。少し　ずれたな。

052A：ソコマデ　デキタ。
そこまで　できた？

053B：ウシ　オッケイ。
よし　オーケー。

054A：ハイ　デキタスカ。
はい　できましたか。

055B：マー　ズレテケド。
まあ　ずれているけど。

056A：ソシタラー　コンド　ソノ　シカクノヒラヒラスルホーオ　ヒロゲンノ。
そうしたら　今度　その　四角のひらひらする方を　広げるの。

（B　ウン）コレオ　ココニ、ココト　コレワ　オルンデス。
（B　うん）これを　ここに、ここと　これは　折るんです。

057B：チョット　ミエネミエネー。　モット　ソバサ　コイヤ。
ちょっと　見えない見えない。もっと　そばに　来いよ。

058A：ア　イヤイヤイヤ。
あ　いやいやいや。

059B：ア　オレガ　インカラ　イー。
あ　私が　行くから　いい。

060A：ウン。{笑} コーイフニスンノ。　ナーンテユッタラ　イーンダーイ。
うん。{笑} こういう風にするの。なんていったら　いいんだい。

061B：ダケド　オレ　ソノサイノー　ゼンゼンネーガラナ。モイッカイ
だけど　私　その才能　全然ないからな。　もう一回

062A：デ　イー。（B　ウン）コーナッタデショ。
で[は]　いい？（B　うん）こうなったでしょう。

063B：ソッコ　ソッカラ。
×××　そこから。

064A：コッカラ　シー　ココ　サンブンノイチクライーノトコロマデ　ヒロゲテ
ここから　うーん　ここ　三分の一くらいのところまで　広げて

コノ　マンナカノセンニ　オルノ。ココ　コー　オリメ　ツケテ（B　ウン）
この　真ん中の線に　折るの。ここ　こう　折り目　つけて（B　うん）

ココオ　アワセンノ、ココ。（B　オ　コーカ。シーンーンーンーンー）
ここを　合わせるの、ここ。（B　お　こうか。うんうんうんうんうん）

コレト　シゼーンニ　ココマデ　アワセンノ。〔5〕
これと　自然に　ここまで　合わせるの。

065B：コレ　ココカ。（A　ウン）シー　チョット　ズレデケッドナ。
これ　ここか。（A　うん）うーん　ちょっと　ずれているけれどな。

066A：イースカ。
いいですか。

067B：コッツモ。
こっちも。

068A：ハンタイガワモネ。
反対側もね。

069B：ダーミダナ　コレ。
だめだな　これ。

070A：アー　ヤッパリ　オトコノヒトッテ　ムズカシーンダネー。〔6〕
ああ　やっぱり　男の人って　難しいんだね。

071B：ダーメダワ　コレー。
だめだわ　これ。

072A：ココマデ。
ここまで。

073B：シーンーンーンーンー。
うんうんうんうんうん。

074A：ココマデ　クンノ　コー。
ここまで　来るの　こう。

075B：ンデ　ソコマデ　ヤッテケロワ。
それで[は]　そこまで　やってくれよ。

076A：ット コンド ハンタイモ コンナフーニ。（B ウンウン）ハイ
あと 今度 反対も こんな風に。 （B うんうん）はい

コーナンノ。コレモ マタ、コッチモ コレニ アワセテ。
こうなるの。これも また、こっちも これに 合わせて。

077B：ウン マテマテ デキネーワ。〔7〕
うん 待て待て できないわ。

078A：ココントコマデ クンノ。コレ ムズカシーネー。
ここのところまで 来るの。これ 難しいねえ。

079B：コーカ。
こうか。

080A：ケーローカイニ コンナコドー サセルナッテ ダレ キメタンダカ。
敬老会に こんなことを させるなんて 誰 決めたんだか。

081B：マ ケーローカイダカラ シャーネーベサ。ワガンネーノワサ。
ま 敬老会だから 仕方ないだろう。わからないのはさ。

082A：ワガンナクテモ マズ ニンチショーニナンナイヨーニデモ｛笑｝サセル、
わからなくても まあ 認知症にならないようにでも ｛笑｝させる、

サセラレル
させられる

083B：オ チョット ホントニ ワカン｛笑｝ホントニ ワカンネ オレ。｛笑｝
お ちょっと 本当に ×××｛笑｝本当に わからない 私。｛笑｝

084A：イヤイヤ コマッタネ。〔8〕コー マ ヤッテ（B ウン）ソシタラ
いやいや 困ったね。 こう まあ やって（B うん）そうしたら

イヤー コレワ タイヘンダネ。エッショ。
いや これは 大変だね。 よいしょ。

085B：エー ココヤ。（A ウン）アー ナッタナッタナッタ。ンンー
ええ ここだ。（A うん）ああ なったなったなった。うーん

オッケイオッケイ。オシオシ。
オーケーオーケー。よしよし。

086A：ウン ソーソーソー ココマデ。コレネー モー アタシワ カンデ
うん そうそうそう ここまで。これね もう 私は 勘で

ヤッテッカラ アーダケドネー チャントネー アワセナイト ココモ
やっているから あれだけどね ちゃんとね 合わせないと ここも

ピッタリ クッツカンナイ ホントワ。（B ウンウンウン）ハイ マ
ぴったり くっつかない 本当は。 （B うんうんうん）はい まあ

ナントカナルカモシンナイ。
なんとかなるかもしれない。

087B：ヨシ オッケイ。〔9〕
よし オーケー。

088A：ハイ デ ワタシモ オッカケッカラネー。
はい で[は] 私も 追いかけるからね。

089B：デ イーノカ。｛間｝〔10〕
[これ]で いいのか。｛間｝

090A：シバラクブリダカラ ナンダカ ワタシモ。ホントデナイナ。
久しぶりだから なんだか 私も。 いつもの調子じゃないな。

091B：イマ　ヤンネガラナー　コンナコトナー。
今　やらないからな　こんなことな。

092A：ホントダネー。（B　ウーン）ハイ　ソシタラネー　コノ　ワカレテルホー
本当だね。　（B　うーん）はい　そうしたらね　この　わかれている方

（B　ウン）ノトコロオ　マタ　マタ　ココマデ　オルノ。ハンブン。
（B　うん）のところを　また　また　ここまで　折るの。半分。

ワカレテルホーダヨ、ハナレテルホー。〔11〕ダカラ　コノ　コッチガワ、
わかれている方だよ、離れている方。　だから　この　こっち側、

コッチガワ　マタ　コノ　マンナカニ（B　シーンーンーンーンー）オルノ。
こっち側　また　この　真ん中に　（B　うんうんうんうんうん）折るの。

コンド（B　コッチモ）コッチモ　ミナ　ソーヤンノ。ウシロ、
今度　（B　こっちも）こっちも　みんな　そうやるの。後ろ、

ウラガワモネ。
裏側もね。

093B：ホーカ。（A　ウン）ウラガワ。ア　ソーカソーカ。
そうか。（A　うん）裏側？　あ　そうかそうか。

094A：オタクデ　マゴダチダノ　ツグンナイスカ。ハイ。
お宅で　孫たちだの　作らないですか。はい。

095B：ツーグンネーヨー　オラエノマゴダチ。マゴ　イネーヨ　オライサ。
作らないよ　うちの孫たち。　孫　いないよ　うちに。

096A：アー　ンデワ　ナカナカネー。〔12〕ハイ　ホンド　ホラ　コッチモ
ああ　それでは　なかなかね。　はい　今度　ほら　こっちも

コーヤッテ。
こうやって。

097B：アー　ソーカソーカ　ハイ　リョーカイリョーカイ。
ああ　そうかそうか　はい　了解了解。

098A：オンナジョーニ　ハイハイハイハイ。〔13〕
同じように　はいはいはいはい。

099B：アー　ソ　ウラト　オモテト　コー　アウグヨー　ナンダナ。
ああ　そう　裏と　表と　こう　合う×よう[に]　なるんだな。

100A：ウン。（B　ホーカ）ハイ　ソコマデ　デキタ。デキダスカ。
うん。（B　そうか）はい　そこまで　できた？できましたか。

101B：マッテ、マッテ　マズ。マッテマッテ。{息を吸う音}ナーンダ　オレ
待って、待って　まあ。待って待って。{息を吸う音}なんだ　私

コンナニ{笑}ブチョーダッタカヤ。
こんなに{笑}不器用だったかな。

102A：ハイ　イガスカ。
はい　いいですか。

103B：ヨシ　オッケイ。
よし　オーケー。

104A：ハイ　ソシタラ　コンド　コレト　コレオ　アワセンノ。コー。
はい　そうしたら　今度　これと　これを　合わせるの。こう。

105B：コレト　コレ。
これと　これ。

106A：ウン　ソー。(B　コー) ソーソーソー。(B　ソーソーソー) ハイ
うん　そう。(B　こう) そうそうそう。(B　うんうんうん) はい

チャント　ピット　イッカイ。
ちゃんと　ピッと　一回。

107B：ンデ　　　ンデ　　　デキタッチャガ。(A　ウン　ソー) ア　マダカ。
それで[は]　それで[は]　できたのか。　(A　うん　そう) あ　まだか。

108A：マダナンダヨ。(B　ウン) デ　コンドー　コレオ　ウエニ　アゲンノ。
まだなんだよ。(B　うん) で　今度　　これを　上に　　上げるの。

(B　シーンーンーンー　ウン) コッチモ。〔14〕
(B　うんうんうんうん　うん) こっちも。

109B：チョット　シェンセー　マガッテーヨ　　コレ。
ちょっと　先生　　　　曲がっているよ　これ。

110A：ナー　スイマセン。(B　ウン) {笑} トンデモナイトコ　　ケチ (B　ウン)
ああ　すいません。(B　うん) {笑} とんでもないところ　けち (B　うん)

ツケンダネ。{笑} ハイ　リョーホー　デキタ。
つけるんだね。{笑} はい　両方　　　できた？

111B：ヨシ　デキタ。
よし　できた。

112A：ハイ。(B　ウン) ソシタラ　　コンド　マタ　コレオ　アワセンノ。
はい。(B　うん) そうしたら　今度　　また　これを　合わせるの。

113B：コー。〔15〕
こう？

114A：コイナグ　　　アワセンダヨ。　(B　ウーン) ソシタラー　ツルノアタマ
こういう風に　合わせるんだよ。(B　うーん) そうしたら　鶴の頭

ツクンノヨ。
作るのよ。

115B：シー　　ミタゴド　アル。ア (A　ハイ) コイナグ　　　ツグンノガ。
うーん　見たこと　ある。あ (A　はい) こういう風に　作るのか。

116A：ウン。(B　フーン) ソシタラー　コレオ、コレガ　ハネンナンノ。
うん。(B　ふうん) そうしたら　これを、これが　羽になるの。

117B：シー　ハイハイ。
うん　はいはい。

118A：ハイ　シテ　　シタカラ　フット　フクラマスト　ココ　ヒ　アノ
はい　そして　下から　　ふっと　膨らますと　　ここ　×　あの

ハラニナッカラ。〔16〕
腹になるから。

119B：ケツガラ。
尻から？

120A：ウン。{鶴を膨らませる音} ホラ　アー　リッパナツルダ。
うん。{鶴を膨らませる音} ほら　ああ　立派な鶴だ。

{鶴を膨らませる音}
{鶴を膨らませる音}

121B：ンアー (A　アー) コレネー。
ああ　(A　ああ) これね。

122A：アー　ヨカッタネー。デタデタ　（B　ウン）ハイ。
ああ　よかったねえ。できたできた（B　うん）はい。

123B：スルッポ　コンデ　イーノガ、スルッポ。
しっぽ　これで　いいのか、しっぽ。

124A：ア　ソンデ　イーノ。
あ　それで　いいの。

125B：ア　ソー。（A　ウン）{鶴を膨らませる音} オ {鶴を膨らませる音}
あ　そう。（A　うん）{鶴を膨らませる音} お {鶴を膨らませる音}

ミドリノ
緑の

126A：ハイ。
はい。

127B：ミドリノツル　デキタドー。
緑の鶴　できたぞ。

128A：ハー　アー　ヨガッタヨガッタ。イヤーイヤ（B　ウーン）ナジョナッガー
ああ　ああ　よかったよかった。いやいや　（B　うーん）どうなるか

シンパイダッタ。ア　リッパデガス。アイハイハイハイ。{手を叩く音}
心配だった。　あ　立派です。　はいはいはいはい。{手を叩く音}

129B：ダケド　オレノホー　イーンデネーガヤ。
だけど　私の方　いいんじゃないかな。

130A：アー　イーネー。
ああ　いいね。

131B：ダメガ。
だめか。

132A：アー　イーネー。
ああ　いいね。

133B：アー　ワリガッタナ　シェンセー。（A　ハイ）ハイ　アイ（A　ハーイ）
ああ　悪かったな　先生。　（A　はい）はい　はい（A　はい）

ドーモ　アリガトーゴザイヤシタ。
どうも　ありがとうございました。

134A：アー　イガッタ。（B　ソー　ヨシ　スンデー）マーサカ　コンデ
ああ　よかった。（B　うーん　よし　それで）まさか　これで

ツグランナガッタラ（B　ウン）カエランナイヨワ。
作れなかったら　（B　うん）帰れないよ。

135B：コンド　ヒトデー　ヒトリデ　ツグッテミッカラ。アリガドネ。
今度　×××　一人で　作ってみるから。　ありがとうね。

136A：アイ　アーイ　ア　ヨガッタネ。ハーイ。
はい　はい　あ　よかったね。はい。

〔1〕3-17．折り紙を折る
折りやすいものとして、話者が題材を鶴に設定した。

〔2〕027B：アー　コイズガ、シロゲテ。
「シロゲテ」の後でAがBの折り紙を取って折り始める。

〔3〕032A：コーヤッテ　ピチット　オッテケサイ。（B　ウン）ハイ。
「ハイ」の後でAが028Aから折っていたBの折り紙を返している。

〔4〕037B：チョット　ンデ　モドス。ハンブン。
Bが折っていたのをやめ、最初の状態に戻してまた折り始めている。

〔5〕064A：ココ　コー　オリメ　ツケテ～ココマデ　アワセンノ。
「ココ」からAがBの折り紙を一緒に折っている。

〔6〕070A：アー　ヤッパリ　オトコノヒトッテ　ムズカシーンダネー。
AがBの折り紙を取って折りながら発言している。

〔7〕077B：ウン　マテマテ　デキネーワ。
「デキネーワ」の後でAが070Aから折っていたBの折り紙を返している。

〔8〕084A：イヤイヤ　コマッタネ。
「イヤイヤ」からAがBの折り紙を取って折り始める。

〔9〕087B：ヨシ　オッケイ。
Aが084Aから折っていたBの折り紙を返し、Bが受け取っている。

〔10〕{間}
Aが自分の折り紙をBが折ったところまで追いつくように折っている。

〔11〕092A：ハナレテルホー。～ソーヤンノ。
この間、AがBの折り紙を一緒に折っている。

〔12〕096A：アー　ンデワ　ナカナカネー。
AがBの折り紙を取って折りながら発言している。

〔13〕098A：オンナジョーニ　ハイハイハイハイ。
「オンナジョーニ」の後でAが096Aから折っていたBの折り紙を返し、Bが受け取っている。

〔14〕108A：マダナンダヨ。～コッチモ。
AがBの折り紙を取って折りながら発言し、「コッチモ」で返している。

〔15〕113B：コー。
「コー」の後でAがBの折り紙を取って折り始める。

〔16〕118A：アノ　ハラニナッカラ。
Aが113Bから折っていたBの折り紙を返し、Bが受け取っている。

3-18. 食事をする（開始と終了）

〈開始〉

001A：オトサン　モー　ゴハンダスト。
　　　お父さん　もう　ご飯ですよ。

002B：オー　ハヤカッタナヤ。ジュンビ　デギタノ。
　　　おお　早かったなあ。　準備　　　できたの。

003A：デギタヨワ。
　　　できたよ。

004B：ウン　ンデ　　　　イマ　イソイデ　インカラ。
　　　うん　それで[は]　今　　急いで　　行くから。

005A：ハヤク　タベサインワ。（B　ウン）{席に着く音} キョー　ミナ　　オカズ
　　　早く　　食べなさいよ。（B　うん）{席に着く音} 今日　　みんな　おかず

　　　ハヤグ　デギダガラ。
　　　早く　　できたから。

006B：アー　ホーガ。ハヤカッタナヤ。
　　　ああ　そうか。早かったなあ。

007A：ハイ　ジャ。
　　　はい　じゃ。

008B：ドレ　デ　　　イタダキマスー。
　　　どれ　で[は]　いただきます。

009A：ハーイ　イタダキマース。{箸を持つ音}
　　　はい　　いただきます。　{箸を持つ音}

〈終了〉

010B：{箸を置く音} アー　ウメガッタナ　キョー。（A　アー　ソー）ンデ
　　　{箸を置く音} ああ　うまかったな　今日。　（A　ああ　そう）それで[は]

　　　ゴッツォサン。
　　　ごちそうさま。

011A：アララ（B　ハイ）ズイブン　ハヤガッタネ。
　　　あらら（B　はい）ずいぶん　早かったね。

012B：ウン。（A　ハイ）ンデ　　　　ドレ　アノ　イマ　テー　カケテノ〔1〕
　　　うん。（A　はい）それで[は]　どれ　あの　今　　手を　かけているの

　　　スグ　ヤンナクテネーガラ。　　　アイ　ゴッツォサンネ。
　　　すぐ　やらなくてはいけないから。はい　ごちそうさまね。

013A：イソガシーネ。（B　ハイ）ハイ。
　　　忙しいね。　　（B　はい）はい。

〔1〕テー　カケテノ
　食事のために中断した物事を指している。

3-19. ハンカチを落とした人を呼び止める

①相手が見ず知らずの人

001A：ハイハイ〔1〕。
はいはい。

002B：ア　ナンダナンダ。バーチャンバーチャン。
あ　なんだなんだ。ばあちゃんばあちゃん。

003A：アヤ　ナニ。
あら　なに。

004B：ホイヤ。
ほら。

005A：アラ　ア　アーー。
あら　あ　ああ。

006B：ハンカチ　オトシタベッチャ。
ハンカチ　落としただろうよ。

007A：アヤヤ（B　ウン）ゴメン　アンマリ　ワルガッタ。
あらら（B　うん）ごめん　大変　悪かった。

008B：ウーン。コダ　アッツイトゴ、（A　ナーンダカ）アノー　アッツイトジネ
うん。　こんな　暑いところ、（A　なんだか）あの　暑いときね

（A　アイハイ）ハンカチ　ナグシタラ　コマッカラ。
（A　はいはい）ハンカチ　なくしたら　困るから。

009A：ケータイ　ナッテ（B　ウン）アワテテ　ハンカチ　サガシテ　アララ
携帯電話　鳴って（B　うん）慌てて　ハンカチ　探して　あらら

オドシテシマッタンダネ。〔2〕
落としてしまったんだね。

010B：アーーー　ヨソミシテ　アルッテ　ダメダヨ。（A　ハーイ）アブネガラネ。
ああ　よそ見して　歩いたら　だめだよ。（A　はい）危ないからね。

011A：ドーモドーモ。
どうもどうも。

012B：アイ　キツケテ　イガインヨ。
はい　気[を]つけて　行きなさいよ。

013A：アリガトーゴザイマシター。（B　ハイ）ハーイ。
ありがとうございました。（B　はい）はい。

014B：ホンジャーネー。
それじゃあね。

②相手が近所の知り合い

001A：アララララララ。（B　ア）アララ。
あららららららら。（B　あ）あらら。

002B：ナンダ。
なんだ。

003A：モシモシー〔3〕。
もしもし。

004B：Aサンデネーガー。
Aさんじゃないか。

005A：エ　ナニ。
　　　え　なに。

006B：オイ　バーチャン。（A　アヤ）Aチャン。
　　　おい　ばあちゃん。（A　あら）Aちゃん。

007A：アヤ　ナニシタノ　B、アー。
　　　あら　どうしたの　B、ああ。

008B：ナーンダ　コリャ。（A　アー）アンダノ。（A　アー）アンダノカ　コレ。
　　　なんだ　これは。（A　ああ）あなたの？（A　ああ）あなたのか　これ。

009A：アー　ンダンダンダ。
　　　ああ　そうだそうだそうだ。

010B：アーーンダ　コノ　アッツイトジ（A　アー　タスカッタ）ハンカチ
　　　なんだ　この　暑いとき　（A　ああ　助かった）　ハンカチ

　　　ネガッタラ　タイヘンダベッチャ。
　　　なかったら　大変だろうよ。

011A：アリガトアリガト。
　　　ありがとうありがとう。

012B：ウン。ナンーダ　デン、アルキナガラ　デンワシテ　ダメダ。（A　アー
　　　うん。なんだ　××、歩きながら　電話したら　だめだ。（A　ああ

　　　ンダンダ）　ウン。トシ　トッテ、トシ　トッテンダガラ。
　　　そうだそうだ）うん。年　取って、年　取っているんだから。

013A：ケータイ　ナッタガラ　アワテテ。ハイハイ。
　　　携帯　鳴ったから　慌てて。　はいはい。

014B：アノネ　キツケテ　イガイン。
　　　あのね　気[を]つけて　行きなさい。

015A：ハイハイハイ。（B　ハイ）タスカッタ。（B　ハイ）ドーモネ。
　　　はいはいはい。（B　はい）助かった。　（B　はい）どうもね。

016B：ハーイ　ドーモドーモ。
　　　はい　どうもどうも。

017A：ハーイ　イガッタイガッタ。
　　　はい　よかったよかった。

〔1〕ハイハイ
　携帯電話に出ている。以降Bとの会話中は、電話の相手と話していない。

〔2〕ケータイ　ナッテ　アワテテ　ハンカチ　サガシテ　アララ　オドシテシマッタンダネ。
　「携帯電話が鳴ったので慌てて（手提げ袋の中の電話機を）探して、ハンカチを落としてしまったんだね」という意図であろう。

〔3〕モシモシー
　携帯電話に出ている。以降Bとの会話中は、電話の相手と話していない。

3-20. 子供の結婚相手の親と会う

001A：コノタビワ　オライノムスコト　BサンノX1サンガ
この度は　うちの息子と　BさんのX1さんが

イッショニナッテーッテユコトデ　ホーントニ
一緒になってということで　本当に

イカッタトオモッテイマス。イヨイヨ　コレカラ
よかったと思っています。いよいよ　これから

オセワンナリマスケド　ヨロシク　オネガイイタシマス。
お世話になりますけど　よろしく　お願いいたします。

002B：イヤイヤ　アノー　コッツコソネ　ホントニ　オセワンナリマス。
いやいや　あの　こっちこそね　本当に　お世話になります。

オライノX1ワネァ　サッパリ　ホリャ　ヒトメサ　デルゴドモ　アンマリ
うちのXはねえ　さっぱり　ほら　人前に　出ることも　あまり

スジデネーホーダッタス。（A　イヤイヤイヤ）ソンナゴドデネ
好きじゃないほうだったし。（A　いやいやいや）そんなことでね

（A　ウーン）ナーンカ　X2サント　ツジアッテタッテコト　コノメー
（A　うん）　なんか　X2さんと　付き合っていたってこと　この前

ワカッテッサ　ソシテ
わかってさ　そして

003A：ホーントダネ　シャッパリ　ワカンネカッタネー。
本当だね　さっぱり　わからなかったね。

004B：コンナカタチンナッテ　イガッタネ。
こんな形になって　よかったね。

005A：ウーーン。デモネ　X1サン　ナカナカ　イマドキ　ナイ、ホントニ
うん。　でもね　X1さん　なかなか　今どき　ない、本当に

アイサツモ　オハナシノシカタモ　リッパデ　ホント　アンシンシマシタ。
挨拶も　お話の仕方も　立派で　本当　安心しました。

006B：イヤイヤ　ソイナグ　オモッテモラウドネー　オレモ
いやいや　そういう風に　思ってもらうとね　私も

セキメンノイダリダケッドモ｛息を吸う音｝ウーン　デモ　オ　ナントカネ、
赤面の至りだけれども　｛息を吸う音｝うん　でも　×　なんとかね、

エー　X2サント　ナカヨグ　ヤッテモラエバ　イートオモッテッシャ。
ええ　X2さんと　仲よく　やってもらえば　いいと思ってさ。

007A：マズネ（B　ウン）ソレシカナイデスネ。（B　ンダネ）　ワカイヒトタチニ
まあね（B　うん）それしかないですね。（B　そうだね）若い人たちに

ナカヨクシテモラエバ（B　ウン）イートシナキャネーガラ。　（B　ソッ
仲よくしてもらえば　（B　うん）よしとしなきゃいけないから。（B　そう

オヤ　モ）コンゴトモ　ヨロシク　オネガイイタシマスー。
親　×）今後とも　よろしく　お願いいたします。

008B：コチラコソ　アノ　ウーン　コンド　シンセキズキアイニナルンデネ
こちらこそ　あの　うーん　今度　親戚付き合いになるんでね

ヒトツ　ヨロシク（A　ソーデスネ）オネガイスッカラネヤ。
ひとつ　よろしく（A　そうですね）お願いするからねえ。

009A：ハーイハイ。ヨロシク　オネガイイタシマス。
　　　はいはい。　よろしく　お願いいたします。

『生活を伝える被災地方言会話集』4

収録地点	宮城県名取市
収録日時	2016（平成27）年6月24日・7月8日
収録場所	慶雲院

話　者

A	女	1947（昭和22）年生まれ（収録時69歳）	［Bの同級生］
B	男	1947（昭和22）年生まれ（収録時69歳）	［Aの同級生］

話者出身地

A　名取市増田（マスダ）

B　名取市増田（マスダ）

収録担当者　坂喜美佳、小原雄次郎、劉怡豆（以上、東北大学大学院生）、袴田竜椰、藤田圭吾、浅沼有良、西内彩華、菅原実咲、高田大生、中村寿人、林晃平（以上、東北大学学生）、中西太郎（東京女子大学）、津田智史（宮城教育大学）　※所属は収録時。

文字化担当者　坂喜美佳、小原雄次郎

4-1. 遊具が空かない

001A：スミマセーン。オタクーノーノマゴサンスカー、ブランコニ　ズーット
すみません。　お宅の×お孫さんですか、　　　ブランコに　ずっと

ノッテンノ。
乗っているの。

002B：ア　コイズガ。(A　ウン) ウン。オ　オライノマゴダ。
あ　こいつか。(A　うん) うん。×　うちの孫だ。

003A：アー　ズイブン　ゲンキ　イーネー。ナンダカ {息を吸う音}
ああ　ずいぶん　元気　　いいね。　なんだか {息を吸う音}

オライノマゴモサー　ブランコサ　ノリデッテンダゲンットモ、
うちの孫もさ　　　　ブランコに　乗りたいっていうんだけれども、

カワッテモラワンネベガネー。
代わってもらえないだろうかね。

004B：ア　ホーカ。ナンダ　ホンダラ　アイタッチャ、ウーン。アレ　スグー
あ　そうか。なんだ　それなら　あれだよ、　　うん。　あれ　すぐ

カワルヨーニ　ユーガラ。ワリガッタナヤ。
代わるように　言うから。悪かったなあ。

005A：イエイーエ。(B　ウン) アトー　オタガイニ　カワリバンコニ　ノルヨーニ
いえいえ。　(B　うん) あと　　お互いに　　代わりばんこに　乗るように

ユットッカラネ。(B　ンダナ)　オネガイシマス。
言っとくからね。(B　そうだな) お願いします。

006B：ウン。アイ　ワリガッタ。ンーデ　　　チョット　ユットッカラ　スグ、
うん。はい　悪かった。　それで[は]　ちょっと　言っとくから　すぐ、

ホレ、ホレ　オリロー。
ほら、ほら　降りろ。

007A：アー　イガッタイガッタ。
ああ　よかったよかった。

008B：コータイスロ。ミンナデ　イッショニ　アソベ。
交代しろ。　　みんなで　一緒に　　　遊べ。

4-2. 出前が遅い

001A：ナンーダイ。ナンカネ　セッカク　ネー　オイシーソバ　タノンダノニ
なんだい。　なんかね　せっかく　ねえ　おいしい蕎麦　頼んだのに

ナカナカ　コナイネ。デンワシテミッカラネ。〔1〕{受話器を取る音}
なかなか　来ないね。電話してみるからね。　　{受話器を取る音}

{電話番号のボタンを押す音}
{電話番号のボタンを押す音}

002調：プルプルプル。プルプルプル。〔2〕
プルプルプル。プルプルプル。

003B：{受話器を取る音}ハーイ　ソバヤデース。
{受話器を取る音}はい　　蕎麦屋です。

004A：アラ　Aダケントモ　アノー（B　オー　ウン）ソバ　タノンダノ　マダ
あら　Aだけれども　あの　（B　おお　うん）蕎麦　頼んだの　　まだ

コナインダケットモ（B　アレ）マダナノ。
来ないんだけれども（B　あれ）まだなの？

005B：アー　イマ　デカゲダガラ。
ああ　今　　出かけたから。

006A：デガゲダ。
出かけた？

007B：ウン。ウン　モスコス　マッテサインネ。　ウン。
うん。うん　もう少し　待っていなさいね。うん。

008A：ズイブン　マッタンダゲッド。
ずいぶん　待ったんだけれど。

009B：マモナグ　ツグーガラ。
まもなく　着くから。

010A：マチガイナイスカ。
間違いないですか。

011B：ウン。モスコス　マッテサイン。
うん。もう少し　待っていなさい。

012A：デダガラナンテ　イマカラ　ツクッテンデナイノ。
出たからなんて　今から　　作っているんじゃないの。

013B：ウーンウーンシーンーンー。　　　デガケタンダ　イマ。
ううんううんううんううんううん。出かけたんだ　今。

014A：ア　ホント。（B　ウン）ア　ンジャ　（B　イマ）オキャクサン
あ　本当。（B　うん）あ　それじゃ（B　今）　お客さん

インダ、　　　（B　クルマ）カナラズネ。
いるんだ[から]、（B　車）　　必ずね。

015B：コンデンノガナ。　ウン。ンデ　　　モスコス　チョッコラ
混んでいるのかな。うん。それで[は]　もう少し　ちょっと

マッテサイン。（A　アーイハイ）アーイ。（A　ジャ）ドーモネー。
待っていなさい。（A　はいはい）　はい。（A　じゃ）どうもね。

016A：ハイ。マッテッカラネ。
はい。待っているからね。

017B：ハーイ。{受話器を置く音}
　　　はい。　{受話器を置く音}

〔1〕001A：ナンーダイ。ナンカネ　セッカク　ネー　オイシーソバ　タノンダノニ　ナカナカコナイネ。デンワシテミッカラネ。
ここではAがBではなく、Aの家に来ている客に話しかける演技をしている。

〔2〕002 調：プルプルプル。プルプルプル。
調査員が電話の呼び鈴の音をまねて発話した。

4-3. 写真を撮る〔1〕

001B：ハイ　チャント　ナランデー。{笑}ナーンダ。チョ　　ウゴカナエデ。
　　　はい　ちゃんと　並んで。　{笑}なんだ。　ちょっと　動かないで。

002A：ナー　ナーンダイ。ナンダカ（B　ン）ヤンダゴダ、ヘビデモ
　　　××　なんだい。　なんだか（B　ん）嫌なことだ、蛇でも

　　　イルミタイニ。ハイ。
　　　いるみたいに。はい。

003B：ダーレダ。（A　ハイ）ダレダトオモッタッケ　ナンダ　Aバッチャンカー。
　　　誰だ。　（A　はい）誰だと思ったら　　　なんだ　Aばあちゃんか。

　　　（A　ハイ）ハイハイ　アノ（A　ハイ）ロージンクラブノシャシンワネ
　　　（A　はい）はいはい　あの（A　はい）老人クラブの写真はね

　　　ジュッサイワカク　トッテケッカラネ。
　　　十歳若く　　　　撮ってやるからね。

004A：ハーイ。
　　　はい。

005B：ホイキタ。ハイ　チーズ
　　　ほいきた。ハイ　チーズ

006A：カ　カメラガ　ヨケレバ　ダイジョブダガラ。
　　　×　カメラが　よければ　大丈夫だから。

007B：オーオー　ハイハイハイ。トルゾッ。ハイ　チーズ。カチャ〔2〕。
　　　おおおお　はいはいはい。撮るぞ。　ハイ　チーズ。カチャ。

〔1〕4-3．写真を撮る
　会話の冒頭でAは後ろにいる調査員の方を向いている。

〔2〕カチャ
　Bがカメラのシャッター音をまねて発話した。

4-4．預かった荷物を届ける

001A：Bサンー　ドッカ　イッテタノスカ。
　　　Bさん　　どこか　行っていたのですか。

002B：アーーアア　ワルカッタナヤ。イマ　カエッチキタンダ。チョットサー
　　　ああ　　　　悪かったなあ。　今　　帰ってきたんだ。　ちょっとさ

　　　ヨー　アッテサ。
　　　用　　あってさ。

003A：アー　ソー。（B　ウーン）ヨガッタヨガッタ。（B　ウン）アノネー
　　　ああ　そう。（B　うん）　よかったよかった。（B　うん）あのね

　　　（B　ウン）キョー　ヒンマー　シンセキダッテユーヒトカラネ　ニモツ
　　　（B　うん）今日　　昼間　　　親戚だっていう人からね　　　荷物

　　　アズカッテダノ。ルスダカラ　アズカッテモラエネスカッテユワッタカラ、
　　　預かっていたの。留守だから　預かってもらえないですかっていわれたから、

　　　（B　アレ　オレ）アタシ　アズカッテタカラ。
　　　（B　あれ　私）　私　　　預かっていたから。

004B：アー　ソーカ。オラエノシンセキガラ。
　　　ああ　そうか。うちの親戚から。

005A：ウン。ウン。ユッテタヨ。
　　　うん。うん。言っていたよ。

006B：アーン　ダレダベナ。ン　ドレドレ　ナーニ　オイッタンダヤ。
　　　ああ　　誰だろうな。ん　どれどれ　なに　　置いてったんだか。

007A：ンー　アノー　セッカクダカラ　ハイ（B　オ）オトドケニ　キマシタ。
んー　あの　せっかくだから　はい（B　お）お届けに　来ました。

008B：アー　ホント、コーンナノ　オモデノ　ヨク　アズカッテケダナヤ。
ああ　本当、こんなの　重たいの　よく　預かってくれたなあ。

009A：イヤイヤ（B　ンー）オツカレサマネ。
いやいや（B　うん）お疲れ様ね。

010B：アイ。ンデ　モラッテイッカラネ。
はい。それで[は]　もらっていくからね。

011A：ハイ。
はい。

012B：アイ。アリガド。
はい。ありがとう。

4-5. 知らない人について尋ねる

001A：Bサン　サッキ　コエカケラッテダヒト、アイサツシッタッチャネー。
Bさん　さっき　声かけられていた人、挨拶していたよね。

アノヒト　ダレナノ。
あの人　誰なの。

002B：アー　アノヒトガ。
ああ　あの人か。

003A：ウーン。
うん。

004B：ンー　オレノシリアイダケッドモサ、コッツノエーノ　ホレ
んー　私の知り合いだけれどもさ、こっちの家の　ほら

ナクナッタヒトーノ　シリアイーダンダナ。（A　ハー　アンマリ）ンー
亡くなった人の　知り合いなんだな。（A　はあ　あまり）んー

ダカラ　アンダ　ワガンネベ。
だから　あなた　わからないだろう。

005A：ンー　サッパリ　ワカンネオンネー。（B　ンーンー　ホーガホーガ　ウン）
んー　さっぱり　わからないもんね。（B　うんうん　そうかそうか　うん）

オクヤミニ　クルクライダカラー　マーネ　タニンデワナインダベガラ。
お悔みに　来るくらいだから　まあね　他人ではないんだろうから。

アー　ソースカー。（B　ウン）イロンナヒト　イタンダネー。
ああ　そうですか。（B　うん）いろんな人　いるんだね。

006B：ンダナ。　イロンナヒト　ウッカラ　オソシシダガラサ。
　　　そうだな。いろんな人　来るから　お葬式だからさ。

007A：ウーン。
　　　うん。

008B：ウン。
　　　うん。

4-6. 間違い電話をかける

①相手が見ず知らずの人

001B：ドーレ　ツギワ　サトーサンダナ、ンデナ。　ホーイ。
　　　どれ　次は　佐藤さんだな、　それで[は]な。ほい。

　　　{電話番号のボタンを押す音} ヨン　イチゴハチハチ〔1〕。
　　　{電話番号のボタンを押す音} 4　１５８８。

002調：プルプルプル。プルプルプル。〔2〕
　　　プルプルプル。プルプルプル。

003A：{受話器を取る音} モシモシ。
　　　{受話器を取る音} もしもし。

004B：モシモシ（A　ハイ）サトーサンスカー。
　　　もしもし（A　はい）佐藤さんですか。

005A：エッ。
　　　えっ。

006B：サトーサンーノイエスカ。
　　　佐藤さんの家ですか。

007A：イーエ。チガイマスヨ。
　　　いいえ。違いますよ。

008B：アー　チガウ。
　　　ああ　違う。

009A：ハーイ。
　　　はい。

②相手が近所の知り合い

001B：ドーレ　サトーサンガー。{受話器を取る音} デンワシナクチャネーナ。
　　どれ　　佐藤さんか。　　{受話器を取る音} 電話しなくちゃいけないな。

　　ナンバンダッケヤ。ア　コイッタナ。サンハチヨンイチゴハチハチ〔3〕。
　　何番だっけなあ。　あ　こいつだな。３８４１５８８。

002調：プルプルプル。プルプルプル。プルプルプル。〔4〕
　　プルプルプル。プルプルプル。プルプルプル。

003A：{受話器を取る音} ハイハイ。
　　{受話器を取る音} はいはい。

004B：モシモシ　サトーサンスカー。
　　もしもし　佐藤さんですか。

005A：アラ　Aデスー。ナニ
　　あら　Aです。　なに

006B：ナニ　マズ。ン。
　　なに　まあ。ん？

007A：アララ　ナニ　マズ　マチガッテンデナイノ。
　　あらら　なに　まあ　間違っているんで[は]ないの。

008B：ナンダ　Aサンガヤ。
　　なんだ　Aさんかよ。

009A：ソーダヨ。
　　そうだよ。

010B：アーンダ　チータコトアットオモッタゲヤ。ナンダ　ヨメサンミダク
　　なんだ　　聞いたことあると思ったらよ。　なんだ　嫁さんみたく

010B：アイヤー　ンデ　　　マズガッタノガナ。
　　あら　　それで[は]　間違ったのかな。

011A：Aッテイーマスケド。
　　Aっていいますけど。

012B：アー　ソー。ウーーン。
　　ああ　そう。うーん。

013A：ナンダベ。　マチガッタンデスカ。
　　なんだろう。間違ったんですか。

014B：イヤイヤ。アノ　イマ　ムスメガネデサ　ミナガラ　デンワチョー
　　いやいや。あの　今　虫眼鏡でさ　　見ながら　電話帳

　　シラベッタンダッチャ。(A　アララララ)マーズガッタナ　コレ。
　　調べていたんだよ。　(A　あららららら)間違ったな　　これ。

015A：アイ。
　　はい。

016B：イヤ　トンデモナエゴト (A　アノ) シテシマッタナヤ。ゴメンネ。
　　いや　とんでもないこと (A　あの) してしまったなあ。ごめんね。

017A：ハイハイ。チューイシテケサイン。ハイ　ドーモー。
　　はいはい。注意してください。　はい　どうも。

018B：ハイ　アリガドネ　　ゴメンネー。
　　はい　ありがとうね　ごめんね。

019A：ハイ。{受話器を置く音}
　　はい。{受話器を置く音}

ワガエコエダナヤ。
若い声だなあ。

011A：アラ　ソーオ。
あら　そう？

012B：ウーン。ンー　ダカラ　アイッタナ　コエ　キギダクナッタンダナ。
うん。　んー　だから　あれだな　声　聞きたくなったんだな。

（A　アー）マーズガッタンダ。
（A　ああ）間違ったんだ。

013A：ナーンダイ。
なんだい。

014B：ンー。
んー。

015A：ヨーク　ミテ　カケサイン。
よく　見て　かけなさい。

016B：イマ　ヨック　ミタンダケド　ウエトシタ　マ　シ　ヒトツ
今　よく　見たんだけど　上と下　×　×　一つ

マーチガッテシマッタンダ。
間違ってしまったんだ。

017A：ハーイハイ。（B　ンー）ヨク　アルネ。
はいはい。（B　んー）よく　あるね。

018B：ホーカ。（A　ンーダネ）ウン。
そうか。（A　そうだね）うん。

019A：ハイ。ワカリマシタ。
はい。わかりました。

020B：ンデ　アイッタナ。ン。
それで［は］　あれだな。　ん。

021A：ハーイ。
はい。

022B：マタ　アイッタナ。
また　あれだな。

023A：ハイ。ハイ　ドーモー。
はい。はい　どうも。

024B：ソノウジ　マダ　コエ　チカシーテケロナ。
そのうち　また　声　聞かしてくれな。

025A：ハーイ。
はい。

026B：ハーイ。｛受話器を置く音｝
はい。　｛受話器を置く音｝

〔1〕ヨン　イチゴハチハチ
話者がとっさに出した架空の電話番号である。

〔2〕002 調：プルプルプル。プルプルプル。
調査員が電話の呼び鈴をまねて発話した。

〔3〕サンハチヨンイチゴハチハチ
話者がとっさに出した架空の電話番号である。

4-7. お釣りが合わない

001A：アーノ　チョット　ダンナサンー　オツリー　チョット
　　　あの　ちょっと　旦那さん　お釣り　ちょっと

　　　タンナインダゲンットモ。
　　　足りないんだけれども。

002B：ナニ　マズ。ワーリガッタナヤ。ドレドレ。
　　　なに　まあ。悪かったなあ。　どれどれ。

003A：ヒャクエンー　チガウネー。
　　　百円　　　　違うね。

004B：ヒャクエン　タンネガッタノガ。
　　　百円　　　足りなかったのか。

005A：ウーン。（B　ンーー　ホガホガ）　マダ　サイフサ　イレテネガラ
　　　うん。　（B　うーん　そうかそうか）まだ　財布に　入れていないから

　　　（B　ウン）マジガイナイヨ。
　　　（B　うん）間違いないよ。

006B：ウン　ワガッタワガッタ。ヤッパリ　タンネ　ヤッパリ。ホーンデ　ハイ
　　　うん　わかったわかった。やっぱり　足りない　やっぱり。それで　はい

　　　ンデ　　　タンネブン　ヤッカラ。ナーンダガヤ　サイチンネー
　　　それで[は]　足りない分　やるから。なんだかさ　最近ね

　　　（A　アー　イガッタイガッタ）ウーン　トシ　トッテシテヤ（A　ウン）
　　　（A　ああ　よかったよかった）うん　年　取ってきてさ（A　うん）

〔4〕002調：プルプルプル。プルプルプル。プルプルプル。
　調査員が電話の呼び鈴をまねて発話した。

　　ウン　メモ　ミエネグナッテシマッタ。ウン（A　ンダネ）
　　うん　目も見えなくなってしまった。　うん（A　そうだね）

　　ワリガッタワリガッタ。
　　悪かった悪かった。

007A：イーエイーエ。（B　アイ）アーイ。
　　いいえいいえ。（B　はい）はい。

008B：シーデ　　　コイッツァ　コリネデ　　アノ　マタ　キテケロナヤ。
　　それで[は]　こいつに　　懲りないで　あの　また　来てくれなあ。

009A：ハーイ　マ　ドーモネー。（B　アーイアイー）アリガトーゴザイマシター。
　　はい　　×　どうもね。（B　はいはい）　　ありがとうございました。

010B：アイ　ゴメンナスッテ。
　　はい　ごめんください。

4-8. 孫が粗相をした

001A：Bサン　コンニチワ。
　　Bさん　こんにちは。

002B：アイ　コンニズワー。
　　はい　こんにちは。

003A：キノー　ゴメンネ。オラエノマゴ　ナンダカ　トンデモナイゴト
　　昨日　　ごめんね。うちの孫　　　なんだか　とんでもないこと

　　シテシマッテ。
　　してしまって。

004B：ンー　イヤイヤイヤ。ナーヌ　マー　アレバリッキニ　タイシタコトネー。
　　んー　いやいやいや。なに　　まあ　あれくらい××　たいしたことない。

　　ナーヌ
　　なに

005A：ケガ　シナカッタスカー。
　　怪我　しなかったですか。

006B：ダーイジョブダッチャ。アノ　インダインダ。　　マードグレナ　アノー
　　大丈夫だよ。　　　　　あの　いいんだいいんだ。窓ぐらいな　　あの

　　アレ　カダズアルモノワネ　フッチャグンダガラ　イーンダ。
　　あれ　形ある物はね　　　　壊れるんだから　　　いいんだ。

007A：イヤー　イマノマドナンテネー（B　ン）　オドゲデネーネダン　スッカラ
　　いや　　今の窓なんてね　　　　（B　うん）とんでもない値段　　するから

　　ホントニ。ワリーゴト　シマシタ。
　　本当に。　悪いこと　　しました。

008B：イヤ　アーノ　イガッタイガッタ。マ　　ケガスネクテ（B　コンド　ンー）
　　いや　あの　　よかったよかった。まあ　怪我しなくて（B　今度　　んー）

　　イガッタナ。
　　よかったな。

009A：オラエノマゴダチー　ワルイゴト　シタラ　ゴシャイデケサイネ。
　　うちの孫たち　　　　悪いこと　　したら　叱ってくださいね。

010B：ン　アーノ　ホンナノ　ゴッシャガンナェベッチャ。オレダズー
　　ん　あの　　そんなの　叱れないだろうよ。　　　　　私たち

　　ワゲーウジノコト　カンガエテミロ。（A　ンダネー）ナーヌ　アンナ　コー
　　若い頃のこと　　　考えてみろ。　　（A　そうだね）なに　　あんな　××

　　ンー　アノ　アーンナ　テードデ　スマネカッタベヤ。　ンーー。
　　んー　あの　あんな　　程度で　　済まなかっただろうよ。うん。

011A：イヤイヤ。ホントニ（B　マ）　モーシワケナカッタデス。
　　いやいや。本当に　（B　まあ）申し訳なかったです。

012B：ア　ンデモナ　　アノ　トナリノオンチャンダズニネ　アノー　チャント
　　あ　それでもな　あの　隣のおじちゃんたちにね　　　あの　　ちゃんと

　　イワッタガラサ。ンー　ソノテードノゴドワ　アノ　オタガイニ　マゴサナ
　　言われたからさ。うん　その程度のことは　　あの　お互いに　　孫になあ

　　オシエテヤッペナヤ。
　　教えてやろうなあ。

013A：ンダ　　ンダネ。
　　そうだ　そうだね。

014B：アイ。
　　はい。

015A：ハイ（B　ンデ）　　　オネガイシマス。（B　ア　ホンナ　ン）　ホントニ
　　はい（B　それで[は]）お願いします。　（B　あ　そんな　うん）本当に

　　ドーモ　ゴメンネ。アリガトーゴザイマス。
　　どうも　ごめんね。ありがとうございます。

016B：イーイー　チ　チツカウコトネ。
　　いいいい　×　気[を]つかうことない。

017A：ハイ。
　　はい。

018B：アイ。
　　はい。

4-9．景品がみすぼらしい〔1〕

001A：ハイ　タダイマー。ズイブン　ツカレデキタヨー。
はい　ただいま。　ずいぶん　疲れ××たよ。

002B：アーンダイ　ホンナノ。ナニ　イッペ　モラッシタノ、　コンナヌ。
なんだい　そんなの。なに　いっぱい　もらってきたの、こんなに。

003A：ンダーカラ　ハツウリダガラ　アッチデモ　コッチデモ　ズイブン
それだから　初売りだから　あっちでも　こっちでも　ずいぶん

ニギヤカダッタネ。
賑やかだったね。

004B：アー　ホーガ。アイッタナ、ホイズー、ホノ　ケーヒン　モライダクテ
ああ　そうか。あれだな、　そいつ、　その　景品　もらいたくて

（A　シーダデバ）　スコ、スコッツズ、イッケンズツ　カッタベ。
（A　そうだってば）××、少しずつ、　一軒ずつ　買っただろう。

005A：シーダッチャネ。
そうだよね。

006B：オーンデ　ミンナ　マワンナキャナインダ。
それで　全部　回らなきゃいけないんだ。

007A：トーコロガッサ、ナーンダッテ　イマドキー　サラダノ　コイナノネーー
ところがさ、　なんだって　今時　皿だの　こんなのね

モラッタッテ　ッシャネンダゲント。
もらったって　仕方ないんだけれど。

008B：ア　ナヌ　サラーナノガ。（A　ン　ソーナノヨ）ナンーダ　トーダーナー、
あ　なに　皿なのか。　（A　ん　そうなのよ）なんだ　戸棚、

アイッタナ、オンデー　トダナ　アダラスグ　カワナクテネナ。
あれだな、　それでは　戸棚　新しく　買わなくちゃいけないな。

009A：ホーントダネー。カエッテ　ツカイミジ　ナインダオンネー。（B　ウン）
本当だね。　かえって　使い道　ないんだものね。（B　うん）

ティッシュドカー　アルミホイルノホガ　ヨッポド　ヨガッタンダゲッドネ。
ティッシュとか　アルミホイルの方が　よっぽど　よかったんだけれどね。

010B：ウン。ンデ　アイッタ、アノーー　ダレガ　イネガ　ホレ
うん。それで[は]　あれだ、　あの　誰か　いないか　ほら

シャデッコドガ、イモードドガ。ケ　ケーデヤレバ。
弟とか、　妹とか。　×　くれてやれば。

011A：ウーーン　ナーンダガ　ダレモ　ホントニ　ホシーナンテヒト
うーん　なんだか　誰も　本当に　欲しいなんて人

イナインダヨワ、イマ。
いないんだよ、　今。

012B：シーダナー。ンデモ　ナゲルワゲニ　イガネガラナー。
そうだな。　それでも　捨てるわけに　いかないからな。

013A：ジャ　スコシ　オイトッカラ。
じゃ　少し　置いておくから。

014B：ソッスッセ。　ホイズ　ツカウヨーナリョーリ　スッセ。
そうしなさい。そいつ　使うような料理　しなさい。

〔1〕4-9. 景品がみすぼらしい
お皿のセットよりアルミホイルの方がもらってうれしいという話者からの指摘を踏まえて、お皿のセットをもらったという場面を演じてもらった。

4-10. 沸騰した薬缶に触れる

001A：アッチャッチャッチャッチャ。ア（B　ン）　アーー。
あっちゃっちゃっちゃっちゃ。あ（B　ん？）ああ。

002B：ナンシタンダ。
どうしたんだ。

003A：ヤケドシタ。アラララララ。
火傷した。　あらららららら。

004B：ナンーダベ。
なんだよ。

005A：ズイーブン
ずいぶん

006B：ナンシタノ。
どうしたの。

007A：フットーシテタンダ。
沸騰していたんだ。

008B：ウワーー　ナニ　マズ。チャッカチャッカシテッガラナー。
うわ　なに　まあ。ちょこまかしているからな。

009A：イヤー　イヤ　イヤー　ミズ
いや　いや　いや　水

010B：コレ　マズ　マズ　アブナイ　コッツ　オゲヤ　ホラ。ンー。
これ　まあ　まあ　危ない　こっち　置けよ　ほら。うーん。

011A：ソレ　ポットサ　イレデモラエルスカワ。｛薬缶を置く音｝
それ　ポットに　入れてもらえますか。　｛薬缶を置く音｝

012B：ドーゴサ　サワッタンダガ。アイ　ダメ　アイ　スイドサ　イッテ
どこに　触ったんだか。　はい　だめ　はい　水道に　行って

（A　イヤー）ミズ、ヒヤシテ　ミズデ。
（A　いや）　水、　冷やして　水で。

013A：シバラク
しばらく

014B：ウーン　シバラクシテガラデ　＿＿
うん　しばらくしてからで　＿＿

015A：ヒヤシトケバ　ダイジョブダベオン。
冷やしとけば　大丈夫だろうよ。

016B：ウンウンウン。
うんうんうん。

4-11. 渋い柿を食べる

001A：オトーサン。ア　カキ　モラッテキタノ　タベルスカ。
お父さん。　×　柿　もらってきたの　食べますか。

002B：オッ　カキガ　オレ　スジダッチャ、オレ。ア（A　ネー）ウン。
おっ　柿か　私　好きだよ、　私。　あ（A　ねえ）うん。

（A　セッカクダ）ムイテケロ　＿＿　クーガラ。
（A　せっかくだ）むいてくれ　＿＿　食うから。

003A：チョット　マッテサイン、　マズ。（B　ウン）アヤヤヤ。アジ　ミダッケ
ちょっと　待っていなさい、まあ。（B　うん）あららら。味　見たら

ナンダカ　マダ　シブ　ヌケデネネー。　チョット　タベデミライ。
なんだか　まだ　渋　抜けていないね。ちょっと　食べてみなさい。

004B：ドレ。ン　ン　ダメダ　コリャ。モスコス　オゲー　＿＿
どれ。ん　ん　だめだ　これは。もう少し　置け　＿＿

005A：オイタホー　イーネ。（B　ウーン）ンデ　フグロニ　モドシトッカラ。
置いた方　いいね。（B　うん）　それで[は]　袋に　戻しとくから。

006B：ウン。アー　ホーガ　トナリノカッチャン　アイッタナ、シブ
うん。ああ　そうか　隣の母ちゃん　あれだな、　渋

ヌゲダドオモッデー　モッテキテケダンダ。
抜けたと思って　持ってきてくれたんだ。

007A：タブン　ンダベネ。
多分　そうだろうね。

4-12. 頼まれたものを買って帰る

001B：アイ　タダイマー。
はい　ただいま。

002A：ハーイ　オカエンナサーイ。
はい　おかえりなさい。

003B：アイ。イヤーイヤ（A　イヤイヤ）ゴ　チョーモヤ　シゴトデ
はい。いやいや　（A　いやいや）×　今日もさ　仕事で

ツカレタナヤ。ドレ　イッペーヤリデナヤ。
疲れたなあ。　どれ　一杯やりたいなあ。

004A：ナンダイ、ギューニュー　カッテキテクレタスカ。
なんだい、牛乳　買ってきてくれましたか。

005B：アッ　ギューニューガ。オーリャ　カッテキタベッチャー。オ　オレモ
あっ　牛乳か。　そりゃ　買ってきたよ。　×　私も

アシタ　マ　ア　マイニチ　ノムンダガラサ。（A　ウン）ホレ　ン
×××　×　×　毎日　飲むんだからさ。（A　うん）ほれ　ん

ゴホンモ　カッテシタガラ　イ　シバラ　モズベ。
五本も　買ってきたから　×　しばらく　もつだろう。

006A：アララ　ホダニ。
あらら　こんなに。

007B：シバラク　モズベ。
しばらく　もつだろう。

008B：ア　ンダガラ　アンマリ　アン（A　ウン）ユーナヨ。シブカッタッテ
あ　それだから　あまり　あの（A　うん）言うなよ。渋かったって

ユッタラ、ウン　ワザワザ　モッテシテケダンダガラナ。
言ったら、うん　わざわざ　持ってきてくれたんだからな。

009A：ジャ　スコシ　オイトッカラネ。（B　ウン）ハイ。
じゃ　少し　置いとくからね。（B　うん）はい。

010B：ハイ。アマコクナッテカラ　クーベ。
はい。甘くなってから　食おう。

008A：ナンーダイ　ヨク　ミテ　カッテキタライーノニ｛笑｝ゴホンモ
なんだい　よく　見て　買ってきたらいいのに｛笑｝五本も

カッテキタノ。
買ってきたの。

009B：ナンーダイ　ホラ　ン　アサ　ギューニュー　ノミテンダ　オレ
なんだい　ほら　ん　朝　牛乳　飲みたいんだ　私

ヒトリデ　イッポン　アサ　ノムガラサ。
一人で　一本　朝　飲むからさ。

010A：アイ（B　ン）ワカリシタ。
はい（B　ん）わかりました。

011B：アイ。
はい。

4-13. 自動車同士が接触する

001A：アラララ　コマッタゴダー。ナーンダイ　キューニ
あらららら　困ったこと。　なんだい　急に

ワリコンデクルナンテ　ナインデナイスカー。
割り込んでくるなんて　ないんじゃないですか。

002B：ウーン。ワリコンデキタンデネーベッチャ。　チャント　バックラミ、
うん？　割り込んできたんじゃないだろうよ。ちゃんと　バック××、

ミラー　ミデ　ウッショガラ　コネーガラ　アーノ　アイッタド、
ミラー　見て　後ろから　来ないから　あの　あれだぞ、

ウインカー　ツケデ（A　エー）デデッタンダベッチャ。
ウインカー　つけて（A　ええ）出ていったんだろうよ。

003A：ウインカーナンカ　ナー　アゲテナガッタヨー。
ウインカーなんか　××　上げていなかったよ。

004B：ナーンダ　ミデナガッタンダベ。　サーッキマデネ　アーノ
なんだ　見ていなかったんだろう。さっきまでね　あの

バックミラーサ　ウズッテネーンダド。ゼンーゼン　ホノー　オオー
バックミラーに　映っていないんだぞ。全然　その　××

オイコシシャセンサ　ネガッダド。アノ　クノ　アンダノクルマ。
追い越し車線に　なかったぞ。あの　××　あなたの車。

005A：ナーンデ　ソレニシタッテ
なんで　それにしたって

006B：イーマ　イマ　チョコット　デテキタンダベ。
今　今　ちょこっと　出てきたんだろう。

007A：キューニ　シャセンヘンコー　スンダモノ、　ダーレ
急に　車線変更　するんだもの、なに

ヨゲランナイスヨワ。ブツカンノ（B　オレノ　オレノ）
よけられないですよ。ぶつかるの（B　私の　私の）

アタリマエダッチャ。
当たり前だよ。

008B：オーレーサ　キューニーッテヨリモ　アンダノホーガ　キューニ
私が　急にってよりも　あなたの方が　急に

デデキタンデネーノガー。
出てきたんじゃないのか。

009A：イーヤイヤ。トニカグ　ケーサツニ（B　ウーンウーン）デンワシタホー
いやいや。　とにかく　警察に　（B　うんうん）　電話した方

イーネ。
いいね。

010B：イヤ　マズ　ソノマエニサ　アイッタ、アーノ　ウンテンノスカダダナー。
いや　まず　その前にさ　あれだ、　あの　運転の仕方だな。

011A：イヤイヤ。アユ
いやいや。××

012B：ウン。マエオ　チャンド　ミデー、マエノクルマガ　ドイナグ
うん。前を　ちゃんと　見て、　前の車が　どういう風に

ウゴクガミデ　ホシテ　オイコシスンダラ　スル、（A　アー）スッドキワ
動くか見て　そして　追い越しするなら　する、（A　ああ）するときは

チャントマエー　クルマ　ネードゴ　カクニンシテ　デテコナイト。
ちゃんと　前　車　ないこと　確認して　出てこないと。

013A：トニカク　アノー　シューリシナキャネンダガラ　ホケン
とにかく　あの　修理しなきゃいけないんだから　保険

カゲナゲァネーシ、　ケーサツニ　デンワスッカラネ。
かけなきゃいけないし、警察に　電話するからね。

4-14. 伝言を伝える

001B：イヤーイヤ　オソクナッタナヤ　タダイマー。
いやいや　遅くなったなあ　ただいま。

002A：ハイ　オカエンナサイ。オトーサン（B　ン）　アノネ　Cサンカラネ
はい　おかえりなさい。お父さん　（B　うん）あのね　Cさんからね

チョーナイカイノ　ナンカ　ニッテーガ　ヘンコーシタナンテユデンワ
町内会の　なんか　日程が　変更したなんていう電話

キタヨ。ドヨービニー　ヨテーシテダンダッテ。
来たよ。土曜日に　予定していたんだって？

003B：ウン　ウン　ンダヨ。
うん　うん　そうだよ。

004A：ナンダカ　ニチヨービノネ　オナジジカンニー
なんだか　日曜日のね　同じ時間に

カエデモライダイッテユデンワ　キタンダゲンドモ　イーンダッチャ。
変えてもらいたいっていう電話　来たんだけれども　いいんだよね。

005B：ナーヌ　ニズヨービ。
なに　日曜日？

006A：ウーン。
うん。

007B：チョット　マッテ　マズ。イマ　チョット　テチョー　ミッカラヤ。ソーー
ちょっと　待って　まあ。今　ちょっと　手帳　見るからよ。うーん

ダーメダベッチャ　コレヤ。ニズヨービ　オナズズカンニ　ベズナ
だめだろうよ　これは。日曜日　同じ時間に　別な

ヨー　ヨージ　アッド。（A　アー　カス）カイギ　アンダ、　ベズナノ。
××　用事　あるぞ。（A　あー　××）会議　あるんだ、別なの。

008A：アー　カサナッタスカ。ンデ　ソレー（B　ンー）Cサンニ　アト
ああ　重なりましたか。それで[は]　それ　（B　んー）Cさんに　あと

デンワシテヤッテケサイネ。
電話してやってくださいね。

009B：ン｛息を吸う音｝デモ　ナーンダ　ナンデ　カワッタンベナー。　ンー
ん｛息を吸う音｝でも　なんだ　なんで　変わったんだろうな。んー

（A　ナンダイネー）タダ　タノマッテダーゴドワ　アッタンダド、
（A　なんだろうね）ただ　頼まれていたことは　あったんだぞ、

ヤッテケロッテユゴド。
やってくれっていうこと。

010A：アー　ソー。
ああ　そう。

011B：ンデモ　ホイズー　イグナンダワナ。〔1〕
それでも　そいつ　よくなるんだよな。

012A：ンー　マズ（B　ン）ンデモ　（B　アイ）カクニンシテミテケサイ。
んー　まあ（B　ん）それでも（B　はい）確認してみてください。

013B：アイ。ンデ　エイ　ワカッタ。デンワシテミッカラ。
はい。それで[は]　はい　わかった。電話してみるから。

014A：ハーイ。
　　　はい。

015B：ハイ。
　　　はい

〔1〕011B：ンデモ　ホイズー　イグナンダワナ。
「やらなくてもよくなる」と言いたかったものと推察される。

4-15. 働いている人の傍を通る

001B：ナンダ　Aサンデネガー。　オー　ハヤイゴダヤー。
　　　なんだ　Aさんじゃないか。おお　早いことな。

002A：アヤ（B　ンー）オハヨー。
　　　あら（B　うん）おはよう。

003B：ンー　ガンバッテルナヤ。ナンスッタノ。
　　　うん　頑張っているなあ。なにしているの。

004A：アッツグナルマエニ　チョットネー　ウメッコノシソ　トッサ　キタノッサ。
　　　暑くなる前に　ちょっとね　梅のシソ　採りに　来たのよ。

005B：アー　ンダナ　アッツグナンネーウズー　トッタホー　イーナ。
　　　ああ　そうだな　暑くならないうち　採った方　いいな。

006A：ンダネー。（B　ンーー）ソロソロ　ウメボシ　ホサナキャナエカラ
　　　そうだね。（B　うん）　そろそろ　梅干し　干さなきゃいけないから

　　　シソ　モマナキャネオン。　（B　ウン　ンー）イーシソダヨ　コレ。
　　　シソ　揉まなきゃいけないもの。（B　うん　うん）いいシソだよ　これ。

007B：ンダナ。　コノゴロ　アメ　フッタガラナ。アーー（A　ウーン　ナンダガ）
　　　そうだな。この頃　雨　降るからな。ああ　（A　うん　なんだか）

　　　ズイブン　ヨグデキタナ。
　　　ずいぶん　よくできたな。

008A：ンーー（B　ウン）サイショネー（B　ウン）チョット　オガリ
　　　うん　（B　うん）最初ね　（B　うん）ちょっと　成長

ワルガッタンダゲド　コノゴロ　ヨクナッテ。
悪かったんだけど　この頃　よくなって。

009B：アー　ホカ。　（A　ウーン）ホーンデ　アイッタッチャ、デギダラ　オレ
ああ　そうか。（A　うん）　それで　あれだよ、　できたら　私

モライサ　クッカナ。
もらいに　来るかな。

010A：ンダネ。　（B　ウーン）ウマク　デギット　イーゲットモネ。
そうだね。（B　うん）　うまく　できると　いいけれどもね。

011B：ウン。ンデ　アイッタ、ドノグレー　カガンノ。トーカグレガナー。
うん。それで　あれだ、　どのぐらい　かかるの。十日くらいかな。

012A：イヤイヤ　タベラエンノニ　イジネンダヨー。ライネンダヨ。
いやいや　食べられるのに　一年だよ。　来年だよ。

013B：ア　ソカソカ　ア　ホーカ。ンデ　キョネンナノ　アンダラ
あ　そうかそうか　あ　そうか。それで[は]　去年の物　あるなら

モラッテクゾ。
もらっていくぞ。

014A：ア　ンダネ　{笑}ミデミッカラ。
あ　そうだね{笑}見てみるから。

015B：ウン。ンデ　アノ　ウマーグ　ツケトカセ。
うん。それで[は]　あの　うまく　漬けときなさい。

016A：マイネンノゴッタガラネ。（B　ウン）ソントキソントキデ
毎年のことだからね。　（B　うん）そのときそのときで

イロイロダカラ（B　ウン　アイ）ヨク　ツカルヨーニ　ガンバッテ。
いろいろだから（B　うん　はい）よく　漬かるように　頑張って。

017B：アイ。ンデ　アド　コス　イダクナンネーウズ　ハヤグ
はい。それで[は]　あと　腰　痛くならないうち　早く

アガッテガセワ。　（A　ハーイ）アイ　ゴクローサンネ。
あがって帰りなさいよ。（A　はい）　はい　ご苦労様ね。

018A：ハイ　ドーモ。
はい　どうも。

019B：ハイ。
はい。

4-16. 市役所の窓口へ行く

001A：ジューミンヒョーノーシンセーショ　コンデ　イーンダイガネー。コ　アノ
住民票の申請書　　　　　　　　　　　これで　いいんだろうかね。×　あの

マジガイネースカ。チョットー　カグニンシテモライデンダゲンド。
間違いないですか。ちょっと　　確認してもらいたいんだけれど。

002B：ドレ　オバチャン　ミセデケセ。　　ウーン。
どれ　おばちゃん　見せてください。うん。

003A：ナーンダカネ、ムズカシーンダネ。
なんだかね、　難しいんだね。

004B：ウン。ナンダ　シーット　マッテヨー。ジューショト　ナマエダベー。
うん。なんだ　うーんと　待ってよ。　住所と　　　　名前だろう。

（A　ウン）ウン　アー　ダメダッチャ　コレ。ダレノ　ホスイノ
（A　うん）うん　ああ　だめだよ　　　これ。誰の　　欲しいの

ジューミンショ。
住民票。

005A：イヤ　オラエノムスコッサ。
いや　うちの息子のさ。

006B：アー　ホーカ。（A　ウン）ンデ　　　　ムスコンドゴサネ（A　ウン）
ああ　そうか。（A　うん）それで[は]　息子のところにね（A　うん）

コー〔1〕シルスシテ、シルスシテケサイ。
こう　　印して、　　印してください。

007A：アー　ハイハイ（B　シーンーンー）ンダネ。　ハイ。
ああ　はいはい（B　うんうんうん）そうだね。はい。

008B：ンデ　　ムスコサンノネ。（A　アイ）ナーヌ　シューショクデモ
それで　息子さんのね。　（A　はい）なに　　就職でも

スンノスカー。
するんですか。

009A：ナーンダガネー。（B　ウン）イロイロ　カワッカラ。
なんだかね。　　（B　うん）いろいろ　変わるから。

010B：ハイ。（A　ハイ）ホーンデ　イマ　コ　アー　ンデ　　　アソコ
はい。（A　はい）それで　　今　　×　ああ　それで[は]　あそこ

スワッテ　マッテサイン。　（A　ハイ）ンデモ　　キョー
座って　　待っていなさい。（A　はい）それでも　今日

コンデッガラナー。スワットコ　アッカナ。
混んでいるからな。座るところ　あるかな。

011A：シャーネーネ。
仕方ないね。

012B：アレ　アソコ　アイッタガラ（A　アイハイ）アソコサ　イッテ　ハヤグ
あれ　あそこ　空いたから　（A　はいはい）あそこに　行って　早く

スワッテ（A　ハーイ）マッテサインネ。　ンデ　　チョー
座って　（A　はい）　待っていなさいね。それで　今日

013A：ジャー（B　ウン）オネガイシマスー。
じゃあ（B　うん）お願いします。

014B：チョット　ズカン　カガッカ　アー　カガッカ　ワカンネッド
ちょっと　時間　かかるか　ああ　かかるか　わからないけれど

マッテデケサイン。（A　ハイ）ハイ。
待っていてください。（A　はい）はい。

〔1〕コー
住民票の印をする箇所を指で示す動作をしている。

4-17. 市役所の窓口から帰る

001A：イヤイヤ　サッキワ　ドーモネー。タスカリマシター。
いやいや　さっきは　どうもね。　助かりました。

002B：アー　オバチャン、アー　ワル　オソガッタ、オソグナッタモンネ。
ああ　おばちゃん、ああ　××　遅かった、　遅くなったね。

003A：ンー　オワッタヤオワッタヤ。
うん　終わったよ終わったよ。

004B：アー　ンデ　イガッタイガッタ。
ああ　それで[は]　よかったよかった。

005A：ホントニ　イガッター。
本当に　よかった。

006B：ウーン。ホンデ（A　ナンカ　イ）ウン。ハイ　ンデ　チョ　アノ
うん。　それで（A　なんか　×）うん。はい　それで[は]　××　あの

ホロガネヨーニ　イガセヨ。
落とさないように　行きなさいよ。

007A：イソイッタカラ（B　ウン）タスカリマシタ。（B　アーイハイ）
急いでいたから（B　うん）助かりました。（B　はいはい）

ドーモネー。
どうもね。

008B：アーイ。ンデ　キツケテ　カエッセ。
はい。　それで[は]　気[を]つけて　帰りなさい。

009A：ハーイ（B　ハイ）ドーモー。
はい　（B　はい）どうも。

010B：ゴクローサンデシタ。
ご苦労様でした。

4-18．入院中の知り合いを見舞う

001A：イヤイヤ　Bサン、ターイヘンナコトンナッタネー。
いやいや　Bさん、大変なことになったね。

002B：ンアー　イヤイヤ　ハ　ワリガッタヤー　ア　ンー　ミンナサ　メーワグ
ああ　いやいや　×　悪かったなあ　あ　うーん　みんなに　迷惑

カケデインダナー。
かけているんだな。

003A：ナーンダッテ（B　ウン）イママデ　ホンナゴドモ
なんだって　（B　うん）今まで　そんなことも

ネガッタンダゲンッドモ　トシナンダワネー。ムリシネホー　イーヨー。
なかったんだけれども　年なんだわね。　無理しない方　いいよ。

004B：ウーン　デモサー　アーノ　サッパリ　エダオロス　スネガッタガラサー
うん　でもさ　あの　さっぱり　枝下ろし　しなかったからさ

マダ　ナナジューダドオモッテネ（A　ウーン）アノ　ガンバッテ
まだ　七十だと思ってね　（A　うん）あの　頑張って

ヤッタッケヤ　ヒックリクッテスマッタ。
やったらさ　ひっくり返ってしまった。

005A：シーダネー。（B　ウーン）マー　ンデモ　ダイブ　ゲンキ　イーガラ
そうだね。（B　うん）まあ　それでも　だいぶ　元気　いいから

イガッタッチャ。
よかったよ。

006B：ウン。マ　ンダナ　アノー　ダンダン　イグナシタカラサ
うん。まあ　そうだな　あの　だんだん　よくなってきたからさ

（A　ウーン）スンペー　カケタゲントモ。
（A　うん）　心配　かけたけれども。

007A：スコシ　オジョモシテ　ユックリ　ヤスマイ。
少し　大人しくして　ゆっくり　休みなさい。

008B：ンダネ。　ンマ　モスコシ　ニューインシテ　アド　ウッツァ　ケーッテ
そうだね。まあ　もう少し　入院して　あと　うちに　帰って

オドナスクスッペー　スバラク。（A　ンダネ）　アイ　ドーモ　アリガ
大人しくしよう　しばらく。（A　そうだね）はい　どうも　×××

009A：ジャー　オダイジニー。
じゃあ　お大事に。

010B：アイ　ドーモ　アリガドナー。キツケテ　イゲヨー。
はい　どうも　ありがとうな。気[を]つけて　行けよ。

011A：ハーイ。
はい。

4-19．スーパーで声をかける

001A：アヤー　Bサン　メズラシーゴダ　カイモノスカ。
あら　Bさん　珍しいこと　買い物ですか。

002B：ソーダー。オラエモヤ　カーチャン　スンデガラヤ　カイモノサ
そうだ。　うちもさ　母ちゃん　死んでからさ　買い物に

イグーヨンナッタワヤ。
行くようになったよ。

003A：アー　ソーダネー。
ああ　そうだね。

004B：ワゲードジワナー　エ　カッコワルクテ｛笑｝カイモノナンガ
若いときはな　×　かっこ悪くて　｛笑｝買い物なんか

イガンネガッタンダゲントモ　イマ　スカタネーンダワ。
行けなかったんだけれども　今　仕方ないんだわ。

005A：エヤー　オーイオーイ　イマ　ソーユーヒト。
いや　多い多い　今　そういう人。

006B：ウン。（A　ウン）ンダオネ。　（A　ウーン）ウーン。
うん。（A　うん）そうだもんね。（A　うん）　うん。

007A：ナニ　ツグンダガ　イ　ア　イーモノ　エラ　エランデ。
なに　作るんだか　×　×　いい物　××　選んで。

008B：ンダ　ソイツガネー（A　ネー）オナゴデネーガラ
そうだ　そいつがね　（A　ね）　女の人でないから

ワガンネーンダッチャ。ンダガラ　イマネ　ナヤンデルンダ。
わからないんだよ。　それだから　今ね　悩んでるんだ。

009A：ンー　ムツカシオンネ（B　ウン）マイニジダガラネ。
うーん　難しいもんね　（B　うん）毎日だからね。

010B：ウーン。ナヌシタラ　イーベヤ。ギャクニ　オシェデケロ。
うん。　なにしたら　いいかな。逆に　教えてくれ。

011A：ア　ホントダネ。
あ　本当だね。

012B：ウン。
うん。

4-20. 荷物運びを頼む〔1〕〔2〕

①受け入れる

001A：アー　エガッタ。
ああ　よかった。

002B：ナーンダ　ソゴサ　イルノ　ダレダ。ア　ナンダ　Aサンデネガー。
なんだ　そこに　いるの　誰だ。　あ　なんだ　Aさんじゃないか。

003A：ンダーデバ。
そうだってば。

004B：ナヌシッタノ。（A　イヤイヤ）ナーンダ　コノカッコ。
なにしていたの。（A　いやいや）なんだ　この格好。

005A：{笑}キューリト　ヤサイネ（B　ン）　ウンット　ナッタガラ
{笑}キュウリと　野菜ね　（B　うん）うんと　なったから

トッサガインテイワッタノッサ。
取りにきなさいっていわれたのさ。

006B：ンー　ヨクタガッテワ。
うん　欲張ってな。

007A：ヨークタガッテ　コンナニ　モラッテキタモンダガラ
欲張って　こんなに　もらってきたもんだから

（B　オー　モ　モラッタナ　ンー）ツッ　ウゴガンネグナッテダノ。
（B　おお　×　もらったな　ん）　××　動けなくなっていたの。

（B　アー）ワールイケント　モッテモラエルー。
（B　ああ）悪いけれど　持ってもらえる？

008B：モッテヤッカ。
持ってやるか。

009A：アエ　ヒトズ。
はい　一つ。

010B：タ　タガグツグゲッドナ。
×　高くつくけれどな。

011A：ンーダーネ。
そうだね。

012B：ヨシ。ンデ　　　オ（A　ウマグ）ズイブン　ズイブン　モラッテシタナ
よし。それで[は]　お（A　うまく）ずいぶん　ずいぶん　もらってきたな

コリャ。オシ
これは。よし

013A：ナスズケ　ツカッタラ、ウマグ　ツカッタラ　ゴッツォ　スッカラ。
ナス漬け　漬かったら、うまく　漬かったら　ごちそう　するから。

014B：アー　ゴッツォンナッカラ。（A　ンジャ）　ンデ　　　イグド。
ああ　ごちそうになるから。（A　それじゃ）それで[は]　行くぞ。

015A：ア　イーナ。（B　アイ）タスカッター、イガッタ。（B　ナーニナニ）
あ　いいな。（B　はい）助かった、　　よかった。（B　なになに）

イヤイヤ（B　ハーイハイ）ラグデナイモンダ。
いやいや（B　はいはい）　楽じゃないもんだ。

016B：ンダーナ。
そうだよな。

017A：ヨクコグモンジャナイネ。
欲張るもんじゃないね。

018B：ゲンチナノ、サイキン。
元気なの、　最近。

019A：アイ　オカゲサンデ。
はい　おかげ様で。

020B：ハイハイ。
はいはい。

021A：ハイ。
はい。

022B：ハイ。
はい。

〔1〕4-20．荷物運びを頼む
会話集1「1-1．荷物運びを頼む―①受け入れる」の再録。

〔2〕4-20．荷物運びを頼む
外で収録した場面であるため、会話の途中に足音や風の音、鳥の声が入っている。また、場面全体にナイロン袋の音が入っている。道端に腰かけているAにBが近づいていくところから演じてもらった。この場面では、Bの近くに配置した録音機の音声を採用したため、冒頭のAの声が小さく収録されている。

4-23. 福引の大当たりに出会う〔1〕

001A：ナーンダガ　アタンダカ　アタンネンダガ　オンセン　アタレバ
なんだか　当たるんだか　当たらないんだか　温泉　当たれば

イーゲントモ。(B　アイ) アーアア　ヤッパリ　ダメダネ。
いいけれども。(B　はい) あーあ　やっぱり　だめだね。

ティッシュペーパー。
ティッシュペーパー。

002B：ナンダ　ナンダッタ。ティッシュ
なんだ　なんだった。ティッシュ

003A：ティッシュペーパ。　イッツモノコッテス。
ティッシュペーパー。いつものことです。

004B：アーーア　エガッタッチャ。ウン。マー　イーサ。(A　ンーデ) ンー。
あーあ　よかったね。　うん。まあ　いいさ。(A　それで) うん。

005A：ン。　ンデ　(B　ン)　ティッシュペーパ〔2〕。
うん。それで[は] (B　うん) ティッシュペーパー。

006B：ハイ。ンデ　コイズー〔3〕モラッテイガセワ。　(A　ハイ)
はい。それで[は]　こいつ　もらっていきなさいよ。(A　はい)

ンデ　ンデ　コンド　オレネ。
それで[は]　それで[は]　今度　私ね。

007A：ハイ。
はい。

008B：ドシ　ヤット。ガラガラガラガラ〔4〕。
よし　やるぞ。ガラガラガラガラ。

009A：アラ。アタンデナイノスカ　モシカシタラ。
あら。当たるんで[は]ないのですか　もしかしたら。

010B：ガララ　チーン　プ。〔5〕オッ　デダ。ナンダ　コレ。
ガララ　チーン　プ。　おっ　出た。なんだ　これ。

011A：アラ。アラー　イーゴダ。
あら。あら　いいこと。

012B：アンチャン　コイズ　オンセンリョコーデネーガヤ。
兄ちゃん　こいつ　温泉旅行じゃないかい。

013A：アラララララー。
あらららららら。

014B：オー　オンセンリョコーダド。
おお　温泉旅行だぞ。

015A：アヤヤヤー。
あややや。

016B：イヤーイヤ　イガッタナヤーー。(A　ウワーー) ドーレ (A　サッキノ)
いやいや　よかったなあ。　(A　うわー)　どれ　(A　さっきの)

オンセン　スバラク　インガネガラナー。ンデ　ダーレ　サソ
温泉　しばらく　行かないからな。　それで[は]　誰　××

017A：ドコ　ドコノオンセンナノ　ソレ。
どこ　どこの温泉なの　それ。

018B：オ　オー　コレ　アギュノネ（A　アーアー）オー　イズバン
お　おお　これ　秋保のね　（A　ああああ）おお　一番

イードゴダ。
いいところだ。

019A：アッ（B　ンー）ア　ヤッパリ　イードゴダ　アソゴー
あっ（B　うん）あ　やっぱり　いいところだ　あそこ

（B　ンー　イートコダ　ンー）ナカナカ　イカンナイ、
（B　うん　いいところだ　うん）なかなか　行けない、

（B　ン　ンダンダ　ンー）イッテミタイドオモッタ。アーー
（B　うん　そうだそうだ　うん）行ってみたいと思った。　ああ

020B：トコロデ　ダレト　インッカナー。カンガエナクテネナヤ。　ンー
ところで　誰と　行くかな。　考えなくちゃいけないなあ。うん

ンデ　アド　マズ　デンワスカラ。
それで[は]　あと[で]　まあ　電話するから。

021A：アー　イヤイヤ。
ああ　いやいや。

022B：ダメガ。
だめか。

023A：ユックリ　イッテゴザイ。
ゆっくり　行ってらっしゃい。

024B：ン　ハイ　ダレカド　ンデ　インカラ。
うん　はい　誰かと　それで　行くから。

025A：イガッタネ。
よかったね。

026B：{息を吸う音} サガサナクテネーナー、　コレガラナー。（A　ン）　マズ
{息を吸う音} 探さなくちゃいけないな、これからな。　（A　うん）まあ

イガッタイガッタ。オシ。ハンブン　ヤルワゲニ　イガネスナヤー。
よかったよかった。よし。半分　やるわけに　いかないしなあ。

ンデ　ティッシュデ　ガマンスロヨー。
それで[は]　ティッシュで　我慢しろよ。

027A：ンー　ダネ。　ドーゾ　ユックリ　イッテゴザイ。
うん　[そう]だね。どうぞ　ゆっくり　行ってらっしゃい。

028B：ハイ。アリガド。
はい。ありがとう。

〔1〕4-23. 福引の大当たりに出会う
会話集 3「3-9. 福引の大当たりに出会う」の再録。

〔2〕ティッシュペーパ
この発話の際に景品のティッシュペーパーを受け取る動作をしている。

〔3〕コイズー
「コイズー」の後に調査員が発話している。

〔4〕ガラガラガラガラ
Bが抽選機を回す動作をしながら、抽選機の回る音をまねて発話している。

〔5〕ガララ　チーン　プ。
Bが抽選機の回る音と玉の出る音をまねて発話している。

4-24. 猫を追い払う〔1〕

001A：アイヤー　マタ　キタ　アノノッツォネゴ。カレーッコ
　　あら　　また　来た　あの野良猫。　　カレイ

　　モッテッタッチャワー。
　　持ってったよ。

002B：ナンダナンダナンダ。(A　ナンーーダベ) ナーンダイ
　　なんだなんだなんだ。(A　なんだろう)　なんだい

　　ウルセートオモッタッゲ　ネ　ネゴニ　モッテガッタノガワ。
　　うるさいと思ったら　　×　猫に　持っていかれたのかよ。

003A：モッテガッタノ。　ネラッテタンダッチャネー　アノネゴネ。
　　持っていかれたの。狙っていたんだよね　　あの猫ね。

004B：ナーン　ンーー　アノグレ　ユッテダベッチャ、　モッテガレッドーッテ。
　　なに　　うーん　あれほど　言っていただろうよ、持ってかれるぞって。

005A：ンーー　エ　ヤット　カッテキタノニ。(B　ンーー)
　　うーん　×　やっと　買ってきたのに。(B　うーん)

　　イーカレーダッダンダヨー。
　　いいカレイだったんだよ。

006B：アイーヤ　オレノダイースジナヤツダッタッチャナヤ。(A　ウーン)
　　あら　　私の大好きなやつだったよなあ。　　　(A　うーん)

　　ウーン。ンデ　　　イー、シャネ。　マダ　アス、ン　Xサ
　　うーん。それで[は]　いい、仕方ない。また　××、ん　Xに

　　ウッテッペ　　　マダ。
　　売っているだろう　また。

007A：マーダ　ソノウチ　カッテキテ(B　ウン) ホスシカネーワネ。
　　また　　そのうち　買ってきて(B　うん) 干すしかないわね。

008B：ウン　ンダナ。　ンデ　　　マタ　カッテキテケライン。
　　うん　そうだな。それで[は]　また　買ってきてください。

009A：アーノノッツォネゴ　キツケナキャナイ。
　　あの野良猫　　　　気[を]つけなきゃいけない。

010B：ウン　アダマ　イーンダド　アノネゴ。
　　うん　頭　　いいんだぞ　あの猫。

〔1〕4-24. 猫を追い払う
　会話集3「3-14. 猫を追い払う」の再録。

4-25. 朝、道端で出会う〔1〕〔2〕

②女性→男性

001A：アラ　オハヨー。(B　ハイハイ）ハヤイコタ。{足音}
あら　おはよう。(B　はいはい）早いこと。　{足音}

002B：オーオー　ナンダ　オタグ　ハヤイナヤ。(A　ンーダヨ）ドゴサ　イグノ。
おおおお　なんだ　お宅　早いなあ。(A　そうだよ）どこに　行くの。

003A：ア　トナリニネー（B　ウン）ヨータシ。ハヤク　デカゲルヒトダカラ。
あ　隣にね　(B　うん）用足し。　早く　出かける人だから。

ヨー　タシテコヨートオモッテ。(B　アー　ホント　ウン）ハイ。
用　足してこようと思って。　(B　ああ　本当　うん）はい。

ナンシタノ　ヒトリデ。
どうしたの　一人で。

004B：オ　オーレオレ　タンボノミズ　ミデクッカラサ（A　ア　アーアー
×　ほらほら　田んぼの水　見てくるからさ（A　あ　あああ

ンダネ　チョット）ンーンー　ウエダ、ウエダバリダガラサ。
そうだね　ちょっと）うんうん　植えた、植えたばかりだからさ。

(A　ウン）ウン。ミデクッカラ。
(A　うん）うん。見てくるから。

005A：コノゴロ　テンキ　ホントデナイカラネ。
この頃　天気　本調子じゃないからね。

006B：ウン　ンダンダ。　ウン。
うん　そうだそうだ。うん。

007A：ハイ　ンデネ。
はい　それで[は]ね。

008B：ンデ　マタ　ソノウツネ。
それで[は]　また　そのうちね。

009A：ハイ　ソノウチー。{足音}
はい　そのうち。　{足音}

010B：ハイ　ドーモー。
はい　どうも。

〔1〕4-25. 朝、道端で出会う
会話集1「1-47. 朝、道端で出会う―②女性→男性」の再録。

〔2〕4-25. 朝、道端で出会う
外で収録した場面であるため、会話の途中に風の音や鳥の声が入っている。AとBがお互いに道の反対方面から歩いてくるところから演じてもらった。この場面ではAの近くに配置した録音機の音声を採用したため、Aに近づきながら発話する001Aと002BのBの声が小さくなっている。またBは進行方向に向かって歩き出すため、010BのBの声も小さくなっている。

4-26. 夕方、道端で出会う〔1〕〔2〕

②女性→男性

001A：アラ　オバンデス。
　　　あら　こんばんは。

002B：アー　オバンナリシタ。
　　　ああ　こんばんは。

003A：ゴハン　タベタノワ。
　　　ご飯　　食べたの。

004B：ン　　マダマダマダ。
　　　うん　まだまだまだ。

005A：アー（B　ウン）ドゴサ　イグノ。
　　　ああ（B　うん）どこに　行くの。

006B：ウン。イマ　ホレ　ヒタシゴト　シテー（A　ウン）マー　ソロソロ
　　　うん。今　　ほら　一仕事　　　して　（A　うん）まあ　そろそろ

　　　アイッタッチャワ、ゴハンダ　ゴハン、ヨル。
　　　あれだよ、　　　　ご飯だ　　ご飯、　夜。

007A：ア（B　アノ）ンダヨネ。
　　　あ（B　あの）そうだよね。

008B：コレ〔3〕ヤンナクテネスネ。
　　　これ　　　やらなくちゃいけないしね。

009A：ンダンダ。　　（B　ウン）ナーンデ　コンナ　クダクナンノニ。
　　　そうだそうだ。（B　うん）なんで　　こんな　暗くなるのに。

010B：ン。ンーダナー。イヤ　モスコス（A　ハヤグ）モスコヒ
　　　ん？そうだな。　いや　もう少し（A　早く）　もう少し

　　　ヤットオモッタゲッド　ヤメダワ。ウン。ンジャ　　ハイ　ンジャネ。
　　　やろうと思ったけれど　やめたわ。うん。それじゃ　はい　それじゃね。

011A：ア　ハヤグ　ウチニ　カエッサイン。ハイ　ドーモー。
　　　あ　早く　　うちに　帰りなさい。　はい　どうも。

012B：ハーイ。{足音}
　　　はい。　{足音}

〔1〕4-26. 夕方、道端で出会う
会話集1「1-50. 夕方、道端で出会う―②女性→男性」の再録。

〔2〕4-26. 夕方、道端で出会う
外で収録した場面であるため、会話の途中に風の音や鳥の声が入っている。AとBがお互いに道の反対方面から歩いてくるところから演じてもらった。この場面ではAの近くに配置した録音機の音声を採用したため、Aに近づきながら発話する002Bと004BのBの声が小さくなっている。またBは進行方向に向かって歩き出すため、012BのBの声も小さくなっている。

〔3〕コレ
指で猪口を作り、酒を飲む動作をしている。

4-27. 働いている人の傍を通る〔1〕〔2〕

001B：オハヨー。
おはよう。

002A：アラ（B　オッ）オハヨ。
あら（B　おっ）おはよう。

003B：ナンダ　Aサンデネガ。
なんだ　Aさんじゃないか。

004A：ハイハイ。（B　アーー　ズイブン）ナニ。
はいはい。（B　ああ　ずいぶん）なに。

005B：アサ　アーサハヤグ　ガンバッコダ。ナンシッタノ。
朝　朝早く　頑張ること。なにしていたの。

006A：ナーンダカ　シソッパネー（B　ウン）ソロソロ　ウメボシ
なんだか　シソの葉ね　（B　うん）そろそろ　梅干し

ツケッカドオモッテッサ　ミー（B　アー　ソ）　ミサキッタノ。
漬けるかと思ってさ　××（B　ああ　そう）見に来ていたの。

007B：ホーーン。
ふうん。

008A：イーネ、イーグナッタネ。
いいね、よくなったね。

009B：フーン　アメ　フッタナ。（A　ウン）ンダガラ　イグナッタ。
うん　雨　降ったな。（A　うん）それだから　よくなった。

010A：アメ　フッタカラ　ヨクナッタ
雨　降ったから　よくなった。

011B：オー　チャント　リッパニ　デキッタッチャ、コヤ。
おお　ちゃんと　立派に　できたよ、　これは。

012A：イヤ　ソーダネ。（B　ンーー）ンー。ソロソロ（B　ホーンデサ）ウメボシ
いや　そうだね。（B　うん）　うん。そろそろ（B　それでさ）　梅干し

ツケッカラ。
漬けるから。

013B：ホンデ　ツケタラ　アノー　ウマグ　ツグッテ（A　ンダネ）
それで[は]　漬けたら　あの　うまく　作って　（A　そうだね）

アド　オレ　モライサ　クッカラ。
あと[で]　私　もらいに　来るから。

014A：エヤ　ワタシノウメボシ　サイコダカラ。（B　アー　ソッシュ）
いや　私の梅干し　最高だから。（B　ああ　××××）

ゴッツォースッカラ。
ごちそうするから。

015B：ンデ　アト　デーワ　ヨコシェロ。ン。
それで[は]　あと[で]　電話　よこせよ。　ん。

016A：ハイ。
はい。

017B：トラックデ　クッカラ。
トラックで　来るから。

018A：アーー。（B　ウン）ア　ハヤク　イッテガイン。　（B　ア）ドコサ
　　　ああ。　（B　うん）あ　早く　　行ってきなさい。（B　あ）どこに

　　　イグンダガ。
　　　行くんだか。

019B：アー　イズモノトリ　アサハヤクワ　キマッテンダ、　　アソビサ
　　　ああ　いつもの通り　朝早くは　　　決まっているんだ、遊びに

　　　イグノ。
　　　行くの。

020A：アー（B　ンー）ハイ。ンジャ　（B　ンデマズネ）　スズシーウチニ
　　　ああ（B　うん）はい。それじゃ（B　それじゃあね）涼しいうちに

　　　アソンデゴザイ。
　　　遊んでいらっしゃい。

021B：ハイ。ンデ　　　　ガンバッセヨー。
　　　はい。それで[は]　頑張りなさいよ。

022A：ハーイ。（B　ハイ）ドーモー。
　　　はい。　（B　はい）どうも。

023B：ドーモー。
　　　どうも。

〔1〕4-27．働いている人の傍を通る
　会話集4「4-15．働いている人の傍を通る」の再録。

〔2〕4-27．働いている人の傍を通る
　外で収録した場面であるため、風の音が入っている。AとBが互いに反対方面から歩いてくるところから演じてもらった。この場面ではAとBの中間に配置した録音機の音声を採用した。

4-28. 友人宅を訪問する〔1〕〔2〕

001A：{玄関の戸を開ける音} オーハヨーゴザイマス。イター。
{玄関の戸を開ける音} おはようございます。 いる？

002B：ア オハヨー。オーオーオーオー
あ おはよう。おおおおおおおお

003A：アー ハイハイ ドーモドーモ。ドーモネ オセワサマデス。
ああ はいはい どうもどうも。どうもね お世話様です。

004B：チョッチョッ チョットマッテ。イマ テレビ イートゴロダ。(A アー
ちょっちょっ ちょっと待って。今 テレビ いいところだ。(A ああ

ソー) マ イーヤ。オッケオッケー ハイ ゴクローサン。
そう) まあ いいや。オーケーオーケー はい ご苦労様。

005A：コーナイダ (B ウン) ゴーメンネー。アリガトゴザイマシタ。
この間 (B うん) ごめんね。 ありがとうございました。

(B アー イヤイヤイヤイヤー) ヤーサイ ホントニ タスカッタ。〔3〕
(B ああ いやいやいやいや) 野菜 本当に 助かった。

006B：イガッター ウン。
よかった うん。

007A：イギ イーウチ ツケタガラ。(B ア ソ) アエ。
活き いいうち 漬けたから。(B あ そう) はい。

008B：チャント ウチモ
ちゃんと うちも

009A：アト コンド チャント モッテクッガラ。
あと 今度 ちゃんと 持ってくるから。

010B：チャント ツゲラレダ。
ちゃんと 漬けられた？

011A：ツカッタネ (B アーー) オカゲサンデ。(B ンデ) イロヨク
漬かったね (B ああ) おかげ様で。 (B それで) 色よく

デギダガラ。
できたから。

012B：ウン。ジャ アレガラ イッシューカングレニナッカラネ (A ネ)
うん。じゃ あれから 一週間ぐらいになるからね (A ね)

ンデ ウマグ ツゲタンデネノ。
それで[は] うまく 漬けたんじゃないの。

013A：ンダネ エー (B オー ンデ) ソノウチ モッツクルカラネ。
そうだね ええ (B おお それで[は]) そのうち 持ってくるからね。

(B ア) イーマネ タマタマ ヨー アッテネ (B ウン) コッチ
(B あ) 今ね たまたま 用 あってね (B うん) こっち

トーッタガラ。
通ったから。

014B：ア ホント。(A エー) ワザワザ シテケダノ。
あ 本当。 (A ええ) わざわざ 来てくれたの。

015A：アイサツダケ キタノ。ハーイ。
挨拶だけ 来たの。はい。

016B：アリガドアリガド。　　ハイ。
　　ありがとうありがとう。はい。

017A：ンジャ　　マタネ。（B　ハイ）ドード。
　　それじゃ　またね。（B　はい）どうも。

018B：ハイ。ドーモドモ。
　　はい。どうもどうも。

019A：アリガトーゴザイマシター。オセワサマー。
　　ありがとうございました。　お世話様。

020B：ハイ　ワザワザ　アリガドネ。　｛玄関の戸を閉める音｝
　　はい　わざわざ　ありがとうね。｛玄関の戸を閉める音｝

〔1〕4-28．友人宅を訪問する
会話集1「1-60．友人宅を訪問する」の再録。

〔2〕4-28．友人宅を訪問する
話者宅の玄関で実際に動きながら収録した場面であるため、会話の途中に足音や時計の音が入っている。Aは外で玄関の戸を開けるところから、Bは家の中にいるところから演じてもらった。この場面では玄関に配置した録音機の音声を採用したため、玄関まで歩きながら発話する002Bと004BのBの声が小さくなっている。

〔3〕005A：コーナイダ（B　ウン）ゴーメンネー。アリガトゴザイマシタ。（B　アー　イヤイヤイヤイヤー）ヤーサイ　ホントニ　タスカッタ。
この前に収録した「荷物運びを頼む」場面のことを「コーナイダ」と言っている。話者が野菜を運んでもらったお礼に友人宅を訪問したという設定をし、演じている。

4-29．友人宅を辞去する〔1〕〔2〕

001A：アララ　ズイブン　ジカン　タッタワネ。（B　オッ）タイシタヨーモ
　　あらら　ずいぶん　時間　　経ったわね。（B　おっ）たいした用も

　　ナイノニ　ナガイステシマッタ。
　　ないのに　長居してしまった。

002B：アー　モー　コンナジカンガワ。ンーダネ。
　　ああ　もう　こんな時間かよ。　そうだね。

003A：ンダワネ。　（B　ウン）バンカタナッカラ。
　　そうだわね。（B　うん）夕方［に］なるから。

004B：ンジャーネ。
　　それじゃあね。

005A：ドーモネ｛テーブルの上で茶托を寄せる音｝（B　ハイ）ゴッツォーサンネ。
　　どうもね｛テーブルの上で茶托を寄せる音｝（B　はい）ごちそうさまね。

006B：ハイ。アイッタ（A　ハーイ）ハヤク　カエッテ　バンゲノヨーイ
　　はい。あれだ　（A　はい）　早く　　帰って　　夕飯の用意

　　シッセワ。
　　しなさいよ。

007A：ハーイハイ。ドーモドーモ。
　　はいはい。　どうもどうも。

008B：ンージャーネ。ウン。（A　マタ）トーチャン
　　それじゃあね。うん。（A　また）父ちゃん

カエッテクルッコロダッチャワ。
帰ってくる頃だろうよ。

009A：ンダヨワ、モー。（B　ウン）ハヤグ　カエンネド。（B　ハイ）
そうだよ、もう。（B　うん）早く　帰らないと。（B　はい）

ゴハンノヨーイ　オソグナッカラ。
ご飯の用意　遅くなるから。

010B：ンデ　アド　バンシャグ、バンシャグノヨーイ　シテ
それで[は]　あと　晩酌、晩酌の用意　して

マッテサインワ。
待っていなさいよ。

011A：ハイ　ドーモー。{玄関の戸を開ける音}
はい　どうも。{玄関の戸を開ける音}

012B：ハイ。
はい。

013A：マタネー。
またね。

014B：ハイ　ドーモ　アリガドネー。
はい　どうも　ありがとうね。

015A：ゴチソーサマー。
ごちそうさま。

016B：ハーイ。{玄関の戸を閉める音}
はい。{玄関の戸を閉める音}

〔1〕4-29. 友人宅を辞去する
会話集１「1-61. 友人宅を辞去する」の再録。

〔2〕4-29. 友人宅を辞去する
話者宅の玄関で実際に動きながら収録した場面であるため、会話の途中に足音や時計の音が入っている。この場面ではＡとＢの間に配置した録音機の音声を採用している。ＡとＢが家の中でテーブルについているところから、Ａが玄関を出て戸を閉めるまでを演じてもらった。

4-30. 主人がいるか尋ねる〔1〕〔2〕

001B：オハヨー。{玄関の戸を開ける音}
おはよう。{玄関の戸を開ける音}

002A：ハーイ。(B　ン) アラ　マー (B　オ) ナニ　マズ。
はい。　(B　ん) あら　まあ (B　×) なに　まあ。

003B：オヤズ　イダガヤ、オヤズ。
おやじ　いるかな、おやじ。

004A：エ　イナ　アヤ　チョット　マッテー (B　ウン) イタ、サッキマデ
え　××　あら　ちょっと　待って　(B　うん) いた、さっきまで

イタンダゲンド。アー　ナンダカ　デテッタヨーダネ。イナイヨワ。
いたんだけれど。ああ　なんだか　出てったようだね。いないよ。

005B：イネ。　(A　ウン) アー　ンデー　アイッタ、
いない？ (A　うん) ああ　それでは　あれだ、

チョーナイカイノコトデサ　チョット (A　アーアーアー)
町内会のことでさ　ちょっと (A　ああああああ)

ソーダンシタカッタゲット　ンデ　(A　エー) アド　マダ
相談したかったけれど　それで[は] (A　ええ) あと[で]　また

クッカラワ。
来るからさ。

006A：ンダネー。(B　ンー) マー　カワリー　デキネガラー　オトサン
そうだね。(B　うん) まあ　代わり　できないから　お父さん

イットキニ　キテケサイン。
いるときに　来てください。

007B：ンダナ。　(A　ウン) ヤグイン　タノミテガラッサ。
そうだな。(A　うん) 役員　頼みたいからさ。

008A：アーー (B　ウン) ナンダガネ。
ああ　(B　うん) なんだかね。

009B：ダカラ　アトデ　クッカラ。(A　アー　ソー) オヤズ　イタドキネ。
だから　あとで　来るから。(A　ああ　そう) おやじ　いるときね。

(A　ハーイハイ) ハイ (A　ハイ) ンジャネ。　ハーイ　ドーモ
(A　はいはい)　はい (A　はい) それじゃね。はい　どうも

アリガドゴザイマシタ。
ありがとうございました。

010A：ワリゲンド　モーイッカイ　ンデ。
悪いけれど　もう一回　それで[は]。

011B：ハイ。ドーモ　ンデ　チタッテエットイテケサイ。
はい。どうも　それで[は]　来たっていっておいてください。

(A　ハイハイ) ヨロシグ。
(A　はいはい) よろしく。

012A：ユットッカラ　ハイ。
言っとくから　はい。

013B：ハイ　ドーモ。{玄関の戸を閉める音}
はい　どうも。{玄関の戸を閉める音}

014A：ハーイ　ドーモネー（B　ハーイ）ゴメンネー。
　　　はい　　どうもね　（B　はい）　ごめんね。

4-31．夫（妻）が出かける〔1〕〔2〕

①夫が出かける、妻は行先を知らない

001A：アヤ　ドゴサ　イグノ。
　　　あら　どこに　行くの。

002B：アッ　アー　イダッタガ。
　　　あっ　ああ　いたか。

003A：ナンデ（B　ナニー）ヨーオ　タノムトオモッタノニ。
　　　なんで（B　なに）　用を　　頼もうと思ったのに。

004B：イヤ　イダラバヤ　　コヤ　　ユッテグンダッタケッドモサ　｛息を吸う音｝
　　　いや　いるならばさ　これは　言っていくんだったけれどもさ｛息を吸う音｝

005A：アヤ　ナーンダイ。
　　　あら　なんだい。

006B：ア　イ　イズモノデンワ　チテサー。
　　　あ　×　いつもの電話　　来てさ。

007A：アー（B　コレコレ〔3〕）ナンーダ、ウラノモノ（B　シーン）
　　　ああ（B　これこれ）　　なんだ、　裏の物　　（B　んーん）

　　　カタズケテモラウトオモッタノニ　ナンーダイ。
　　　片付けてもらおうと思ったのに　　なんだい。

008B：ア　アシタ、（A　アーア）アシタ　スッカラワ。（A　ンデ　　　ス）ン
　　　あ　明日、　（A　あーあ）明日　　するからさ。（A　それで[は]　×）ん

　　　ダメダ　チョット（A　カナラズ　アシタ　シ）ア（A　シテモラッテ）
　　　だめだ　ちょっと（A　必ず　　　明日　　×）×（A　してもらって）

〔1〕4-30．主人がいるか尋ねる
　会話集3「3-5．主人がいるか尋ねる」の再録。

〔2〕4-30．主人がいるか尋ねる
　話者宅の玄関で実際に動きながら収録した場面であるため、会話の途中に足音や時計の音が入っている。Aは家の中におり、Bが玄関を開けて入るところから、玄関を出て戸を閉めるまでを演じてもらった。

アッツグナッテシタカラ（A　アッ）ウンウン　アトデ　ヤッカラ。
暑くなってきたから　（A　あっ）うんうん　あとで　やるから。

｛玄関の戸を開ける音｝
｛玄関の戸を開ける音｝

009A：ハー（B　ハイ）マタ　キョーモ　ダメダワ。
はあ（B　はい）また　今日も　だめだわ。

010B：イッパイヤッテクンナ　ハイ、ンデ　イッテクッカンネ。
一杯やってくるな　はい、それで[は]　行ってくるからね。

011A：ンデ　アシタ　カナラズネ。
それで[は]　明日　必ずね。

012B：ハイヨ。
はいよ。

013A：ハイ　ワカリマシタ。
はい　わかりました。

014B：ンデ　イッテクッカンネー。
それで[は]　行ってくるからね。

015A：ハイ　イッテラッシャイ。｛玄関の戸を閉める音｝
はい　行ってらっしゃい。｛玄関の戸を閉める音｝

②夫が出かける、妻は行先を知っている

001A：ア　アラ　モア（B　ドレ）モー（B　オ）イクノワ。
あ　あら　まあ（B　どれ）もう（B　お）行くの。

002B：オ　ア　ア　イグッチャワ。
お　あ　あ　行くよ。

003A：マダ　ハヤインデナイノ　ジカン。
まだ　早いんじゃないの　時間。

004B：アー　ンデモサ　（A　ン）アノ　オグレーネヨーニ　イガネドサ
ああ　それでもさ（A　ん）あの　遅れないように　行かないとさ

（A　アー　ソー　ア）ミンナヌ　アノ　ゴシャガレッカラ。
（A　ああ　そう　あ）みんなに　あの　叱られるから。

｛玄関の戸を開ける音｝
｛玄関の戸を開ける音｝

005A：ア　ンダネ。
あ　そうだね。

006B：ウンウン。
うんうん。

007A：ナンダイ　ズイブン　イソガシンダ。
なんだい　ずいぶん　忙しいんだ。

008B：シーダンダ。ンダガラ　ハヤク　イッテ　マッテッカラワサ。
そうそう。　それだから　早く　行って　待っているからさ。

009A：ハイ（B　ン）ンデ　キツケテ　イッテガイン。（B　ハイ）
はい（B　ん）それで[は]　気[を]つけて　行ってきなさい。（B　はい）

ハイ。
はい。

010B：ンデ　　　ハイ　イッテクッカンネ。
　　　それで[は]　はい　行ってくるからね。

011A：ハイ。イッテラッシャーイ。
　　　はい。行ってらっしゃい。

012B：ホーイ。ハイ。チャント　バンゴハン　ヨーイ　シテデヨ。
　　　はい。　はい。ちゃんと　晩ご飯　　用意　　していてよ。

013A：アーイハイ。（B　ハイ）イヤ　ハヤク　カエッテゴザイ。
　　　はいはい。　（B　はい）いや　早く　　帰っていらっしゃい。

014B：ハイ　アノ　バンシャクモ　ヨロスグネ。
　　　はい　あの　晩酌も　　　よろしくね。

015A：ハイ。{笑}{玄関の戸を閉める音}
　　　はい。{笑}{玄関の戸を閉める音}

③妻が出かける、夫は行先を知らない

001A：イッテクルヨー。{玄関の戸を開ける音}
　　　行ってくるよ。　{玄関の戸を開ける音}

002B：アッ　アー　アンダ。（A　アヤ）ドコサ　イグノ。
　　　あっ　ああ　なんだ。（A　あら）どこに　行くの。

003A：アレ　アヤ　サッキ　Xチャンガラ　デンワ　キデネ（B　ウン）ヤサイ
　　　あれ　あら　さっき　Xちゃんから　電話　　来てね（B　うん）野菜

　　　ヤッカラッテユーカラ　モラッテクルッチャ。イッテクッカラ、ウン。
　　　やるからっていうから　もらってくるよ。　　行ってくるから、うん。

004B：オ　ホーカ　オー。ンデ　　　イッテゴゼ。
　　　お　そうか　おお。それで[は]　行ってらっしゃい。

005A：イマデナイト　ジカン　ナイカラ。
　　　今じゃないと　時間　　ないから。

006B：ウン　アーノ　クレグナッタガラ　チーツケデ。
　　　うん　あの　　暗くなったから　　気をつけて。

007A：ハイハイ。
　　　はいはい。

008B：アイ。
　　　はい。

009A：オンジャ　チョット　イッテクルネ。
　　　それじゃ　ちょっと　行ってくるね。

010B：ハイハイ。
　　　はいはい。

011A：ハイ。{玄関の戸を閉める音}
　　　はい。{玄関の戸を閉める音}

④妻が出かける、夫は行先を知っている

001A：ジャ　イッテキマース。{玄関の戸を開ける音}
　　　じゃ　行ってきます。　{玄関の戸を開ける音}

002B：アヤ　ナヌ　ハエゴダヤ。イグノガワ。
　　　あら　なに　早いことね。行くのかよ。

003A：イグッチャワ。ミンナネー　ヤ（B　ウン）イッツモ　ハヤグ
　　　行くよ。　　　みんなね　×（B　うん）いつも　早く

　　　アツマッテッカラ　ワタシモ　タマニ　　ハヤグ　イッデ
　　　集まっているから　私も　　たまに[は]　早く　　行って

　　　ジュンビスッカラ。
　　　準備するから。

004B：ア　ホーガ。ンダナ。（A　ン）　ヤークインダカラナ　ハヤグ　イッテ
　　　あ　そうか。そうだな。（A　うん）役員だからな　　　早く　　行って

　　　（A　ンダネ　）ジュンビスッセ、ンー。
　　　（A　そうだね）準備しなさい、　うん。

005A：アエ。ンデ　　（B　ンデ）　　　ルスバン（B　ン）　オネガイシマス。
　　　はい。それで[は]（B　それで[は]）留守番　（B　うん）お願いします。

006B：ホシテ　アイ　オソクナンナイヨヌ。
　　　そして　はい　遅くならないように。

007A：ハイ。ワ
　　　はい。×

008B：チーツケテ　イッテコサイ。
　　　気をつけて　行ってきなさい。

009A：ハーイ　イッテキマース。
　　　はい　　行ってきます。

010B：ハイ。{玄関の戸を閉める音}
　　　はい。{玄関の戸を閉める音}

〔1〕4-31. 夫（妻）が出かける
会話集1「1-66. 夫（妻）が出かける」の再録。

〔2〕4-31. 夫（妻）が出かける
夫婦のいずれかが出かける場面であるため、玄関の戸を開閉する音が入っている。①と②では、AとBが玄関にいるところから会話が始まっているが、③と④では、Bが居間、Aが玄関にいるところから始まっている。そのため、③と④の冒頭部分では、居間から歩いて来るBの声がやや小さくなっている。④では、Aが 009Aで、戸外に出ながら発話しているため、Aの声が徐々に小さくなっている。また、①の後半と②の前半に飛行機の音が大きく入っている。

〔3〕コレコレ
Bは「コレコレ」と言いながら猪口で酒を飲む仕草をしている。

4-32. 夫（妻）が帰宅する〔1〕〔2〕

①夫が帰宅する

001B：タダイマー。{玄関の戸を開ける音}
ただいま。{玄関の戸を開ける音}

002A：ハーイ　オカエンナサイ。
はい　おかえりなさい。

003B：アー　カガッタカガッタ {玄関の戸を閉める音} オソクナッタオネ。
ああ　かかったかかった {玄関の戸を閉める音} 遅くなったもんね。

004A：ズイブン　カガッタネ。
ずいぶん　かかったね。

005B：イヤーイヤ　ヤクイン　チマンナクテヤーー。
いやいや　役員　決まんなくてさ。

006A：ンダヨネーー。（B　ウーン）ナカナカネ　ヤルヒト（B　ウン）
そうだよね。（B　うん）なかなかね　やる人（B　うん）

イナインダネ。
いないんだね。

007B：マダ　オッツケラッダドワ、カイケ。
また　押し付けられたぞ、会計。

008A：イヤー（B　アーー）イヤイヤイヤー。
いや（B　ああ）いやいやいや。

009B：ンデ　イ　アノ　オレ　カーチャンニ　ハンブン　ヤッテモラウガラッテ
それで　×　あの　私　母ちゃんに　半分　やってもらうからって

ウケテシマッタドワ。
受けてしまったぞ。

010A：ヤイヤ　ヤンダゴダ。（B　アー）マタ　イソガシーワネ。
いやいや　嫌なこと。（B　ああ）また　忙しいわね。

011B：ンダネ（A　ウン）ンデモ　シャネワ。
そうだね（A　うん）それでも　仕方ないよ。

012A：シャーネーネ、チョーナイカイダガラ。
仕方ないね、町内会だから。

013B：ミンナノタメダガラ　ン。ンデ　ソンナコトデ　サエ　ア
みんなのためだから　うん。それで[は]　そんなことで　さあ　あ

ンデ　ゴハンニスッケセ。
それで[は]　ご飯にしてくれな。

014A：ハイハイ（B　ハイハイ）ゴクロサマデシタ。
はいはい（B　はいはい）ご苦労様でした。

015B：ハイ　ンデ　ハイ　マッテッカラ。
はい　それで[は]　はい　待っているから。

②妻が帰宅する

001A：ハエ {玄関の戸を開ける音} タダイマー。オソクナッテ　ゴメンネー。
はあ {玄関の戸を開ける音} ただいま。　遅くなって　ごめんね。

イヤイヤ（B　オー　オーイ）イソガシカッタ。
いやいや（B　おお　おうい）忙しかった。

002B：オッ　ナンダ。
　　　おっ　なんだ。

003A：ヤット　カエッテキタ。
　　　やっと　帰ってきた。

004B：ド　ドコサ　イッテシタノ。
　　　×　どこに　行ってきたの。

005A：イヤイヤ　トモダジニ　（B　ウン）ハナシテ　ナガクナッテサ。
　　　いやいや　友達に[＝と]（B　うん）話して　長くなってさ。

　　　ゴハンノヨーイ　スグ　スッカラネ。
　　　ご飯の用意　すぐ　するからね。

006B：ハーーンダ。
　　　なんだ。

007A：ゴメンゴメン。
　　　ごめんごめん。

008B：ハイ。（A　ハイ　ゴメンネ）ンデ　ハイ　ハヤグ　ステケロ。
　　　はい。（A　はい　ごめんね）それで[は]　はい　早く　してくれ。

　　　マッテッカラ。
　　　待っているから。

〔1〕4-32. 夫（妻）が帰宅する
　会話集1「1-67. 夫（妻）が帰宅する」の再録。

〔2〕4-32. 夫（妻）が帰宅する
　夫または妻が帰宅した際の場面であるため、帰宅した方の人物は玄関から居間へと移動して会話を続けている。この場面では玄関に置いた録音機の音声を採用したため、居間に移動した後は両者の声がやや小さく収録されている。また、場面の冒頭には戸を開閉する音が入っている。

4-33. ハンカチを落とした人を呼び止める〔1〕

①相手が見ず知らずの人

001B：ア　ナンダナンダ　ア　バーチャン　ハンカズ　オドシタナー。ドレ。
あ　なんだなんだ　あ　ばあちゃん　ハンカチ　落としたな。　どれ。

バーチャン　ハンカズ　オドシタヨー。
ばあちゃん　ハンカチ　落としたよ。

002A：ハイ　ナーニ。
はい　なに。

003B：ホイ。(A　アラ) コレ　バーチャノダスペ。
ほら。(A　あら) これ　ばあちゃんのでしょう。

004A：アー　エーー。
ああ　ええ。

005B：オレ　ウッショ　トーッタッケー　オ　オロシタノ〔2〕ミタンダ。ン
私　後ろ　通ったら　×　落としたの　見たんだ。うん

ハイハイ。
はいはい。

006A：アーアー　アッ　ハッハッ。
ああああ　あっ　はいはい。

007B：ハイ　モッテガイン。
はい　持っていきなさい。

008A：ワダスノデガス。(B　ハイ) アラー　オトシタンダッチャネ。(B　ウーン)
私のです。　(B　はい) あら　落としたんだね。　(B　うーん)

ドーモドーモ。
どうもどうも。

009B：ハンカズ　ハンカズ　ネート　テーヘンダガライ、コノアッズイトジネ。
ハンカチ　ハンカチ　ないと　大変だからね、　この暑いときね。

010A：ホーントダ。(B　ンー) タスカッタ。(B　アイハイ)
本当だ。　(B　うん) 助かった。　(B　はいはい)

アリガトーゴザイマス。
ありがとうございます。

011B：ハイ　チツケテクダサイ。
はい　気[を]つけてください。

012A：アッツイガラ　ホントニ (B　ンー) ナクテ　コマッテダ〔3〕。
暑いから　本当に　(B　うん) なくて　困っていた。

013B：ハイハイ。
はいはい。

014A：ハーイ　アリガトーゴザイマシタ。
はい　ありがとうございました。

015B：ホンデ　キツケデネ。　ホロガネヨーヌ。
それで[は]　気[を]つけてね。落とさないように。

016A：ハーイ。
はい。

②相手が近所の知り合い

001B：ナンダ　Aサン　ハンカツ　ホロシタゾ。
なんだ　Aさん　ハンカチ　落としたぞ。

002A：エッ。
　　　えっ？

003B：ホレ。
　　　ほら。

004A：アラ　ナニ
　　　あら　なに

005B：ホヤホヤホヤ。
　　　ほらほらほら。

006A：ナーニシタンノ。Bサン（B　オー）ナニシタ。
　　　どうしたの。　　Bさん（B　おお）どうした。

007B：コイズー　アンダノダッチャ。
　　　こいつ　　あなたのだよね？

008A：アラーー（B　ンーー）イジョ　イズ　オロ　オロシタンダイ。
　　　あら　　（B　うん）　×××　いつ　××　落としたんだろう。

　　　（B　ンー）アラー。
　　　（B　うん）あら。

009B：イヤ　イマ　アンダンドゴネ　　ウッショ　ツイテキタンダ。ナンダ
　　　いや　今　　あなたのところね　後ろ　　　ついてきたんだ。なんだ

　　　アブネヨーナアルキカタ　シッタカラサー。
　　　危ないような歩き方　　　していたからさ。

010A：ハーー　サッキネー
　　　はあ　　さっきね

011B：ホーシタッケナーー　ミゴトヌ
　　　そうしたらな　　　　見事に

012A：サイフ　トットキ　オトシタンダネ、ンデ。
　　　財布　　とるとき　落としたんだね、それで[は]。

013B：シーダベ。　（A　アー）シーダガラ　ミゴドニネ　ヨッカン
　　　そうだろう。（A　ああ）それだから　見事にね　　予感

　　　アダッタンダ。フーン　セッ　オラ　アノ　ホロッタノ　ホレ
　　　当たったんだ。うん　　××　ほら　あの　落としたの　ほら

　　　ヒロッテケダカラ。
　　　拾ってやったから。

014A：アー　ント　アイ　コ（B　フーン）タスカッター。（B　アイ）
　　　ああ　本当　はい　×（B　うん）　助かった。　　（B　はい）

　　　イガッタイガッタ。（B　ハイ）イマッカラ　デガゲンノニ　ハンカジ
　　　よかったよかった。（B　はい）今から　　　出かけるのに　ハンカチ

　　　ネート　フジュースッカラ。
　　　ないと　不自由するから。

015B：ンダ　シーダッチャ。ウン。デ　　　チツケテ　　　イガセ。
　　　そうだ　そうだよね。　うん。で[は]　気[を]つけて　行きなさい。

016A：ハーイ　ドーモ　アリガト。
　　　はい　　どうも　ありがとう。

017B：ハイ。
　　　はい。

〔1〕4-33. ハンカチを落とした人を呼び止める

会話集3「3-19. ハンカチを落とした人を呼び止める」の再録。

〔2〕オロシタノ

この会話では、「オトス」のほか、「オロス」「ホロス」「ホログ」などが「落とす」の意味で使用されている。

〔3〕ナクテ　コマッテダ

Ａが自分のハンカチを落としたことに気づいたのは、ＢがＡのハンカチを拾った後であるため、「ナクテ　コマッテダ」という発話は文脈と合わない。言い間違えたものであろう。

付録

『伝える、励ます、学ぶ、被災地方言会話集』
＜気仙沼市　自由会話＞

収録地点　　宮城県気仙沼市

収録日時　　2012（平成24）年8月1日

収録場所　　気仙沼市旧月立中学校

話　者

A　女　1941（昭和16）年生まれ（収録時71歳）　［Bの知人］

B　男　1937（昭和12）年生まれ（収録時75歳）　［Aの知人］

話者出身地

A　気仙沼市波路上（ハジカミ）

B　気仙沼市塚沢（ツカザワ）

収録担当者　　小林隆（東北大学教授）、崔柳美（東北大学大学院生）、三沢由季子（東北大学学生）　※所属は収録時。

文字化担当者　　小林隆、三沢由季子、川越めぐみ（東北大学大学院生・産学官連携研究員）　※所属は文字化作業時。

震災のときのこと

001A：アンドギモ　サムクテネー、ジエータイノ　ヒトダチネー、(B　ウン) アノ
あのときも　寒くてね、　自衛隊の　人たちね、　(B　うん) あの

プルプルテー (B　ホンダホンダホンダ) ホントーニ、ンデー　アノー
プルプルって (B　そうだそうだそうだ) 本当に、　そして　あの

アノヒノフジンカイノヒドダジ　アッタカイミソシルドガ (A　ウン)
あの日の婦人会の人たち　温かい味噌汁とか　(A　うん)

ダシテネー、オイシガッターッテ　アドデ　キーダノネー。
出してね、　おいしかったって　あとで　聞いたのね。

002B：ウン　ンダネ。　オラホサモ　コ　コゴサ　ショーボーヒャカ゜　キテ
うん　そうだね。私の方にも　×　ここに　消防車が　来て

(A　ウンウン) トマッタガラ　ミンナ　ア　アノ　タギダスステ
(A　うんうん) 止まったから　みんな　×　あの　炊き出しして

カシェダンダ。(A　ソーダネー) スタラ　ソノ　アッタカイオツユネ
食べさせたんだ。(A　そうだね)　そうしたら　その　温かいお汁ね

(A　ウーンウン) クイダインダナ。(A　ソーナンダネー) ウーン
(A　うーんうん) 食べたいんだな。(A　そうなんだね)　うーん

オニキ゜リ　モラッタッテ　アリカ゜ダグネンダ。(A　ソーソーソー
おにぎり　もらっても　ありがたくないんだ。(A　そうそうそう

アッタカイ) オツユダケ　ホスインダ。
温かい)　お汁だけ　欲しいんだ。

003A：ンダッテネー、アノ　ジエタイノヒト　ユッテダッテー、(B　ウン) アノ
そうだってね、あの　自衛隊の人　言っていたって、(B　うん) あの

ミソシル　ウマガッタヤッテ。ウン (B　ンダベ)　ンダガラ　アノー
味噌汁　うまかったなって。うん (B　そうだろう) それだから　あの

サイカ゜イデネ　イッツモ　オモウノ。ソノ　タベモノネ。(B　ウン)
災害でね　いつも　思うの。　その　食べ物ね。(B　うん)

サイカ゜イ　ミンナ　ソノタンビ　チカ゜ウカ゜スト。(B　ウン) シテ
災害 [は]　みんな　その度　違うでしょう。　(B　うん) そして

ジダイカ゜　カワッテッカラ　ワスレタコロニ {笑} クルンダヨネ。{笑}
時代が　変わっているから　忘れた頃に　{笑} 来るんだよね。{笑}

(B　ワスレダゴロニ　クルネー　ウン) ソー、ソーソーソー。
(B　忘れた頃に　来るね　うん) そう、そうそうそう。

ソスットッサ　ホントニ　アレ　ナニカ゜　イガッテユード
そうするとさ　本当に　あれ　なにが　いいかっていうと

クイモノダネー。(B　ウン) アッタカイクイモノネー。
食い物だね。　(B　うん) 温かい食い物ね。

004B：マ　カラダオアッタガグスルホーホーモ (A　ソー) ダイズダ。
まあ　体を温かくする方法も　(A　そう) 大事だ。

(A　ソー)　ウン。
(A　そう)　うん。

005A：ホントニネ、ンダガラ　アノー　ワダシモ　マズ　コレガラ
本当にね、　だから　あの　私も　まず　これから

ベンキョシテク゜ノワ　ミズワ　カナラズ　モッテオグゴド。ソレガラ
勉強していくのは　水は　必ず　持っておくこと。それから

コ　カンブツルイカ　ミソ　ショーユ　（B　ウン）タヤサナイデ
こう　乾物類か　味噌　醤油［を］（B　うん）絶やさないで

カッテオッカナッテ　{笑}イッツモ　コノコ゜ロ　オモウノネ、
買っておこうかなって{笑}いつも　この頃　思うのね、

（B　ウーン）アレサエ　アレバネ、シオトネ。
（B　うーん）あれさえ　あればね、塩とね。

006B：ウン。ナンボ　カネ　アッタッテ　モノワ　ネーンダ。
うん。どれだけ　金　あったって　物は　ないんだ。

007A：ナイカラ。{笑}ソーソーソー。
ないから。{笑}そうそうそう。

008B：カネデワナイナ。
金ではないな。

009A：ウン。デ　アダシモ　カンブツルイデ　ケッコ　シノイダンダネーー。
うん。で　私も　乾物類で　結構　凌いだんだね。

（B　ウーン）アノ　ヒジキノ　ホシタノトガ（B　ウン）アト
（B　うーん）あの　ひじきの　干したのとか（B　うん）あと

キリボシダイコントカ（B　ハーー）、デ　アノ　ニンジントカモー　コー
切干大根とか　（B　はあ）、で　あの　人参とかも　こう

イッパイ　モラッタドギ　アノ　オヒサマニ　ホシテ
いっぱい　もらったとき　あの　お日様に　干して

カリカリニシテオイデ、ワズカナミズデネ、（B　ウン）モドルガラー、
かりかりにしておいて、わずかな水でね、（B　うん）戻るから、

（B　ウン　ウーン）ソレデー　マコ゜ダジ　コンナノ　ハジメデ
（B　うん　うーん）それで　孫たち［が］　こんなの　初めて

クッタッテユッタケントネ、（A　ンダネー）カンブツモ　ダイジダネー
食ったっていったけれどね、（A　そうだね）乾物も　大事だね

ウドントカネ、（B　ウンウンウン）ウドンモネ、アノ　グラグラグラ
うどんとかね、（B　うんうんうん）うどんもね、あの　ぐらぐらぐら

ニナクテモ　イーノッサ。　チョット　ニダッタラ　アド　オモセバ
煮なくても　いいのさ。　ちょっと　煮立ったら　あと　蒸せば

イーノネ、（B　アーーー）タベラレンノ。マー　マズーイー（B　ウン）
いいのね、（B　ああ）　食べられるの。まあ　まずい　（B　うん）

ッテエバ　マズイケンド　クエナェワゲデナイガラネ。（B　ウンウン）
っていえば　まずいけれど　食えないわけでないからね。（B　うんうん）

デ　ベンキョシタネーー。（B　ウーン）クイモノモネー。
で　勉強したね。　（B　うーん）食い物もね。

010B：クイモノワ　ナイベス　イズバン（A　ウン）コマッタノ
食い物は　ないだろうし　一番　（A　うん）困ったの［は］

ミズダッタン。（A　ソーソーソー）サイショ、（A　ソー）サッ
水だったの。（A　そうそうそう）最初、　（A　そう）さあ

ミーズー　ネーッテイワレデモネ、　サッ　クルマノ　ガソリンカ゜
水　ないっていわれてもね、　さあ　車の　ガソリンが

ナインダ。(A　ア　ガソリンカ゜　ナインネ。{笑}ンダオンネー)
ないんだ。(A　あ　ガソリンが　ないのね。{笑}そうだもんね)

ンダガラ　モッテガレネーンダイヤ。
だから　持っていけないんだよ。

011A：ソーソー　シテ　アダシモネー　アノ　チチオヤカ゜、
そうそう　そして　私もね　あの　父親が、

ナグナッタチチオヤカ゜ネ、クルマッツノ　ハンブ　イッツモ
亡くなった父親がね、　車っていうの　×××　いつも

{コーヒーを飲む音}ハンブンマデ　アブラ　イレトゲッテイワレダノ。
{コーヒーを飲む音}半分まで　油　入れておけっていわれたの。

(B　ウン)デ　ソレ　イッツモ　マモッテンノネ。(B　ウン)ダガ
(B　うん)で　それ　いつも　守っているのね。(B　うん)だから

ケッコー　ハシレタノサ　ハンブン　アッタカ。(B　アー　ホンダー
結構　走れたのさ　半分　あったから。(B　ああ　それなら

イガッタナー)ンデモ　ワダシ　チョード　マエノヒ　シズカ゜ワサ、
よかったな)それでも　私　ちょうど　前の日　志津川に、

アノー　ギリノイモートサン　イルノデ　ナンダガシャネゲド　ヨー
あの　義理の妹さん　いるので　なんだか知らないけど　用

アッテ　コーコッツカラ　イッテ、ア　キー
あって　来い来いっていうから　行って、×　××

ジューイチニチノフィー　ダーイッテイワレダンネ、　ンダゲッド
十一日の日　いらっしゃいっていわれたのね、そうだけれ

ジューイチニジー　アダシモ　ツゴー　ワルイガラーッテ　トーカニ
十一日［は］　私も　都合　悪いからって　十日に

イッタノッサ。デ　ジューイチニチニ　イッダラ
行ったのさ。　で　十一日に　行ったら

カエッテコレネガッタオンネ。(B　ウーン)デー　ソノー　トーグサ
帰ってこられなかったもんね。(B　うーん)で　その　遠くに

イク゜ガラッテ　マンタンニ　イレデアッタノ。(B　ウン)アブラネ。
行くからって　満タンに　入れてあったの。(B　うん)油ね。

(B　ウン)ソシテ　カエリモ　ンジャートオモッテ　マダ　マンタンニ
(B　うん)そして　帰りも　それじゃあと思って　また　満タンに

ツカッタブン　イレダノネ。(B　ウン)ソエ、(B　アーーー)ナカ
使った分　入れたのね。(B　うん)それ、(B　ああ)　××

ナンカ　ムシノシラセダガ　オヤカ゜　マモッテケダノガナ(B　アーー)
なにか　虫の報せだか　親が　守ってくれたのかな(B　ああ)

トオモッタリ{笑}シテネ。
と思ったり　{笑}してね。

012B：オラ　マイニズ　センエン　エレレバ　イードオモッデッガラネ。{笑}
私は　毎日　千円(分)入れれば　いいと思っているからね。{笑}

センエンスカ(A　ホンダガラ)エレネンダ。
千円しか　(A　それだから)入れないんだ。

013A：アドー　ウサ　エサ　カエッデキデ　カネッコ　ハタイデ　ア　アノー
あと　××　家に　帰ってきて　お金　はたいて　×　あの

タスカッタヤーッテイッタネー。
助かったよっていったね。

014B：アー　ンダナー。（A　ウン）ソレデ　タスカッタネー。
ああ　そうだな。（A　うん）それで　助かったね。

015A：ソレ　ヤッパリ　コー　トショリーノヒトダジカ゜　キー　ワガイヒトタチサ
それ　やっぱり　こう　年寄りの人たちが　××　若い人たちに

キカセンノモ　ダイジデナェベガ。（B　ウンウン）アダシ　ソノ、
聞かせるのも　大事でないだろうか。（B　うんうん）私　その、

ムガスカラ　コ　トショリヒトダジ〔1〕ノハナシ　キーデデ、
昔から　こう　年寄りの人たちの話　聞いていて、

タメンナッタゴド　イッパイ　アルネ、ソノ　カンブツモ。（B　アー
ためになったこと　いっぱい　あるね、その　乾物も。（B　ああ

ナルホド）ホレガラ　ミソ　ショーユ　キラスナドカネ。
なるほど）それから　味噌　醤油　切らすなとかね。

016B：ウン。オラドゴワ　ツナミ　コネァガラネ。
うん。私のところは　津波　来ないからね。

017A：コネガラ　アンシン　シテッケントー。
来ないから　安心　しているけれど。

018B：ウン　ソーユー　アノー　オモイカ゜　ナインダ。
うん　そういう　あの　思いが　ないんだ。

019A：アーーーー（B　ウン）ナンデモ　アッカラネ。
ああ　（B　うん）なんでも　あるからね。

020B：ナンデモ　アルンダ。
なんでも　あるんだ。

021A：ハダゲ　ホッケシテワ　ナニアルシネー。
畑　掘り返しては　なんでもあるしね。

022B：ウン、ンダガラ　クルマデ　ハ　モッテイキ゜ダグテモ
うん、それだから　車で　×　持っていきたくても

イカ゜レネーンダイヤ。（A　ンダネ）アブラ〔2〕カ゜　ナクテ。
行けないんだよ。（A　そうだね）油が　なくて。

（A　ソーダオンネーーー）ウーン。
（A　そうだもんね）うーん。

023A：ゲンダイノ　ソノ　キキダネ。アブラトカ。（B　ウン）ムカシ
現代の　その　危機だね。油とか。（B　うん）昔

アルイダンダケントネ。（B　ソーソー）クルマ　ネド
歩いたんだけれどね。（B　そうそう）車　ないと

ウコ゜ケネッツハナシモ　オガシーガッタンダケド｛笑｝アタシサ、
動けないって話も　おかしかったんだけど　｛笑｝私さ、

ナニ　アブラアブラッテッテー、アルゲバ　イッチャトオモッタノンサー。
なに　油油っていって、　歩けば　いいさと思ったのさ。

024B：ウン。マー　ミンナ　アルイダゴド　アルイダネー。
うん。まあ　みんな　歩いたこと　歩いたね。

025A：マー　アルイダネー。（B　ウン）ウンウン。
まあ　歩いたね。（B　うん）うんうん。

026B：スデ　ムガスド　イ　イマワ　ツカ゜ウガラネ（A　ウーン）ムガスワ
そして　昔と　×　今は　違うからね　（A　うーん）昔は

アノー　ヤマノモクザイデ　ｲエー　タデダデショ。（A　ハイ）ソ
あの　山の木材で　家　建てたでしょう。（A　はい）×

ツナミ　クット　ナカ゜サレルト、（A　ウン）ソノー　ナカ゜サレタ
津波　来ると　流されると、（A　うん）その　流された

アノー　ガレキデ　イエオ　タデタンダ。ストー　アドモ　コノ
あの　がれきで　家を　建てたんだ。すると　あとも　この

コーイーガレキオ　ゼンブ　フロダドガ　ネンリョーシニ〔3〕
こういうがれきを　全部　風呂だとか　燃料費に

ツカッダガラネ。（A　アーー）ホンダガラー　ハマモ　ナンモ
使ったからね。（A　ああ）それだから　浜も　なにも

キレーニナッタノサ。（A　ア　ナルホド）ウン。（A　イマ）
きれいになったのさ。（A　あ　なるほど）うん。（A　今）

ヨコ゜レッゴドネーンダ。（A　ハイハイ）イマ　デンコ　モラッテ
汚れることないんだ。（A　はいはい）今　お金　もらって

ヤッテッカラネ。　ウーン　カダズケルチモ　ナニモ　ヤルチモ
やっているからね。うーん　片付ける気も　なにも　やる気も

ネーンダワ。
ないんだよ。

027A：ンー　ンダネーー。（B　ンー）ソシテ　アダシモ　コー
んー　そうだね。（B　んー）そして　私も　こう

オモッタンダケントネ、ムガシワ　アノ　ソー　タトエバ　カジデー
思ったんだけれどね、　昔は　あの　そう　例えば　火事で

アノー　イエ　ヤゲダッテユード　カナラズ　ダレガノ　ｲエサ　（B　ウン）
あの　家　焼けたっていうと　必ず　誰かの　家に　（B　うん）

オセワナッタガスト。　（B　ソーソー）シテ　ミンナ　ナガヨグ
お世話［に］なったでしょう。（B　そうそう）そして　みんな　仲よく

クラシテネー、（B　ウン　サワキ゜〔4〕ネーンダ）サワキ゜
暮らしてね、（B　うん　騒動［は］　ないんだ）騒動

ナガッタケント　コンカイ　ソーデモ　ナガッタミタイダネー。
なかったけれど　今回　そうでも　なかったみたいだね。

028B：コンカイワ　アッダネー。ミッカデ　オワリダ。
今回は　あったね。　三日で　終わりだ。

029A：ンダネー。（B　ウン）ナンダガ　ズイブン　サワキ゜カ゜。アレ　ナンダイ、
そうだね。（B　うん）なんだか　ずいぶん　騒動が。　あれ　なんだい、

キズナッテユーワリニ。｛笑｝ミンナ　ハナシ　キグドネー、
絆っていう割に。　｛笑｝みんな［に］　話　聞くとね、

（B　ワガママ）エラ　エラレナガッダー。（B　ウン）エラレダホーモ
（B　わがまま）××　いられなかった。（B　うん）いられた方も

タイヘンダー。（B　ソーソー　イラレダホーカ゜　タイヘンダ）アト　アレ
大変だ。　（B　そうそう　いられた方が　大変だ）あと　あれ

イズノマニ　コンナ　ヨノナガンナッタノガナーッテオモッタネー。
いつの間に　こんな　世の中になったのかなって思ったね。

030B：ウン　ミンナ　ホダッタ。
うん　みんな　そうだ。

031A：ヤッパリ　ゲンダイナンダイガネー。（B　ゲンダイガナー）カクカゾグノー
やっぱり　現代なんだろうかね。　（B　現代かな）　核家族の

032B：オレンドゴノ　オ　オイッコサーキタオヨメサンノーオフクロガ゜
私のところの　×　甥っ子に来たお嫁さんのおふくろが

キタノサ。（A　ウン）ソシテー　ナンボニズ　イダベナー。　ミッカモ
来たのさ。（A　うん）そして　何日　いただろうな。三日も

イダラ　ケンカシテ　カエッタ。（A　ウーン）ウン。
いたら　ケンカして　帰った。（A　うーん）うん。

033A：コンナ　ダイジナジキデネー。
こんな　大事な時期でね。

034B：ウーン。ココ　ヤッセ〔5〕ダガラ　ベツニ　ナンツーゴダネーンダ。
うーん。ここ［は］　八瀬だから　別に　なんてことはないんだ。

ホンダケントモ　ヤッパリ　ダメナンダナー。
そうだけれども　やっぱり　だめなんだな。

035A：ハーーー。ガマンカ゜　タリナインダイガネー。
はあ。　我慢が　足りないんだろうかね。

036B：ガマンカ゜　タンネーンダ。
我慢が　足りないんだ。

037A：オモイヤリモ　タンネンデネベガ。
思いやりも　足りないんじゃないだろうか。

038B：ウン。ズブンノー　アノー　イシオ　トーソートステル。
うん。自分の　あの　意思を　通そうとしている。

039A：アー　カンシャノ　キモジモ　タンネガッタカモネー。
ああ　感謝の　気持ちも　足りなかったかもね。

040B：ウーン　ンダノ　ネーンダネー。
うーん　そういうの　ないんだね。

041A：ンダガラ　ボランティアデ　コー　キタヒトタチワネー　ナニシロ　モー
だから　ボランティアで　こう　来た人たちはね　なにしろ　もう

ムチューダッタネー。ヤッテモラッテネー。
夢中だったね。　やってもらってね。

042B：アノ　ボランティアッテイエバー　サイコーノカンシャダ。
あの　ボランティアっていえば　最高の感謝だ。

043A：ソーダヨネー。
そうだよね。

044B：ウーン。アリャ　ココニ　イデサゲァ　イッテ、　アノ
うーん。あれは　ここに　いてさえ　行って、　あの

ハエカ゜エッペイデクサイドゴッサー　（A　ウン）ヤッタヤズワ
ハエがいっぱいいて臭いところ［を］さ（A　うん）やったやつは

イネーンダ。（A　ホントニネー）シテ　ミンナ　モー　ココノヒドタチ
いないんだ。（A　本当にね）　そして　みんな　もう　ここの人たち

ヤッタンダヨ。（A　ソーダヨネー）ドブワネー。〔6〕
やったんだよ。（A　そうだよね）　どぶはね。

045A：アノ　スバラシサワネ（B　ウン）ミナラウベキダネー。
あの　素晴らしさはね（B　うん）見習うべきだね。

046B：ンダネー。オレノ　オドッ　ココサ　トマッデダカラネー、
そうだね。私の　×××　ここに　泊まっていたからね、

（A　ハイハイ）ソノー　ヤサイガナンカ（A　ア）ケダケントモネー。
（A　はいはい）その　野菜かなんか　（A　あ）やったけれどもね。

047A：アーーー。ミンナネー　シンパイシテ　キテケダンダモンネーーー。
ああ。　みんなね　心配して　来てくれたんだもんね。

048B：ンダネー。オギナワガラ　アノー　ホッカイドーマデ　キタガラ　ミナ。
そうだね。沖縄から　あの　北海道まで　来たから　みんな。

049A：ハイ　ホッカイドノカタモネ、アタシタチ　ココサ　キデ　チョット
はい　北海道の方もね、　私たち　ここに　来て　ちょっと

シリアイニナッタノネ、（B　ウン）　ホンートニネ　ミナサン
知り合いになったのね、（B　うん）　本当にね　みなさん［には］

アタマ　サカ゜ルネー。
頭　下がるね。

050B：アタマ　サカ゜ルー。シテ　ジューイズカ゜ズニーー　アノ
頭　下がる。　そして　十一月に　あの

エキデンタイカイ　ヤッタノッサ。（A　ハイ）ソシタラ　ソノ
駅伝大会　やったのさ。（A　はい）そうしたら　その

ボランティアノヒト　オキナワガラ　ホッカイドーマデ　キテ、（A　ウン）
ボランティアの人　沖縄から　北海道まで　来て、（A　うん）

ゼンブ　トローヒーガラ　ショーシンガラ　イーッパイ　ナラベテッサー
全部　トロフィーから　賞品から　いっぱい　並べてさ

（A　ウン）ウーーン。
（A　うん）うーん。

051A：ヤッセノ　アノ　コーレーノ（B　ウン）マラソンタイカイネ。
八瀬の　あの　恒例の　（B　うん）マラソン大会ね。

（B　ソーソー）アーー　スコ゜ガッタネー。
（B　そうそう）ああ　すごかったね。

052B：ソレデ　オレ　ハズメダモンダガラー、（A　ウン）ウーン、ホントニ
それで　私　始めたものだから、　（A　うん）うーん、本当に

カンシャダ、ソレモ。
感謝だ、　それも。

053A：ホントダネーーーー。（B　ウン）
本当だね。　（B　うん）

054B：マー　アノ　クサイドゴ　ハタライデケデ、（A　ソーソーソー）ソレガラ
まあ　あの　臭いところ　働いてくれて、　（A　そうそうそう）それから

ショーシン　ダシテガラニー（A　ソー）ミンナ　イッショニ
賞品　出した上に　（A　そう）みんな　一緒に

ハスッタンダソノヒトダツモ。
走ったんだ　その人たちも。

055A：ウン　チョード　キョネンノイマゴロネー、（B　ウン）ヤッパリ　アズクテ
うん　ちょうど　去年の今頃ね、　（B　うん）やっぱり　暑くて

ハエカ゜　デデー（B　アズグ　ハイハイ）ネー。
ハエが　出て　（B　×××　はいはい）ねえ。

056B：ソンデモ　アノー　ツナミーカ゜　オギダドキワ　サムガッタガラ、
それでも　あの　津波が　起きたときは　寒かったから、

（A　ソーソーソー）ソノ　デンセンビョーニモ　ナニモナンネノサ。
（A　そうそうそう）その　伝染病にも　なにもならないのさ。

イガッタノサ。（A　ナンネガッタゲントネーー）ウン。（A　ウン　デモ）
よかったのさ。（A　ならなかったけれどね）　うん。（A　うん　でも）

ナズダッダラ　タイヘンダ。（A　ンダネーー）ウン　タスカッタヒトタツモ
夏だったら　大変だ。　（A　そうだね）　うん　助かった人たちも

カタッパスガラ　ヨワッテイク゜。
片っぱしから　弱っていく。

057A：ソー　ミンナ　ノリゴエダネー。（B　ノリゴエダ）ヤッパリ
そう　みんな　乗り越えたね。　（B　乗り越えた）やっぱり

ボランティアサンノオカケ゜ダネー。（B　ンダンダ）　スコ゜イネー。
ボランティアさんのおかげだね。　（B　そうだそうだ）すごいね。

（B　スコ゜イ）シートニ、アノー　ドゴダガノ　オバンツァカ゜
（B　すごい）　本当に、　あの　どこかの　おばあさんが

ボランティアッテ　ナンデッサッテ　ホラ　ユッタッテ。モットモ
ボランティアって　なんですかって　ほら　言ったって。最も

ワガンネノサネー。（Bワガンネノワガンネノ）　デ　ボランティアッテ
わからないのさね。（Bわからないのわからないの）で　ボランティアって

タダデーカセーデクルヒトダヨッテタゲ　ナニスー　タダデスー
ただで働いてくれる人だよっていったら　なんです　ただです［か］

｛コーヒーを飲む音｝ッテ　ホラ　イッタッテ。（B　ウン）デ　クーモノ
｛コーヒーを飲む音｝って　ほら　言ったって。（B　うん）で　食うもの

ナゾシテンダベッテ。　タッケ　ジブンデ　カッテキテ
どうしているんだろうって。そうしたら　自分で　買ってきて

クーンダガラッテ。（B　ソーソー）タケ　ナニス　ソンナゴド
食べるんだからって。（B　そうそう）そうしたら　なんです　そんなこと

アンノスカッテ　オバンツァン　イッタッテネ、モー
あるんですかって　おばあさん　言ったってね、もう

キュージュースキ゜タオバンツァンガネー、（B　ウンウン）
九十［歳］すぎたおばあさんがね、　（B　うんうん）

ナミアムダブナミアムダブッテ　テー　アワセダッテッサー。（B　ウーン）
南無阿弥陀仏南無阿弥陀仏って　手を　合わせたってさ。　（B　うーん）

〔1〕トショリヒトダジ
「年寄りの人たち」の意味であるが、「の」にあたる部分が聞き取れない。

〔2〕アブラ
自動車のガソリンのこと。

〔3〕ネンリョーシニ
「燃料費に」と解釈される。文脈上は「燃料に」でよいところであるが、発話者は「燃料相当のものとして」という意味を表したかったらしい。

〔4〕サワキ゜

「騒ぎ」であるが、ここは騒動を意味する。

〔5〕ヤッセ
気仙沼市八瀬地区。

〔6〕アリャ　ココニ　イデサゲァ　イッテ～（A　ソーダヨネー）ドブワネー。
地元の人たちでさえ、泥掻きにはなかなか行けなかったのに、ここに滞在していたボランティアたちが、劣悪な環境でも積極的に活動してくれたという趣旨。

『伝える、励ます、学ぶ、被災地方言会話集』
＜気仙沼市　場面設定会話＞

収録地点　　宮城県気仙沼市

収録日時　　2012（平成24）年8月1日

収録場所　　気仙沼市旧月立中学校

話　者

A　女　1941（昭和16）年生まれ（収録時71歳）　［Bの知人］

B　男　1937（昭和12）年生まれ（収録時75歳）　［Aの知人］

話者出身地

A　気仙沼市波路上（ハジカミ）

B　気仙沼市塚沢（ツカザワ）

収録担当者　　小林隆（東北大学教授）、崔柳美（東北大学大学院生）、三沢由季子（東北大学学生）　※所属は収録時。

文字化担当者　　小林隆、崔柳美、川越めぐみ（東北大学大学院生・産学官連携研究員）　※所属は文字化作業時。

〈 あいさつ 〉

(1) 朝、道端で友人に会ったときにどのようなやりとりを行うか。

001A：アレー　ドゴサ　イク゜ノー。
あれ　どこへ　行くの。

002B：スコ゜ドスサ。　イマ　ヒョーバイデ　イク゜ドゴ。
仕事しに。　今　商売で　行くところ。

003A：アー　ホント。　ア　ンデ　イッテダイン。
ああ　本当。　あ　それで[は]　行ってらっしゃい。

004B：ハイ　マイド　ドーモネー。
はい　毎度　どうもね。

005A：ハイー。
はい。

(2) 昼、道端で友人に会ったときにどのようなやりとりを行うか。

001A：アレ　オヒルダネー。　オヒル　タベダノスカー。
あれ　お昼だね。　お昼　食べたんですか。

002B：マダダー。
まだだ。

003A：ンデー　ハヤグ　タベデー　オヒルネスライン。
それでは　早く　食べて　お昼寝してください。

004B：ハイ　アリカ゜トー。
はい　ありがとう。

005A：ハイー。
はい。

(3) 夜、道端で友人に会ったときにどのようなやりとりを行うか。

001A：オバンデゴザリースー。
こんばんは。

002B：オバンデース。
こんばんは。

003A：イマ　カエッタノスカー。
今　帰ったんですか。

004B：ハーイ。
はい。

005A：ンジャ　キツケデネー。
それじゃ　気[を]つけてね。

006B：ハイ　オヤスミー。
はい　おやすみ。

〈 ねぎらい 〉

(4) Aが仕事に精を出すBと会い、Bの労をねぎらう際にどのようなやりとりを行うか。

001A：ア　ナニシテタドゴッサー。
あ　なにしていたところですか。

002B：スコ゜ドステダー。
仕事していた。

003A：アー　ナントー　ゴクローサンデゴザリッスー。
ああ　なんと　ご苦労様でございます。

004B：ウーン　オモイガラ　アセ　カイデダー。
うーん　重いから　汗　かいていた。

005A：アー　カラダ　ヤスメナカ゜ラ　ヤラハリセー。
ああ　体　休めながら　やりなさい。

006B：ハイ　アリカ゜トヨー。
はい　ありがとよ。

007A：ハイ。
はい。

〈 勧め 〉

(5) Aが、仕事をしているBに、「少し休んでお茶とお菓子でも食べなさい」と勧める際のやりとり。

001A：ハイ　イップグシタラー。
はい　一服したら。

002B：ハーイ　アンマリ　ココ゜マッテッドー　コッサ〔1〕　マカ゜ッカラナ。
はい　あまり　かがんでいると　腰が　曲がるからな。

イップグスッガ。
一服するか。

003A：ンダネー　ヤスマハリセー。（B　ハイ）アマッコイモノデモ　ドーゾー。
そうだね　お休みなさいませ。（B　はい）甘いものでも　どうぞ。

004B：ハイ　ドーモ　アリカ゜トー。
はい　どうも　ありがとう。

005A：ハイ。
はい。

〈 訪問時の声掛け 〉

(6) 昼間、AがB宅を訪れるときにどのように声をかけるか。また、返事をするか。

001A：コンニズワー。
こんにちは。

002B：オーイ。
おうい。

003A：イダノスカー。
いたんですか。

004B：ハーイ　ヒトリ　イダヨ。
はい　一人で　いるよ。

005A：アー　ナントー　ンジャ　アノー　ヨーダゲ　ユッテ　カエッカラッサー。
ああ　なんと　それじゃ　あの　用だけ　言って　帰るからね。

006B：イヤ　ユックリ　アカ゜ッテ　オジャッコ　ノマイン。
いや　ゆっくり　［家に］上がって　お茶　飲んでください。

007A：ハイハイ。　ンデー　アドデ　クッカラー。
はいはい。　それでは　あとで　来るから。

008B：アラー　ナント　イソク゜ゴドー。
あら　なんと　急ぐこと。

009A：ハイ。
はい。

〈 借用の依頼と受託 〉

(7) AがBにスコップを借りるときのやりとり。(Bが貸す場合)

001A：イマー　アナホリシテタンダケントモッサー。
　　　今　　　穴掘りしていたんだけれどもね。

002B：ウン。
　　　うん。

003A：スコップー、サギ　マグレデテ　　サッパ　　ホレネクテー、カリニ
　　　スコップ、　先　　めくれていて　さっぱり　掘れなくて、　借りに

　　　キタンダケントモ　カシテケンネベガネスー。
　　　来たんだけれども　貸してくれませんかね。

004B：ア　イーヨ。　ソゴニ　アッカラ　モッテゲー。
　　　あ　いいよ。　そこに　あるから　持っていけ。

005A：ハイ　コイッテ　イーベガネッスー。
　　　はい　これで　　いいでしょうか。

006B：アー　ソイズダー。
　　　ああ　そいつだ。

007A：ハイ　ホンデ　　コイズ　カリテイッカラ。
　　　はい　それでは　こいつ　借りていくから。

008B：ハーイ。
　　　はい。

009A：ハイハイ。
　　　はいはい。

〈 お礼 〉

(8) Aが借りたスコップをBに返しに行ったときのやりとり。

001A：ア　サッキカリダスコップー、オカケ゜サマデ　シコ゜ド
　　　あ　さっき借りたスコップ、　おかげ様で　　　仕事

　　　ハガイッタヤー。
　　　はかどったよ。

002B：アー　ソイズァ　ウデカ゜　イーカラガナー。
　　　ああ　そいつは　腕が　　　いいからかな。

003A：アー　ソーダイガネ。　スコップ　　　イガッタガモ。{笑}
　　　ああ　そうだろうかね。スコップ［が］　よかったかも。{笑}

　　　アリカ゜ドゴザリシタ。
　　　ありがとうございました。

004B：ハーイ。イガッタゴドワ。
　　　はい。　よかったこと。

005A：ハイ　ドーモドーモ。オガケ゜サマデシター。
　　　はい　どうもどうも。おかげ様でした。

006B：ハーイ　マダ　ドーゾ。
　　　はい　　また　どうぞ。

〈 破損の謝罪・許容・不満 〉

(9) AがBに借りたスコップを壊してしまい、謝るときのやりとり。

(9-1) Bが構わないという場合。

001A：アノ　サッキカリデッタスコップッサー
　　　あの　さっき借りていったスコップさ

002B：ハーイ。
はい。

003A：ナンダガ　イシサ　アダッタガ　マグレデシマッテ　コワシテシマッタヤー。
なんだか　石に　当たったか　めくれてしまって　壊してしまったわ。

004B：ハイ　イガッスヨー。ソゴサ　オイデッテケライン。
はい　いいですよ。　そこに　置いていってください。

005A：アラー　アンマリダネー。ワルイゴドー。
あら　あんまりだね。　悪いこと。

006B：ハーイハーイ。
はいはい。

007A：モーシワゲナイネー。
申し訳ないね。

008B：ドーゾドーゾ。
どうぞどうぞ。

009A：アリカ゜ドゴザリシタ。
ありがとうございました。

010B：ハーイ。
はい。

(9-2)　Aが破損に対して不満を述べる場合。〔2〕

001B：オガケ゜デ　ゴボンワ　ホッタケントモー　スコップ　コワスチマッタヤ。
おかげで　牛蒡は　掘ったけれども　スコップ　壊してしまったよ。

ヤーヤ　モーシワゲネーヤ。
いやいや　申し訳ないな。

002A：アラー　ナンダベー。オライデモ　コイズスカネーノニ、ナゾスッペー。
あら　なんだろう。うちでも　こいつしかないのに、どうしよう。

003B：ンデワー　ベンショースルヨーダド　イーガナー。
それでは　弁償するようだと　いいかな。

004A：ベンショーマデ　スナクテモ　イーガラ　コゴノマグレダドゴダゲ
弁償まで　しなくても　いいから　ここのめくれたところだけ

ナオシテケンネベカ。
直してくれないだろうか。

005B：アー　ソンダラ　オレモ　タスカルナー。
ああ　それなら　私も　助かるな。

006A：ハイー。
はい。

〈 誘いと断り 〉

(10)　AがBを近くの物産市に誘う際のやりとり。

001A：ア　キョー　アレ　ブッサンイチカ゜アッカラ　イカ゜ネッスカ。
あ　今日　あれ　物産市が　あるから　行きませんか。

002B：ウン　オレァ　アノー　テンノーサマデ〔3〕　オガク゜ラ　アッカラ
うん　私は　あの　天王様で　お神楽　あるから

（A　ン）　エカ゜レネーヤ。
（A　うん）行けないな。

003A：アー　ソー。（B　ウン）ナント　セッカグノ　ブッサンイチナンダゲット
ああ　そう。（B　うん）なんと　せっかくの　物産市なんだけれど

ザンネンダネー。
残念だね。

004B：アー　ンダナー。
ああ　そうだな。

005A：アー　ホンデ　オラ　イッテクッカラ。
ああ　じゃあ　私　行ってくるから。

006B：ア　イッテダイン。
あ　行ってらっしゃい。

〈 お見舞い 〉

(11) 体調を崩しているBに、Aが体の調子を尋ねる際のやりとり。

(11-1) Bの調子がよい場合。

001A：アレ　ナント　キノーマデ　ゲンキデ　イダッケー、　チョーシ
あれ　なんと　昨日まで　元気で　いたのに、　調子

ワルイッテ、ダイジョーブダイガ。
悪いって、　大丈夫だろうか。

002B：ウーン　コノアツササゲァー　トーリスキ゜レバ　マダ　モドニ
うーん　この暑ささえ　通りすぎれば　また　元に

モドッカラ。
戻るから。

003A：アー　ナント　シンパイシタヤー。（B　イヤイヤイヤイヤ）キオツケデー。
ああ　なんと　心配したよ。　（B　いやいやいやいや）気をつけて。

004B：ハイ。
はい。

005A：ユックリ　ヤスマハリセー。
ゆっくり　おやすみなさい。

006B：ハーイ。
はい。

007A：マダ　キテミッカラ。
また　来てみるから。

008B：ハイ　アリカ゜トヨー。
はい　ありがとうよ。

009A：ハイハイ。
はいはい。

(11-2) Bの調子が悪い場合。

001A：アレ　ナント　チョーシ　ワルイゴッテー。
あれ　なんと　調子　悪いんだって？

002B：ウン　ココンドゴ　スコス　スク゜レナイ。
うん　ここのところ　少し　［調子が］すぐれない。

003A：ナンダベ　カオイロー　アンマリ　ヨグネーネー。
なんだろう　顔色　あまり　よくないね。

004B：ウン　オメーサマカ゜　カオ　ダサネーガラダ。
うん　あなたが　顔　出さないからだ。

005A：アラララ。ンデ　ビョーインサ　イッテ　ミデモライッスペ。
あららら。それでは　病院へ　行って　診てもらいましょう。

006B：ウン。
　　　うん。

007A：ソノホ　イーガストー。
　　　その方　いいですよ。

008B：ウン　ソー。
　　　うん　そう。

009A：ウン。
　　　うん。

〈 申し出 〉

(12) 体の調子が悪く、家の片付けもできないというBに、Aが「(私が) 片付けてやろう」というときのやりとり。

001A：チョーシ　ワルソーダガラー　カタズゲサ　キタガラー。
　　　調子　悪そうだから　片付けに　来たから。

002B：ア　オリャー　ヒトリモンダガラ　ナンダリ　カタズゲラレット、
　　　あ　私は　独り者だから　なんでも　片付けられると、

　　　ショルイカ゜　テノトドクドゴニ　アッカラ　アンマリ
　　　書類が　手の届くところに　あるから　あまり

　　　カタズゲナイヨーニ　タノムヨー。
　　　片付けないように　頼むよ。

003A：ア　ソースカ。（B　ウン）ハイハイ。ホンデ　ネンプンニ　カタズゲデ
　　　あ　そうですか。（B　うん）はいはい。それでは　適当に　片付けて

　　　（B　ハイ）カエッカラッサ。（B　ハイ）イーベガ。
　　　（B　はい）帰るからさ。（B　はい）いいだろうか。

004B：エーヨ。
　　　いいよ。

005A：ハイ。
　　　はい。

〈 禁止 〉

(13) 片付けの最中に、大事な写真をAが間違って捨てようとしているときに、Bがそれを制止してどのようにいうか。

001B：Aサン　ソコンドゴ　カタズケナイヨーニナ。
　　　Aさん　そこのところ　片付けないようにな。

002A：ハイハイ。
　　　はいはい。

003B：ソコニ　ダイズナシャスン　ハイッテッカラ。
　　　そこに　大事な写真　入っているから。

004A：ア　コノシャシンネ。
　　　あ　この写真ね。

005B：ウン　ナケ゜ナイデヨ。
　　　うん　捨てないでよ。

006A：ハイハイ　アラララ　ワガリシター。
　　　はいはい　あららら　わかりました。

〔1〕コッサ
「コス＋サ」(腰サ) ともとれるが、当地にこのような格助詞「サ」の用法はないはずである。おそらく、「コス」(腰) に格助詞「が」に相当する「ア」が付き、「コスア＞コッサ」の変化を起こしたものと思われる。

〔2〕(9-2) Aが破損に対して不満を述べる場合。
この会話では、話者Aと話者Bとが役割を交替している。

〔3〕テンノーサマ
天王様（テンノーサマ）は、気仙沼市八瀬（ヤッセ）地区塚沢（ツカザワ）にある八雲神社（ヤグモジンジャ）のこと。毎年、旧暦6月14日に塚沢神楽が奉納される。

『伝える、励ます、学ぶ、被災地方言会話集』
＜名取市　自由会話＞

収録地点　　宮城県名取市

収録日時　　2012（平成24）年7月14日

収録場所　　名取市館腰公民館

話　者

A　女　1924（大正13）年生まれ（収録時88歳）　［Bの知人］

B　男　1924（大正13）年生まれ（収録時88歳）　［Aの知人］

話者出身地

A　名取市高柳（タカヤナギ）

B　名取市本郷（ホンゴウ）

収録担当者　　魏ふく子、王卓（以上、東北大学大学院生）、町田隆弘（東北大学学生）、櫛引祐希子（追手門学院大学）　※所属は収録時。

文字化担当者　　魏ふく子、町田隆弘、田附敏尚（東北大学大学院生・産学官連携研究員）　※所属は文字化作業時。

震災のときのこと

001B：イヤ　ヒ゜ドガッターネァ、コノジスンネー。アンダー　ヒエ〔1〕ニ
いや　ひどかったねえ、　この地震ね。　あなたは　家に

イダッタノ。
いたの？

002A：ウン。オレ　イエニ　イダノ。
うん。私[は]　家に　いたの。

003B：オーン。
ふうん。

004A：ホンデ　ガダガダナッタガラ、　（B　ウン）デンキ　コー
それで　ガタガタ[と]なったから、（B　うん）電気　こう

フルマンダヨネ〔2〕。（B　ウン）オッカナクテネー、ハ
揺れるんだよね。　（B　うん）恐ろしくてね、　×

デデガンネガラ、ハッシャ　ツカンデダッケ、（B　ウン）ムスコヌ
出ていけないから、柱[を]　掴んでいたら、（B　うん）息子に

ソトサ　デローッテワッタノ。　（B　ウン、アー）ホデー、ツッカケ
「外へ　出ろ」っていわれたの。（B　うん、ああ）それで、つっかけ[を]

ハイデ　デナクテネーモンダドモッテネ、　ソトサ　デンノ
履いて　出なくてはいけないもんだと思ってね、外へ　出るの[に]

ハダシデ　イガンネーヤロドオモッテ〔3〕。（B　ウン）ツッカケ
裸足で　行けないだろうと思って。　（B　うん）「つっかけ

ハクコターネーガラ　ソソサ　デデ、（B　アー）クルマ　ダシタガラ
履くことはないから　外へ　出て、（B　ああ）車[を]　出したから

クルマサ　ノッテローッテ。
車に　乗ってろ」って。

005B：ハー、ウン。
はあ、うん。

006A：ドーデンシタネヤー、アノ　ズスンデワ。（B　ウン）ウーン。オレモ
動転したねえ、　あの　地震では。（B　うん）うん。　私も

クンズーネン　エジッケントモ　アイナズスン　ハ゜ズメデダ。
九十年　生き[てい]るけれども　あんな地震[は]　初めてだ。

（B　ウン）ウン。
（B　うん）うん。

007B：オレ　ワダスノ　ズスンワネ、ウーン、バイクデースカー、オレ、
××　私の　地震はね、　うーん、バイクでしか、　ほら、

クルマサーノレネーンダヤ。メンキョショー　ネンダ。　デ、バイク、
車に乗れないんだよ。　免許証　ないんだ。で、バイク、

ケー　ンアー、ケーデナクテ　アノー、ズドーノ　アー
軽　×××、軽じゃなくて　あの、　自動の　ああ

008A：ズドーニリン。
自動二輪。

009B：ズドーニリン、ンデネーヤ。アー、ズデンシャバイク〔4〕。
自動二輪、　じゃないよ。ああ、自転車バイク。

010A：アー　ズデンシャバイクネ。（B　ウン）ウン。
ああ　自転車バイクね。　（B　うん）うん。

011B：アレスカ　ネーンダケド。ダガラ　ソレデ、チョーンドネー、ウーン、
あれしか　ないんだけど。だから　それで、ちょうどね、　うーん、

タカ゜ジョーッテユードゴサ　イッテキタノ。スオカ゜マノテマエノ。
多賀城っていうところに　行ってきたの。塩釜の手前の。

ホレデー、ダイタイ　イズズハンカ　ヌズゴロマデ、エダンダナ。（A　ウン）
それで、　大体　一時半か　二時頃まで、　いたんだな。（A　うん）

ホレデー、フツー　ホゴノヨータスーニ　イッタンダゲンドモ、サンズマデ
それで、　普通　そこの用足しに　行ったんだけれども、三時まで

ゴログニン　イダンダナー、ソノー　ナガマカ゜。サンズマデ　イレバネー、
五六人　いたんだな、　その　仲間が。　三時まで　いればね、

カエレヌ　ホノー　アラハマーダノ（A　ウン）アズグラサ（A　ウン）
帰りに　その　荒浜だの　（A　うん）あそこらに（A　うん）

ブツカッタモンネ。（A　ウンウン、ウン）ツナミニ。
ぶつかったもんね。（A　うんうん、うん）津波に。

012A：ナカ゜サッタガモシンネーオンネ。
流されていたかもしれないよね。

013B：カンゼンニ　ナカ゜サッ（A　ウン）テルネ。　トゴロカ゜ネー、チョード
完全に　流され　（A　うん）ているね。ところがね、　ちょうど

ヌズコロヌネー、アルオンナノシトカ゜ー、オライノホー　オー　オハガガ
二時頃にね、　ある女の人が、　うちの方　××　お墓が

（A　ウン）コッチノ、センダイノヒトカ゜ネ（A　ウン）コッツノホーニ
（A　うん）こっちの、仙台の人がね　（A　うん）こっちの方に

オハガカ゜　アルンデ、キタツイデニ　オハガマイリ　シテインカラ、オラ
お墓が　あるので、来たついでに　お墓参り[を]　していくから、私

ス　スコス　ズガン　ハエゲンドモ　ケッテイ、　オハガマイリ
×　少し　時間[が]　早いけれども　帰っていい、お墓参り[を]

シッカラッテ　フターリバリネ、チョード　エク゜ドギ、カエッタノ。
していくからって　二人ばかりね、　ちょうど　行くとき、　帰ったの。

デ、サンカ゜ズダガラネー、（A　ウン）マダ　サムイデショー。（A　ウン）
で、三月だからね、　（A　うん）まだ　寒いでしょう。（A　うん）

ヨル、ユーガダ（A　ウン）オソグナルト。デ、オレモー　イマカラ
夜、　夕方　（A　うん）遅くなると。　で、私も　今から

バイクデ　カエッテエク゜ンダゲドモ、ウ　オノ　オレモ　ツイデニ
バイクで　帰っていくんだけども、　×　××　私も　ついでに

ンデー　ミンナ　タッタトギー　ツイデニドオモッテ　タッテ
それじゃあ　みんな[が]　発ったとき[に]　ついでにと思って　発って

カエッタノ。（A　ウン）バイクデ。ユックリド　キタ。ホーシテ　キタラバ、
帰ったの。（A　うん）バイクで。ゆっくりと　来た。そうして　来たらば、

ウーン、シコージョーオ　スギ゜デ、ホシテー　カウッツァ〔5〕、ニッサ
うーん、飛行場を　すぎて、　そうして　川内沢[を]、　西に

ノボッテネー、アノー　インターンドゴロサ。（A　ウン）
上ってね、　あの　インターのところに。（A　うん）

アズゲンドゴロ　　ワダッテ、カウッツァオ　ワダッテ、コー　ヒーサ
あそこのところ[を]　渡って、　川内沢を　　渡って、　こう　家に

カエルンダゲンドモ、チョード　カウッツァアダリノハシオ　ワダッタ。
帰るんだけれども、　ちょうど　川内沢あたりの橋を　　　渡った。

カワノハスオ。(A　ウン) ホシテ　チョット　ヌゲダラバ、
川の橋を。　(A　うん) そして　ちょっと　抜けたらば、

ガダガダガダーットナッタノ、ケッツァネ。(A　ウン) ハー、マダ　コレー
ガタガタガタっとなったの、　尻がね。　(A　うん) ああ、また　これ

ウッショノタイヤ (A　ジョヨシ) パンク (A　パンク)
後ろのタイヤ　(A　××××) パンク (A　パンク)

シタナードオモッタ。(A　ウン) ンデ　ガダガダトナッタン (A　ウン)
したなと思った。　(A　うん) それで　ガダガダとなったん (A　うん)

ダドオモッテネー。ヨグ　ソレダガラ　ハスランネーガラ　チョット
だと思ってね。　よく　それだから　走れないから　ちょっと

ヨヒェデ、アソ　ツイダンダワ。ダーント　ヒックリゲーッタノ。
寄せて、　足を　ついたんだわ。ダーンと　ひっくり返ったの。

(A　ウン) ホースルト　タッテランネノネ、　アス　ツイダノニ
(A　うん) そうすると　立っていられないのね、足[を]　ついたのに

トマッテランネ。　トゴロカ゜、ズスン　　ワカンネーンダ。(A　ウン)
止まっていられない。ところが、地震[だと] わからないんだ。(A　うん)

ヒックリゲッテーミダッケー、ホノー　インターノ、カンバンカ゜
ひっくり返ってみたら、　　その　　インターの、看板が

ガラガラガラードヤッテンダッチャー。(A　ウン) デ　カラダモ
ガラガラガラとなっているんだよ。　(A　うん) で　体も

ウコ゜イデンダ。アノトギ (A　ウーン) ズスンデ　コレー、
動いているんだ。あのとき (A　うーん) 地震で　これ[は]、

ハスランネグナッタンダナードオモッテサー。デ　　スﾝバラグ
走れなくなったんだなと思ってさ。　　[それ]で　しばらく

ズスンオ、ウーン、ナオ　ウーン、(A　オサマル) スエ　オサマルマデ
地震を、　うーん、××　うーん、(A　収まる)　××　収まるまで

ホゴデ　ケツ　ツイデ　イダンダゲンドモ。コンナヌ　ツオイズスンデワ
そこで　尻[を] ついて　いたんだけれども。こんなに　強い地震では

オライノイエ〔6〕ガダガダダーノヒエダガラ、カンゼンニ
私の家[は]　　ガタガタな家だから、　　完全に

ヒックリゲッテルワナー (A　ウン) ドオモッテサー。(A　ウン) コンド
倒壊しているわな　(A　うん) と思ってさ。　(A　うん) 今度[は]

スンペーデ、エー、ホーダゲﾝドモ　ヤッパリ　ドーロ　ホダニ
心配で、　ええ、そうだけれども　やっぱり　道路[は] そんな

イダンマネ (A　ウン) イダンデネーンダ、
傷まない　(A　うん) 傷んでいないんだ、

カンボツシテネーンダッチャネー。(A　ウンウン、ウンウン) スッスード
陥没していないんだよね。　(A　うんうん、うんうん) すいすいと

キタッケー、マズ　イズバンサイショ　Xクンノヒエ　ミエッカラ、
来たら、　まず　一番最初[に]　Xくんの家　見えるから、

（A　ウン）マズ　ナンデモネーナ。デ　オライノズッカ〔6〕スク゜
（A　うん）まあ　なんでもないな。で　私の実家[が]　すぐ

ミエダガラ、（A　ウン）マワッテー、ホゴモ　ナンデモネー。ヒェサ
見えたから、（A　うん）回って、　そこも　なんでもない。家に

キテミダラバ、ヒエモ　ナ　チャント　タッテッケントモ、
来てみたらば、家も　×　ちゃんと　建っているけれども、

ア゙ブラカンカ゜、ヒックリゲッテ。タンク。（A　ウン）ホデ
油缶が、　ひっくり返って。タンク。（A　うん）それで

パクパッコンブグブグド。
パクパッコンブクブクと。

014A：アブラ　デデンダワ。（B　マズ）ナカ゜レッタノ。
　　油　出ているんだ。（B　まあ）流れていたの。

015B：ウン、ナカ゜レッタノ。ホデ　ガガサンカ゜　イッショケンメヌ、アノ、
　　うん、流れていたの。　それで　奥さんが　一生懸命に、　あの、

ハッポースチロールダガナンダガ　モテシテネー、コー　スタサ　エ゙デ、
発砲スチロールだかなんだか[を]　持ってきてね、こう　下に　置いて、

ンー　フイッツァ　タマ　タメッタンダッケワネ。（A　ウンウンウン）
んー　そいつに　××　貯めていたんだよね。（A　うんうんうん）

ゼンブ　ナカ゜レダンダワナ。マンタンヌスッタンダ。（A　ウン）
全部　流れたんだよな。　満タンにしていたんだ。（A　うん）

ホンダガラ　ホレ、ヒックリゲッタンダナイ。デ、ホイズ　オデッテシテ。
それだから　ほら、ひっくり返ったんだな。　で、それ[を]　お手伝いして。

ウーン、ホーシタラバ、マ゙ズ　テレビワ　ナイ、デンキワ
うーん、そうしたらば、まず　テレビは　ない、電気は

ツケナイデショー。（A　ウーン、ウン　ウン）コンド
つけないでしょう。（A　うーん、うん　うん）今度[は]

ナンノジョーホーモ　ワガンネワケダ。　チョード　ラ゙ズオカ゜　ドコサ
なんの情報も　わからないわけだ。ちょうど　ラジオが　どこに

オイッタンダガ、　ナンボモアルラズオ。ニワガダモンダカラ、マー
置いていたんだか、何個もあるラジオ。　急なもんだから、　まあ

ミッケランネクテ。ダッテ　ジョーホー　ナンニモ　ワガンネー。
見つけられなくて。だって　情報[が]　なにも　わからない。

ソノマンマ、ローソグオ　ツケナカ゜ラ、ホラ　ヨスンカ゜　ショッチュー
そのまま、　蝋燭を　つけながら、　ほら　余震が　しょっちゅう

アッタガラネ。（A　アー）ヒトバンズー　ヨスン　アッタ。オレ
あったからね。（A　ああ）一晩中　余震[が]　あった。私[は]

ホンデモ　フット　トゴサ　ヘーッテ、ネムリワ　セネガッタゲドモ
それでも　ふっと　床へ　入って、　眠りは　しなかったけども

トゴサ　ヘッテイダンダ。スク゜ニ　デデアサグノニ。キタマンマネー。
床へ　入っていたんだ。すぐに　出歩くのに。　[服を]着たままね。

ウーン。ダガラ　ウジノヒトカ゜　ローソグ　ツケナカ゜ラ、マー　ネー
うん。　だから　うちの人が　蝋燭[を]　つけながら、　まあ　ねえ

ココラヘン　ミデ　ガンバッテイダンダナー。（A　ウーン）ホーステ
ここら辺[を]　見て　頑張っていたんだな。　（A　うん）　そうして

ツナミカ゜　ワガンネガッタンダナ。ソーユージョータイダガラ。
津波が　　わからなかったんだな。そういう状態だから。

（A　ウーン）テレビモ　ネー。
（A　うーん）テレビも　ない。

016A：アノドギデ　　ツナミ　　クルナンテ　アンマリ　サワカ゜レテ
あのときって　津波[が]　来るなんて　あまり　　×××××

サワカ゜ッテネーンダモンネ。
騒がれていないんだもんね。

017B：オラホーモ　　アーユー　ホ　ジョーホーモ　ナヌモネーガラ。
私のところも　ああいう　×　情報も　　　　なにもないから。

（A　ウーン）ホステ　　ツギノヒノアサ　ミダッケ、タンボ
（A　うーん）そうして　次の日の朝　　　見たら、　田んぼ[を]

ミダッケ　マッシロダンベァ。（A　ウン）マー　スオミズ　キテンダ。
見たら　　真っ白でしょう。（A　うん）まあ　潮水　　　来ているんだ。

ホーシタッケ　コンドワ　ナーヌ、ラ゛ズオキーダヒトノハナシ　キクト、
そうしたら　　今度は　　なに、　ラジオ[を]聞いた人の話[を]　聞くと、

ドコソレカ゜　ユ　ユリアケ゜カ゜、ドーノコーノ（A　ウンウン）
どこどこが　　×　閖上が、　　　　どうのこうの（A　うんうん）

キタカ゜マカ゜、ドノクリー　ヤラッタノ、　　ネー。ダンダンド
北釜が、　　　　どのくらい　やられた[だ]の、ねえ。段々と

ワガッテキタンダゲンドモ。オレモ　アブナグ、モー　イズ゛ツカン
わかってきたんだけれども。私も　　危なく、　もう　一時間

エレバ、アノ　アラハマアダリノ（A　ウン）ヒー
いれば、あの　荒浜あたりの　　（A　うん）家[が]、

ナカ゜サッタドゴヌ、　アズグ　　　トールヨーナッツァガン、　ネー。
流されていたところに、あそこ[を]　通ることになっていたから、ね。

マー、ニジューサンネンノ、サンカ゜ズジューイズヌズノ、ジョータイワ、
まあ、二十三年の、　　　　三月十一日の、　　　　　　　状態は、

ソンナユージョータイデネー。スカス　アレガラヤー、ナンーーカイモ、
そのような状態でね。　　　　しかし　あれからさ、　何回も、

ツナミカ゜、ンデネ、ツナミワ　コナイゲンドモ（A　ヨスン）
津波が、　　じゃない、津波は　来ないけれども（A　余震）

ヨスンカ゜ネー。
余震がね。

018A：ウン、ウーン。デモ　コーユー、コーユーオッキーズスント　ツナミ、
うん、うん。　でも　こういう、こういう大きな地震と　　　津波[は]、

ダデーマサムネーズダイニモ　アッタンダドネ。
伊達政宗[の]時代にも　　　　あったんだってね。

019B：アッタンダ。（A　ウン）ウン。
あったんだ。（A　うん）うん。

020A：ンダガラ　ナンビャグネンニ　イッカイ。
だから　　何百年に　　　　　一回。

021B：ウン。ンダネ。
うん。そうだね。

022A：コノヘン　ソ　ソノアダリ、コノヘン　ウミダッタンダズガラ。（B　ウン）
この辺　×　そのあたり、この辺　海だったっていうから。（B　うん）

ウン。ダガラ　ソゴニ　ホラ、メデシマドガ　カサスマッツードゴ
うん。だから　そこに　ほら、愛島とか　笠島っていうところ[が]

アンノ、チメー。　ホゴ　シマダッタンダッテ。
あるの、地名[で]。そこ[は] 島だったんだって。

〔1〕ヒエ
話者Bは家を「ヒエ（ヒー）」と発音しているが、話者Aには見られない。60代の名取出身者に聞いたところ「(ただの) 息漏れ」と判断された。ただし、これ以降も安定してこの形が出てくること、県南ではヤ行の音が摩擦化しジャ行になることも考え合わせると、摩擦化したものが無声化しているとも考えられ（イエ（イェ）>ジエ（ジェ）>ヒエ（ヒェ））、方言的特徴の現れである可能性がある。

〔2〕フルマンダヨネ
直訳としては「振り回るんだよね」か。

〔3〕イガンネーヤロドオモッテ
「イガンネーダロ（ー）ドオモッテ」と言おうとしたものと思われる。

〔4〕ズデンシャバイク
自転車バイク。原動機付き自転車のことを指していると思われる。

〔5〕カウッツァ
川内沢川。名取市を流れる。

〔6〕オライノイエ、オライノズッカ
オライが「我(わ)が家(や)」であり、「家」の部分が重複するように思われるが、特にここでは家屋を指すため、イエ（ズッカ）をつけて限定している。

『伝える、励ます、学ぶ、被災地方言会話集』
<名取市　場面設定会話>

収録地点　　宮城県名取市

収録日時　　2013（平成25）年2月2日

収録場所　　話者B宅

話　者
　A　男　1947（昭和22）年生まれ（収録時66歳）　［Bの同級生］
　B　女　1947（昭和22）年生まれ（収録時66歳）　［Aの同級生］

話者出身地
　A　名取市増田（マスダ）
　B　名取市増田（マスダ）

収録担当者　　田附敏尚（東北大学大学院生・産学官連携研究員）、津田智史（東北大学大学院生）　※所属は収録時。

文字化担当者　　田附敏尚

〈 あいさつ 〉

(1) 朝、道端で友人に会ったときにどのようなやりとりを行うか。

001A：オハヨー。
　　　おはよう。

002B：オハヨーゴザリス。
　　　おはようございます。

003A：ズイブン　ハエーゴダ。ホンナニ　イソイデ　ドゴサ　イグノ。
　　　ずいぶん　早いこと。　そんなに　急いで　　どこへ　行くの？

004B：ホダネー、チョット　ビョーインニ　インカドオモッテッサ。
　　　そうだね、ちょっと　病院に　　　　行こうかと思ってさ。

005A：ンー、　ナヌカ　ドコ　グアイ　ワリーノ。
　　　うーん、なにか　どこ　具合　　悪いの？

006B：ナンダガ、カゼデモ　ヒーダンダガ、ハヤメニ　ミデモラウッチャ。
　　　なんだか、風邪でも　引いたのか、　早めに　　診てもらうよ。

007A：ウン、ホーガ。ンデ　　　　ハヤグ　イッテコイ。アレ、コマネーウジニサ。
　　　うん、そうか。それじゃあ　早く　　行ってこい。あれ、混まないうちにさ。

008B：ハーイ。
　　　はい。

009A：ハーイ、キーツケデー。
　　　はい、　気をつけて。

(2) 昼、道端で友人に会ったときにどのようなやりとりを行うか。

001A：コンニズワー。
　　　こんにちは。

002B：コンニチワー。
　　　こんにちは。

003A：ヤーヤ、　スバラグブリダナヤ。
　　　いやいや、久しぶりだねえ。

004B：ホントダネー。
　　　本当だねえ。

005A：ウーン。ナーンダ、アイカワラズ　イソイデ　ドゴサ　イグノ。
　　　うん。　なんだ、　相変わらず　　急いで　　どこへ　行くの？

006B：イーヤイヤ、オジャッコ　ノンデキタノッシャ。
　　　いやいや、　お茶　　　　飲んできたんです。

007A：ア、イヤヤ、　ホイズワ　イガッタナヤ。ウン。ハイ、ンデ
　　　あ、いやいや、そいつは　よかったねえ。うん。はい、それじゃあ

　　　コンド　　ウッツァ　イッテ、シンマッカラノスコ゜ド　スサインヨ。
　　　今度[は] うちに　　行って、昼間からの仕事　　　　　しなさいよ。

008B：ンダワネー、モハヤ　　シンマダワネー。(A　ンー) ハンニジ
　　　そうだわね、もうすぐ　昼間だわね。　　(A　うん) 半日

　　　スコ゜スノ　　ジョサネーゴダネー。ホンジャ　　マズ。
　　　過ごすの[は] 造作ないことだね。　それじゃあ　まあ。

009A：アーイ。ホデ　　　　マツ。
　　　はい。　それじゃあ　まあ。

(3) 夜、道端で友人に会ったときにどのようなやりとりを行うか。

001A：オバンナリシター。
　　　こんばんは。

002B：オバンデスー。
　　　こんばんは。

003A：ヤー、ズイブン　シー　　ミジカグナッテキタナヤ。
　　　やあ、ずいぶん　日[が]　短くなってきたねえ。

004B：ホントダネー。(A　シー)コダジガンニ　ナニッシャヤ。
　　　本当だね。　　(A　うん)こんな時間に　なんですか。

005A：アノネー、イマッカラ　ノミカイ　アンノ。
　　　あのね、　今から　　飲み会　　あるの。

006B：アー、イーゴダ。
　　　ああ、いいこと。

007A：シー　ハヤグ　クラグナッカラ　ハガイク゜ナヤ。
　　　んー、早く　　暗くなるから　　[酒が]進むなあ。

008B：{笑} ホントダネ。マー、ユックリ　ノンデコライン。
　　　{笑} 本当だね。　まあ、ゆっくり　飲んでいらっしゃい。

009A：ハーイ。
　　　はい。

010B：ホンデ　　　マズ　オミョーニジ。
　　　それじゃあ　まあ　また明日。

011A：ハーイ、イッテクッカンネー。
　　　はい、　行ってくるからね。

〈 ねぎらい 〉

(4) Bが仕事に精を出すAと会い、Aの労をねぎらう際にどのようなやりとりを行うか。

001B：ズイブン　カセク゜ネー。
　　　ずいぶん　働くね。

002A：ンダネー。スコス　タマッテスマッタガラサー、ヤンネド
　　　そうだね。少し　　溜まってしまったからさ、　やらないと

　　　ダメナンダッチャヤ。アド、スコス　コス　イデゲントモ　ガンバッテ
　　　だめなんだよ。　　　あと、少し　　腰　　痛いけれども　頑張って

　　　ヤッテンダ。
　　　やっているんだ。

003B：アンマリ　ムリスンスナヨー。
　　　あまり　　無理しなさるなよ。

004A：ワガッター、(B　ウン)アイ。(B　ハーイ)ワガリマシタ、
　　　わかった、　(B　うん)はい。(B　はい)　わかりました、

　　　アリカ゜ドネー。
　　　ありがとうね。

005B：ハーイ、カラダニ　キーデ　ヤッセヨー。
　　　はい、　体に　　　聞いて　やりなさいよ。

006A：ハイヨ、アリカ゜ド。
　　　はいよ、ありがとう。

〈勧め〉

(5)　Bが、仕事をしているAに、「少し休んでお茶とお菓子でも食べなさい」と勧める際のやりとり。

001B：ズイブン　イッショーケンメーダゴダー。
　　　ずいぶん　一生懸命だこと。

　　　ヤスミモゴクノウチ〔1〕ッテユーガラ、オジャッコデモ　ノンデ
　　　「休みもゴクのうち」っていうから、　お茶でも　　　飲んで

　　　イップグスサインヤ。
　　　一服しなさいよ。

002A：ワルイナー。ンデサー、ウーン、チョード　イーズガンダガラ、サググ〔2〕
　　　悪いな。　　じゃあさ、うん、　ちょうど　いい時間だから、　遠慮なく

　　　イダダッカー。ドレドレ。
　　　いただこうか。どれどれ。

003B：ハイ　ドーゾ。
　　　はい　どうぞ。

004B：アラ、ソーナノ。（A　ウーン）ドーゾ　アカ゜ラインン。　アカ゜ッサイン。
　　　あら、そうなの。（A　うん）　どうぞ　お上がりなさい。お上がりなさい。

005A：ウン。ンデー、サググ　　アカ゜ッド。
　　　うん。じゃあ、遠慮なく　上がるぞ。

006B：アーイ。
　　　はい。

〈訪問時の声掛け〉

(6)　昼間、AがB宅を訪れるときにどのように声をかけるか。また、返事をするか。

001A：コンニズワー、イダスカー。
　　　こんにちは、　いますか。

002B：ハーイ、イシタヨー。メズラシーゴダー。
　　　はい、　いますよ。　珍しいこと。

003A：ウーン、チョットサー、イヤ、スク゜ニ　ソーダンシテーゴド　アンダー。
　　　うん、　ちょっとさ、　いや、すぐに　　相談したいこと　　あるんだ。

〈借用の依頼と受託〉

(7)　AがBにスコップを借りるときのやりとり。（Bが貸す場合）

001A：コンニズワー。
　　　こんにちは。

002B：ハーイ。
　　　はい。

003A：シャベル　ツカワネガッタラ　カシテケサインヤ。
　　　シャベル　使わなかったら　　貸してくださいよ。

004B：イーヨー。アナデモ　ホンノスカ。
　　　いいよ。　穴でも　　掘るんですか。

005A：ンーダー。イマカラ　ガンバッテ　ヤンナクテネンダヤー。　ホシタッケ
　　　そうだ。　今から　　頑張って　　やらなきゃいけないんだよ。そうしたら

　　　オラエノ　シッ　チョット　フッチャゲッタンダンヤー。
　　　うちの　　××　ちょっと　壊れていたんだよ。

006B：アー、ソースカ。　オラエノデ　インダッタラ　　ツカワイン。
　　　ああ、そうですか。うちので　　いいんだったら　使いなさい。

007A：アー、イガスイガス。　　ンデ、　カリデインカンネー。
　　　ああ、いいですいいです。じゃあ、借りていくからね。

〈お礼〉

(8)　Aが借りたスコップをBに返しに行ったときのやりとり。

001A：コンニズワー。
　　　こんにちは。

002B：ハーイ。
　　　はい。

003A：シャベル　カリダヤズサ、ドーモ　アリカ゜ドネー。
　　　シャベル　借りたやつさ、どうも　ありがとうね。

004B：ハーイ。シコ゜ド　ハガイッタスカー。
　　　はい。　仕事　　　はかどりましたか。

005A：ンー、オガケ゜サンデネ。
　　　うん、おかげ様でね。

006B：アー、ホンデワ　イガッタネー。
　　　ああ、それでは　よかったね。

007A：ウン。
　　　うん。

〈破損の謝罪・許容・不満〉

(9)　AがBに借りたスコップを壊してしまい、謝るときのやりとり。

(9-1)　Bが構わないという場合。

001A：ジズワサ、チョコット　コワステスマッタンダヤ。
　　　実はさ、　ちょっと　　壊してしまったんだよ。

　　　チョッ　チョックラ　ミデケロ。
　　　×××　ちょっと　　見てくれ。

002B：ナニナニ。アヤヤヤ、イヤ、ッシャネッチャー。
　　　なになに。あららら、いや、仕方ないよ。

　　　オラエデモ　ズイブン　ツカッタガラ、キーツカウゴドネースト。
　　　うちでも　　ずいぶん　使ったから、　気をつかうことないですよ。

　　　イーガラ（A　ホーガ）イーガラ。
　　　いいから（A　そうか）いいから。

003A：ホーガー。ンー　ンデ　　ワリーナー。ドーモ　アリカ゜ドー。
　　　そうか。　うん　じゃあ　悪いな。　　どうも　ありがとう。

(9-2)　Bが破損に対して不満を述べる場合。

001A：ジズワサー、チョーット、カデーイシサ　ブツカッテ、サジッチョ
　　　実はさ、　　ちょっと、　硬い石に　　　ぶつかって、先っちょ

　　　コワステスマッタヤ。ミデケロヤ。
　　　壊してしまったよ。　見てくれよ。

002B：ナンダベー、ムデダゴダ。カッタバリナノニ。　オラエダッテ
　　　なんだ、　　乱暴なこと。買ったばかりなのに。うちだって

　　　ホダニ　　ツカッテネーンダヨ。マヤッテケサイン。
　　　そんなに　使っていないんだよ。弁償してください。

003A：ンダナー、コンデワ　ツカエネーワナー。ンデー、マヤウガラ。　チョット
　　　そうだな、これでは　使えないよな。　　じゃあ、弁償するから。ちょっと

　　　アシタマデ　マッテケロナヤ。
　　　明日まで　　待ってくれよなあ。

004B：イガッスー。
　　　いいですよ。

〈誘いと断り〉

(10)　AがBを近くの朝市に誘う際のやりとり。

001A：イヤヤ、　スバラグブリダネヤ。
　　　いやいや、久しぶりだねえ。

002B：ホントネー。
　　　本当ね。

003A：ウン。イマサー、ホノ、エアリノチューシャジョーデネー〔3〕、
　　　うん。今さ、　　その、エアリの駐車場でね、

　　　ユリアケ゜ノアサイズ　ヤッテンダド。
　　　閖上の朝市　　　　　　やっているんだと。

004B：アラー。
　　　あら。

005A：チョードイガッタ、イッショニ　イガネガ。
　　　ちょうどよかった、一緒に　　　行かないか？

006B：アイヤー、イギデゲントモッサー、イマカラ　オラエノトーチャンドゴ
　　　あら、　　行きたいけれどもさ、　今から　　うちの父ちゃんを

　　　イシャサ　ツレデイガナクテネーガラ、　　ワルイゲント　コンド
　　　医者に　　連れていかなきゃいけないから、悪いけれど　　今度

　　　イグガラー、マダ　サソッテケサイン。
　　　行くから、　また　誘ってください。

007A：ホーガー。トーチャンノホー　　ダイズダガンナ。ンデ　　ダイズニスロヨ。
　　　そうか。　父ちゃんのほう[が]　大事だからな。　じゃあ　大事にしろよ。

008B：ゴーメンネー。
　　　ごめんね。

〈お見舞い〉

(11)　体調を崩しているBに、Aが体の調子を尋ねる際のやりとり。

(11-1)　Bの調子がよい場合。

001A：コンニズワー。
　　　こんにちは。

002B：ハーイ。
　　　はい。

003A：ナーンダー、アンベー　ワリッテ　キーデサー、
　　　なんだ、　　具合[が]　悪いって　聞いてさ、

004B：ウーン。
　　　うん。

005A：キテミダンダゲントモ、オー、カオイロ、イーヨーダナー。ドーナノ。
　　　来てみたんだけれども、おお、顔色、　　いいようだな。　どうなの。

006B：ウーン、クスリ　キーダガシテ、コノコ゜ロ　チョーシ　インダネー。
　　　うん、　薬[が]　効いてか、　　この頃　　　調子[が]　いいんだね。

　　　オカケ゜サンデ。
　　　おかげ様で。

007A：アー、ホンデ　　イガッタナー。トスナンダガラナ、ムリスンナヨ。
　　　ああ、それじゃあ　よかったな。　年なんだからな、　無理するなよ。

008B：ハーイハイ。
　　　はいはい。

（11-2）Ｂの調子が悪い場合。

001A：コンニズワー。
　　　こんにちは。

002B：ハーイ。
　　　はい。

003A：ナーンダガ　チョーシ　ワリクテ　ネッタッテ　　チーダンダゲントモ、
　　　なんだか　　調子[が]　悪くて　　寝ていたって　聞いたんだけれども、

　　　ナンダ、ヤッパリ　スケ゜ネ〔4〕カオシテ。ドーナンダー。
　　　なんだ、やっぱり　すぐれない顔[を]して。どうなんだ。

004B：ホントナノー。オギランネクテサー、ホントデネンデガス、　マイニジ。
　　　本当なの。　　起きられなくてさ、　本調子じゃないんです、毎日。

005A：ンーガ、アンマリ　ガンバッカラヤ。ンデ、　スコス　ユックリ
　　　そうか、あんまり　頑張るからだよ。じゃあ、少し　　ゆっくり

　　　ヤスンデ。（B　ンダネー）ンー、トスナンダガラ。
　　　休んで。　（B　そうだね）うん、年なんだから。

006B：ハイハイ。（A　ハイ）スコシ　ヤスムガラネー。
　　　はいはい。（A　はい）少し　　休むからね。

007A：ンダネ、　オダイジニネ。
　　　そうだね、お大事にね。

008B：ハーイ、（A　ハイ）アリカ゜トー。
　　　はい、　（A　はい）ありがとう。

〈申し出〉

（12）体の調子が悪く、家の片付けもできないというＢに、Ａが「（私が）片付けてやろう」というときのやりとり。

001B：アノッサー、ナーンダガ、カゼバリ　　ヒーデ　ホントデネーガラ、
　　　あのさ、　　なんだか、　風邪ばかり　引いて　本調子じゃないから、

　　　イエノマワリノクサモ　ソノトーリ、ウジンナガモ　カダズガナクテ
　　　家の周りの草も　　　　その通り、　うちの中も　　片付かなくて

　　　コマッテダノッサー。
　　　困っていたのさ。

002A：ナーンダ、ソンナニ　グアイ　ワリーノガ。ドレー、マッテロ。ナーンダ
　　　なんだ、　そんなに　具合　　悪いのか。　どれ、　待ってろ。なんだ

　　　ホレァー、ハダゲノクサモ　マダ　トレネデンダッチャー。　　ヨシ、
　　　ほら、　　畑の草も　　　　まだ　取れないでいるんじゃないか。よし、

　　　ンデー、　オレ　イマヤッテダスコ゜ド　オワッタラ　コーウンチデ
　　　それじゃあ、私　今やっていた仕事　　　終わったら　耕運機で

　　　ウナッテ〔5〕ヤッカラ。
　　　掘り起こしてやるから。

003B：アイヤイヤ、アリガデゴダ。タノムッチャワー。
　　　いやいや、　ありがたいこと。頼むわ。

004A：ン。　ンデー、アド　　クッカンナー。
うん。じゃあ、あと[で] 来るからな。

005B：ハーイ。
はい。

〈禁止〉

(13) 片付けの最中に、大事な写真をAが間違って捨てようとしているときに、Bがそれを制止してどのようにいうか。

001B：アー、オラエノオッピサン〔6〕ノシャシンダガラ　ナケ゜ネデケサイン。
ああ、うちの曾祖母の写真だから　　　　　　　　捨てないでください。

ソイズ　ナケ゜　ナケ゜ダドナッタラ　バゲデ　デラレッチャワー。
そいつ　××　　捨てたとなったら　　化けて　出られるわ。

イヤイヤ、ハヤグ　キーツイデ　イガッタ。
いやいや、早く　　気がついて　よかった。

002A：アー、オレモヤ　イガッタナ、ハヤグ　オシェデモラッテ。
ああ、私もさ　　よかったな、早く　　教えてもらって。

シーナニヤ　バゲデ　デラレンダッタラ、　オレ　ウラマレンダッタナヤー。
そんなに　　化けて　出られるんだったら、私　　怨まれるんだったなあ。

イガッタ。ホレ、コイズ。ホーンデ　　コンナドゴサ　　オガネデ、
よかった。ほら、こいつ。それじゃあ　こんなところに　置かないで、

チャント　ス　スマッテオゲー。
ちゃんと　×　しまっておけ。

003B：ハイハイ。アド、ソゴラサアンノ、ミナ　　ナケ゜デモイーガラー。
はいはい。あと、そこらにあるの、みんな　捨ててもいいから。

オネカ゜イスッカラ。
お願いするから。

004A：ホガー、ホンデ　　ホイズ　ミナ　　モッテッテ　　アド
そうか、それじゃあ　これ　　みんな　持っていって　あと

ショブンスッカンナー。
処分するからな。

005B：ハーイ。
はい。

〔1〕ヤスミモゴクノウチ
話者によれば「ゴク」は「穀」であり、栄養というような意味だという。「休みを取るのも（飯を食べるのと同じように）栄養のうちだ」という意味。

〔2〕サググ
「さくい」（形容詞）の連用形か。話者によれば、「遠慮なく、気さくに」という意味。

〔3〕エアリ
名取市にある大型ショッピングセンター「イオンモール名取」の旧名。

〔4〕スケ゜ネ
「優れ無い」か。「スケ゜ネカオ」は「（気分が）すぐれない、冴えない、調子が悪そうな顔」という意味。

〔5〕ウナッテ
「うなう（耡う）」。辞書的には「耕す、畝を作る」という意味だが、ここでは「掘り起こす」という意味。

〔6〕オッピサン
　曾祖父母を指すが、ここでは曾祖母のこと。

あとがき

本書の編者は「東北大学方言研究センター」となっている。この組織は、東北大学国語学研究室で方言学を専攻する、あるいは勉強する学生と教員の集まりである。これまで、東北方言を中心に全国の方言の研究に取り組んできた。

そのような中、東日本大震災の発生はセンターの活動内容を一変させた。被災地のために支援者向けの方言パンフレットを作成したり、方言スローガンの効用を調査したりと実践的な取り組みに足を踏み出したことがそれである。また同時に、これも被災地支援の一環として始めたのが方言会話の記録作業であった。最初は震災の記憶を風化させないために、被災された方々にその体験を語ってもらっていたが、その後、本書のような場面設定会話の記録へと駒を進めた。この点は「まえがき」にも記したとおりである。

会話を収録し、文字化資料を作成する作業は、方言学を専門とする院生たちが中心となって進めた。その中には、震災の発生当時、避難所暮らしを余儀なくされた学生たちも含まれている。不自由な環境の中から、この取り組みは出発したのである。

それにしても、現地に出かけて方言会話を収録するのはなかなかたいへんな作業であり、持ち帰った音声を文字化する作業はそれに輪をかけて困難であった。膨大な時間を本文確定に費やしたが、院生たちはよくそれに耐えた。被災地への支援の気持ちと新たな会話資料を創造する意欲がそれを支えたものと思われる。

本書の中核を占める『生活を伝える被災地方言会話集』1～4には主に４名の院生たちが携わった。研究室に出てくれば会話集の制作に明け暮れた彼らがどのような気持ちで作業に取り組んだか、またそこで何を経験したか、ひとことずつ感想を寄せてもらった。以下に紹介しよう。

▼『被災地方言会話集』は東日本大震災に伴いコミュニティ崩壊の危機にさらされた方言の記録、地域アイデンティティの１つで、聞けばふるさとが呼び起こされるという心情的な言語の記録、さらに支援者が地域のことばを知り、被災者に寄り添うためのコミュニケーション言語の記録、という３つの“記録”を目指して始まった取り組みだった。震災から一年、その傷は癒えぬまま、研究への使命感はもとより、被災地で暮らし、日頃から被災地の方々に支えられている一学徒として何ができるのかを全員が真剣に考えていた。その方向性が決まっても、調査の方法、項目、場所、対象など課題が山積していた。自由会話の記録にあたっては、本当に被災者に震災のことを語らせてよいのか、時期尚早ではないのか、という懸念が調査地に入ってなお拭えなかったが、震災の記憶を風化させてはいけないという被災者の使命感に触れ、それに応えることが私たちの役割だと気

づいた。場面設定会話の収録では、こちらの設定した場面と話者の体験がリンクし、思い出話を交えながら、次第に表情もほぐれ、自然な会話を収録することができた。『被災地方言会話集』は人がそこに生きている証である。多くの方が手に取り、耳で聞き、その目で見てほしい。(内間早俊)

▼方言会話の収録は、非常に和やかな雰囲気で進んだ。何度も伺ううちに話者同士・話者と調査者の関係性も深まり、収録にも慣れていただいたおかげで、笑いの絶えない収録現場であった。苦労したのは、やりとりに臨場感を出し、自然に演じてもらうための工夫である。初めは瓶や茶碗など、会話に登場する小道具を１場面に１つ使用することにした。そのうちに、次の会話収録ではサンマの模型や発泡スチロールの箱を使おう、福引の抽選機も必要だ、と小道具の数も増えていき、収録時には「小道具係」という係ができた。当時は自然なことと考えていたが、今考えると方言調査に「小道具係」とは不思議な感じがする。それだけでは満足せず、屋外での収録にも臨んだ。道端や玄関先などで、会話場面を完全に再現することにしたのである。実際にやってみると音声収録や映像に関する問題が出てきたが、部屋の中で着座して会話していただくよりも自然な会話になったのではないかと思う。調査者で知恵を絞って考える作業は大変だったが、話者も笑いながら快く実演を引き受けてくれ、自然な会話を収録するために、と話者と調査者で一丸となって会話収録に取り組んだことがたいへん印象に残っている。(坂喜美佳)

▼会話集作成作業の中では、会話の文字化作業のことが強く記憶に残っている。会話を分担して文字に起こしたものを持ち寄り、全員で音声を聞き直しながら、聞こえや共通語訳を確認・検討する検討会は、会話集作成において最も重い作業だったと思う。慎重を期して文字化したはずの会話が検討会の場では異なって聞こえる、メンバーの中で聞こえの判断や意見が割れる、想定よりも１つの会話の検討に時間がかかり作業が遅れる、などは日常茶飯事のことであった。しかし、検討会はたいへんながらも非常にやりがいがあった。検討会に際して様々な資料を調べたり、出現した表現に関して考えを出し合ったり、地域ごとの会話の傾向について話したりと、今振り返ると勉強には非常に恵まれた環境で、とても貴重な時間だった。本書の編集にあたって、久々に会話集を見直した。会話の分量の多さに面食らい、表記の統一作業の終わりが見えず焦ったこともあった。しかし、何回も会話を見直し、表記の仕方を考える作業に、当時の検討会を思い出して懐かしい気持ちになった。数年をかけて話者の方々や研究室のメンバーたちと取り組んできたものが、今回形になると思うと感慨深い。会話集作成時からお世話になった皆様に深く感謝申し上げる。(佐藤亜実)

▼私にとってとりわけ思い出深いのは、動画の撮影である。会話の場面を動画で撮影するという試みが始まったのは第３集からで、当初はカメラを動画撮影のモードに切り替えて、いかにも間に合わせ的に撮影していたが、第４集からは、ビデオカメラを投入して本格的に動画撮影を行うようになった。ところが私は、ビデオカメラがあれば何とかなるだろうと気軽に考えていたうえ、当時は撮影自体にも正直なところあまり関心がなかったので、事前にしっかり準備することもなく、撮影に臨んでしまい、その結果は惨憺たるものだった。玄関で撮影した際には引き戸のガラス越し

に入る光が逆光となって、話者の姿が真っ黒になってしまったし、屋外の撮影では録音機に風防を付けなかったせいで、風がマイクにあたって大きなノイズが生じてしまった。さらに、画面には録音機を手に持った学生が大きく映り込んでいて、ときには話者よりも目立っていると思えるほどだった。逆光には人物を明るくするレフ板、風にはウィンドジャマーのような風防、録画中の録音には離れたところからでも録音できるガンマイク、そんなものが必要だと気付いたのは、撮影がすべて終わった後だった。これらの反省点は、今後の収録があれば、ぜひ改善したいと考えている。

（小原雄次郎）

この会話集がどのように作られたか、その一端をご覧になっていただけたと思う。

それにしても、こうした私たちの取り組みをまとまったかたちで世に送り出せたのは、ひつじ書房のおかげである。松本功社長には膨大な資料の出版にご理解いただき、相川奈緒さんには編集の面倒を親身になってみていただいた。この点への感謝も忘れることはできない。

東北大学方言研究センター
小林　隆

付属 CD-ROM について

【収録内容】

■会話資料の音声データ（MP3 形式）　全 409 ファイル

01 気仙沼市

気仙沼市 _ 生活を伝える被災地方言会話集 1	95 ファイル
気仙沼市 _ 生活を伝える被災地方言会話集 2	35 ファイル
気仙沼市 _ 生活を伝える被災地方言会話集 3	28 ファイル
気仙沼市 _ 生活を伝える被災地方言会話集 4	27 ファイル

02 名取市

名取市 _ 生活を伝える被災地方言会話集 1	93 ファイル
名取市 _ 生活を伝える被災地方言会話集 2	36 ファイル
名取市 _ 生活を伝える被災地方言会話集 3	26 ファイル
名取市 _ 生活を伝える被災地方言会話集 4	37 ファイル

03 付録 _ 伝える、励ます、学ぶ、被災地方言会話集

気仙沼市	16 ファイル
名取市	16 ファイル

［ファイル名について］

○生活を伝える被災地方言会話集 1 ～ 4 のファイル名

例：1-1（1）_ 気仙沼 .mp3　（「1-1. 荷物運びを頼む—①受け入れる」の気仙沼市のデータ）

・「1-1」は会話集の番号と場面番号を表す。①②のように組み合わせて場面を設定してあるものについては、(1)（2）のように括弧付き数字を付す。これらの番号の後に地域名を付す。

○付録のファイル名

例：気仙沼市（自由会話）.mp3　（気仙沼市の自由会話のデータ）

気仙沼市（場面設定会話）(1) .mp3

（気仙沼市の場面設定会話「(1) 朝、道端で友人に会ったときにどのようなやりとりを行うか」のデータ）

・自由会話は「地域名（自由会話)」とする。

・場面設定会話は「地域名（場面設定会話)」とし、括弧付き数字は場面番号を表す。

■会話資料のテキストデータ（DOC 形式）　全 1 ファイル

生活を伝える方言会話［資料編］会話資料 .docx

※この CD-ROM は、音楽用 CD プレイヤーでは再生できません。
パソコンで再生するか、パソコンから携帯 MP3 プレイヤーなどに転送してご利用ください。

※本データを引用および使用する場合は、必ず出典元を明記してください。

【編者紹介】

東北大学方言研究センター

「東北大学方言研究センター」とは、東北大学国語学研究室の方言部門のことである。当研究室は方言学をひとつの研究の柱としてきたが、2004（平成16）年、その活動が総長指定の特別プロジェクトに選ばれたことを機に、「東北大学方言研究センター」と名乗るようになった。東北地方各地の臨地調査や全国1000地点規模の通信調査などによる方言の記録活動のほか、東日本大震災発生以降は、被災地の支援に向けた実践的な方言学にも取り組んでいる。成果に、『支援者のための気仙沼方言入門』（私家版）、『方言を救う、方言で救う—3.11被災地からの提言—』（ひつじ書房）などがある。

生活を伝える方言会話［資料編］
—宮城県気仙沼市・名取市方言

Dialect Conversation to Convey Life [Text] :
Dialects of Kesennuma City and Natori City, Miyagi Prefecture
Edited by Tohoku University Dialect Research Center

発行　2019年10月21日　初版1刷
定価　9,600円＋税　分析編と2冊セット・分売不可
編者　© 東北大学方言研究センター
発行者　松本功
装丁者　萱島雄太
印刷・製本所　三美印刷株式会社
発行所　株式会社 ひつじ書房
〒112-0011 東京都文京区千石2-1-2 大和ビル2階
Tel.03-5319-4916 Fax.03-5319-4917
郵便振替 00120-8-142852
toiawase@hituzi.co.jp http://www.hituzi.co.jp/

ISBN978-4-89476-985-4

生活を伝える方言会話［資料編・分析編］—宮城県気仙沼市・名取市方言
Dialect Conversation to Convey Life [Text and Analysis] :
Dialects of Kesennuma City and Natori City, Miyagi Prefecture
ISBN978-4-89476-984-7